De Holocaustmonumenten van Europa

Oorspronkelijke titel: *The Holocaust Sites of Europe; An Historical Guide*
Copyright © 2010 Martin Winstone

Deze uitgave is tot stand gekomen door een samenwerking met I.B. Tauris & CO Ltd., Londen, Verenigd Koninkrijk.

Copyright © Nederlandse vertaling 2014, BBNC uitgevers bv, Amersfoort
Vertaling: Piet Dal voor Imago Mediabuilders, Amersfoort
Omslagontwerp: Peter Beemsterboer, Eemnes
Ontwerp binnenwerk en zetwerk: Imago Mediabuilders, Amersfoort
Druk- en bindwerk: Ten Brink bv, Meppel

ISBN 978 90 453 1583 6
NUR 689 Oorlog en vrede

www.bbnc.nl

De Holocaustmonumenten van Europa

van Europa

Een historische gids

MARTIN WINSTONE

BBNC uitgevers
Amersfoort, 2014

Voor hen die de vlam brandende houden

Inhoud

Kaarten

Voorwoord

Martin Winstone heeft al degenen die belang stellen in de Holocaust een dienst bewezen. En hij heeft datzelfde gedaan voor een steeds groter aantal mensen uit veel landen en van steeds verder weg, dat naar de plaatsen reist waar in de oorlog Joden en andere slachtoffers van de rassenpolitiek van de nazi's werden opgesloten en vermoord. Dit is zowel een geschiedenisboek als een reisgids, want een schat aan historische details wordt gecombineerd met de praktische informatie waaraan een bezoeker behoefte heeft.

Belangrijk voor een goede reisgids is dat ervan genoten kan worden in de eigen luie stoel, zonder dat men zijn huis of stad hoeft te verlaten. Dit boek beantwoordt daar geheel en al aan. Op de bladzijden staan veel plaatsen beschreven die ik graag zou willen zien, maar waarvan ik weet dat ik ze nooit zal kunnen bezoeken. Martin Winstone laat me mijn wensen vervullen zonder dat ik mijn huis uit hoef.

Zijn beschrijvingen zijn weliswaar altijd afgestemd op de feiten en de praktische aspecten, maar bevatten tegelijk ook levendige details. In dit boek staat een beschrijving van de aard van het concentratiekampsysteem van de nazi's. Er wordt een verklaring gegeven van de verschillen in type en karakter van de kampen en er wordt gewezen op de rol die steden en getto's speelden in het vernietigingsproces. Martin Winstone is niet tevreden met een beschrijving, hij wil zijn lezers ook beter laten begrijpen wat de Holocaust inhield. Zoals hij het beschrijft: 'De Holocaust ging niet alleen over een gruwelijke, bijna gemechaniseerde massamoord, maar ook over de poging individuen te vernietigen en daarmee tegelijk een hele beschaving die eeuwenlang in Europa een grote bloei had gekend.' Dit wordt vaak vergeten.

Ook vergeten – of zwaar veronachtzaamd – is het euthanasieprogramma van de nazi's waarmee al voor de massamoord op de Joden werd begonnen; hetzelfde geldt voor het lot van de Sinti en Roma. Martin Winstone geeft deze aspecten van de oorlog tegen burgers echter hun gepaste plaats. Zoals de kaarten in dit boek aantonen, leidt hij de lezer land voor land naar plaatsten die bezocht kunnen worden. Hij beschrijft die gedetailleerd, voorziet ze van een weloverwogen historische achtergrond en stelt zowel de bezoeker als de leunstoelreiziger in staat een helder inzicht te krijgen in de reikwijdte, aard en omvang van de verschrikkingen waaraan ruim zes decennia geleden een eind kwam, maar waarvan de schaduwen, invloed en nalatenschap ons tot op de dag van vandaag vergezellen.

Sir Martin Gilbert

Dankbetuiging

Ik zou graag allen bij I.B. Taurus willen bedanken die hebben bijgedragen aan de totstandkoming van dit boek en met name Lester Crook voor zijn niet aflatende enthousiaste steun. Liz Friend-Smith en Jayne Ansel hebben op een verstandige wijze toezicht gehouden op het redactieproces, terwijl Rohini Krishnan en haar team zorgden voor een soepel verlopende productie.

De grootste dank ben ik Sir Martin Gilbert verschuldigd en dat niet alleen vanwege zijn mooie voorwoord en voortreffelijke kaarten, maar ook voor het delen van zijn ongeëvenaarde kennis en voor de aanmoedigingen, adviezen en gastvrijheid waarmee hij en zijn vrouw Esther mij sinds het begin van dit project steeds hebben ontvangen. Zonder de steun die ze mij vanaf het allereerste begin gaven zou mijn taak veel moeilijker zijn geweest.

Speciale dank ben ik ook verschuldigd aan Mike Tregenza, uit Lublin, die zo overvloedig zijn kennis, tijd en vriendschap met mij deelde. Mike's schoonzoon bleek een uitstekende chauffeur te zijn, terwijl hun vrouwen Basia en Boýena Gadzała samen met Darek Gadzała en Dorota bijzonder gastvrij waren.

Tussen de velen die in de loop van de tijd hulp en raad gaven, zou ik vooral dank willen zeggen aan Gabi Hadar en Sharon May van Jad Wasjem, Benton Arnovitz van het United States Holocaust Memorial Museum, professor David Cesarani, Alex Maws van het Holocaust Educational Trust, Kay Andrews, Zhenia Ivanova, Marina Bergmann, Eva Cyhlarova,

Rachel Kostanian van het Wilna Gaon Joods Staatsmuseum, het personeel van het Joodse kerkhof in Wenen, Caroline Evans, het personeel van
het Bełżec Memorial Museum, Teresa en Giza Gdula, en de twee Roemenen van de Rava-Ruska militia.

Op een persoonlijker vlak ben ik enorm veel verschuldigd aan wijlen Daniel en Jona Weiser en aan Naava Piatka, omdat ze mij zo ruimhartig
lieten delen in hun herinneringen – en dan heb ik het nog niet over hun
liefde en vriendelijkheid. Dank ook aan alle andere leden van de grote
familie Utin. Natuurlijk wil ik mijn ouders bedanken voor hun niet aflatende liefde en bemoediging. Tot slot wil ik als belangrijkste Elizabeth
Burns bedanken voor veel meer dan de foto's die deze bladzijden sieren.
Zij vormde de wezenlijke inspiratie voor dit boek en zonder haar liefde
en steun zou het nooit zijn voltooid. Daarom is het opgedragen aan haar
en aan al degenen die haar voor gingen.

Inleiding

De Holocaust – de moord op ongeveer zes miljoen Joden door de Duitse nazi's en hun collaborateurs in de Tweede Wereldoorlog – is de grootste misdaad uit de geschiedenis. Er was sprake van een menselijke en geografische schaal die ver uitstijgt boven andere vormen van genocide waarvan de twintigste eeuw was vergeven. Duizenden plaatsen in heel Europa werden in verband gebracht met de tragedie, maar afgezien van een paar zeer bekende uitzonderingen, bleven de meeste na de oorlog uit het zicht en waren de namen slechts bekend bij overlevenden, daders en een klein aantal geschiedkundigen. Afgezien van deze groepen zouden uiteraard weinig mensen eraan hebben gedacht om zulke plaatsen te bezoeken. Deze situatie is in het recente verleden echter ingrijpend veranderd: miljoenen mensen reizen nu elk jaar naar vroegere kampen, getto's en andere plaatsen des doods.

De redenen voor deze ontwikkeling zijn verschillend. Deels is het gewoon een praktische zaak. Het merendeel van de belangrijkste locaties lag ruim vier decennia achter het IJzeren Gordijn, dat een doelmatige en psychologische barrière opwierp. De ommekeer is echter ook een afspiegeling van onze grotere bewustwording van de Holocaust. Uitgebreid onderzoek, in combinatie met het opengaan van eerder gesloten archieven, houdt in dat geschiedkundigen nu veel meer weten dan dertig of zelfs twintig jaar geleden. De Holocaust is een populair cultureel onderwerp geworden en heeft in de meeste democratieën een centrale rol in het onderwijsprogramma gekregen. Binnen deze laatste context gaat een reis naar de belangrijke locaties steeds meer een sleutelrol vervullen. Voor anderen kunnen de motieven persoonlijker zijn. Terwijl de associaties voor een oudere generatie misschien te dichtbij kwamen en te pijnlijk waren, willen veel jongere Joden deze plaatsen vaak heel graag bezoeken en niet alleen om te rouwen, maar ook om de levendige gemeenschappen te gedenken waarvan hun voorouders eeuwenlang deel uitmaakten. Dit komt het duidelijkst tot uiting in de jaarlijkse Mars van de Levenden, die duizenden Joodse jongeren uit de hele wereld naar Polen brengt, waar ze deelnemen aan educatieve activiteiten en op Jom Hasjoa (herdenking van de Holocaust in Israël op de 27e Niesan) van Auschwitz naar Birkenau lopen. En dan zijn er nog heel veel mensen zonder persoonlijke band, die niettemin de slachtoffers willen eren en die meer over hun lot te weten willen komen.

Het zou dom zijn om te beweren dat men door een bezoek aan deze plaatsen echt ooit zou kunnen begrijpen welke vreselijke dingen hier hebben plaatsgevonden. Een van de bijzondere kenmerken van de Holocaust is immers dat het allemaal zo onvoorstelbaar lijkt. En terwijl dat verleden langzaam uit het levende geheugen verdwijnt, neemt met het verstrijken van de jaren ook het aantal overlevenden (en daders) af, waardoor alleen nog zulke plaatsen overblijven als de belangrijkste tastbare herinnering aan wat er is gebeurd. De getuigenissen van de overlevenden echter en het werk van historici zullen en moeten altijd op de eerste plaats blijven komen. Maar met eigen ogen de uitgestrekte ruïnes van Birkenau aanschouwen of geschokt zijn bij het zien van het kleine gebied dat nodig was om in Treblinka bijna één miljoen mensen te vermoorden, kan iemands begrip een andere dimensie verlenen.

SOORTEN LOCATIES

De Holocaust wordt in het algemeen in verband gebracht met een betrekkelijk gering aantal plaatsen (voornamelijk in Polen en Duitsland), maar in werkelijkheid was er in vrijwel elk land dat door het Derde Rijk was bezet of dat er een bondgenoot van was, sprake van een Holocaust. Een alles omvattende gids van Holocaustlocaties zou de omvang hebben van een encyclopedie, dus is voor dit boek helaas, maar onvermijdelijk, een keuze gemaakt: met verontschuldigingen voor de vele omissies. Maar ook al vormen de geselecteerde locaties slechts een fractie van de vele plaatsen die worden geassocieerd met de Holocaust, hiermee wordt wel aangetoond wat er op continentale schaal gebeurde.

Het is niet alleen de geografische verscheidenheid die kenmerkend is voor de locaties die verband houden met de Holocaust. Begrijpelijk kwam de grootste nadruk te liggen op de gaskamers, als het ultieme symbool van de geïndustrialiseerde moordmachine die door de nazi's werd geschapen, maar daarmee kan over het hoofd worden gezien dat de Duitsers en hun bondgenoten de Joden en bepaalde andere groepen vermoordden wanneer en hoe ze maar konden. Dit houdt in dat de term 'holocaustlocatie' naar een grote verscheidenheid van plaatsen kan verwijzen, waarvan de voornaamste categorieën hieronder zijn opgesomd.

Kampen

De nazikampen zijn volgens de algemene opvatting synoniem met de Holocaust en ze waren wel degelijk verantwoordelijk voor de dood van het grootste deel van de slachtoffers. Het gangbare gebruik van de aanduiding 'concentratiekamp' voor de beschrijving van al dit soort instellingen is echter misleidend, omdat het systeem veel verschillende soorten kampen omvatte met elk een andere functie en rol.

Strikt genomen waren concentratiekampen voornamelijk plaatsen waar tegenstanders van het regime gevangengezet en gestraft werden. Hoewel veel mensen in de kampen stierven als gevolg van de slechte behandeling, was moord niet de voornaamste functie. De eerste kampen verschenen enkele weken nadat Hitler tot kanselier was benoemd en de eerste bewoners waren politieke gevangenen als socialisten en vakbondsleden die later gezelschap kregen van zogenaamde 'asocialen' als homoseksuelen, bedelaars en bepaalde categorieën misdadigers. In de eerste jaren van het nazisme bestond hun rol uit bestraffing en 'heropvoeding' met als doel de wil van de gevangenen te breken door zware arbeid en strikte discipline, waarbij ook uren werden doorgebracht op de appèlplaats (*Appellplatz*). De aard van de kampen veranderde echter aan het eind van de jaren dertig, waardoor ze meer gingen lijken op de goelags van Stalin. Gevangenen werden niet meer gedwongen om slopend maar vaak zinloos werk te doen, maar werden steeds vaker gebruikt als bron van slavenarbeid voor ondernemingen die contracten hadden met de SS of die SS-eigendom waren. Er werden nieuwe en grotere kampen gebouwd, die vaak in de buurt van een steengroeve lagen. Na het uitbreken van de oorlog werden ook kampen opgezet in bezette gebieden en daarvan is Auschwitz I in Polen het beruchtst. In de latere stadia van de oorlog werd de economische rol van de kampen nog belangrijker nadat het besluit was genomen om gevangenen in te zetten bij de wapenproductie. Er ontstonden bijvoorbeeld kampen als Mittelbau-Dora waarvan de gevangenen werden gedwongen uitgestrekte tunnelcomplexen te graven waar wapenfabrieken naartoe verhuisden.

Hoe verschrikkelijk de concentratiekampen ook waren, Joden vormden tot de laatste jaren van de oorlog slechts een minderheid onder de gevangenen. Joden die in de beginjaren naar kampen werden gestuurd, werden eerder geïnterneerd vanwege hun opvattingen dan om hun ras (ook al kregen ze zelfs in dit stadium de slechtste behandeling). Grotere aantallen werden later in de jaren dertig en vooral na de pogrom van de *Kristallnacht* in 1938 gearresteerd, maar de meesten werden vrijgelaten na de belofte het Reich te zullen verlaten. Toen tijdens de oorlog in sommige kampen gaskamers werden gebouwd, werden die eerder benut voor de moord op verzwakte gevangenen dan voor een systematische uitroeiing. Pas vanaf 1944 kregen de meeste concentratiekampen een centrale rol in de genocide, voornamelijk als gevolg van de opmars van het Rode Leger. In de USSR en Polen moesten honderdduizenden overlevende Joden en andere gevangenen tijdens dodenmarsen in westelijke richting trekken naar het steeds kleinere aantal kampen dat nog in Duitse handen was. De overbevolking die daarvan het gevolg was, resulteerde in de dood van tienduizenden, door ondervoeding, ziekte en de wreedheid van de SS. Het waren deze taferelen die de geallieerde bevrijders van kampen als Bergen-Belsen en Buchenwald onder ogen kregen, waardoor deze namen in de westerse wereld synoniem werden met de Holocaust.

Veel meer Joden werden evenwel vermoord in nog afschuwelijker plaatsen verder naar het oosten: de vernietigingskampen. Er wordt vaak beweerd dat er zes van dergelijke moordcentra waren, die allemaal in

Polen lagen, maar wederom is de werkelijkheid complexer. Vier van dergelijke kampen werden eind 1941 en begin 1942 gebouwd: Chełmno, waar slachtoffers in gasauto's werden vermoord (voertuigen waarvan de uitlaatgassen richting de afgesloten laadruimte werden gevoerd) en de drie *Aktion Reinhardt*-kampen (Bełżec, Sobibór en Treblinka) die vaste gaskamers hadden waar grote machines koolmonoxide in pompten. Alle vier de kampen hadden moord tot doel en dan voornamelijk op Poolse Joden. Een handjevol mensen van elk transport kon worden uitgekozen voor werk rond het kamp, in werkplaatsen die gestolen goederen van slachtoffers verwerkten of als *Sonderkommandos* die de lijken moesten opruimen, maar ook zij zouden uiteindelijk worden gedood. Het al bestaande kampcomplex in Auschwitz werd voornamelijk in het grote satellietkamp Birkenau een extra moordcentrum voor Joden uit geheel bezet Europa. De meeste mensen werden meteen bij aankomst vergast, hoewel een minderheid werd geselecteerd voor dwangarbeid. Het concentratiekamp Majdanek had ook gaskamers (waarin net als in Auschwitz-Birkenau het verdelgingsmiddel Zyklon B werd gebruikt) waarin duizenden Poolse Joden werden vermoord. Veel slachtoffers van Majdanek werden echter doodgeschoten (waaronder 18.000 op één dag in november 1943), waaruit blijkt dat niet zozeer het gebruik van gifgas maar wel het toepassen van massamoord bepalend was voor de aanduiding vernietigingskamp. Buiten Polen waren er nog twee andere kampen die zelfs door geschiedkundigen vaak over het hoofd worden gezien en waar slachtoffers werden gedood in gasauto's (Maly Trostenets in Wit-Rusland en Sajmisste in Servië), terwijl Janovska in Oekraïne geen gaskamers had, maar wel de locatie was waar tussen de 100.000 en 200.000 Joden werden vermoord.

Het verschijnen van de vernietigingscentra bevorderde het opzetten van doorgangskampen. Terwijl de overlevende Joden uit Polen en de Sovjet-Unie al grotendeels zaten opgesloten in getto's, werden de Joden in andere landen meestal samengebracht in grote opvangcentra van waaruit de meesten na een paar dagen of soms maar enige uren naar Polen werden gedeporteerd. Doorgangskampen stonden meestal onder direct Duits toezicht, maar sommige, zoals Drancy in Frankrijk, werden lange tijd beheerd door het plaatselijke regime. Dit belicht een ander facet van de Holocaust dat vaak over het hoofd wordt gezien: de rol van de Duitse bondgenoten. Italië en Hongarije weigerden hun Joden te deporteren (transporten begonnen in elk geval pas na de Duitse inval) maar andere landen deden er gewillig aan mee. De meest extreme voorbeelden waren het Kroatische *Ustaše*-regime waarvan het grote Jasenovac kampcomplex verantwoordelijk was voor de dood van tienduizenden mensen, en de Roemeense bezetters van de Oekraïense regio Transnistrië, waar meer dan 100.000 mensen stierven in een verzameling tijdelijke kampen en getto's.

De mate waarin de kampen zijn blijven staan wisselt aanzienlijk en varieert van het bijna volledig intacte Auschwitz I tot het lege terrein van Maly Trostenets. Het laatste werd net als de meeste vernietigingskampen verwoest, in een poging het bewijsmateriaal te laten verdwijnen. Bij *Aktion 1005* die tussen 1942 en 1944 werd uitgevoerd, werden lijken opgegraven uit de kuilen waarin ze waren begraven om op grote brandstapels te worden verbrand. Er is meer over van de voormalige concentratiekampen, omdat die nog in gebruik waren toen ze werden bezet door de geallieerden, hoewel de meeste barakken na de oorlog werden gesloopt. Feitelijk zijn de enige kampen die afgezien van Auschwitz nog min of meer compleet zijn, kampen als Sereď in Slowakije, die tegenwoordig verbazingwekkend genoeg nog steeds in gebruik zijn, vaak als een militaire basis.

Massamoordlocaties

De genocide op de Joden begon niet in vernietigingskampen, maar met massale executies met vuurwapens in Litouwen, Letland, Wit-Rusland en Oekraïne. De belangrijke escalatie van de nazipolitiek naar systematische moord vond plaats na de inval in de USSR in juni 1941, toen het Duitse leger werd gevolgd door *Einsatzgruppen*. Tijdens de eerste weken van de inval vermoordden deze mobiele SS-eenheden Joodse mannen en communistische functionarissen. In de loop van de zomer breidden hun operaties zich echter uit en werden hele Joodse gemeenschappen het doel. Slachtoffers werden naar plaatsen buiten dorpen en steden gebracht, vaak bossen of velden, waar ze normaal gesproken het bevel kregen zich uit te kleden en aan de rand van grote kuilen te gaan staan om te worden doodgeschoten. De Duitse moordenaars kregen in bepaalde gebieden, zoals Litouwen en West-Oekraïne, hulp van plaatselijke bewoners. Niettemin was er binnen de SS een toenemende bezorgdheid over de psychologische invloed van de schietpartijen op de mannen van de *Einsatzgruppen* waardoor men begon te zoeken naar een 'humanere' manier van doden – humaner voor de daders. Dit had tot gevolg dat vanaf eind 1941 niet alleen vernietigingskampen werden opgezet, maar ook gasauto's werden geleverd. Tegen juni 1942 waren in de USSR twintig van dergelijke wagens operationeel.

De *Einsatzgruppen* vermoordden meer dan één miljoen mensen, de meesten tegen het eind van 1941. Toen de oorlog een andere wending nam, werden op sommige van de belangrijkste executieplaatsen *Aktion 1005* operaties uitgevoerd, maar het aantal plaatsen was te groot en het Rode Leger trok te snel op om het bewijsmateriaal volledig te vernietigen. De communisten hadden echter weinig belangstelling voor herdenkingen op plaatsen waar voornamelijk Joden hadden geleden. Aan dergelijke plekken werd over het algemeen geen aandacht besteed of ze kregen in het beste geval een eenvoudig, nietszeggend gedenkteken. Sinds 1991 zijn er enkele indrukwekkende nieuwe monumenten opgericht, maar er zijn nog altijd honderden massagraven in de voormalige USSR die niet zijn aangegeven en die grotendeels onbekend zijn.

Steden en getto's

De Joodse bevolking van Europa woonde in overgrote meerderheid in de steden, dus kregen de meeste Joden voor het eerst in hun eigen steden en dorpen met de wreedheid van de nazi's te maken. Zodra Hitler aan de macht kwam, werden de Joden onderworpen aan gewelddadige aanvallen en een steeds groter scala aan discriminerende maatregelen, een patroon dat zich herhaalde in elk land dat door Duitsland werd bezet. De duidelijkste uiting van het fenomeen was de vorming van getto's. Het eerste werd eind 1939 opgezet in Polen en rond begin 1941 waren er getto's in de meeste grote Poolse steden. Het doel schijnt te zijn geweest om de Joodse gemeenschap te concentreren en te isoleren, dit vooraf-gaand aan de uiteindelijke deportatie naar een niet nader omschreven locatie, waarbij in 1939-1940 werd gedacht aan de regio Lublin in Polen en zelfs aan Madagaskar. Ook gedurende deze periode kwamen duizenden om in de overvolle en vaak onhygiënische wijken waarin ze opgesloten zaten. Na de massamoorden werden de overlevende Joden van de USSR eind 1941 en 1942 ook gedwongen in getto's ondergebracht. In dezelfde periode werden grote aantallen Joden vanuit het Reich naar enkele van de oostelijke getto's gestuurd.

Hoewel er variaties waren, hadden de meeste getto's gemeenschappelijke kenmerken. Eén van die kenmerken was het bestaan van een Joodse Raad (*Judenrat*) – of soms een Raad van Ouderen (Ältestenrat) – die verantwoordelijk was voor het uitvoeren van de Duitse eisen. In sommige getto's werden de leden gekozen door de eigen bevolking, in andere lag de keus bij de Duitsers. De *Judenräte* vormen een van de meest controversiele aspecten van de Holocaust, maar in de meeste gevallen probeerden de leden wel degelijk hun gemeenschappen te beschermen en vele ontwikkelden uitgebreide welzijns- en schoolsystemen voor de steeds erger verarmde inwoners. Uiteindelijk waren ze echter overgeleverd aan de genade van de Duitsers. Toen in 1942 massadeportaties naar de vernietigingskampen begonnen, werd van de leiders van de *Judenrat* vaak geëist om voor namenlijsten te zorgen. Sommigen weigerden, anderen gaven toe (in het laatste geval is het goed om te bedenken dat de meeste Poolse Joden aanvankelijk nauwelijks een idee hadden wat de bestemming van de transporten was). Waar Joodse leiders medewerking weigerden, zorgde de SS zelf voor de selectie. In de loop van 1942 en 1943 werd de bevolking van getto's steeds verder teruggebracht door een reeks massa-arrestaties die men *Aktionen* noemde. Sommige gettoleiders dachten dat de resterende Joden konden worden gered door samenwerking met de Duitsers en zij lieten de Joodse politie van de getto's samenwerken met de nazi's. Degenen die in de getto's achterbleven, waren vooral arbeiders die werkzaam waren in de oorlogsindustrie en er werd aangenomen dat de Duitsers deze belangrijke arbeidskrachten niet zouden willen kwijtraken. Ideologie werd echter belangrijker gevonden dan de zakelijke benadering en in 1943 gaf Himmler bevel de resterende getto's te vernietigen. In 1944 was er nog slechts een handvol over. De *Aktionen* kregen in 1943 vaak te maken met tegenstand van de ondergrondse organisaties die in een aantal getto's waren ontstaan. Het betrekkelijk geringe aantal Joden dat de liquidaties overleefde, werd overgebracht naar werkkampen waar de meesten eind 1943 of in 1944 werden vermoord.

Er werden over het algemeen geen getto's opgezet in andere landen. Een uitzondering was Theresienstadt in Bohemen (1941-1945) en een aantal tijdelijke getto's in Hongarije in 1944. Toch vormden ook elders de steden het middelpunt van de Holocaust. In sommige landen waren dat de plaatsen waar pogroms plaatsvonden met als beruchtste de *Kristallnacht* in Duitsland en Oostenrijk in november 1938. Hoewel dit voorbeeld werd georganiseerd door de nazi's, ontstonden gewelddadige aanvallen op Joden soms spontaan vanuit lagen van de plaatselijke bevolking. Dit was bijvoorbeeld gebeurd toen de Duitsers acht maanden eerder Wenen waren binnengemarcheerd (hetzelfde vond in 1941 plaats in sommige steden in de USSR). In steden werden synagogen verwoest en begraafplaatsen geschonden. Vooral waren het de plaatsen waar miljoenen Joden woonden en waar ze werden gearresteerd en gevangengezet voordat ze naar een doorgangskamp werden gestuurd of direct op transport naar een vernietigingskamp in het oosten werden gezet. Schijnbaar onschuldige gebouwen – een wielerbaan in Parijs, een schouwburg in Amsterdam, een tentoonstellingsgebouw in Praag – werden stations in deze vreselijke reis.

Steden maken ook op een andere manier de schaalgrootte van de Holocaust duidelijk. Bij de Holocaust ging het niet alleen om het gruwelijke mechanisme van de massamoord, maar ook om de poging om zowel individuen als een hele beschaving die eeuwenlang in Europa had gebloeid, totaal te vernietigen. Hoewel de mate waarin sporen van deze beschaving nog aanwezig zijn aanzienlijk verschillen, kan men in elke stad die in dit boek voorkomt, nog fragmenten van het verleden tegenkomen – een voormalig gebedshuis of misschien een vervaagd Jiddisch teken op een muur – fragmenten die, hoe vergankelijk ook, een verbinding kunnen leggen met de wereld van vóór de nazitijd, terwijl ze ons ook in herinnering kunnen roepen wat er verloren is gegaan.

'Euthanasie'-centra

Zelfs voordat de massamoord op de Joden begon, hadden de nazi's zich al ingelaten met een politiek van genocide – dat wil zeggen, een systematische poging om een hele, zogenaamd biologisch bepaalde groep mensen met inbegrip van zelfs kinderen en ouderen te vernietigen – gericht op mensen met een handicap. Daarbij werd door de nazi's de term 'euthanasie' gebruikt, maar wel op een totaal andere manier dan wat we er tegenwoordig onder verstaan. Zelfs voordat Hitler aan de macht kwam, was er in Duitse wetenschappelijke en medische kringen een opmerkelijke steun voor het idee dat gehandicapten een 'leven onwaardig om te leven' vertegenwoordigden, een aanduiding die schrikbarend gevoelloos was en toch veel werd gebruikt. Vanaf 1933 hadden mensen die zulke theorieën aanhingen een regering die gevoelig was voor hun overtuiging. In juli van dat jaar werd een nieuwe wet ingevoerd die sterilisatie verplicht stelde voor mensen die aan een verscheidenheid van zogenaamd erfelijke kwalen leden (waaronder schizofrenie, epilepsie, doofheid en zware vormen van alcoholisme). Rond 375.000 mensen werden tot 1945 slachtoffer van deze wet. Maar zowel Hitler als sommige wetenschappers waren van plan nog verder te gaan. Al in 1935 merkte de Führer in kleine kring op dat 'gedwongen euthanasie' zou worden ingevoerd zodra er een oorlog kwam.

Feitelijk werden de plannen daarvoor al in 1939 gemaakt met de beslissing gehandicapte kinderen te doden. De eerste moorden vonden waarschijnlijk in oktober plaats en gingen de hele oorlog in bepaalde ziekenhuizen door, te beginnen op kinderen van drie jaar of jonger, maar later op alle kinderen. Sommige artsen pasten verhongering toe, maar de gebruikelijkste methode was het toedienen van een overdosis medicijnen. Ongeveer vijfduizend kinderen werden zo vermoord. Ergens in 1939 besloot Hitler het programma uit te breiden tot gehandicapte volwassenen, een logistiek veel grotere operatie. In feite ging het om twee afzonderlijke, maar gelijktijdig lopende campagnes. In bezet Polen, waar de nazi's zich niets aantrokken van de publieke opinie, ruimden speciale SS-eenheden gestichten op door de patiënten gewoon dood te schieten. In het Reich werd een afdeling van Hitlers kanselarij verantwoordelijk gemaakt voor de organisatie van de massamoord op gehandicapten. De codenaam hiervoor werd T4, naar het adres Tiergartenstrasse 4 in Berlijn. Er werden zes instituten uitgekozen om als moordcentrum te dienen, hoewel er nooit meer dan vier tegelijk operatief waren. Slachtoffers werden uitgekozen op basis van vragenlijsten die werden ingevuld door het personeel (dat het echte doel van de formulieren niet kende) van het instituut waarin ze gehuisvest waren. Een commissie van drie T4-artsen nam op grond van die formulieren een beslissing. Joodse patiënten werden zonder meer gedood, nadat hun familie te horen had gekregen dat ze naar een kliniek in Polen waren gestuurd van waaruit valse overlijdensaktes werden verzonden.

Hoewel er kleine verschillen waren tussen de locaties, was de basisprocedure identiek. Patiënten werden aangevoerd in grote, grijze bussen die waren geleverd door de SS. Bij aankomst kregen ze de opdracht zich uit te kleden, werden ze ingeschreven en dan bekeken door twee artsen. Dit oppervlakkige onderzoek was niet beslissend voor hun lot (dat stond al vast), maar om te bepalen wat een plausibele doodsoorzaak voor de overlijdensakte was. Dan werden ze naar gaskamers geleid. Ook in Polen werd steeds meer gebruik gemaakt van gas. De allereerste experimentele gaskamer stond in oktober 1939 in Poznań, terwijl gasauto's – een andere vinding van de nazi's – gedurende heel 1940 langs psychiatrische klinieken in West-Polen reden.

In augustus 1941 kwam een officieel bevel van Hitler om met de T4-moorden te stoppen. Waarschijnlijk was dit een gevolg van de toenemende publieke onrust (het werd langzamerhand onmogelijk om de waarheid over de moorden verborgen te houden voor plaatselijke gemeenschappen). Tot dan toe waren zo'n 70.000 mannen en vrouwen gedood in de T4-centra. Dit betekende echter niet dat er een eind kwam aan de 'euthanasie' van de nazi's. De moord op kinderen bleef doorgaan, terwijl het doden buiten Duitsland eveneens onverminderd doorging: tijdens de zomer van 1941 schoten de *Einsatzgruppen* patiënten van Sovjetklinieken dood. Bij het zoeken van de SS naar een 'humaan' alternatief voor de massale schietpartijen in de herfst van 1941, werden in gestichten in Minsk en Mogilev experimenten op patiënten uitgevoerd met respectievelijk dynamiet en gas. Hitler had ook niet bevolen te stoppen met het doden van gehandicapte volwassenen in Duitsland en Oostenrijk. Ze mochten alleen niet langer in de T4-centra vergast worden. De rest van de oorlog werd dus de periode van 'wilde euthanasie', waarbij patiënten werden vermoord in instituten door het hele Reich met methoden die eerder op kinderen werden gebruikt. In minstens één ziekenhuis ging het doden door tot eind mei 1945, dus na afloop van de oorlog. Daarbij werden de resterende T4-centra niet ontruimd. Eén centrum werd een belangrijke locatie van 'wilde euthanasie', terwijl gaskamers van de andere drie centra bleven werken met alleen andere slachtoffers, want zelfs voordat Hitler bevel gaf om te stoppen was in het voorjaar van 1941 een nieuwe operatie gestart – onder de codenaam 14f13 – waarbij uiteindelijk bijna 20.000 verzwakte concentratiekampbewoners werden vermoord. Men denkt dat het totale dodental van de kindermoorden, T4, 'wilde euthanasie' en 14f13 samen rond de 200.000 heeft gelegen. Het aantal mensen met een handicap dat in Polen en de USSR werd vermoord, is onbekend.

De verbanden tussen de genocide op de gehandicapten en op de Joden gaan verder dan een gemeenschappelijke ideologie, omdat het ook om dezelfde moordmethodes en hetzelfde personeel ging. De drie *Aktion Reinhardt* kampen hadden personeel dat dienst had gedaan bij T4, en in Chełmno zat het Lange Commando, dat eerder zijn gasauto's had gebruikt om gehandicapten in Polen te vermoorden. De moordlocaties van het 'euthanasie'-programma dienden dus als prototypes voor de vernietigingskampen. De meeste van deze locaties kregen na de oorlog hun oorspronkelijke medische functie terug en de duistere geschiedenis werd grotendeels vergeten. Dit is de laatste twintig jaar echter veranderd en in alle voormalige T4-centra en in verscheidene andere ziekenhuizen zijn nu aangrijpende tentoonstellingen.

Kampen voor Sinti en Roma

Slechts drie groepen waren het doelwit van systematische uitroeiing door de nazi's: Joden, gehandicapten en 'zigeuners'. De laatste term wordt meestal afgewezen door de mensen die ermee worden aangeduid, dus is in dit boek gebruikgemaakt van de termen Sinti en Roma waaraan zij de voorkeur geven. De Sinti en Roma hebben een gemeenschappelijke oorsprong, maar worden nu beschouwd als afzonderlijke etnische groepen. De Sinti woonden vooral in Duitsland, terwijl de grootste gemeenschappen Roma te vinden waren in Midden-Europa en de Balkan. De nazipolitiek tegenover hen was niet volledig consequent en sommige raciale theoretici bewonderden zelfs schoorvoetend hun gebruik om vooral binnen hun eigen gemeenschap te trouwen en zo hun 'raszuiverheid' te handhaven. Als gevolg daarvan werden voornamelijk mensen in gemengde relaties of mensen die het product daarvan waren, het doelwit van vervolging, een heel andere situatie dan waarin de Joden zich bevonden. Niettemin werden alle Sinti en Roma beschouwd als raciaal inferieur en dit kwam tot uiting in de nazipolitiek. De vervolging begon met hun opname bij de 'asociale' groepen die in concentratiekampen werden geïnterneerd. In de latere jaren dertig werden speciale 'zigeunerkampen' opgezet. De oorlog zorgde al snel voor een radicalere politiek die vergelijkbaar was met de behandeling van de Joden. In 1940 begonnen dan ook deportaties van de 'zigeuners' naar Polen. De *Einsatzgruppen* vermoordden Sinti en Roma tijdens de inval in de USSR, terwijl soortgelijke moorden werden gepleegd in Servië en door de *Ustaše* in Kroatië. Poolse Roma werden vaak opgesloten in getto's, wat ook een groep uit Oostenrijk overkwam die naar Łódź werd gestuurd. De laatste groep werd in Chełmno vermoord, terwijl de Poolse Roma samen met tienduizenden Sinti en Roma van elders uit Europa naar Auschwitz-Birkenau werden gedeporteerd. Het uiteindelijke dodencijfer zou minstens 220.000 bedragen. De mate van vernietiging was in Bohemen zo groot, dat zelfs de plaatselijke variant van het Romani nu niet meer bestaat.

Veel van de plaatsen die worden geassocieerd met de genocide op de Sinti en Roma (*Porajmos* in Romani) zijn dezelfde als die in verband worden gebracht met de Joodse Holocaust, zoals Auschwitz-Birkenau of Łódź. Op dergelijke plaatsen zijn in het laatste decennium vaak passende herdenkingsmonumenten opgericht. Triest genoeg is dat meestal niet het geval op plaatsen die uitsluitend in verband zijn te brengen met het leed van de Sinti en Roma.

Musea en monumenten

In elk land dat in dit boek voorkomt, staan monumenten voor de slachtoffers. En in een groot aantal van die landen zijn musea te vinden, maar
dat is niet altijd zo geweest. Herdenken was met name een probleem in
Oost-Europa waar zelfs belangrijke locaties vaak geen aandacht kregen
of werden gemarkeerd met eenvoudige monumenten die simpel waren
gewijd aan 'Sovjetburgers' of 'slachtoffers van het fascisme'. De nalatigheid om de specifiek Joodse aard van de tragedie te belichten, gaf uitdrukking aan de heersende ideologie waarin de oorlog werd voorgesteld
als een strijd tussen fascisme en antifascisme, het laatste natuurlijk vertegenwoordigd door het communisme. Het idee dat Joden werden gedood
omdat ze Jood waren, paste niet in dit plaatje, zeker gezien het antisemitisme waartoe de communistische regimes geneigd waren tijdens Stalins
laatste jaren en na de Zesdaagse Oorlog. Hoewel er in Polen in de jaren
zestig enkele monumenten werden opgericht, was in het algemeen pas na
het ontstaan van Solidarność en Gorbatsjov in de jaren tachtig een eerlijkere benadering van het verleden mogelijk.

Herdenken ging gemakkelijker in West-Europa, maar bleef nog steeds
verrassend beperkt. Hoewel de belangrijkste kampen in de jaren zestig
herdenkingsplaatsen waren geworden en het leed van de Joden algemeen
werd erkend, bestond er nog steeds een neiging om dat een onderdeel te
maken van de herinneringen aan de collectieve ontberingen. Ironisch genoeg was het enige land dat minstens vanaf eind jaren zestig voor een
eerlijkere benadering koos West-Duitsland, waar het natuurlijk onmogelijk was om te doen alsof de hele bevolking tegen de nazi's was geweest of
onder de nazi's had geleden (zelfs Oost-Duitsland koesterde de troost
biedende mythe dat het als erfgenaam van de communistische slachtoffers van het nazisme de 'goede Duitsers' vertegenwoordigde).

Gelukkig is er de laatste twee decennia veel veranderd, hoewel er nog
steeds aanzienlijke verschillen zijn tussen en binnen landen. Er zijn veel
voortreffelijke nieuwe musea en honderden nieuwe gedenktekens. De
laatste kunnen niet allemaal rekenen op algemene instemming, want er is
bewijsmateriaal waaruit men zou kunnen opmaken dat overlevenden en
families van slachtoffers liever figuratieve monumenten zien dan de ab-

stracte concepten die de overhand lijken te hebben. Niettemin is het feit dat er zoveel monumenten zijn, op zich al een positief teken dat getuigt van de wens te gedenken.

PRAKTISCHE ASPECTEN

De overvloed aan nieuwe musea en monumenten duidt erop dat locaties kunnen veranderen, een proces dat ongetwijfeld door zal gaan. Ook openingstijden en entreeprijzen wijzigen. Waar mogelijk zijn daarom websites voor elke locatie aangegeven en het is raadzaam om die voor een bezoek te raadplegen.

Hoewel veel locaties nogal afgelegen liggen, zijn ze allemaal per auto bereikbaar en de meeste zijn dat ook per openbaar vervoer. Is er geen openbaar vervoer, dan kan men normaal gesproken een taxi nemen vanaf een stad of station in de buurt. Een aantal touroperators biedt reizen aan naar Holocaustlocaties die heel goed georganiseerd en informatief kunnen zijn. Zou men echter behoefte hebben aan een gids en dan met name voor locaties die misschien niet in dit boek zijn opgenomen, zoals een specifiek voorouderlijk *shtetl*, dan kan men vaak beter contact opnemen met het plaatselijke Joodse museum of de Joodse gemeenschap. Waar mogelijk zijn websites in de tekst opgenomen.

Dit is geen algemene reisgids, dus wordt het aan bezoekers overgelaten hun eigen accommodaties te vinden, waartoe veel boeken en websites advies bieden. Bezoekers die koosjer wensen te eten, vinden een database met restaurants op www.shamash.org/kosher. Hoe verder oostelijk men echter in Europa komt, hoe moeilijker het vaak wordt om dergelijke gelegenheden te vinden, hoewel de laatste jaren in Polen veel restaurants 'in Joodse stijl' zijn geopend, die niet-koosjere versies aanbieden van klassieke Asjkenazi-schotels.

Sommige bezoekers maken zich misschien zorgen over antisemitisme in Europa. Hoewel het dwaas zou zijn om te ontkennen dat dergelijke vooroordelen bestaan, moet men wel erg veel pech hebben om dat direct persoonlijk te ervaren. Er kan graffiti worden gevonden op begraafplaatsen of Holocaustmonumenten, maar deze zijn meestal het werk van kleine, ultrarechtse groepen of tieners, en vertegenwoordigen niet de maatschappij als geheel. Feitelijk is er in sommige landen – en met name in Duitsland en Polen – vooral onder de jongere generatie sprake geweest van een hernieuwde belangstelling voor Joodse geschiedenis en cultuur. Een vorm van racisme die in sommige landen helaas zichtbaar kan zijn, is gericht tegen de Roma, die een gemarginaliseerde en verarmde groep blijven.

1
Frankrijk

D e geschiedenis van de Holocaust in Frankrijk is controversiëler en paradoxaler dan in bijna enig ander land. De Vichy-regering was in oorlogstijd één van de slechts twee zogenaamd autonome regimes (Slowakije was het andere) dat Joden uit het eigen gebied overdroeg aan de nazi's. Maar ook al ging de officiële collaboratie veel verder dan in de meeste andere landen, toch overleefde ruim driekwart van de Franse Joden de oorlog.

Er is al bewijsmateriaal uit de eerste eeuw dat wijst op een Joodse aanwezigheid in het latere Frankrijk. Het koninkrijk werd in de middeleeuwen een belangrijk centrum van Joods leven. De opkomst van het antisemitisme bracht echter een terugkerend patroon van verbanning en terugkeer met zich mee, tot de Joden in 1394 bij decreet definitief werden verdreven. Joodse gemeenschappen waren daarna alleen nog maar te vinden in gebieden die in het begin van de moderne tijd werden geannexeerd, en dan voornamelijk in de Elzas. Het was de Franse Revolutie die verandering bracht in hun toestand omdat Joden in 1791 voor het eerst in Europa volledige burgerlijke gelijkheid werd verleend. Deze ommekeer zorgde voor een sterk geïntegreerde gemeenschap die werd gekenmerkt door assimilatie, patriottisme en – ondanks de verderfelijke Dreyfusaffaire in de jaren 1890 – een sterk geloof in de Franse staat. Dit begon echter in de jaren 1880 te veranderen. Terwijl het aantal inheemse Joden nauwelijks toenam, verviervoudigde de totale bevolking tussen 1880 en 1939 als gevolg van immigratie. De eerste nieuwkomers waren op de vlucht voor tsaristische pogroms, maar vreemd genoeg kwam de grote

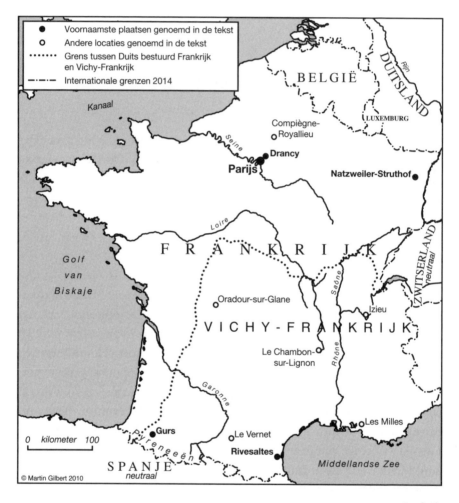

- ● Voornaamste plaatsen genoemd in de tekst
- ○ Andere locaties genoemd in de tekst
- ······· Grens tussen Duits bestuurd Frankrijk
  en Vichy-Frankrijk
- —·—·— Internationale grenzen 2014

Kanaal

BELGIË

DUITSLAND

Rijn

LUXEMBURG

Compiègne-
○Royallieu

Seine

●Drancy

Parijs

Natzweiler-Struthof●

Loire

FRANKRIJK

Golf
van
Biskaje

ZWITSERLAND
neutraal

○Oradour-sur-Glane

Saône

Izieu

VICHY-FRANKRIJK

Le Chambon-
sur-Lignon

Rhône

Garonne

○Les Milles

0   kilometer   100

Pyreneeën

●Gurs

○Le Vernet

Rivesaltes

© Martin Gilbert 2010

SPANJE
neutraal

Middellandse Zee

Frankrijk

meerderheid van immigranten het land na de Eerste Wereldoorlog binnen, en daarbij waren ook Joden uit het Derde Rijk. De Joodse bevolking van rond 330.000 zielen kende in 1939 dus zogenaamd een verdeling in respectabele, seculiere, Franstalige 'Franse' Joden uit de middenklasse, en radicale, religieuze, Jiddisch sprekende, arme 'buitenlandse' Joden. In werkelijkheid was het natuurlijk veel ingewikkelder, niet in het minst vanwege een verzachting van de naturalisatiewetten in 1927. Volgens de staat en ook in de ogen van veel Joden zelf, bestond er echter een tweedeling tussen de Joden in Frankrijk die tijdens de Holocaust van betekenis zou zijn.

Zoals algemeen bekend dolf Frankrijk in mei 1940 snel het onderspit tegen de Duitsers. De wapenstilstand van de volgende maand verdeelde het land in de bezette zone (het noorden en de Atlantische kust) onder rechtstreeks Duits bestuur, en de 'vrije' zone (het zuiden) geregeerd door het Vichyregime van maarschalk Pétain. Minder bekend is dat Vichy in het noorden nog steeds de soevereiniteit bezat en daar het eigen beleid kon opleggen zolang dat niet botste met de politiek van de Duitsers. Dit hield in dat de regering Pétain een sleutelrol speelde in de Holocaust. Dit kwam tot uiting in het *Statut des Juifs*, anti-Joodse wetten die in oktober 1940 werden afgekondigd: zonder aandringen van Duitsland. Duitse druk was in maart 1941 verantwoordelijk voor het opzetten van het *Commissariat général aux questions juives* (Algemeen bureau voor Jodenaangelegenheden). Deze ontwikkelingen weerspiegelden de toenemende belangrijkheid van Eichmanns vertegenwoordiger Theodor Dannecker en dat gold ook voor de arrestatie in 1941 van enkele duizenden buitenlandse Joden die naar interneringskampen werden gestuurd. De meeste van deze kampen stonden echter ook onder leiding van Franse autoriteiten. Sommige dateerden al van voor de wapenstilstand en waren gebruikt voor het interneren van vluchtelingen uit de Spaanse Burgeroorlog en voor veronderstelde 'vijandelijke vreemdelingen' waarmee uiteraard Duitsers en Oostenrijkers – onder wie veel Joden – werden aangeduid die waren gevlucht voor Hitler.

De escalatie van de nazipolitiek in 1942 werd vooruitgeholpen door het aantreden van Pierre Laval als eerste minister, in april. Laval wilde geen toestemming geven voor de deportatie van Franse burgers, maar stemde volledig in met het afvoeren van in het buitenland geboren Joden en verraste zelfs de Duitsers door ook aan te dringen op de deportatie van kinderen. In het noorden begonnen in juli massa-arrestaties, in augustus gevolgd door het zuiden (vijf maanden voordat geallieerde landingen in Afrika de Duitsers en Italianen dwongen het gebied te bezetten). De meeste gevangengenomen Joden kwamen terecht in het doorgangskamp in de Parijse voorstad Drancy voordat ze verder naar het oosten werden getransporteerd. Tot 1944 werden ruim 70.000 Joden gedeporteerd in meer dan zeventig konvooien en van hen overleefden slechts 2566 de oorlog. Als we dit aantal van 70.000 optellen bij degenen die werden geëxecuteerd of die in Franse kampen stierven, hebben minstens 77.021 mensen het leven verloren, bij benadering 24% van de Joden die in 1939 in Frankrijk woonden.

Een andere manier om de cijfers te interpreteren, bestaat echter uit de erkenning dat 76% van de Franse Joden de oorlog heeft overleefd, een van de hoogste percentages in de bezette landen. Hoe dit kwam, heeft geschiedkundigen lang geïntrigeerd. Het antwoord is duidelijk niet te vinden in de officiële politiek van Vichy, ofschoon die er wel verantwoordelijk voor was dat grootschalige razzia's op in Frankrijk geboren Joden pas in 1943 begonnen. De Italiaanse bezetting van het zuidoosten in november 1942 zorgde ook voor een betrekkelijk veilig toevluchtsoord, tot Italië zich in september 1943 overgaf. Tegen die tijd had de oorlog duidelijk een andere keer genomen en dus waren Franse ambtenaren veel minder genegen om mee te werken, terwijl ook veel Joden hadden kunnen onderduiken. Deze laatste ontwikkeling werd vergemakkelijkt door de geografie van Frankrijk maar in veel grotere mate door de inspanningen van een geëngageerde minderheid. Tot die minderheid behoorden ook Joden zelf en daarnaast was er een verscheidenheid aan welzijnsorganisaties en reddingsnetwerken. Ook waren er speciale groepen niet-Joden waarvan protestantse gemeenschappen uit de Auvergne en de Languedoc het bekendst zijn. In meer algemene zin maakte de aanvankelijke publieke onverschilligheid plaats voor een toenemende schaamte over de arrestatie van vrouwen en kinderen in 1942, waardoor een grotere bereidheid ontstond om te helpen, al was het maar door wat 'welwillend opzijleggen' is genoemd – ambtenaren die geen aandacht besteedden aan dubieuze documenten, stedelingen die geen vragen stelden aan nieuwkomers en dergelijke.

Voor 1990 waren herdenkingen voornamelijk gericht op plaatsen die uitsluitend in verband werden gebracht met Duitsers, waardoor de geschiedenis van de Joodse tragedie slechts werd beschouwd als een beperkt onderdeel van een algemenere en ruimere Franse tragedie. Er zijn nu openbare herdenkingen die de rol van de Franse staat erkennen, terwijl de laatste tijd ambitieuze musea zijn geopend of worden gebouwd. Ze behoren tot de indrukwekkendste van Europa en zijn een nogal late erkenning van de verschrikkingen die Franse Joden – soms door eigen landgenoten – zijn overkomen.

PARIJS

Met een Joodse bevolking van ongeveer 200.000 zielen was Parijs in 1939 de thuisstad van bijna twee derde van de Franse Joden. In de middeleeuwen was de stad tot aan de verdrijving van de Joden in de veertiende eeuw een belangrijk centrum van Joods leven en Joodse wetenschap geweest. Emancipatie moedigde in de negentiende eeuw vestiging in de stad aan, maar toch telde de Joodse bevolking in 1880 nog geen 50.000 mensen. Dit veranderde door de immigratiegolven daarna: tot 1939 kwamen 110.000 Joden naar de stad, van wie 90.000 uit Oost-Europa. Het resultaat was een van de meest gevarieerde Joodse gemeenschappen van het continent.

De inval van de Duitsers bracht in de stad een exodus op gang, maar veel Joden besloten na de wapenstilstand terug te keren, omdat ze gerust gesteld werden door de stabiliteit die Pétain scheen te vertegenwoordigen en door de rapporten over het 'correcte' gedrag van Duitse troepen. Zelfs na antisemitische incidenten in de zomer van 1940 werkten de meesten mee, toen de Duitsers in oktober bepaalden dat er een telling moest plaatsvinden van de Joden in de bezette zone. Volgens de resultaten woonden er 149.734 Joden in de regio Parijs (ongeveer 10% registreerde zich niet). Die resultaten vormden de basis voor de eerste massa-arrestaties gericht op mannelijke 'buitenlandse' Joden in mei 1941: 3747 mannen werden naar interneringskampen gestuurd. Meer razzia's volgden in augustus en december. Na de Wannseeconferentie werden de mensen die in december waren geïnterneerd, naar Auschwitz gestuurd en werden plannen gemaakt voor massadeportaties. In de *grande rafle* van 16 en 17 juli 1942 werden 12.000 buitenlandse Joden gearresteerd, de grootste operatie van dien aard en ook een operatie die de meningsvorming in de hoofdstad sterk beïnvloedde. Tegen eind augustus waren vrijwel al deze mensen in Birkenau vermoord. Razzia's bleven in 1943 en 1944 doorgaan, waarbij ook voor in Frankrijk geboren Joden de kans om te worden opgepakt, steeds groter werd. Desondanks bleven duizenden Joden in de stad wonen. Van hen zaten velen ondergedoken, maar anderen waren 'legaal' omdat ze geluk hadden of konden rekenen op welwillende bureaucraten. Schattingen van het aantal Joden in Parijs ten tijde van de bevrijding in augustus 1944 variëren van 20.000 tot 50.000.

De meeste overlevenden keerden na de oorlog terug. Hoewel ongeveer een derde van de bevolking uit 1940 was vermoord, groeide de gemeenschap weer snel, deels door de immigratie uit de Franse koloniën in Noord-Afrika. Het gevolg is dat Parijs thans naar schatting een Joodse bevolking heeft van 300.000 zielen, waarmee het zonder meer de grootste gemeenschap in Europa is en tevens een van de zeer weinige die met haar vitaliteit en diversiteit de Holocaust heeft doorstaan.

Le Marais en omgeving

Tegen het eind van de negentiende eeuw waren er in heel Parijs Joodse gemeenschappen, maar de historische ziel van Joods Parijs was Le Marais, in het derde en vierde arrondissement, en ondanks veel nieuwe, niet-Joodse bewoners is dat vandaag de dag nog steeds zo. Hier woonden de meeste Parijse Joden ten tijde van de middeleeuwse verbanning. Toen ze begin negentiende eeuw in grote aantallen terugkeerden, trokken ze weer naar Le Marais. Hun kinderen en kleinkinderen werden welvarender en verhuisden naar rijkere delen van de stad, waarop zich weer nieuwe golven immigranten in het gebied vestigden. Dit stadsdeel kreeg daardoor een karakter dat leek op het Londense East End of de New Yorkse Lower East Side. Zelfs nu is het een van de weinige plekken in Europa waar men

Jiddisch kan horen praten. Het hart van deze gemeenschap wordt gevormd door het *Pletzl* (Jiddisch voor 'plein'), de groep straten rond de Rue des Rosiers (Métro Saint-Paul). De vooroorlogse sfeer is misschien het best bewaard gebleven in de Rue des Ecouffes, een straat met kleine gebedshuizen, koosjere slagers en Joodse winkels die van de Rue des Rosiers naar het zuiden loopt. De Agudath Hakehilot Synagoge in art-nouveaustijl op de evenwijdig lopende Rue Pavée nummer 10, werd op Jom Kipoer 1940 door de nazi's opgeblazen, maar werd na de oorlog herbouwd. Te midden van falafelwinkeltjes, Hebreeuwse boekwinkels en exclusieve boetieks van de Rue des Rosiers zijn verwijzingen te vinden naar de donkerste uren van de wijk in de plaquettes die vermoorde bewoners gedenken. Het jongste slachtoffer, Paulette Wajncwaig van nummer 16, was één maand oud. Plaquettes bij het nabijgelegen Rue des Hospitalières-St-Gervais 8 gedenken de 165 scholieren van de Joodse jongensschool op dit adres die werden gedeporteerd om te sterven, en hun hoofdonderwijzer Joseph Migneret die tientallen van zijn leerlingen redde voordat ook hij werd vermoord.

Ten zuiden van de *Pletzl* staat op de Rue Geoffroy l'Asnier het Mémorial de la Shoah, zonder meer het indrukwekkendste holocaustmuseum van Europa (zo-vr 10.00-18.00, do tot 22.00; toegang gratis; www.memorialdelashoah.org). Het complex werd in de jaren vijftig van de vorige eeuw gebouwd en oorspronkelijk bedoeld als het *Mémorial du Martyr Juif Inconnu*, nu een verweerd bouwwerk waarop de namen van belangrijke kampen zijn gegraveerd en dat is omgeven door basreliëfs van holocausttaferelen van de in Litouwen geboren kunstenaar Arbit Blatas. De herbouwde locatie die in 2005 werd onthuld, heeft duidelijk veel denkwerk en geld gekost, wat goed is te zien als men langs de *Mur des Noms* loopt waarop de namen met geboortedatum staan van de ruim 70.000 vermoorde Franse Joden. De permanente tentoonstelling gaat over de geschiedenis van de Holocaust en toont op evenwijdige muren de ontwikkelingen in Frankrijk en Europa als geheel. Er wordt doeltreffend gebruikgemaakt van video, en persoonlijke voorwerpen en biografieën zorgen ervoor dat men individuele tragedies nooit uit het oog verliest. De tentoonstelling komt ten slotte uit bij het hartverscheurende *Mémorial des Enfants*, 2500 foto's van vermoorde kinderen. Andere verdiepingen bevatten de crypte – een symbolische graftombe die as uit de vernietigingskampen bevat – en voortreffelijke tijdelijke exposities. Computerschermen op de benedenverdieping stellen bezoekers in staat de lijsten van gedeporteerden te doorzoeken, terwijl familieleden op afspraak inzage kunnen krijgen in de politiedossiers van slachtoffers die door de voormalige president Jacques Chirac aan het museum werden overgedragen. Op de buitenmuur van het complex tonen gedenkplaquettes langs de Allée des Justes de namen van Franse burgers die zijn onderscheiden met de titel Rechtvaardige onder de Volkeren.

Verder naar het zuiden ligt verborgen op de oostpunt van het Île de la Cité het *Mémorial des Martyrs de la Déportation* (dag. 10.00-12.00 en 14.00-19.00) dat toegankelijk is via een poort bij de Pont de l'Archevêché. Het monument uit 1962 is opgedragen aan alle Franse burgers die door de Duitsers werden gedeporteerd en bevat de graftombe van de Onbekende Gedeporteerde, met aan weerszijden daarvan gekleurde glazen staafjes en citaten van bekende Franse schrijvers. Hoewel het monument ongetwijfeld is gedateerd, blijft het een ijzingwekkende plaats.

Het Parijse Museum van Joodse kunst en geschiedenis ligt ten noorden van het *Pletzl* in een elegant herenhuis aan de Rue du Temple 71 (ma-vr 11.00-18.00, zo 10.00-18.00; € 8,00; www.mahj.org). Op de binnenplaats staat een standbeeld van kapitein Dreyfus om ons te herinneren aan een eerdere vervolging. Het museum toont op een fantasievolle manier een mengeling van geschiedenis, rituelen en bepaalde plaatsen en brengt zo op een doeltreffende manier de veelzijdigheid van de Joodse ervaringen over, wat nog wordt versterkt door een opmerkelijke reeks voorwerpen. De muren van een kleinere binnenplaats die vanaf de trap zichtbaar zijn, dragen de namen van de bewoners van dit gebouw die zijn gestorven – net als in de Berlijnse Große Hamburger Straße is dit het werk van de kunstenaar Christian Boltanski.

De Vélodrome d'Hiver

Buiten het métrostation Bir Hakeim gedenkt het Place des Martyrs Juifs du Vélodrome d'Hiver – nauwelijks opgemerkt door de menigte die op

Parijs: Monument *Vélodrome d'Hiver* (foto van de auteur)

weg is naar de Eiffeltoren – een van de meest tragische episodes van de Holocaust in Frankrijk. De *grande rafle* van 16-17 juli 1942 was niet de eerste grootschalige razzia, maar deze schokte de Parijzenaars wel het diepst doordat de slachtoffers merendeels vrouwen en kinderen waren. Vanaf vier uur in de ochtend van *jeudi noir* (16 juli) kamden 4500 politiemensen de hoofdstad uit. Tegen vijf uur in de middag van de volgende dag hadden ze 12.884 mensen opgepakt: 3031 mannen, 5802 vrouwen en 4051 kinderen. Het definitieve aantal dat een paar dagen later werd opgegeven, was 13.152. Dit was in feite veel minder dan het aantal dat op politielijsten stond, omdat veel Joden bij het horen van geruchten over de ophanden zijnde operatie waren ondergedoken. De cijfers van de politie geven wel aan dat algemeen werd gedacht dat alleen mannen slachtoffer zouden zijn, waardoor vooral vrouwen en kinderen werden opgepakt. Bijna vijfduizend werden direct naar Drancy gebracht vanwaar ze eind juli naar Auschwitz werden gestuurd. Gezinnen met kinderen onder de zestien jaar werden echter soms wel een week lang geïnterneerd in de *Vélodrome d'Hiver*, een overdekte wielerbaan die aan de kruising van de Rue Nélaton en de Rue du Docteur Finlay lag. Meer dan 8000 mensen werden daar onder afschuwelijke omstandigheden gevangen gehouden. De enkele overlevenden herinneren zich vooral het lawaai, het gebrek aan medische zorg en boven alles de vreselijke stank. Uit de '*Vél d'Hiv*' werden ze vervolgens overgebracht naar doorgangskampen in het departement Loiret. De Duitsers waren oorspronkelijk van plan alleen de volwassenen te deporteren, maar bij onderhandelingen met Dannecker voorafgaand aan de razzia had Laval (die mogelijk de arrestatie van Franse burgers wilde voorkomen) geopperd ook kinderen op te pakken. Hiervoor was echter toestemming van Berlijn nodig en die kwam pas begin augustus. De ouders en oudere kinderen werden dus vanaf eind juli naar Auschwitz gedeporteerd, terwijl over het lot van de jongste kinderen nog een beslissing moest worden genomen. Daardoor bleven ongeveer 3500 feitelijk verweesde kinderen bijna zonder toezicht in de kampen achter onder omstandigheden waarvan men zich slechts vaag een voorstelling kan maken. Zodra de toestemming kwam, werden de doodsbange en verwarde kinderen – de jongsten konden zich soms hun eigen naam niet meer herinneren – naar Drancy gestuurd. Daar werden ze in zeven konvooien naar Auschwitz overgebracht. Elke trein bevatte 500 kinderen en 500 volwassenen die geen familie waren, een gevolg van de opdracht uit Berlijn geen transporten met alleen kinderen naar het oosten te sturen. Geen enkel kind overleefde het.

De *Vélodrome* werd later gesloopt, maar de trieste geschiedenis wordt herdacht met twee monumenten. Een klein park aan de Boulevard de Grenelle ten zuiden van de Rue Nélation en de Rue Saint-Charles bevat een herdenkingsplaquette en ten zuidwesten van Bir Hakeim, de trappen op tussen de Quai de Grenelle en de Seine staat in een hoger gelegen park een prachtig standbeeld. De tekst op het voetstuk van het monument erkent de medeplichtigheid van de Franse staat.

Andere plaatsen

De voormalige *Levitan* meubelzaak in de Rue du Faubourg Saint-Martin 85-87 in het tiende arrondissement werd in juli 1943 veranderd in een subkamp van kamp Drancy. 'Bevoorrechte' Joden – bijvoorbeeld degenen die waren getrouwd met niet-Joden – moesten hier goederen uit leegge-plunderde appartementen uitzoeken voor transport naar Duitsland. Een plaquette herdenkt deze geschiedenis. In het nabijgelegen Gare de l'Est is een gedenkplaat gewijd aan gedeporteerde Joden en er zijn andere pla-quettes voor Franse politieke gevangenen, naar Duitsland gestuurde dwangarbeiders en degenen die in 1945 terugkeerden – dit station was de voornaamste aankomstplaats voor de overlevenden, net als dat het gene-raties eerder voor duizenden Joodse immigranten was geweest.

Het Musée Nissim de Camondo in de Rue de Monceau 63 in het acht-ste arrondissement (wo-zo 10.00-17.30; € 7.50; www.lesartsdecoratifs.fr; Métro Monceau of Villiers) wordt voornamelijk bezocht vanwege de prachtige collectie meubelen en *objects d'art* die werden verzameld door de Joodse aristocraat graaf Moïse de Camondo. De tentoonstelling laat ook zien hoe de Holocaust zelfs de meest geïntegreerde en prominentste Franse Joden raakte, want Camondo's dochter Béatrice, haar man en hun kinderen werden allemaal in Auschwitz vermoord.

Een ander subkamp van Drancy dat dezelfde functie vervulde als *Le-vitan*, was gevestigd in het elegante hoekhuis Rue de Bassano 2 in het zestiende arrondissement (Métro Iéna of Alma-Marceau), hoewel op deze plek niets naar die geschiedenis verwijst.

Hotel Lutetia, Boulevard Raspail 45 in het zesde arrondissement (Mé-tro Sèvres Babylone), dat eerder door de Duitsers was gevorderd, werd gebruikt om Joden en politieke gevangenen die in 1945 uit Duitsland te-rugkeerden, te huisvesten. Hier kwamen de achtergebleven bloedverwan-ten van gedeporteerden informeren naar het lot van hun geliefden. Bij de ingang werd een groot prikbord geplaatst dat wanhopige familieleden vulden met briefjes, foto's van voor de oorlog en lange lijsten vermiste personen. Hun zoektochten waren steeds tevergeefs.

DRANCY

Als belangrijkste locatie die in Frankrijk met de Holocaust in verband wordt gebracht, begon Drancy daarvóór op een onwaarschijnlijke manier als een grootschalig woonproject in de noordelijke buitenwijken van Parijs. Het werd tussen 1932 en 1936 neergezet als een voorbeeld van moderne architectonische principes en diende slechts kort als een stedelijke woonomgeving; het werd omgevormd tot een politiekazerne. In augustus 1941 werd er een interneringskamp voor buitenlandse Joden ingericht, hoewel de capaciteit van 4500 personen algauw werd overschreden. Zodra in 1942 de deportaties begonnen, werd Drancy het voornaamste doorgangskamp voor heel Frankrijk, want Joden die in andere kampen gevangen zaten of in de provincies werden opgepakt, passeerden steeds dit kamp voordat ze naar het oosten werden getransporteerd. Ze werden hier soms twee of drie dagen vastgehouden, hoewel sommige transporten uit het zuiden op de dag van aankomst meteen werden doorgestuurd naar Polen. Tussen 22 juni 1942 en 31 juli 1944 werden in 64 transporten 64.759 personen gedeporteerd. Auschwitz was het einddoel van alle treinen, afgezien van vier die naar Sobibór gingen en één dat naar de Baltische staten ging. Onder de laatste slachtoffers waren 250 bewoners van Joodse kindertehuizen in de regio Parijs. Toen het kamp in augustus 1944 werd bevrijd, waren er nog maar 1542 gevangenen over. Hoewel Drancy door Duitsers werd bestuurd, voerden Franse ambtenaren tot halverwege 1943 de administratie, een beschamend gegeven waarmee Franse regeringen decennialang niet graag werden geconfronteerd. De overname door de SS werd op touw gezet door de afschuwelijke Aloïs Brunner die ook een hoofdrol speelde bij de deportatie van Joden uit Oostenrijk, Griekenland en Slowakije. Brunner ontsnapte na de oorlog aan arrestatie en vond ten slotte een toevluchtsoord in Syrië. In 2001 werd hij, tegelijk met onbevestigde rapporten dat hij nog in leven was, bij verstek tot levenslang veroordeeld door een Franse rechtbank. Het hoeft geen verbazing te wekken dat onder zijn leiding de omstandigheden in het kamp verslechterden. Maar ondanks tekorten, wreedheid en snel wisselende bewoners bleef het Joodse leven standhouden met religieuze diensten (in september 1941 werd een synagoge ingericht) en met educatieve en culturele activiteiten.

Drancy (foto van de auteur)

Tijdens het hele bestaan van Drancy was er ook een verzetsbeweging en vonden er 41 succesvolle ontsnappingen plaats. In november 1943 ontdekten de Duitsers een tunnel die de gevangenen hadden gegraven. Als ze nog een paar dagen tijd hadden gekregen, zouden de bewoners zich ook door de laatste meters hebben gegraven.

Na de oorlog kreeg het complex weer de oorspronkelijke bestemming van sociale huisvesting en het zou nu op elke andere vervallen Parijse buitenwijk lijken als voor de huizenblokken niet het grote monument had gestaan. Ondanks de opmerkelijke rol van Drancy in de Holocaust werd het monument (een beeldhouwwerk van verwrongen figuren en daarnaast twee gekromde zuilen die de geschiedenis van Drancy verklaren en de slachtoffers eren) pas in 1976 opgericht op het plein met de nogal misplaatste naam Square de la Libération langs de Avenue Jean Jaurès.

Een goederenwagon van de SNCF gemarkeerd met een davidster staat achter het beeldhouwwerk. De dag voor het vertrek werden de mensen die gedeporteerd gingen worden in dergelijke wagons geladen, zodat het kamphoofd niet te vroeg gewekt hoefde te worden. Personen die 's nachts overleden, werden vervangen door andere inwoners. Er zijn ook nog gedenkplaten van de Unie van Franse Joodse Studenten en de regering die daarmee, net als bij de *Vélodrome*, de verantwoordelijkheid van de Franse staat accepteert. Het moderne gebouw van vier verdiepingen met het vele glas in de gevel aan de overkant van de straat geeft onderdak aan een documentatiecentrum en educatieve voorzieningen. Het biedt een panoramisch overzicht van de locatie en werd in 2012 geopend om te zorgen voor een gepaste context (zo-vr 1.00-18.00; toegang gratis; www.memorialdelashoah.org). De woningen zien er vrijwel nog net zo uit als in de jaren veertig, hoewel enkele buitengebouwen zijn gesloopt, net als de vier wachttorens. Het 'rode kasteel', een bakstenen gebouw waarin de wc's van het kamp waren ondergebracht, stond oorspronkelijk in het open uiteinde van het hoefijzervormige blok. Bij nummer 22 rechts zijn gedenkplaten voor de Joodse slachtoffers van Drancy en voor de Britse en Franse krijgsgevangenen die hier geïnterneerd zaten voordat de locatie in 1941 werd omgevormd tot een Joods kamp. Op nummer 8 aan de linkerkant van het complex is een gedenkplaat voor de dichter Max Jacob (een katholieke bekeerling) geplaatst, die in maart 1944 in Drancy overleed aan longontsteking, nadat zijn onderduikadres in de Loiret was ontdekt door de Gestapo.

De gemakkelijkste manier om Drancy te bereiken is de RER-trein naar La Courneuve-Aubervilliers te nemen en dan bus 143 naar Square de la Libération. De deportatietreinen vertrokken feitelijk van station Le Bourget (erbuiten aangegeven door het Place des Déportés) tot het in juli 1943 werd gebombardeerd door de geallieerden, waarna de transporten vertrokken van het nu niet meer gebruikte station Bobigny. Het laatste is een gebouw van vier verdiepingen, dat zichtbaar is van het viaduct over het spoor in de Avenue Henri Barbusse, ongeveer 2 kilometer ten zuidwesten van het kamp (bus 151 naar Gare (Grande Ceinture)). Het wordt nu gerestaureerd als herdenkingsplaats (zie www.garedeportation.bobigny.fr).

NATZWEILER-STRUTHOF

Omdat Albert Speer roze graniet wilde hebben, werd in mei 1941 begonnen met de aanleg van een concentratiekamp op een afgelegen berghelling in de Elzas. Hoewel Natzweiler pas in oktober 1943 werd afgebouwd, bevatte het kamp tegen die tijd al rond de 2000 gevangenen. Ze werkten in steengroeven en ondergrondse tunnels die bedoeld waren om fabrieken in onder te brengen. Deze laatste ontwikkeling droeg bij aan een snelle uitbreiding van het kamp, net als de aanwijzing in september 1943 als het voornaamste interneringscentrum voor *Nacht und Nebel* (nacht en nevel). *Nacht und Nebel* verwees naar de bestraffing van verzetsstrijders uit West-Europa. Het ging om een geheime order van Hitler uit december 1941 waarmee werd bepaald deze verzetsstrijders moesten verdwijnen in 'de nevel van de nacht', of prozaïscher gezegd: zich dood moesten werken. Van de 51.684 gevangenen die door de poort van het complex Natzweiler gingen (slechts ongeveer 17.000 werden geïnterneerd in het hoofdkamp) verloren bijna 22.000 het leven. Het kamp werd in september 1944 geëvacueerd, dus toen het in november werd bevrijd, werd het leeg aangetroffen.

Na een korte naoorlogse periode als interneringscentrum voor Duitsers en vermeende collaborateurs, werd de plaats in de jaren vijftig een nationaal monument. Natzweiler was decennialang zelfs het enige kamp in Frankrijk dat fatsoenlijk werd herdacht, een gevolg van het feit dat het geheel onder Duitse leiding stond. Het is sinds 2005 uitgebreid met het indrukwekkende Europese centrum voor Verzet en Deportatie (mei-sep: dag. 9.00-18.30, mrt-apr, sep-dec: dag. 9.00-17.00; € 6,00; www.struthof.fr). Het centrum, dat is gebouwd rond een SS-bunker, maakt doeltreffend gebruik van audiovisuele middelen om de geschiedenis van het kampsysteem en het verzet in heel Europa te schetsen. Het misschien wel ontroerendste element is de grote entreehal die voorwerpen uit elk van de grote kampen bevat, waaronder een Zyklon B-bus uit Majdanek en in het geheim gemaakt kinderspeelgoed uit Ravensbrück.

Het kamp zelf is betrekkelijk klein en ligt tegen de helling geplakt in een vreselijk mooie omgeving. Er zijn nog slechts vier gebouwen over, waarvan het eerste eigenlijk een gereconstrueerde barak is nadat de oorspronkelijke barak in 1976 bij een aanval door neonazi's in brand was gestoken. Hierin is het museum ondergebracht dat de geschiedenis van Natzweiler in beeld brengt: vanaf de idyllische vooroorlogse periode (zichtbaar gemaakt door toeristische brochures uit de jaren dertig) tot de wreedheid van het kampleven en het naoorlogse streven naar gerechtigheid. Levendige beelden komen tevoorschijn uit de tekeningen van de voormalige gevangene Henri Gayot. Het gebouw aan de andere kant van de galg is de voormalige keuken. Achter het prikkeldraadhek ligt deels verborgen door bomen het 'dodenravijn' waar gevangenen in werden geduwd. De twee bewaard gebleven gebouwen in het laagst gelegen gedeelte van het kamp achter de barakken van de gevangenen (in de jaren vijftig verwoest door stormen) zijn het crematorium (ook het centrum van gruwelijke medische experimenten) en het gevangenisblok. Het laatste bevat verborgen in de muren acht onvoorstelbaar kleine cellen voor eenzame opsluiting. Tussen de twee gebouwen markeren een groot kruis en een herdenkingsmuur de put die oorspronkelijk de plaats van de septische toiletten van het kamp was, maar waarin de SS de as uit het crematorium begon te gooien toen in 1944 het sterftecijfer omhoog schoot.

Hoger op de heuvel ligt boven het kamp het elegante nationale monument dat is gewijd aan de 'helden en martelaren van de deportatie'. Een gewelf in het fundament bevat het lichaam van een onbekende gedeporteerde. Het monument wordt omgeven door een begraafplaats met de stoffelijke resten van 1118 Franse burgers uit kampen in heel Europa. Aan de overkant van de hoofdweg diende een kleine zandgroeve als executieplaats voor de Gestapo van Straatsburg. Een steen gedenkt de personen van alle nationaliteiten die hier werden geëxecuteerd. Onder hen waren zeventien plaatselijke jongeren. Een kilometer of zo verder naar het zuiden ligt langs de hoofdweg de voornaamste steengroeve die nu is overwoekerd. Buiten het pad vanaf de hoofdweg liggen twee intacte stenen barakken naast de fundamenten van andere.

De hoofdweg loopt vanaf het kamp in de andere richting de heuvel af naar de gaskamer van Natzweiler. Een alternatieve route voor voetgangers volgt een gedeelte van de *Chemin de la Mémoire et des Droits de l'Homme*, een door de EU gesponsord wandelpad langs plaatsen die verband houden met nazivervolging in de Elzas. Dit pad komt langs het huis van de commandant waarvan de beruchtste bewoner Josef Kramer was. Zijn periode als commandant van Natzweiler diende als leertijd voor het verdorven 'Beest van Bergen-Belsen'. In de tussentijd was hij ook nog commandant van Birkenau. De gaskamer werd niet zoals in andere kampen systematisch gebruikt om verzwakte gevangenen te doden. Het bestaan ervan was het resultaat van de ontaarde medische ambities van August Hirt, directeur van het Instituut voor anatomie van de universiteit van Straatsburg. Hirt had Himmler benaderd met het verzoek een verzameling skeletten van Joden en andere 'onwenselijke' rassen te mogen aanleggen uit de kamppopulatie, waarop hij meteen in Natzweiler werd geïnstalleerd om toezicht te houden op het project. De danszaal van het plaatselijke hotel werd omgebouwd tot gaskamer en op 30 juli 1943 werden 87 Joden – 57 mannen en 30 vrouwen – uit Auschwitz aangevoerd. Van hen werden er 86 half augustus vergast, de laatste werd doodgeschoten terwijl hij op de drempel probeerde te ontsnappen. Kramer bediende zelf de apparatuur. Hirt en zijn collega Otto Bickenbach gebruikten de gaskamer ook om te experimenteren met mosterdgas en fosgeen op enkele tientallen gevangenen, voor het merendeel Roma. Hirt pleegde in 1945 zelfmoord, terwijl Bickenbach in 1952 tot een gevangenisstraf van twintig jaar werd veroordeeld, die in 1954 werd verlengd tot levenslang. Het jaar daarop kwam hij echter vrij als onderdeel van een algemene amnestie en kreeg hij toestemming zijn medische carrière weer op te pakken. De resten van de vermoorde Joden die in het anatomische instituut van Straatsburg werden aangetroffen, werden in 1945 begraven op de Joodse begraafplaats Cronenbourg van de stad.

Het kamp ligt aan de D130, die men oprijdt vanaf de D1420 in het dorp Rothau, bijna 65 kilometer ten zuidwesten van Straatsburg. Op het station van Rothau kwamen de gevangenen aan, wat is aangegeven op een gedenkplaat in de wachtkamer. Het kamp zelf is alleen te bereiken met eigen vervoer. En wandelend vanuit Rothau is het twee uur klimmen.

GURS

Als grootste kamp in Vichy-Frankrijk was Gurs de locatie van een van de merkwaardigste verhalen van de Holocaust, waarbij Joden uit Zuidwest-

Duitsland waren betrokken. Het kamp werd oorspronkelijk in april 1939 opgezet om verslagen Spaanse republikeinse soldaten op te vangen – halverwege dat jaar waren het er al 17.000 – die begin 1940 gezelschap kregen van ongeveer 4000 Duitse en Oostenrijkse, meest Joodse vluchtelingen, die vreemd genoeg werden beschouwd als 'vijandelijke vreemdelingen'. De meeste kampbewoners werden in de loop van 1940 vrijgelaten, maar de Duitse Joden bleven. Hun aantal groeide in oktober 1940 door toedoen van Robert Wagner, de *Gauleiter* van het Duitse Baden. Omdat Wagner graag de eerste nazi wilde zijn die zijn gebied had ontdaan van Joden, regelde hij de deportatie van de hele Joodse gemeenschap van Baden, de Palts en delen van Württemberg naar Gurs. Het ging om 6538 mensen – voornamelijk vrouwen, kinderen en ouderen – die een paar minuten kregen om twee tassen te pakken waarna ze twee dagen lang op reis werden gestuurd. Meer dan 2000 konden ten slotte het kamp verlaten doordat ze ontsnapten of emigratievisa konden bemachtigen, maar de meerderheid bleef. Meer dan 1000 stierven binnen een jaar aan difterie en tyfus. Andere in het buitenland geboren Joden die in Vichy-Frankrijk woonden, werden in de daaropvolgende jaren ook naar Gurs gebracht (het was het voornaamste doorgangscentrum in de zuidelijke zone na de sluiting van Rivesaltes eind 1942) waardoor er van oktober 1940 tot november 1943 in totaal 18.185 Joden het kamp binnenkwamen. Enkele duizenden werden via Drancy naar Auschwitz of Sobibór gedeporteerd. Tegen de tijd dat het kamp in de zomer van 1944 werd bevrijd, waren er nog maar 48 Joodse bewoners over. In totaal passeerden 60.559 gevangen, voor het merendeel Joden en Spaanse vluchtelingen, het kamp in Gurs. Na de oorlog en voordat het in 1946 werd gesloopt, werden er korte tijd vermeende collaborateurs, Duitse krijgsgevangenen en weer Spaanse republikeinen in ondergebracht.

De locatie werd jarenlang verwaarloosd, waarbij alleen de begraafplaats aan het verleden herinnerde. Onder druk van plaatselijke jongeren en verenigingen van overlevenden werd echter in 1994 een herdenkingsgebied gecreëerd aan de noordrand van het kamp. Dit wordt aangegeven door een informatiecentrum onder een overkapping opzij van de weg die naar dorp Gurs loopt. Hier geven net als op het hele terrein panelen de geschiedenis van het kamp weer. Iets verderop langs de weg staat het grote monument dat is ontworpen door de Israëlische kunstenaar Dani Karavan en dat bestaat uit een stuk spoorrails dat naar een betonnen pleintje – omgeven door prikkeldraad – loopt, en waarop een liggende gedenkplaats van de Franse regering is aangebracht. Aan de andere kant van die korte spoorlijn herbergt een gestileerd houten skelet van een barak een andere gedenkplaat waarop de verschillende groepen bewoners staan vermeld. Een pad naar rechts voert naar de kampbegraafplaats waarbij men langs de funderingspalen van de watertoren komt en een monument dat is opgericht door de regering van Spaans Baskenland, omdat veel van de hier geïnterneerde republikeinen Basken waren, die na de val van Santander over zee waren gevlucht. Vlak voor de begraafplaats draagt een mooi stenen beeld van een koffer de inscriptie 'Camp de Gurs' aan de ene kant en 'Baden' aan de andere kant. De muur rond de begraafplaats die in 1962 werd gebouwd door de Joodse gemeenschap en de steden van Baden, omsluit de graven van 1073 mensen waarvan sommige een steen hebben met de naam en de meestal Duitse geboorteplaats. Een obelisk in het midden herdenkt de meerderheid die geen grafsteen heeft en ook de duizenden die naar hun dood in Polen werden gedeporteerd. Er is ook een monument voor de Spaanse slachtoffers.

Links van het skelet van een barak symboliseert een poort de noordgrens van het kamp. Het pad dat van hier naar het zuiden loopt was de hoofdweg van het kamp. Een stenen beeldhouwwerk naast het pad eert Elsbeth Kasser, een verpleegster die werkte voor de *Secours Suisse*, een van de meestal buitenlandse of protestantse humanitaire groepen die in Gurs actief waren. Ernaast staat de bewaard gebleven, kleine chaletachtige barak waarin zij woonde: het enige nog bestaande houten overblijfsel van het kamp.

De weg loopt verder langs een veld dat de plaats was van de strafbarakken, in het bos dat nu grotendeels het gebied van het voormalige kamp bedekt. Houten borden verwijzen naar de verschillende afdelingen. Bijna meteen na het betreden van het bos liggen links de fundamenten van een badhuis naast een reconstructie van een barak – er waren 382 van zulke blokken in het kamp. Daaromheen ligt een serie 'virtuele barakken', aangegeven door driehoekige houten kaders en opgetrokken als onderdeel van een kunst- en herdenkingsproject uit 2002. Het wandelpad door de gereconstrueerde barak gaat verder naar de fundamenten van een ander blok, aan de westzijde van het pad, dat wordt aangegeven door stenen fragmenten waarop Franse en Duitse teksten de geschiedenis van het kamp vertellen aan passerende wandelaars. De fundamenten zelf worden omgeven door fragmenten waarop taferelen uit het kampleven zijn afgebeeld. Het is mogelijk vanaf hier nog een kilometer of zo over de kampweg door te lopen tot die uitkomt op de D25 naar Mauléon. Een nagebouwde slagboom geeft de zuidgrens aan en daarachter staan de metalen palen van de oorspronkelijke poort.

Het herdenkingscomplex wordt ten zuiden van het dorp Gurs vlak naast de D936 tussen Oloron-Sainte-Marie en Navarrenx met borden aangegeven. Het is niet bereikbaar met openbaar vervoer. Taxibedrijven in Oloron zijn Louis (tel.: 0559395301; taxilouis@hotmail.com) en Myriam (0679578266). Het Maison du Patrimoine van Oloron aan de Rue Dalmais 52 (alleen jul-sep: di-zo 10.00-12.00, 15.00-18.00; € 3,00) heeft een kamer die aan Gurs is gewijd.

RIVESALTES

Rivesaltes is tegenwoordig de uitzonderlijkste holocaustlocatie van Frankrijk en misschien wel van Europa. Het kamp werd in 1938 gebouwd als een militaire basis, maar werd ook een centrum voor Spaanse vluchtelingen. Het kreeg tijdens het Vichy-regime in 1941-1942 een centralere rol toen hier 21.000 mensen werden geïnterneerd. Hoewel de gevangenen in meerderheid (55%) Spanjaarden waren, werd Rivesaltes uiteindelijk het voornaamste zuidelijke kamp voor de detentie van 'ongewenste' rassen en dat waren voornamelijk Joden en Roma. Het opmerkelijkste kenmerk was het gebruik als 'familiekamp' waarin Joodse echtparen met hun kinderen opgesloten zaten. De mogelijk idyllische ideeën die men hierbij mocht koesteren, werden gelogenstraft door de overbevolkte en onhygiënische werkelijkheid; bovendien werden de gezinnen meestal uit elkaar gehaald. De oorspronkelijke gedachte achter het bijeenhouden van gezinnen was deels een truc om Joodse ouders te bewegen hun kinderen niet te laten onderduiken voordat ze werden geïnterneerd. Zodra in 1942 de deportaties begonnen, werd Rivesaltes het voornaamste doorgangskamp in de regio Roussillon en na augustus 1942 voor heel Vichy-Frankrijk. In de loop van drie maanden vertrokken negen konvooien met 2313 mensen naar Drancy en vervolgens naar Auschwitz. Bijna 600 kinderen werden echter van een zekere dood gered door de heldhaftige activiteiten van welzijnsorganisaties in het kamp en met name van *Oeuvre de Secours aux Enfants* (OSE), een in Frankrijk gevestigde Joodse liefdadigheidsinstelling. Met groot gevaar voor eigen leven smokkelden jonge maatschappelijk werkers als Vivette Samuel en Simone Weil-Lipman kinderen het kamp uit en hielden ze ze verborgen in huizen die onder toezicht stonden van de OSE. Toen de druk van de nazi's in 1943 toenam, gingen de kin-

Rivesaltes (Foto van de auteur)

deren naar pleegouders en katholieke geestelijken. Na de Duitse bezetting van het zuiden in november 1942 werd Rivesaltes een militaire basis. De nog aanwezige bewoners werden overgebracht naar Gurs, met uitzondering van de Roma die naar het speciaal gebouwde kamp Saliers bij Arles werden gestuurd. De plek kreeg in de jaren zestig opnieuw bekendheid toen er meer dan 30.000 *Harki's* – Algerijnse soldaten die in de oorlog van de jaren vijftig voor Frankrijk hadden gevochten – werden ondergebracht. Het kamp was zelfs nog erger overbevolkt dan in de oorlog en veel Algerijnse gezinnen woonden gedwongen in tenten, een blijk van de argwaan en ondankbaarheid waarmee ze werden ontvangen. Daarna werden de barakken bewoond door de mariniers die er vanaf de jaren zeventig geleidelijk uit trokken, hoewel een gedeelte waarin vermeende illegale immigranten waren ondergebracht, pas in 2007 werd gesloten.

Decennialang werd geen aandacht besteed aan de vele verhalen over het onrecht aldaar, en mocht de plaats in verval raken. Het resultaat hiervan biedt een verbluffend aanzicht. Het kamp beslaat een enorm gebied – meer dan 600 hectare – dat bestaat uit een dorre vlakte die vol staat met de ruïnes van honderden betonnen barakken en toiletblokken. Ze werden gebouwd volgens een eenduidig ontwerp, maar de wisselende bouwvalligheid zorgt voor een apocalyptisch tafereel dat nog wordt versterkt door de verspreid liggende rollen prikkeldraad. Er stonden hier geen monumenten, totdat in de jaren negentig naast de hoofdweg drie stenen werden opgericht – voor Joden, Spanjaarden en Algerijnen. Een voorstel uit 1997 om de barakken te slopen was aanleiding voor een gezamenlijke campagne om een groter monument op te richten dat nu wordt gebouwd. Zodra het is voltooid, zal dit het meest ambitieuze centrum op dit gebied in Frankrijk zijn. Het project heeft te maken gehad met vertragingen die mede werden veroorzaakt door de enorme kosten (ruim € 18 miljoen) die grotendeels het gevolg waren van de hoge prijs die het ministerie van Defensie voor de verkoop van het terrein wilde hebben. Volgens het oorspronkelijke plan zou het monument in 2008 opengaan, maar pas op 15 november 2012 werd de eerste steen gelegd en de opening voor het publiek is nu voorzien in 2015. De herdenkingslocatie omvat *Îlot F*, een van de twee secties die tijdens de deportaties van 1942 als doorgangskamp voor Joden werden gebruikt. Het hoofdonderdeel zal bestaan uit een ondergronds museum dat zich zal richten op de verschillende ervaringen van Spanjaarden, Joden, Roma en *Harki's*. Enkele barakken zullen worden gerestaureerd naar de toestand in oorlogstijd, maar de meeste zullen een doorgaand verval mogen vertonen. *Îlot F* beslaat echter slechts een klein gedeelte van het hele complex van Rivesaltes. Het plan is om ondernemingen en parken de plaats te laten innemen van andere gedeelten, maar dit zal waarschijnlijk tijd vergen. Op dit moment is Rivesaltes een locatie die sterk verschilt van andere in Europa.

Het kamp ligt ten noordwesten van de stad Rivesaltes en wordt bereikt door op de A9 afslag 41 naar de D12 te nemen. Volg deze weg naar het westen, sla bij de rotonde niet af naar de stad, maar ga rechtdoor over het spoor. De weg buigt dan scherp naar links naar een rotonde waarop de derde afslag moet worden genomen. Sla bij de volgende kruising rechtsaf de Chemin de Tuchan á Sainte-Marie (D5) op. Het terrein van het monument begint bij de eerste onverharde weg rechts tegenover de drie gedenkstenen. Rivesaltes heeft een spoorwegstation, maar het kamp is ruim een uur wandelen over een bochtige weg. Praktischer, maar wel duurder, is het om in Perpignan een taxi te nemen.

ANDERE LOCATIES

Afgezien van Drancy was het grote doorgangskamp in de bezette zone de voormalige militaire basis Royallieu in Compiègne. In aangrenzende kampen waren krijgsgevangenen en politieke gevangenen ondergebracht. Het allereerste Franse transport bracht op 27 maart 1942 1043 Joden van Compiègne naar Auschwitz. Een museum en herdenkingscomplex werden uiteindelijk in 2008 geopend in drie voormalige barakken aan de Avenue des Maretyrs de la Liberté ten zuidwesten van het centrum van de stad (dag. behalve di, 10.00-18.00 uur; € 3,00; memorial.compiegne.fr).

Le Vernet was een berucht kamp in het zuiden voor 'verdachte vreemdelingen'. Voor de val van Frankrijk hadden daarin Spaanse republikeinen en Duitse vluchtelingen gezeten. Vanaf 1940 waren de meeste bewoners politieke gevangenen, maar op weg naar Drancy verbleven er ook kort enkele honderden in het buitenland geboren Joden. Er zijn enkele monumenten (waaronder een goederenwagon) bij het station ten noorden van de stad aan de N20 aanwezig. Een watertoren en de stenen posten van de poort zijn de enige nog resterende elementen van het gevangenenkamp dat op een minuut of tien lopen ten noorden van het dorp langs de N20 aan de Allée d'Embayonne lag, tegenover de voormalige barakken van de bewakers (nu woningen). Verderop langs de weg ligt een begraafplaats, terwijl er op de Place Guilhamet in het dorp een miniem museum staat (ma, do 8.30-12.00 en 13.30-17.00, di 13.30-17.00, vr 8.30-12.00 en 15.00-18.30; toegang gratis). Le Vernet d'Ariège ligt 50 kilometer ten zuiden van Toulouse, tussen Saverdun en Pamiers.

Het enige andere kamp dat belangrijk is om te gedenken is Les Milles, vlak ten zuidwesten van Aix-en-Provence. In de voormalige tegelfabriek zaten tot de wapenstilstand Duitse burgers die meestal waren gevlucht. Onder de geïnterneerden bevonden zich de kunstenaars Max Ernst en Hans Bellmer. Daarna werd het een kamp voor mensen die wilden emigreren en ten slotte in de zomer van 1942 een doorgangskamp voor meer dan 2000 Joden uit de Provence. Het herdenkingscomplex bevat opmerkelijke muurschilderingen die in 1940-1941 door een onbekende gevangene werden gemaakt, een goederenwagon waarmee de deportaties worden herdacht en een herdenkingsmuseum dat na jaren van vertragingen op 10 september 2012 werd geopend (dag. 10.00-19.00; € 9,50; www. campdesmilles.org). De locatie is bewegwijzerd op de Chemin des Déportés in het dorp Les MIlles dat aan de D9 ligt.

Een aangrijpende herdenkingsplaats is het voormalige OSE kindertehuis in Izieu, tussen Chambéry en Lyon (jun-sep: dag. 10.00-18.30; oktmei (dec en jan niet in de weekends), ma-vr 9.00-17.00, za 14.00-18.00, zo 10.00-18.00; € 7,00; www.memorializieu.eu) waar 44 kinderen en 7 volwassenen werden opgepakt bij een verrassingsoverval in april 1944. Alleen de lerares Lea Feldblum overleefde Auschwitz. De arrestatie van de kinderen was een van de belangrijkste aanklachten tegen Klaus Barbie tijdens zijn rechtszaak in 1987. Neem de A43 en dan de D592 naar Aoste vanwaar Izieu is bewegwijzerd.

Een minder deprimerend verhaal houdt verband met het bekende dorp Le Chambon-sur-Lignon, in de Auvergne, de eerste gemeenschap die als geheel werd geëerd als Rechtvaardige, door Jad Wasjem. Bij de protestantse dorpelingen zaten bijna 5000 Joden ondergedoken en zelfs toen hun inspirerende predikant André Trocmé in februari 1943 werd gearresteerd, weigerden de dorpelingen hun onderduikers te verraden. Een herdenkingscentrum (jun-sep: di-zo 10.00-12.30 en 14.00-18.00, mrt-mei en okt-nov: wo-za 14.00-18.00; toegang gratis) ging in 2013 open aan 23 Route du Mazet tegenover de protestantse kerk. Le Chambon ligt een paar kilometer ten noorden van de D15 tussen Le Puy-en-Velay en Saint-Agrève, een andere protestantse gemeenschap tussen verscheidene andere in de regio waar Joden een toevluchtsoord vonden.

Hoewel het strikt genomen geen holocaustlocatie is, vormde het Franse Oradour-sur-Glane het toneel van het schandelijkste bloedbad in oorlogstijd toen 642 mensen werden vermoord – de mannen doodgeschoten, de vrouwen en kinderen levend verbrand in de kerk – door de Waffen-SS, terwijl het dorp zelf werd verwoest, vermoedelijk omdat het was aangezien voor het nabijgelegen Oradour-sur-Vayres waar de Duitsers dachten dat een officier van hen door de résistance gevangen werd gehouden. Onder de slachtoffers waren zeven Joden die door de dorpelingen verborgen werden gehouden. De ruïnes werden na de oorlog onaangeroerd gelaten en in de buurt werd een nieuw dorp gebouwd. Er is een herdenkingscentrum bij de locatie (mei-sep: dag. 9.00-19.00, mrt-mei en sep-okt: dag. 9.00-18.00, feb en nov-dec: dag. 9.00-17.00; € 7,80; www.oradour.org). Oradour ligt aan de D9 ten noordwesten van Limoges.

2
België

België had een unieke Joodse bevolking, omdat die in overgrote meerderheid bestond uit recente immigranten. Er mocht dus worden verwacht dat die bijzonder kwetsbaar was voor de nazi's en velen werden inderdaad slachtoffer. Toch overleefden veel Joden het, wat in niet geringe mate was te danken aan hun eigen activiteiten en de daden van een belangrijke minderheid van niet-Joden.

Hoewel er in de middeleeuwen een Joodse gemeenschap had bestaan, werd die in de veertiende eeuw verdreven. De moderne Belgische Joodse geschiedenis begon dus in de zestiende eeuw toen Portugese marrano's (Joden die zich onder dwang hadden bekeerd tot het christendom maar die heimelijk hun geloof trouw waren gebleven) zich in Antwerpen begonnen te vestigen. Ondanks het feit dat ze steeds meer burgerrechten kregen, met als hoogtepunt de Franse revolutie in de jaren 1790, verbleven in het begin van de negentiende eeuw maar ongeveer 1000 Joden in het land. Hun aantal groeide in die eeuw aanzienlijk, maar een groot deel van de bevolking woonde hier niet blijvend. Pas na de Eerste Wereldoorlog ontwikkelde zich een grote Joodse gemeenschap, als gevolg van een grootschalige immigratie uit Oost-Europa en Duitsland. Ook al vluchtten verscheidene duizenden Joden in 1939-1940, er bleven toch nog 66.000 in België wonen nadat het in mei 1940 werd bezet. Slechts ongeveer 10% van dat aantal was Belgisch staatsburger.

De nazipolitiek hier was vergelijkbaar met die in Frankrijk, hoewel het in België over het algemeen langzamer ging en, nog belangrijker, zonder enige druk van de binnenlandse autoriteiten. De eerste grote, anti-

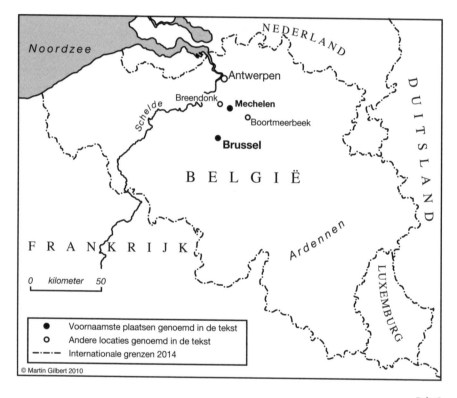

België

Joodse initiatieven werden ontwikkeld in de herfst van 1940, in de vorm van uitsluiting van beroepen en de overname van Joodse bedrijven door 'ariërs', hoewel dat laatste erg langzaam ging en opmerkelijk genoeg nooit werd voltooid. Verdere beperkingen volgden in de loop van 1941 en in november van dat jaar werd de Association de Juifs de Belgique (AJB) opgericht als tegenhanger van de UGIF in Frankrijk en de Joodse Raad in Nederland. De AJB was een centraal Joods lichaam waarmee de nazi's de gemeenschap hoopten te controleren. De escalatie in 1942 leidde in het voorjaar tot de inzet van meer dan 2000 Joden als dwangarbeiders en dit was de inleiding tot razzia's en deportaties naar Auschwitz die in augustus begonnen. Meer dan 25.000 mensen werden opgepakt en in Mechelen in barakken geïnterneerd voordat ze naar het oosten werden getransporteerd. De Duitsers beweerden aanvankelijk dat alleen 'buitenlandse' Joden (die in België natuurlijk de overgrote meerderheid uitmaakten) zouden worden gedeporteerd, maar in september 1943 werden er ook grote razzia's gehouden op 'Belgische' Joden. Gevoegd bij degenen die op Belgisch grondgebied zijn omgekomen, stierven naar schatting 28.902 Joden tijdens de Holocaust, bijna 44% van de bevolking van medio 1940.

Het feit dat meer dan de helft van de Joden overleefde, is gezien de omstandigheden nogal verrassend. Het percentage lag in België lager dan in Frankrijk of Italië, terwijl de meeste voordelen van die landen ontbraken. Anders dan Italië duurde de bezetting langer (meer dan vier jaar) en anders dan in Frankrijk stond het hele land gedurende heel die tijd onder direct Duits bestuur. Het feit dat de meeste Joden betrekkelijke nieuwkomers waren, die vaak Frans met een accent en helemaal geen Vlaams spraken, zou het gevaar voor henzelf mogelijk een stuk groter hebben gemaakt. Anderzijds kon dit een factor zijn die gunstig was voor overleving, want omdat zoveel Joden waren gevlucht voor vervolging, waren ze vaak actief in linkse of zionistische politieke groeperingen en gingen ze al snel deelnemen aan ondergrondse activiteiten. Een opvallend kenmerk van de Joodse reactie op de Holocaust in België was de bereidheid om het slechtste te denken van de bedoelingen van de nazi's en daarbij passende maatregelen te nemen. Er was dus sprake van een belangrijke Joodse inbreng bij het werk van het algemene verzet en daarnaast ontstond een specifiek Joodse ondergrondse. In de zomer van 1942 werd het kaartsysteem van de AJB bijvoorbeeld door brand vernietigd, wat de razzia's belemmerde. Nog opvallender was dat drie jonge verzetsstrijders – Robert Maistriau, Georges Livschitz en Jean Franklemon – in de nacht van 19 op 20 april 1943 een konvooi van Mechelen naar Auschwitz aanvielen. Ze slaagden erin om 231 van de 1631 Joden in het transport te bevrijden van wie er 115 konden ontsnappen. Dit was de enige bekende aanval op een dodentrein in heel Europa. Het overleven werd ook gemakkelijker gemaakt door de houding van delen van de bevolking. Hoewel er in het Vlaams sprekende noorden sprake was van een wijdverbreid antisemitisme, woonden de meeste Joden in de etnische smeltkroes van Brussel of in het Frans sprekende zuiden, waar nauwelijks sprake was van anti-Joodse vooroordelen en weinig enthousiasme werd opgebracht voor samenwerking met de nazi's vanwege een sluimerende wrok door de Duitse bezetting in de Eerste Wereldoorlog. De Belgische regering in ballingschap en de katholieke kerk moedigden de bevolking ook aan om niet aan de Duitsers toe te geven. Op aanwijzingen van Londen weigerden ambtenaren van de overheid in oktober 1940 bijvoorbeeld om anti-Joodse economische maatregelen uit te voeren.

Het oprichten van monumenten op plaatsen die verband hielden met vervolging door de nazi's begon bijna meteen na de oorlog, hoewel dit meestal was gericht op het oorlogsleed in het algemeen. Het opvallendste verzuim werd in de jaren negentig rechtgezet, toen in het voormalige doorgangskamp in Mechelen een ontroerend museum werd geopend.

BRUSSEL

Met een gemeenschap die 33.000 personen telde, was Brussel de woonplaats van ruim de helft van de Joodse populatie van België. Hoewel de meesten het land pas recent waren binnengekomen, telde de hoofdstad ook het grootste aantal 'Belgische' Joden. Om die reden waren daar nationale gemeenschapsinstituten, liefdadigheidsinstellingen en politieke organisaties gevestigd. Dit zou van groot belang zijn bij het opzetten van een ondersteunend netwerk zodra de vervolging begon. Aanvankelijk

Brussel, Holocaust monument (foto van Elizabeth Burns)

ging het daarbij om financiële hulp voor de armen, maar later werd het vinden van onderduikadressen een kwestie van leven en dood. Naar schatting zaten tot wel 12.000 Joden in Brussel ondergedoken. De houding van niet-Joden was ook belangrijk. Toen bijvoorbeeld in oktober 1940 de eerste belangrijke antisemitische wetten werden uitgevaardigd, protesteerde de Vrije Universiteit van Brussel openlijk tegen het ontslag van Joodse academici. Toen in mei 1942 de gele davidster verplicht werd gesteld, weigerden de stedelijke autoriteiten die te verstrekken, een voorbeeld van openlijke ongehoorzaamheid die bijna uniek was in bezet Europa. Niettemin werden duizenden het slachtoffer van deportaties nadat van half augustus tot begin september 1942 grote razzia's waren gehouden op 'buitenlandse' Joden. Dat proces ging een jaar door, tot de grootschalige razzia op 'Belgische' Joden in september 1943. Toch betekende het betrekkelijk hoge percentage overlevenden dat de stad na de oorlog het thuis bleef van een van de grootste nog bestaande Joodse gemeenschappen van Europa die tegenwoordig naar schatting tussen de 15.000 en 20.000 zielen telt.

Het nationale Holocaust monument van België staat in de gemeente Anderlecht, in het zuidwesten van het Brussels Hoofdstedelijk Gewest, omdat daar voor de oorlog veel Joden woonden. Het werd in 1970 onthuld en is een, voor die tijd, indrukwekkend bouwwerk. Een groot zeshoekig platform verbeeldt een davidster, een motief dat telkens terugkomt in het monument, terwijl kettingen aan de muur doen denken aan een menora. Op marmeren tafels staan de namen van de 23.838 Belgische Joden die in de vernietigingskampen werden vermoord. Het podium in het midden en de crypte werden in 2006 door vandalen beschadigd en het duurde enige tijd voordat de schade werd hersteld. Het monument wordt omgeven door een parkje dat op de buitenmuur van de binnenplaats ook nog een ander monument bevat voor Joodse verzetsstrijders. Het complex bevindt zich op Square des Martyrs Juifs op de hoek van de Emile Carpentierstraat en de Grondelstraat, nog geen kilometer ten westen van Station Brussel-Zuid. Op deze hoek bevindt zich een poort die toegang geeft tot het park, maar deze poort kan gesloten zijn. Enkele meters de Emile Carpentierstraat op is dan een poort die wel open is. Het monument zelf heeft opzettelijk een aantal gesloten poorten – de daadwerkelijke ingang ligt iets verborgen, een paar treden afdalen aan de rechterkant.

In de buurt ligt het nationale Museum van de Weerstand (ma-di, do-vrij 9.00-12.00 en 13.00-16.00; toegang gratis) aan de Van Lintstraat 14. Het museum doet wat ouderwets aan, maar is niettemin zeer interessant. Er is veel 'verzetsmateriaal', zoals wapens, drukpersen en valse identiteitskaarten, uitgestald over twee verdiepingen. Een kleine herdenkingskamer bevat urnen met as van verschillende concentratiekampen.

Het Joods Museum van België is gevestigd in de Miniemenstraat 21 in de buurt van het Paleis van Justitie (di-zo 10.00-17.00; € 5,00; www.mjbjmb.org). De modern opgezette zalen bieden een introductie tot het jodendom met exposities over rituelen en familieleven. Het opmerkelijkst is het interieur van een chassidisch gebedshuis uit het dorp Molenbeek. Een kleine zaal op de bovenste verdieping bevat biografieën van de Joden van Molenbeek, terwijl tegelijk wordt getoond hoe de Holocaust zijn invloed uitoefende op zelfs de kleinste gemeenschappen. Een paar straten richting het zuidoosten staat de Grote Synagoge, aan de Regentschapstraat.

Ten zuidoosten van het centrum was het hoge gebouw aan de Louiselaan 453 het Belgische hoofdkwartier van de Gestapo en het centrum van anti-Joodse operaties. Op 20 januari 1943 beschoot Jean-Michel de Selys Long-champs, een jonge Belgische aristocraat die bij de RAF diende, het gebouw van onder tot boven; daarna wierp hij een Belgische en Engelse vlag uit op de straat ervoor. Vier Duitsers vonden de dood bij de beschieting, maar voor de bezetters kwam de vernedering waarschijnlijk harder aan. Op een vluchtheuvel tegenover het gebouw staat nu een monument voor De Selys (die in augustus 1943 boven Ostende werd neergeschoten) en op het gebouw zelf is een gedenkplaat aangebracht (tram 94, halte Abbaye).

MECHELEN

De ligging van Mechelen tussen Brussel en Antwerpen aan het belangrijkste spoorwegknooppunt van België maakte het tot een natuurlijke keus toen de Duitsers in de zomer van 1942 besloten een enkel doorgangskamp op te zetten voor de deportaties. De achttiende-eeuwse kazerne Dossin de Saint Georges werd veranderd in een opvangcentrum voor Joden van wie de eersten eind juli aankwamen. Er is minder bekend over de omstandigheden in Dossin dan in de meeste vergelijkbare instituten, wat deels kwam door het betrekkelijk geringe aantal overlevenden: slechts 1218 van de gedeporteerden haalden levend de bevrijding. De transporten begonnen op 4 augustus 1942 en op het toppunt in de daaropvolgende maanden vertrokken er twee per week. Tegen de tijd dat het laatste transport op 31 juli 1944 vertrok, hadden 28 treinen meer dan 25.000 mensen naar Auschwitz-Birkenau vervoerd. Meer dan 16.000 werden meteen bij aankomst vergast.

De kazerne kwam na de oorlog weer onder bestuur van het Belgische leger en bleef tot de jaren zeventig in gebruik. Een groot deel van het complex werd in de jaren tachtig opgedeeld in appartementen met een tuin en wandelpaden op het centrale binnenplein. Het gebrek aan erkenning van de rol van de Dossinkazerne als de belangrijkste Belgische holocaustlocatie leidde echter tot een toenemende druk om minstens een deel van het gebouw een herdenkingsfunctie te geven. Dit had ten slotte tot gevolg dat in 1995 aan de noordoostelijke zijde van de barakken een aandoenlijk museum werd geopend. In 2012 werd het complex echter opnieuw ingedeeld en veranderd in een herdenkingsplaats. De aangrijpendste expositie is in de kelder, waar luidsprekers eindeloos de namen opnoemen van meer dan 25.000 gedeporteerden. Buiten op straat is tegen de buitenmuur van het gebouw een gedenkplaat aangebracht die is gewijd aan de gedeporteerde Joden. Daarvoor symboliseren zes rechtop geplaatste stukken spoorrails de zes miljoen slachtoffers van de Holocaust. Een ander monument gedenkt de slachtoffers onder de Roma van Mechelen. Het museum is nu verplaatst naar een nieuw en nogal gewaagd gebouw aan de overkant van de straat. De tentoonstellingen besteden over drie verdiepingen aandacht aan het lot van Belgische Joden en Roma, terwijl er ook in een breder verband wordt gekeken naar overtredingen van de mensenrechten sinds 1945 (do-di 10.00-17.00; € 10,00; www. kazernedossin.eu).

De voormalige kazerne aan de Goswin Stassartstraat 153 ligt ten noorden van het historische centrum van Mechelen en is gemakkelijk te belopen. In het zuidwestelijk gedeelte van de stad staat op een vluchtheuvel nog een ander monument, gewijd aan politieke gevangenen die in nazikampen gevangen werden gehouden.

ANDERE LOCATIES

Fort Breendonk, dat voor de Eerste Wereldoorlog werd gebouwd, werd door de nazi's gebruikt als een kamp voor politieke gevangenen die op vervoer naar het Reich wachtten. Het totale aantal gevangenen tijdens de bezetting lag rond de 3500, maar enkele honderden kwamen om het leven door martelingen, slechte leefomstandigheden en executies. Men neemt aan dat er 219 Joodse gevangenen zijn geweest van wie er 54 via Mechelen naar Auschwitz werden gedeporteerd, terwijl er 65 in het fort stierven. Breendonk is mogelijk het best bewaard gebleven van alle nazikampen en werd in 1947 een herdenkingsmuseum (dag. 9.30-17.30; € 8,00; www.breendonk.be), hoewel bij een recente verbouwing de traditionele, op teksten gebaseerde presentatie werd afgeschaft waardoor de bezoekers nu audioapparatuur moeten gebruiken als leidraad. Het fort ligt naast de autosnelweg A12, aan de rand van Willebroek, ten westen van Mechelen (van waaruit bussen rijden).

Antwerpen leed tijdens de Holocaust zware verliezen en was het toneel van een bijzonder gruwelijke pogrom op Pasha, in april 1941. Niettemin heeft de gemeenschap zich tot op zekere hoogte hersteld en wordt zij vaak omschreven als het laatste *shtetl* van Europa. Dit is mogelijk de enige plaats op het continent waar Jiddisch nog steeds de hoofdtaal is. Net als het chassidisme verwijst dit naar het vluchtelingenverleden van de Belgische Joden. Het traditionele centrum van deze gemeenschap van *sjoels*, koosjere slagers en diamantwinkels is de Pelikaanstraat, ten westen van Station Antwerpen-Centraal. Er staat verder naar het zuiden een opmerkelijk monument voor de gedeporteerde Joden van de stad op de kruising van de Belgiëlei met de Mercatorstraat. De Grote Synagoge ligt aan de andere kant van de spoorbrug, aan de Van den Nestlei 1.

Boortmeerbeek aan de N26, tussen Mechelen en Leuven, ligt dicht bij de plaats waar in 1943 een aanval werd uitgevoerd op een konvooi richting Auschwitz. Een monument ter ere van de drie overvallers Maistriau, Livschitz en Franklemon staat naast het spoor bij het station van het dorp.

3

Nederland

Nederland was het thuis van de meest welvarende Joodse gemeenschap van Europa, die zich daar ook het veiligst voelde – toch sloeg de Holocaust nergens in het westen van het continent zo vernietigend toe als juist hier. Ongeveer driekwart van de Nederlandse Joden werd vermoord, een aantal dat ver uitsteekt boven enig ander vergelijkbaar land.

Er was in 1939 weinig dat hierop wees, omdat Nederland sinds het begin van de moderne tijd een van de veiligste toevluchtsoorden voor Joden in Europa was geweest. Hoewel de oorspronkelijke middeleeuwse gemeenschap in de veertiende eeuw was verdreven, was er aan het eind van de zestiende eeuw sprake van een belangrijke Sefardische aanwezigheid, omdat Portugese marrano's zich in havensteden als Amsterdam vestigden. De meeste steden verwelkomden de Joden en zij konden ten volle deelnemen aan het economische leven in de 'Gouden' zeventiende eeuw, waarbij de diamanthandel onder de vele terreinen van Joodse ondernemingslust de bekendste was. Dit moedigde verdere immigratie aan, waardoor er ook een grote Asjkenazi-gemeenschap ontstond. Het beeld van Nederland als een beschaafd, vrij land (waar de grootste vooroordelen waarmee de Joden te maken kregen vaak opspeelden tussen de meestal rijke Sefarden en de armere Asjkenazim) moedigde tot ver in de twintigste eeuw migratie aan. Duizenden Duitse Joden zochten in de jaren dertig hier een toevluchtsoord (waarbij het gezin Frank slechts het beroemdste voorbeeld was). Het was een proces dat zelfs na het uitbreken van de oorlog doorging. Men neemt aan dat van de ongeveer 140.000 Joden die

Nederland

in 1940 in Nederland woonden, rond 25.000 vluchtelingen uit het Reich waren.

De inval in mei 1940 was een even grote schok voor Joden als niet-Joden, omdat Duitsland in de Eerste Wereldoorlog de Nederlandse neutraliteit had gerespecteerd. De gebruikelijke stroom van antisemitische verordeningen begon in de herfst van 1940 met het verbod voor Joden om ambtenaar te zijn en de registratie van Joodse eigendommen als inleiding op een onteigening. Iedere Jood moest zich in januari 1941 als zodanig registreren bij de overheid en een maand later werd de *Joodsche Raad* ingesteld. Gedurende dezelfde winter hielpen relschoppers van de daarvoor marginale Nederlandse nazipartij (NSB) de Duitsers bij het treiteren en oppakken van Joden. Nadat een van die voorvallen in februari 1941 in een Amsterdams café tot een vechtpartij leidde, werden enige honderden jonge Joden naar Buchenwald gestuurd en later naar Mauthausen. Dit was in de grote steden aanleiding voor een algemene staking en deze vormde het opvallendste openbare vertoon van solidariteit met de Joden waar dan ook in bezet Europa. Maar onder dreiging van represailles drukten de nazi's de staking de kop in. Door de staking begrepen de Duitsers dat ze geen steun mochten verwachten van de meerderheid van het Nederlandse volk, maar ze rekenden er terecht op dat angst voor geweld actief verzet zou beperken. Er waren inderdaad weinig protesten toen in juni 1941 nog meer jonge Joodse mannen naar Mauthausen werden gestuurd. Verdere beperkingen werden diezelfde zomer afgekondigd, waaronder het verbod om les te geven, terwijl duizenden in de herfst naar dwangarbeiderskampen werden gestuurd. Vanaf januari 1942 waren er in de provincie razzia's op Joden, van wie velen tussentijds in Amsterdam werden gevestigd, dat in de praktijk dienst deed als opvangcentrum voorafgaand aan de deportaties. De gele ster werd begin mei 1942 ingevoerd en de transporten naar de dodenkampen begonnen in juli, meestal via een voormalig vluchtelingenkamp in Westerbork. Naar schatting werden in nog geen twee jaar 107.000 Joden gedeporteerd. Daarvan bleven er 5200 in leven. De overblijvende ruwweg 30.000 Nederlandse Joden die de oorlog overleefden, hadden dit te danken aan een onderduikadres.

De schaal waarop Joden in Nederland werden vernietigd, kan wat paradoxaal lijken, aangezien dit het land was dat men in het algemeen als het minst antisemitisch van Europa beschouwde. Daarnaast heeft alleen Polen (met een grotere bevolking) een groter aantal inwoners dat Jad Wasjem de titel Rechtvaardige heeft verleend. Er waren echter bepaalde factoren die in het nadeel van de Nederlandse Joden werkten. Eén daarvan was de aard van de bezetting onder *Reichskommisar* Arthur Seyss-Inquart, een trouwe Oostenrijkse nazi. Deze partij met alle instellingen had in Nederland een veel directere bestuurlijke rol dan in België, waar de Wehrmacht het voor het zeggen had. Controversiëler is de rol van de Nederlandse overheid. Hoewel de koningin en haar regering naar Londen waren gevlucht, bleven de hoofdambtenaren op hun plaats in de hoop een zekere stabiliteit te handhaven en de overname door de Duitsers te beperken. Hun politiek van schoorvoetende gehoorzaamheid aan de Duitse maatregelen, een totaal andere benadering dan de vaak lijnrechte tegenwerking van de Belgische ambtenaren, betekende dat het efficiënt georganiseerde Nederlandse bestuursapparaat effectief ter beschikking stond aan de nazi's. Nog aanvechtbaarder is de rol van het leiderschap van de Joodse gemeenschap en met name van twee personen uit de Joodse Raad, Abraham Asscher en David Cohen. Een naoorlogs tribunaal van de Joodse gemeenschap oordeelde dat zij schuldig waren aan collaboratie en verbood hen ooit nog een functie in een Joodse organisatie te vervullen. Onderdeel van de kritiek was dat zij er niet in waren geslaagd zich duidelijk uit te spreken tegen de uitroeiing (waardoor ze de kans hadden gemist om het Joodse publiek te waarschuwen). Ze hadden ook alle Duitse eisen ingewilligd – waaronder de selectie voor deportatie – en dat ze er vooral op uit waren geweest zichzelf, hun familie en hun compagnons te beschermen. De laatste aanklachten waren waarschijnlijk extra oneerlijk en de mannen werden later in ere hersteld. Ondanks hun allesbehalve benijdenswaardige situatie stak de politiek van volgzaamheid en geruststelling van Asscher en Cohen sterk af tegen de instelling van de Joodse leiders in België.

Weinig landen hebben de herdenking van de Holocaust zo serieus en grootscheeps benaderd als Nederland. Dit gold niet altijd voor de kampen (waarvan de gebouwen nog decennialang in gebruik bleven voor allerlei doeleinden), maar sinds de jaren tachtig is de toestand verbeterd door de oprichting van nieuwe musea.

AMSTERDAM

Amsterdam was een van de grote Joodse centra van Europa en sinds de jaren 1590 woonde daar de meerderheid van de Nederlandse Joden. *'Mokum'*(Jiddisch voor 'stad') belichaamde een bijna uniek voorbeeld van tolerantie en welvaart gedurende een groot deel van het begin van de moderne tijd, hoewel daarbij wel moet worden aangetekend dat er grote verschillen in rijkdom en status waren tussen de gemeenschappen van de (rijkere) Sefarden en de (armere) Asjkenazim. Dit veranderde pas echt in de negentiende eeuw, toen de opkomst van industrie, scholing en secularisatie zorgde voor een gemeenschappelijke Nederlandse (of misschien wel Amsterdamse) Joodse identiteit. De historische reputatie van de stad trok in de jaren 1930 meer dan 10.000 vluchtelingen voor het nazisme aan, waardoor de Joodse bevolking bij het begin van de bezetting rond de 75.000 zielen telde.

Naast de wettelijke en economische restricties waarmee heel Nederland te maken kreeg, werden vooral de Amsterdamse Joden het mikpunt van aanvallen door extreem rechts. Het was in deze context dat Joodse zelfverdedigingsacties in februari 1941 leidden tot de arrestatie van 389 jongemannen. Hun daaropvolgende deportatie was de aanleiding voor de algemene staking. Op instigatie van communistische activisten begon die op 25 februari onder de dokwerkers en verspreidde die zich algauw over de hele stad. Drie dagen lang lagen fabrieken, vervoer en andere openbare diensten stil. Ook al maakte het op de lange duur geen verschil, het was een uitzonderlijke steunbetuiging aan de zwaar beproefde Joodse gemeenschap van Amsterdam, hoewel de getuigenissen van enkele overlevenden en eigentijdse verslagen lijken aan te geven dat de publieke sympathie in de jaren daarop minder werd, omdat de ontberingen van de bezetting iedereen zelfzuchtiger maakte.

De stad Amsterdam speelde een centrale rol in het deportatieproces na een bevel uit januari 1942 dat alle Nederlandse Joden daar geconcentreerd moesten worden (ook al is dat nooit volledig uitgevoerd). Vervolgens werd de vestiging in de hoofdstad beperkt tot bepaalde wijken en meer in het speciaal tot de historische Jodenbuurt, wat inhield dat Amsterdam voor het eerst in de geschiedenis de facto een getto had. Razzia's werden uitgevoerd door de Duitsers met hulp van leden van de NSB waarbij de Hollandsche Schouwburg de grootste verzamelplaats was van waaruit de slachtoffers naar Westerbork werden vervoerd. Een van de grootste *Aktionen* vond plaats in mei 1943 toen de Duitsers 7000 Joden, onder wie ook de leden van de Joodse Raad en hun families (die tot dan toe veelal bescherming hadden genoten), opdroegen zich te verzamelen om gedeporteerd te worden. Toen slechts 500 Joden daaraan gehoor gaven, werd de Jodenbuurt afgegrendeld en werden tijdens grootschalige razzia's willekeurig mensen opgepakt. De deportaties raakten de volgende maanden in een stroomversnelling en in september 1943 werden zelfs de leiders van de Joodse Raad naar Westerbork gestuurd. Tegen het eind van dat jaar woonden er nauwelijks nog Joden openlijk in Amsterdam.

De moderne gemeenschap zou tussen de 15.000 en 20.000 personen tellen, hoewel de hoge assimilatiegraad en gemengde huwelijken tot gevolg hebben dat velen zich niet echt Jood voelen. Desondanks zijn Joden in Amsterdam net als in Parijs nog steeds zichtbaar aanwezig en dat geldt ook voor een van de grootste verzamelingen Holocaustmonumenten en -musea in Europa.

De Jodenbuurt

De historische Jodenbuurt ligt aan de oostkant van het centrum, rond het Waterlooplein en de Jodenbreestraat. De wijk was tot de oorlog nooit een getto geweest, want ook niet-Joden hadden daar altijd gewoond, wat wel blijkt uit het feit dat de beroemdste inwoner van de wijk Rembrandt was. Daarnaast vestigden Joden zich ook in andere delen van Amsterdam. Niettemin stonden in deze buurt de belangrijkste synagogen en speelde zich hier het zakelijke leven af. Dat laatste was bijzonder duidelijk te zien op het Waterlooplein, voor de oorlog de plaats van een enorme straatmarkt. Na een minder geslaagde renovatie in de jaren tachtig wordt het plein nu in beslag genomen door de Stopera, een groot en lelijk bouw-

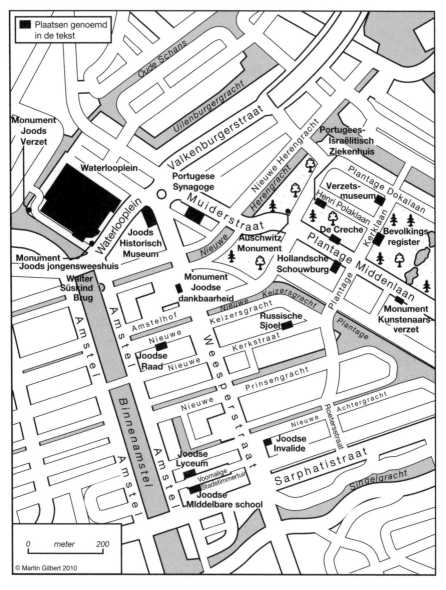

Plaatsen genoemd in de tekst

Oude Schans

Uilenburgergracht

Valkenburgerstraat

Monument Joods Verzet

Waterlooplein

Nieuwe Herengracht

Portugees-Israëlitisch Ziekenhuis

Plantage Dokalaan

Portugese Synagoge

Muiderstraat

Verzets-museum

Henri Polaklaan

Waterlooplein

Joods Historisch Museum

Nieuwe

Auschwitz Monument

De Creche

Kerklaan

Bevolkings register

Plantage Middenlaan

Monument Joods jongensweeshuis

Hollandsche Schouwburg

Monument Joods dankbaarheid

Nieuwe Keizersgracht

Keizersgracht

Plantage

Monument Kunstenaars verzet

Walter Süskind Brug

Amstelhof

Amstel

Nieuwe

Weesperstraat

Russische Sjoel

Kerkstraat

Plantage

Amstel

Joodse Raad

Nieuwe

Prinsengracht

Binnenamstel

Nieuwe

Achtergracht

Nieuwe

Roetersstraat

Joodse Invalide

Amstel

Joodse Lyceum

Sarphatistraat

Singelgracht

Voormalige Stadstimmertuin

Joodse Middelbare school

0   meter   200

© Martin Gilbert 2010

Amsterdam

werk waarin de opera en het stadhuis zijn ondergebracht. Daarachter staan aan de Amstel twee bescheiden monumenten. In de westhoek gedenkt een zwarte zuil de ongeveer 500 Joden die in het verzet het leven verloren. Niet echt opvallend ligt in de andere hoek een monument voor het Joodse jongensweeshuis dat hier vanaf 1865 had gestaan. Bijna 100 kinderen en drie verzorgers werden in maart 1943 naar Sobibór gedeporteerd. Na de oorlog werd het gebouw gebruikt als opvanghuis voor jonge Joden die naar Israël wilden emigreren. Het werd uiteindelijk verkocht en daarna gesloopt om plaats te maken voor de Stopera. Lichter gekleurde stenen in de bestrating markeren de plaats waar het gebouw heeft gestaan en de tekst erop geeft de geschiedenis weer.

Meteen ten oosten van het Waterlooplein ligt het Mr. Visserplein, dat weinig meer is dan een vluchtheuvel en dat is genoemd naar Lodewijk Ernst Visser, president van de Hoge Raad. Hij werd als gevolg van de rassenwetten van de nazi's uit zijn ambt gezet en werd voorzitter van de Joodse Coördinatie Commissie, een orgaan dat door de gemeenschap in december 1940 in het leven was geroepen om leiding en hulp te bieden. De nazi's waren uiteraard niet bereid zo'n organisatie te dulden en vervingen die door de Joodse Raad. Visser bleef felle kritiek leveren op Asscher en Cohen en ook op regeringsfunctionarissen, omdat ze met de bezetter probeerden samen te werken. In februari 1942 overleed hij aan een hartaanval, enkele dagen nadat hij was gewaarschuwd dat hij naar een concentratiekamp zou worden gestuurd als hij zich in het openbaar tegen de nazi's bleef verzetten.

Aan de zuidoostelijke zijde van het Mr. Visserplein staat de grote, zeventiende-eeuwse Portugese Synagoge (apr-okt: zo-do 10.00-17.00, vr 10.00-16.00; nov-mrt: zo-do 10.00-16.00, vr 10.00-14.00; € 12,00 in combinatie met het Joods Historisch Museum en de Hollandsche Schouwburg; www.esnoga.com), een van de grootste Sefardische tempels ter wereld. De achterzijde van de synagoge ligt aan het Jonas Daniël Meijerplein, de plaats van het standbeeld van een potige dokwerker dat is opgericht als eerbetoon voor de staking van 25 februari 1941. Op de hoek van het Jonas Daniël Meijerplein en de Nieuwe Amstelstraat ligt het Joods Historisch Museum (dag. 11.00-17.00; € 12,00 in combinatie met de Portugese Synagoge en de Hollandsche Schouwburg) ondergebracht in een complex van onderling verbonden voormalige Asjkenazi synagogen die een opvallend decor vormen voor de tentoonstellingen. De Grote Synagoge, met zijn blauwe plafond die op een bijzonder doeltreffende manier religieuze tradities en de geschiedenis van voor de twintigste eeuw in beeld brengt, werd gebruikt voor de registratie van 3000 mensen die bij de razzia's van 26 mei 1943 waren opgepakt. De meesten van hen moesten de nacht en een deel van de volgende dag op het plein buiten doorbrengen.

De straten ten noorden van de grote pleinen benadrukken het historisch Joodse karakter van de buurt. Aan de Nieuwe Uilenburgerstraat 173-175, vlak ten noorden van het Waterlooplein, lag de grote voormalige Boas diamantslijperij (tegenwoordig weer in Joodse handen) en op nummer 91 lag verscholen achter een hoge muur een synagoge. Verder naar het oosten lag vroeger aan de Rapenburgerstraat 175-179 het Nederlands Israëlitisch Seminarium voor rabbijnen, en het Joods meisjesweeshuis lag op nummer 169-171 (de bewoners daarvan werden in februari 1943 gedeporteerd). Bij een vrij recente restauratie is de oorspronkelijke Hebreeuwse tekst weer op de gevel van het laatste gebouw aangebracht.

Ten zuiden van het Waterlooplein is de witte ophaalbrug over de Nieuwe Herengracht, waar die uitkomt op de Amstel, vernoemd naar Walter Süskind, een Duitse immigrant van Joodse afkomst die een belangrijke rol speelde bij het redden van kinderen uit de Hollandsche Schouwburg. Hij wordt geëerd met een gedenkplaat op de zuidoostelijke pilaar van de brug. Aan de Weesperstraat in het oosten is een neoklassiek monument in een parkje tussen de Nieuwe Herengracht en de Nieuwe Keizersgracht gewijd aan niet-Joden die Joden beschermden. Dit werd kort na de oorlog onthuld. Het voormalige hoofdkwartier van de Joodse Raad ligt aan de zuidzijde van de volgende gracht, op nummer 58 van de Nieuwe Keizersgracht.

De Russische *Sjoel* aan de Nieuwe Kerkstraat 149 (aan de oostzijde van de volgende straat richting zuiden) werd in 1889 geopend om tegemoet te komen aan de noden van vluchtelingen. Hij werd in de jaren tachtig van de vorige eeuw gerestaureerd en trekt nu de laatste toestroom van immigranten uit de voormalige Sovjet-Unie. Een paar straten richting het zuiden, aan de Nieuwe Achtergracht 100, ligt op de hoek met de Weesperstraat de voormalige Joodse Invalide, het tehuis voor lichamelijk gehandicapten dat in 1938 naar dit nogal kleurloze onderkomen verhuisde. Personeel en patiënten werden op 1 maart 1943 opgepakt en gedeporteerd, zoals staat vermeld op een gedenkplaat. De Voormalige Stadstimmertuin die zowel aan de kant van de Weesperstraat als vanaf de Amstel door een poort is te bereiken, ligt meteen naar het westen. Op nummer 2 was vanaf 1938 de Joodse middelbare school gevestigd. Die verhuisde in de jaren zeventig naar de buitenwijken, hoewel de naoorlogse naam, Maimonides Joods Lyceum, nog in het mozaïek boven de deur is te lezen. Op nummer 1, daartegenover, werd in 1941 het Joods Lyceum gevestigd als een niet-religieuze school, omdat Joden geen openbaar onderwijs mochten volgen. Het Joods Lyceum sloot in 1943, omdat de leerlingen dood waren of ondergedoken waren. Jacob Presser, die later *Ondergang* schreef, het standaard werk over de Holocaust in Nederland, was een van de leraren aan dit lyceum, en de beroemdste leerling was Anne Frank. Een verwrongen davidsster geflankeerd door de jaartallen 1941 en 1943 is boven de deur aangebracht.

De buurt ten oosten van het Jacob Daniël Meijerplein was minder traditioneel Joods, maar binnen de Holocaust wel degelijk belangrijk. Vlak tegenover de Nieuwe Herengracht ligt aan het begin van de Plantage Middenlaan het Wertheimpark, met het monument *Nooit meer Auschwitz* (panelen met gebroken spiegelglas), een werk van de kunstenaar Jan Wolkers in opdracht van het Nederlandse Auschwitz Comité. Het voormalige Portugees-Israëlitisch Ziekenhuis aan de Henri Polaklaan 6-12 ligt om de hoek (het beeld van een pelikaan boven nummer 12a die haar jongen voedt, is een symbool van de Sefardische gemeenschap). De meeste patiënten werden in 1943 gedeporteerd, terwijl het ziekenhuis ook werd gebruikt voor de sterilisatie van Joodse mannen in gemengde huwelijken. Meteen na de bevrijding werden er overlevenden van de kampen in ondergebracht. Vlak ten zuiden van het Wertheimpark was het gebouw aan de Plantage Parklaan 9 een Joods gemeenschapskantoor (de oorspronkelijke plaat zit nog boven de deur). Dit was een van de plaatsen waar in mei 1942 gele sterren werden verkocht.

De Hollandsche Schouwburg (dag. 11.00-17.00; € 12,00 in combinatie met de Portugese Synagoge en het Joods Historisch Museum; www. hollandscheschouwburg.nl) aan de Plantage Middenlaan 24, is het belangrijkste gebouw in de stad dat in verband wordt gebracht met de Holocaust. Deze schouwburg, die in 1892 werd gebouwd, was een van de populairste theaters van Amsterdam, maar in september 1941 wezen de nazi's het aan als *Joodsche Schouwburg* (dat wil zeggen: alleen voor Joden). Daarna werd het gebouw gevorderd en in de zomer van 1942 omgevormd tot het voornaamste deportatiecentrum. Joden kregen opdracht zich daar te melden, maar nog vaker werden ze er met geweld naartoe

Het Joods Lyceum in Amsterdam (foto van Elizabeth Burns)

gebracht en soms weken vastgehouden onder afschuwelijke, overbevolk-te omstandigheden, voordat ze werden afgevoerd naar Westerbork. On-danks het historische belang werd het gebouw na de oorlog aan verval prijsgegeven. Tegen de tijd dat er in 1962 een monument van werd ge-maakt, verkeerden de materialen in een dusdanige staat dat een groot deel van het theater moest worden verwijderd. Panelen in een zijkamer links van de foyer bevatten 6700 familienamen van vermoorde Neder-landse Joden, terwijl op de eerste verdieping een tentoonstelling is inge-richt over het Joodse leven in Amsterdam. De voormalige schouwburg-zaal is nu een soort open binnenplaats, gedomineerd door een herdenkingsobelisk.

Vrijwel recht tegenover de schouwburg, aan de Plantage Middenlaan 31-33, ligt *De Creche*, een kinderdagverblijf voor baby's van de geïnter-neerden, en tevens het toneel van een opmerkelijke reddingsactie die is aangegeven door een gedenkplaat. Süskind probeerde in zijn functie van medewerker van de Joodse Raad te voorkomen dat baby's bij binnen-komst werden geregistreerd. Vervolgens werden ze naar buiten gesmok-keld, in wasmanden, tassen of zelfs melkbussen. De jonge vrouwelijke personeelsleden wachtten tot er een tram voorbijkwam die het zicht van de Duitse wachtposten voor de schouwburg belemmerde en dan renden ze met de tram mee tot die bij de volgende halte stopte. De passagiers lieten niets blijken, om het geheim te houden. Naar schatting werden zo meer dan 600 baby's gered.

Verderop langs de Plantage Middenlaan bevat een park bij de Plantage Westermanlaan een opvallend beeld van een gebalde vuist die tevoor-schijn komt uit een gedeconstrueerde figuur, een monument voor de kun-stenaars die actief waren in het verzet, en met name voor de beeldhouwer Gerrit van de Veen, die in 1944 werd geëxecuteerd. Aan de overkant van de weg ligt Artis, de dierentuin van Amsterdam die als onderduikadres werd gebruikt door Joden en deserteurs uit de arbeidsdienst. Plantage Kerklaan 36, in de buurt van de ingang van de dierentuin, was in de oor-log de plaats van het bevolkingsregister van Amsterdam. Zoals op de gedenkplaat is te lezen drong op 27 maart 1943 een groep verzetsstrijders (onder wie Van der Veen) vermomd als politiemensen het gebouw binnen en stichtten brand om de identiteitspapieren van Amsterdamse Joden te vernietigen. De missie kreeg steun van de brandweer die hun slangen gebruikten om de schade zo groot mogelijk te maken. Helaas kwam de aanval voor de meeste Joden te laat en werd de groep verzetsstrijders aan de Duitsers verraden – twaalf van de leden werden in juli 1943 geëxecuteerd.

Het laat negentiende-eeuwse gebouw Plancius, aan de Plantage Kerklaan 61, bood ooit onderdak aan verscheidene Joodse culturele en politieke activiteiten. Het is nu de locatie van het Verzetsmuseum (di-vr 10.00-17.00, za-ma 11.00-17.00; € 8,00; www.verzetsmuseum.org) dat verder gaat dan uit de naam zou blijken, want het toont op een indringende manier het dagelijks leven in oorlogstijd en voor welke keuzes gewone burgers kwamen te staan. Een afdeling over de staking van 1941 dient als inleiding voor een analyse van de Holocaust. Een latere afdeling gaat over onderduiken, en toont enkele fascinerende voorwerpen die werden gemaakt door de onderduikers om de verveling te verdrijven, waaronder schilderijen van de man en zoon van Eva Geiringer (de latere tweede vrouw van Otto Frank) en een schaakspel waarvan de zwarte stukken Duitse helmen dragen.

Tussen oktober 1942 en mei 1943 werden 11.000 Joden gedeporteerd van het Muiderpoortstation (tram 3 naar het eindpunt, dan onder de brug door). Een rozentuin voor het station aan het Oosterpoortplein ligt tegenover een bank die ter nagedachtenis het gedicht *Muiderpoortstation* van Victor E. van Vriesland draagt. De sculptuur van Karel Appel houdt geen verband met de oorlog.

Andere plaatsen

Het Anne Frankhuis ligt direct ten westen van het centrum, aan de Prinsengracht. De geheime aanbouw in het bedrijfspand van Otto Frank op nummer 263 is toegankelijk via nummer 267 (dag. jul-aug 9.00-22.00, apr-mei en sep-okt 9.00-21.00 (za tot 22.00), nov-mrt 9.00-19.00 (za tot 21.00); € 9,00; www.annefrank.org). Ondanks de drukte (het is het meest bezochte museum van Nederland) raakt men al snel geroerd door deze eenvoudige tentoonstelling van persoonlijke voorwerpen, zoals de Latijnse thema's van Margot en het bordspel van Peter van Pels. De door Anne opgeplakte foto's zitten nog op de muur van de kamer die ze met Fritz Pfeffer deelde. Andere kamers gaan over de Holocaust in Nederland in het algemeen en over de geschiedenis van het dagboek van Anne – een glazen vitrine bevat 56 exemplaren in verschillende talen. Buiten op de Westermarkt staat een beeldje van Anne, naast de zuidwestelijke hoek van de Westerkerk. Ten oosten van de kerk ligt het Homomonument, een gedenkteken dat is gewijd aan de homoseksuele slachtoffers van zowel het nazisme als van andere vormen van vervolging. Drie roze driehoeken in de bestrating zijn onderling verbonden en vormen een grotere driehoek die uitsteekt tot in de gracht.

Het Museumplein, ten zuidwesten van het centrum, is de locatie van twee contrasterende monumenten. Een plastische metalen sculptuur die verontrustende geluiden voortbrengt is gewijd aan de Nederlandse vrouwen die naar Ravensbrück werden gestuurd. Ongeveer 100 meter naar het zuiden staat een figuratief beeldhouwwerk van een man, een vrouw en een kind met een vlam op de achtergrond ter ere van de zigeuners die slachtoffer werden van de nazi's.

Tussen de beide wereldoorlogen werd de wijk Nieuw Zuid gebouwd; Joodse vluchtelingen uit Duitsland behoorden tot de eerste bewoners. Onder hen waren ook de Franks, die in een modern woonblok aan het Merwedeplein 37 woorden (tram 12 en 25 naar halte Waalstraat/ Churchilllaan of tram 4 en bussen 15, 65 en 245 naar halte Waalstraat/ Rooseveltlaan). Een beeld van Anne staat in een nabijgelegen plantsoen. Aan de andere kant van het Victorieplein ligt het Joods Kindermonument, naast een speeltuin aan de Gaaspstraat 8. Twee dagen nadat de nazi's in november 1941 Joodse kinderen de toegang tot speeltuinen ontzegden, veranderden ze deze locatie in een markt die werd aangewezen als de enige plaats in de wijk waar Joden goederen konden kopen en verkopen. Het monument werd in 1985 opgericht door overlevenden en verzetsstrijders na een groot aantal racistische incidenten in de buurt. Er zijn twee spelende kinderen afgebeeld, terwijl twee buitengesloten Joodse kinderen toekijken. De hoofdtekst luidt: 'samen spelen, samen leven'.

Verder naar het westen stonden de twee meest gevreesde gebouwen van

Amsterdam tegenover elkaar aan de Euterpestraat (nu Gerrit van Veen-straat) bij de kruising met de Rubensstraat (tram 24 naar het Minervaplein, dan naar het noorden lopen). Het hoofdkwartier van de *Sicherheitsdienst* was gevestigd in de gevorderde meisjes H.B.S. op nummer 91-109. Aan de overkant was in een andere school de *Zentralstelle* (het centrale kantoor voor Joodse emigratie) gevestigd. Dit kantoor werd een maand na de Februaristaking opgericht om toezicht te houden op de Jodenpolitiek. Beide gebouwen raakten in november 1944 zwaar beschadigd bij een luchtaanval door de RAF. De *Zentralstelle* werd zelfs onherstelbaar verwoest. Op die plaats ligt nu een herdenkingspleintje. Het herbouwde SD-gebouw heeft een plaquette die zowel aandacht besteedt aan de luchtaanval als aan de gedeporteerde Joden. Veel van degenen die het indrukwekkende bakstenen gebouw werden binnengebracht, onder wie Kugler en Kleiman, de beschermers van de familie Frank, kwamen ten slotte terecht in de gevangenis op de hoek van de Amstelveenseweg en de Havenstraat die een kilometer naar het westen nog steeds in gebruik is als Huis van Bewaring (tram 16 en veel bussen naar het Haarlemmermeerstation).

Het Amsterdamse Bos, ten zuiden van de ringweg, is de locatie van het opmerkelijke Dachau Monument. Twee hoge taxushagen staan aan weerskanten van betonnen straattegels waarop de namen van de belangrijkste nazikampen zijn aangebracht, te beginnen met het eerste. Het monument ligt een paar honderd meter het bos in, vlak naast de Bosbaanweg die aan de zuidkant langs de Bosbaan loopt. De dichtstbijzijnde bushalte is Nijenrodeweg/Amstelveenseweg (62, 166, 170, 171 en 172) net buiten het bos.

Een weinig bekend monument staat in Amsterdam-Noord, ter herdenking aan de Joodse werknemers van de gesloopte fabriek in regenkleding Hollandia Kattenburg. Deze mensen werden op 11 november 1942 opgepakt. Van de 367 slachtoffers overleefden slechts acht de deportatie naar de kampen. De namen van de vermoorde 359 personen staan op een monument dat werd opgericht door het personeel van de vestiging in Manchester van dit bedrijf. Het monument in Amsterdam-Noord staat in een plantsoen bij een school, een korte wandeling van de aanlegplaats van het IJpleinveer (neem de gratis veerpont achter het Centraal Station).

Loop langs de IJoever tot aan de trap omlaag naar een weg links en volg deze weg (IJplein) tot hij schuin het Hollandia Kattenburgpad kruist. Het monument staat aan de rechterkant.

VUGHT

Het kamp Vught werd in 1942 gebouwd en was officieel het enige concentratiekamp in Nederland. Strikt genomen bestond het uit twee delen. In het 'kamp voor beschermende hechtenis' zaten politieke gevangenen uit Nederland, België en Duitsland. In het 'Joodse doorgangskamp' werden Joden uit de provincie verzameld of Joden die eerder tot vrijgestelde groepen behoorden. Zij werden via Westerbork of soms rechtstreeks naar Polen gedeporteerd. Bewoners, zowel Joden als politici, moesten dwangarbeid verrichten in werkplaatsen waarvan sommige onderdelen voor Philips maakten. In tegenstelling tot andere grote bedrijven die betrokken waren bij de Holocaust, krijgt het elektronicabedrijf over het algemeen lof toegezwaaid. Het stond er namelijk op dat de Joodse arbeiders goed werden behandeld (met inbegrip van een dagelijkse warme maaltijd) en het stelde alles in het werk om hun deportatie te voorkomen. Deze inspanning zou uiteindelijk tevergeefs blijken, want de laatste 'Philips-Joden' werden in juni 1944 gedeporteerd en het bedrijf moest van de SS uit het kamp verdwijnen omdat het werd verdacht van sabotage. Naar schatting hebben in Vught 31.000 personen gevangen gezeten onder wie 12.000 Joden. De meeste Joden werden in Auschwitz of Sobibór gedood. Van de andere gevangenen kwamen 750 in het kamp Vught zelf om het leven.

Het kamp was een van de eerste dat in oktober 1944 door Britse troepen werd bevrijd. Na de oorlog werd het overgenomen door het leger en hoewel het grootste deel van het uitgestrekte complex nog altijd in gebruik is, staan er zeer weinig oorspronkelijke gebouwen. Naast moderne barakken en een burgergevangenis zijn hier ook Molukse veteranen van het KNIL ondergebracht die na de oorlog, in de jaren vijftig, naar Nederland kwamen. Aan het eind van de lange weg langs de muur van het kamp is het gebied rond het crematorium echter overgedragen aan het Nationaal Monument kamp Vught (di-vr 10.00-17.00, ma (apr-sep) en za-zo 12.00-17.00; toegang gratis; www.nmkampvught.nl) dat doeltreffend gebruikmaakt van de beperkte ruimte. Het bezoekerscentrum uit 2002 stelt op een indrukwekkende manier enkele fraaie stukken tentoon. Een grootschalige maquette van het kamp op het voorplein geeft aan dat het herdenkingsgebied maar een klein gedeelte van het oorspronkelijke kamp beslaat. Het prikkeldraadhek met de wachttorens is een reconstructie, net als de barak met replica's van wc's, een waslokaal (wel met de originele wasbakken), eetzaal en slaapzaal.

Het crematorium is het enige oorspronkelijke gebouw dat in het herdenkingsgebied is overgebleven. Samen met de ovens en de ontleedtafel bevat het blok een reconstructie van cel 115 (de originele bevond zich in de kampgevangenis) die het toneel was van een bijzonder weerzinwekkend voorval. Een groep vrouwelijke kampbewoners had een medegevangene voor straf kaal geschoren, omdat ze ervan verdacht werd een SS-informant te zijn. Toen een van de vrouwelijke daders in de gevangenis werd opgesloten, protesteerden de anderen. Commandant Adam Grünewald reageerde daarop door in de nacht van 15 januari 1944 zoveel mogelijk vrouwen – 74 in totaal – in deze cel te persen. Tegen de ochtend waren tien vrouwen overleden. Vanwege dit voorval, het toppunt van een serie wreedheden, werd Grünewald ontheven van zijn functie als commandant. De *Asputten* buiten het crematorium zijn twee symbolische graven die de as bevatten die rond het gebouw is gevonden.

Achter het complex staat het Kindergedenkteken voor Joodse kinderen. Na arrestaties in de provincie in het voorjaar van 1943, raakte het Joodse kamp zwaar overbevolkt. De oplossing van de nazi's was om alle kinderen te verzamelen – de jongsten tot zeven jaar op 6 juni, de kinderen tot zestien jaar de volgende dag – en die na een korte stop in Westerbork naar Sobibór te transporteren. Zo werden 1260 kinderen vermoord samen met 1800 ouders die ervoor hadden gekozen hen te vergezellen. De namen en leeftijden van de kinderen staan op het monument. Onderaan zijn gebeeldhouwde speelgoedjes en boeken te zien.

De schokkendste aanblik levert in Vught misschien wel de stapel stenen achter het bezoekerscentrum. Deze sierden aanvankelijk het monument op het executieterrein van het kamp. De stenen platen werden op de vijftigste verjaardag van de bevrijding van Nederland besmeurd met teer.

Dit wekte verontwaardiging in het hele land, alleen zijn degenen die hier verantwoordelijk voor waren, nooit gepakt. De herdenkingsruimte ernaast bevat de namen van de mensen die in Vught zijn overleden. Er hangt een foto van Jan Herberts, de jongste onder hen die werd gearresteerd, omdat hij een Duitse soldaat had aangevallen. Omdat hij pas zeventien was, kon hij volgens de Geneefse Conventie (waaraan de nazi's zich in westelijk Europa tot op zekere hoogte hielden) niet worden geëxecuteerd, dus werd hij tot zijn achttiende verjaardag gevangen gehouden en toen doodgeschoten. Het laatste gedeelte van het bezoekerscentrum wordt gebruikt voor interessante eigentijdse exposities.

Buiten het complex leidt een pad door het bos dat is aangegeven met witte merktekens op de bomen naar het monument op de *Fusilladeplaats* die op een eilandje ligt. Het oorspronkelijke monument werd meteen na de oorlog onthuld en daarop waren de namen van 329 verzetsstrijders gegraveerd die hier in de zomer van 1944 werden geëxecuteerd. Nieuwe panelen zijn in de plaats gekomen van de bekladde originele platen.

De locatie wordt op de N65 door het dorp Vught met borden aangegeven. Bij gebruik van openbaar vervoer kan men op het station van 's-Hertogenbosch een treintaxi nemen.

WESTERBORK

Ironisch genoeg was Westerbork oorspronkelijk in 1939 op kosten van de Joodse gemeenschap in Nederland opgezet om Joodse vluchtelingen vanuit Duitsland onder te brengen. Zelfs na de Duitse inval bleef het kamp tot het begin van de deportaties onder Nederlands bestuur. Het kamp werd uitgebreid (betaald met onteigend Joods kapitaal) en kwam toen op 1 juli 1942 onder direct Duits toezicht. Het eerste transport met arrestanten kwam op 14 juli aan. De meesten van hen werden meteen de volgende dag naar Auschwitz gestuurd. Tussen die dag en 15 september 1944 vertrokken 93 transporten uit Westerbork waarvan de meeste naar Auschwitz-Birkenau (54.930 mensen) en Sobibór (34.313 personen) leidden. Het merendeel van de bewoners bracht slechts enkele dagen of zelfs enkele uren in het kamp door, maar in tegenstelling tot Drancy en Mechelen was er ook een grotere, betrekkelijk bevoorrechte semipermanente bevolking aanwezig in dit kamp. Daartoe behoorden de Joodse leiders en hun medewerkers, naast verschillende zogenaamd 'vrijgestelde' categorieën, zoals bepaalde groepen buitenlandse Joden en oorlogsveteranen. Deze gemeenschap kreeg van de Duitsers een aanzienlijke mate van autonomie, wat de ontwikkeling van een betrekkelijk 'normaal' bestaan mogelijk maakte. Dit bleek uit het ontstaan van werkplaatsen, een ziekenhuis (met op het hoogtepunt 1725 bedden en 120 artsen), een school en een breed scala aan sportieve en culturele activiteiten. Het kamp had zelfs een eigen munt. De dreiging van deportatie was echter altijd aanwezig, waarbij de treinen over het algemeen elke dinsdag vertrokken. Hoewel de Duitsers het aantal personen voor elk transport vaststelden, werd de samenstelling ervan overgelaten aan de Joodse leiders van het kamp. Deze

Westerbork (foto van Elizabeth Burns)

laatste groep bestond grotendeels uit Duitse Joden, vaak de oorspronke-lijke bewoners van het kamp, wat onveranderlijk tot spanningen leidde met Nederlandse Joden. Op den duur werd echter bijna iedereen onge-acht afkomst gedeporteerd. Toen de Duitsers het kamp in april 1945 ver-lieten, omdat Canadese troepen naderden, waren er nog 879 Joden over.

Net als Vught bleef het kamp na de oorlog in gebruik als legerbasis en onderkomen voor Molukkers voordat het in de jaren zestig werd afge-broken. Een klein nationaal monument verscheen in de jaren zeventig, maar het slopen van de barakken ging door, tot de laatste in 1971 was verdwenen. De locatie werd gedeeltelijk in gebruik genomen door grote radiotelescopen – die het gebied nog steeds overheersen – en de herinne-ring aan Westerbork als kamp begon mede daardoor te vervagen. Onder druk van de overlevenden ontstond er in 1983 een museum, alleen lag dat 2 kilometer verder naar het westen, omdat anders het gevaar bestond dat auto's de telescopen zouden storen. De expositie (ma-vr 10.00-17.00, za-zo 13.00-17.00, in jul en aug vanaf 11.00); € 6,50; www.kampwester-bork.nl) richt zich voornamelijk op het leven in de 'stad op de hei' met belangwekkend materiaal over de pogingen van de SS om het kamp op een normale gemeenschap te laten lijken, wat blijkt uit opmerkelijke films die zelfs nog in 1944 werden opgenomen. De aangrijpendste beelden le-veren echter de foto's van gezinnen en individuen samen met de stukjes film van thuissituaties, die de inleiding vormen tot de kamer die is gewijd aan de deportaties. Net als in Mechelen wordt elke trein aangegeven door een paneel met foto's, terwijl een stem de namen en leeftijden opsomt van de 1132 mensen die op 15 juli 1942 het eerste transport naar Auschwitz vormden.

Het terrein van het kamp werd pas in de jaren negentig naar behoren omgevormd tot een herdenkingsplek en kan worden bereikt met een ge-regelde busdienst of door de paden door het bos te volgen of de hoofdweg te nemen (er is een kaart op de parkeerplaats van het museum). Het eerste waarmee de bezoeker wordt begroet is een grote poster van een deporta-tietrein achter vijf granieten blokken die op een graftombe lijken en die de vijf hoofdbestemmingen van de transporten vertegenwoordigen (Aus-chwitz-Birkenau, Sobibór, Theresienstadt, Mauthausen, Bergen-Belsen).

Op elke steen staat het aantal mensen dat is gedeporteerd en gedood. Iets verderop ligt achter een verhoogd talud, dat verwijst naar de plaats van het commandogebouw, een prikkeldraadhek dat de grens van het kamp markeert. Hier is de bushalte.

Het kamp werd in de jaren zestig en zeventig dusdanig gesloopt dat het nu één groot veld is, onderbroken door groepjes bomen, terwijl in het zuiden de radiotelescopen opdoemen die volledig uit de toon vallen. Niettemin is met veel verbeeldingskracht geprobeerd de topografie van het kamp aan te geven. Aarden verhogingen geven de plaats van de gebouwen aan, en het middenpad naar het nationaal monument volgt het traject van de belangrijkste kampweg. Betonnen platen geven de plaats aan van het perron waar de tranen werden geladen. Aanvankelijk vertrokken die vanaf het station van het nabijgelegen Hooghalen, maar in november 1942 werd de lijn doorgetrokken tot in het kamp. Bij een gedenksteen uit Jeruzalem die daar in 1993 door Chaim Herzog is gelegd, staat een gebouwtje dat wat wegheeft van een tent en dat een schaalmodel van Westerbork bevat. Het opmerkelijkste element van het complex is de *Appelplatz* die is bedekt met 102.000 kleine stenen die net als barakken zijn gerangschikt in rijen. De meeste stenen zijn gemerkt met de davidster, maar sommige vertonen een vlam en vertegenwoordigen de 245 Romazigeuners die daar op 16 mei 1944 aankwamen. Ze werden drie dagen later gedeporteerd en slechts dertig van hen overleefden de oorlog. Links van het hoofdpad zijn kleine gedeelten van sommigen barakken in beton gereconstrueerd. Daartoe behoort ook blok 67 dat deel uitmaakte van de strafafdeling van het kamp. Tot de bewoners behoorden de familie Frank, die bij hun aankomst in augustus 1944 hier werden geïnterneerd, omdat ze de wet hadden overtreden door onder te duiken! Het nationaal monument uit 1970 aan het oostelijk uiteinde van het kamp is zeer opmerkelijk en bestaat uit een stuk spoor waarvan de afgebroken en verdraaide rails omhoog wijzen. Ernaast staan een wachttoren en een bunker.

De locatie ligt dicht bij het dorp Hooghalen en wordt ten oosten van de A28 tussen Beilen en Assen aangegeven met borden. Op het station Beilen kan een treintaxi worden genomen.

ANDERE LOCATIES

In Amersfoort lag vanaf 1941 tot de opening van kamp Vught het belang-rijkste interneringskamp. Hier werden ook plaatselijke Joden tijdelijk vastgehouden. Het kamp werd in 1943 uitgebreid en werd toen een door-gangskamp voor politieke gevangenen die op transport naar het Reich werden gesteld. De barakken (die na de oorlog door het leger in gebruik werden genomen) werden in 1968 gesloopt en de locatie wordt nu gro-tendeels in beslag genomen door een Politie Opleidingsinstituut (IBP). Er is echter een klein herdenkingscomplex, bestaande uit een informatiecen-trum en fragmenten van het kamp (di-vr 9.00-17.00 (nov-feb: 10.00-16.00), zo 13.00-17.00; toegang gratis; www.kampamersfoort.nl). De schietbaan ertegenover, die diende als executieplaats van het kamp, werd in 1953 een nationaal monument. De plaats waar in 1942 77 Sovjet krijgsgevangenen werden geëxecuteerd ligt er vlakbij en wordt aangege-ven met een monument. Het complex ligt aan de Appelweg naast de Laan 1914, vlak buiten de ringweg N221 ten zuidwesten van de stad, in de buurt van de kruising met de N227.

Het eerste grote kamp, dat later werd vervangen door dat van Amers-foort en Vught, lag bij Schoorl, ten noorden van Bergen. De honderden Joodse mannen die begin 1941 naar Buchenwald en Mauthausen werden gestuurd, werden aanvankelijk in Schoorl vastgehouden. Er staat een ge-denksteen op de plaats waar vroeger de poort was, naast het bezoekers-centrum Het Zandspoor, aan de Oorsprongweg 1 ten noordwesten van het dorp.

4

Italië

Afgezien van Denemarken had Italië het hoogste percentage holocaustoverlevenden van alle bezette naties. Dit kan vreemd overkomen, omdat het ook de eerste fascistische regering van Europa had, maar het is een gevolg van de ongebruikelijke geschiedenis van de Joden in dat land.

Hun aanwezigheid op het schiereiland gaat tweeëntwintig eeuwen terug en werd vaak gekenmerkt door tegenspoed. De middeleeuwen brachten dezelfde wisselvallige omstandigheden als elders in Europa, met in de zestiende eeuw als dieptepunt het ontstaan van ommuurde getto's in de meeste grote steden. Algemeen wordt zelfs aangenomen dat de term getto is ontleend aan het Italiaanse woord voor 'metalen mal', en dat het verwijst naar de plaats van de eerste gemeenschap van dien aard midden tussen de ijzergieterijen van Venetië. De negentiende eeuw bracht echter een radicale verandering teweeg, toen de legers van Piemonte de getto's opruimden bij het tot een eenheid smeden van Italië. Daarop volgde een periode van opmerkelijk snelle Joodse integratie in het openbare leven. De bewering dat er geen antisemitisme bestond, zou bezijden de waarheid zijn, maar in vergelijking met landen als Frankrijk en Duitsland maakte het geen deel uit van de belangrijkste politieke stromingen. Dit blijkt ook wel uit het feit dat Italië voor de Eerste Wereldoorlog twee Joodse premiers had: Sidney Sonnino (een protestantse bekeerling) en Luigi Luzatti. De Joodse gemeenschap werd daarop een van de best geassimileerde in Europa met een hoog percentage gemengde huwelijken en een wijdverbreide verknochtheid aan staat, monarchie en liberalisme als kenmerken.

Italië

Zelfs de opkomst van het fascisme bracht, afgezien van een door alle Italianen gevoeld verlies aan democratische rechten, geen ingrijpende verandering in de positie van de Joden. Mussolini's beweging was nationalistisch en xenofoob, maar met uitzondering van een paar fanatici was er in het algemeen geen sprake van antisemitisme. Joden sloten zich zelfs in ongeveer dezelfde verhoudingen als de rest van de bevolking bij de fascistische partij aan, en sommigen bereikten ook belangrijke posities binnen het regime. De Duce had halverwege de jaren dertig zelfs een Joodse maîtresse: Margherita Sarfatti.

De sfeer veranderde eind 1936 met een antisemitische perscampagne die een voorbode vormde van de rassenwetten van 1938 die gemengde huwelijken verboden en die Joden uitsloten van bepaalde beroepen. Algemeen wordt aangenomen dat dit een list van Mussolini was om indruk te maken op Hitler als onderdeel van zijn poging een bondgenootschap met Duitsland te sluiten. De late deelname van Italië aan de oorlog in juni 1940 had de internering van buitenlandse Joden (vaak vluchtelingen uit Frankrijk) tot gevolg en de verplichting voor Joodse mannen om zich vanaf mei 1942 te registreren voor dwangarbeid (hoewel de uitvoering daarvan uitzonderlijk traag verliep). Maar ondanks de toenemende vervolging werden er geen Joden overgedragen aan de Duitsers, terwijl diplomaten en militairen in door Italië bezet gebied in Griekenland, Joegoslavië en Frankrijk de nazipolitiek openlijk naast zich neerlegden. Velen beschermden de Joden actief door te zorgen voor onderduikadressen, valse documenten en zelfs vervoer naar Italië. Hitler was echter van plan om de Joden in Italië hetzelfde lot te laten ondergaan als elders, maar hij stelde zich ermee tevreden af te wachten, omdat hij zijn bondgenoot niet van zich wilde vervreemden.

Ironisch genoeg bracht het militaire fiasco van de fascisten de Holocaust naar Italië. De geallieerde landingen op Sicilië brachten Mussolini in juli 1943 ten val, wat werd gevolgd door de onvermijdelijke overgave van Italië in september. Dit was de aanleiding voor een Duitse bezetting van het grootste deel van het land en de aanstelling van Mussolini als de leider van de marionettenrepubliek van Saló. De Duitse razzia's begonnen in oktober 1943 en gingen de maanden daarna door met ondersteuning van het Saló-decreet uit november dat de Italiaanse politie opdroeg Joden te arresteren. De slachtoffers die in oktober werden opgepakt, gingen rechtstreeks naar Auschwitz. Degenen die door Italianen waren gearresteerd werden in interneringskampen opgesloten, met name Fossoli di Carpi, van waaruit in begin 1944 deportaties begonnen. In totaal werden ongeveer 6800 van de 45.200 Italiaanse Joden gedeporteerd, waardoor ongeveer 15% in de Holocaust het leven verloor.

Hoe ontstellend dit getal ook is, het betekent wel dat de overgrote meerderheid overleefde. Er zijn verschillende feiten aan te wijzen die hier de oorzaak van zijn. De meest voor de hand liggende is de betrekkelijk korte duur van de Duitse bezetting – negen maanden in Rome, twee keer zo lang in het noorden – versterkt door het feit dat de Duitsers de oorlog in dit stadium duidelijk aan het verliezen waren. Hetzelfde gold echter voor Hongarije, dat zelfs nog later werd bezet, maar wel met een veel dodelijker resultaat. Het feit dat de Joodse gemeenschap in Italië was geassimileerd en betrekkelijk klein was, leverde ongetwijfeld een bijdrage aan het onderduiken. Uiteindelijk was het overleven van de meeste Joden echter grotendeels te danken aan het initiatief, de moed en het doodgewone fatsoen van duizenden mensen. Een leidende rol werd gespeeld door *Delasem*, een Joods bureau dat in 1939 was opgezet om buitenlandse vluchtelingen in Italië te helpen. Hoewel het na de bezetting ondergronds ging, kon het voor duizenden buitenlandse en Italiaanse Joden onderduikadressen en voedsel organiseren. Veel van die schuilplaatsen waren godsdienstige instellingen, waaruit blijkt hoe belangrijk de grote aantallen katholieke priesters en religieuze huizen waren. Meer in het algemeen hebben tal van figuren in overheidsdienst – politiefunctionarissen die Joden waarschuwden voor razzia's, artsen die hen in ziekenhuizen lieten onderduiken, gemeenteambtenaren die namenlijsten vernietigden – samen met gewone burgers van elke rang en stand allemaal hun rol gespeeld. Er waren natuurlijk minder fatsoenlijke figuren, zoals informanten – de beruchtste, Celeste di Porto, in Rome, was zelf een Jodin – en er was fascistisch tuig. Niettemin is de mate waarin Italiaanse Joden door hun landgenoten werden geholpen een van de lichtpuntjes in de zwarte duisternis van de Holocaust.

Italië was een van de eerste landen dat de plaatsen begon te gedenken die werden geassocieerd met de Holocaust en er is nu een aantal indrukwekkende monumenten, terwijl de moderne Joodse gemeenschap van rond de 35.000 mensen er op zich al van getuigt dat de nazi's in ten minste één land niet in hun opzet zijn geslaagd.

ROME

Rome was de thuisstad van de grootste en misschien wel oudste Joodse gemeenschap van Italië. Er wordt zelfs aangenomen dat de Joden de enige directe afstammelingen waren van de mensen die in het oude Rome huisden en die twee millennia later nog steeds in de stad woonden. Tijdens de keizertijd groeide de gemeenschap uit tot een verbluffende 50.000 personen, meer dan de Joodse bevolking van heel Italië in de twintigste eeuw. Het lot van de Joden wisselde nogal, maar voorafgaand aan de Holocaust werd de zwaarste klap toegebracht door paus Paulus VI die in 1555 opdracht gaf tot de vorming van het beruchtste en langst bestaande Italiaanse getto. Het werd Joden verder verboden bezittingen te hebben, ze werden gedwongen naar christelijke preken te luisteren en moesten buiten het getto een geel insigne dragen. De maar kort bestaande Romeinse Republiek van 1849 sloopte de muren, maar het getto werd pas definitief afgeschaft toen Italiaanse troepen de stad in 1870 innamen. Er volgde een periode van ongekende voorspoed. Zelfs na Mussolini's rassenwetten, voelden de 12.000 Joden van Rome zich veiliger dan andere Joden elders in Europa.

Tragisch genoeg bleven ze dit gevoel van veiligheid ook houden nadat de Duitsers de stad al hadden bezet. Dante Almansi en Ugo Foá, de leiders van de gemeenschap en allebei voormalige leden van de fascistische partij, schijnen te hebben gedacht dat de Joden van Rome met rust zouden worden gelaten, omdat ze vertrouwden op de bescherming van Mussolini en de paus. Maar niet alle leiders waren zo goed van vertrouwen. Opperrabbijn Israel Zolli dook bijvoorbeeld onder nadat niet was geluisterd naar zijn waarschuwingen. De meeste Joden weigerden echter geloof te hechten aan de verhalen over wreedheden van de nazi's, ook al omdat de Duitse troepen zich op het eerste oog heel fatsoenlijk gedroegen. Het eerste teken dat dit een vergissing was, kwam op 26 september 1943, toen Herbert Kappler, hoofd van de SD, in ruil voor het sparen van de Romeinse Joden 50 kilo goud opeiste. Deze vorm van afpersing deed Kappler op eigen initiatief. Hij beweerde later dat hij van mening was geweest dat de jacht op Joden een verspilling van mankracht was. Zijn mannen konden beter tegen partizanen worden ingezet en hij hoopte Himmler, die de deportaties al had bevolen, te overtuigen dat economische uitbuiting de voorkeur verdiende. Anderen kwamen met de minder vriendelijke mening dat dit een list was om de Joden de geruststelling te geven dat ze gespaard konden worden, waardoor Kappler meer tijd kreeg om de deportatie voor te bereiden. Als dat laatste het geval was, dan had het succes. Het goud werd bijeengebracht en de meeste Joden dachten dat ze veilig waren. Ze werden dus volledig verrast door een grote razzia op 16 oktober, die om vijf uur 's ochtends begon. Er werden 1259 mensen opgepakt. Na vrijlating van degenen die tot de vrijgestelde categorieën behoorden (gemengde huwelijken, burgers van neutrale landen) en van per ongeluk opgepakte niet-Joden, werden meer dan 1000 naar Auschwitz overgebracht. De volgende maanden werden meer Joden opgepakt. In totaal werden minstens 1700 Romeinse Joden naar Polen gedeporteerd. Anderen werden het slachtoffer van fascistisch geweld, terwijl 75 Joden deel uitmaakten van de groep van 335 mensen die het leven verloren bij de beruchte massaexecutie in de Ardeatijnse grotten op 24 maart 1944. Dit was een barbaarse wraakactie voor een aanval van partizanen op een SS-politiebataljon waarbij 33 Duitsers de dood vonden. Volgens zeggen had Hitler bevolen om 100 Italianen te doden voor iedere Duitser. Kappler bracht dat terug tot tien per Duitser en stelde een lijst op van partizanen, krijgsgevangenen en andere prominente figuren. Joden die in Rome gevangen zaten, werden daaraan toegevoegd om het vereiste aantal te halen.

Niettemin overleefden meer dan 10.000 Romeinse Joden de oorlog. Een bijzonder belangrijke rol werd daarbij gespeeld door *Delasem*. De vertegenwoordiger daarvan in Rome was Settimio Sorani en in tegenstelling tot mannen als Foá had hij geen vertrouwen in Duitse beloften: in de weken voor 16 oktober organiseerde hij onderduikadressen. Toen Sorani zelf moest onderduiken, kwamen de activiteiten van *Delasem* onder toezicht te staan van pater Benoit, een Franse kapucijn die zich al had onder-

scheiden bij reddingsoperaties in zijn vaderland. Hun inspanningen zorgden er mede voor dat 4000 Joden die in de hele stad ondergedoken zaten,
werden gered. Veel van de toevluchtsoorden van *Delasem* waren kerken
en kloosters, terwijl ook andere Joden op eigen initiatief naar zulke instellingen kwamen. Deze prominente rol van de katholieke kerk brengt
de verbijsterende kwestie van de daden van paus Pius XII aan de orde,
een onderwerp dat aanleiding is geweest voor verhitte discussies. Na de
oorlog werd in brede kring – ook door overlevenden – aangenomen dat
hij verantwoordelijk was voor het verschaffen van schuilplaatsen. Dit is
echter nooit bewezen en de nalatigheid van de paus om de Holocaust in
het openbaar of in kleine kring te veroordelen, zelfs toen de Joden uit zijn
eigen stad werden opgepakt, is een bron van controverse. Toch speelde

Rome: Largo 16 Ottobre 1943 (foto van Elizabeth Burns)

het instituut waaraan Pius leiding gaf en dat eerder in de Romeinse geschiedenis de bron was van veel Joods leed, zonder meer een belangrijke
rol bij het redden van levens. Als gevolg daarvan telt de moderne gemeenschap ongeveer 13.500 leden en heeft die gemeenschap nog steeds een
unieke en ononderbroken band met de Joden uit de klassieke oudheid.

Het oude getto en de buurt rond de Tiber

Nadat ze in de negentiende eeuw voor de wet waren gelijkgesteld, vestigden Joden zich door de hele stad, maar de buurt van het voormalige getto
was in 1943 nog steeds de woonplaats van ongeveer 4000 mensen. Deze
buurt was dan ook het voornaamste doelwit van de grote razzia van 16
oktober. De kern van het doolhof van smalle straatjes wordt gevormd
door de Via del Portico d'Ottavia die is genoemd naar de antieke poort
die het oostelijk uiteinde van de straat domineert. Slachtoffers van de razzia werden gedwongen in de regen buiten deze poort te wachten voordat
ze over de Tiber werden gebracht. Op de muur van het ernaast gelegen
veertiende-eeuwse Casa dei Vallati op nummer 28-30 (waarin nu de afdeling antieke monumenten van de stad is gevestigd) is een plaquette voor
de slachtoffers aangebracht, aangevuld met een andere plaquette die de
kinderen herdenkt die in nazikampen werden vermoord. Het pleintje
voor dit gebouw is hernoemd tot Largo 16 Ottobre 1943.

De Grote Synagoge van Rome ligt vlakbij, aan de Lungotevere Dè
Cenci 15. Op de muren staan inscripties die gedeporteerden, slachtoffers
van de massa-executie in de Ardeatijnse grotten en partizanen herdenken.
De synagoge werd gebouwd in het begin van de twintigste eeuw en verving vijf synagogen die in hetzelfde gebouw waren gevestigd – een gevolg
van beperkende, pauselijke maatregelen – en die het getto hadden bediend. Daaraan herinnert nu nog het Piazza delle Cinque Scole, twee straten naar het noordwesten. Het complex van de synagoge biedt ook onderdak aan het Joods Museum van Rome (zo-do 10.00-16.15 (jun-sep:
tot 18.15), vr 10.00-13.15 (jun-sep: tot 15.15); € 11,00; www.museoe-
braico.roma.it), dat een indrukwekkende verzameling voorwerpen uit de
oorspronkelijke vijf synagogen bezit, alsmede een kleine afdeling over de
Holocaust (de entree omvat ook een bezichtiging van de tempel onder

leiding van een gids). Tegenover de westzijde van de synagoge heeft de school aan de Via del Tempio 5 een gedenkplaat voor 112 oud-leerlingen die door de nazi's zijn vermoord. Largo Stefano Gaj Taché, een pleintje tussen de synagoge en de school, is vernoemd naar een kind van één jaar dat werd gedood bij een terroristische aanslag op de synagoge in 1982.

Het Isola Tiberina tegenover de synagoge wordt bereikt via de Ponte Fabricio. De kerk van San Bartolomeo all'Isola op de zuidpunt van het eiland was vaak het eerste toevluchtsoord voor Joden die vluchtten voor de razzia's – ongeveer 400 verscholen zich hier tijdelijk voordat ze naar een definitief onderduikadres gingen. Twee bekendere onderduikadressen liggen aan de andere kant van de Tiber, langs de Via Garibaldi, die van een punt in de buurt van de Ponte Sisto de heuvel Janiculum op loopt. In het augustijnenklooster Santa Maria del Sette Dolori, op nummer 27, zaten 103 Joden, terwijl het convent van Nostra Signora di Sion dat op nummer 28 verder heuvelop verscholen ligt achter hoge muren, onderdak bood aan 187 mensen, het grootste aantal in een klooster.

Degenen die minder geluk hadden, belandden in de Via della Lungara, ten noorden van de Via Garibaldi. Slachtoffers van de razzia van 16 oktober werden naar het Collegio Militrare in het Palazzo Salviati op nummer 81c-83 gebracht, waar ze met weinig voedsel – de meeste mensen die zaterdagochtend vroeg waren opgepakt hadden die dag niet gegeten – twee nachten lang door gewapende bewakers werden vastgehouden, voordat ze op 18 oktober met vrachtwagens naar de wachtende deportatietrein werden gebracht. In de eerste nacht in het college werd op de binnenplaats een baby geboren, die was voorbestemd om zijn korte leven met bijna alle andere geïnterneerden in Polen te eindigen. Aan de buitenmuur is een eenvoudige gedenkplaat aangebracht. De meesten van de 671 Joden die bij latere operaties werden opgepakt, werden vastgehouden in de beruchte Regina Coeli gevangenis die verder naar het zuiden aan dezelfde straat ligt en waar de Via di San Francesco di Sales omheen loopt.

Andere plaatsen

Er is een gedenkplaat voor holocaustslachtoffers onder Sinti, Roma en Camminanti (Sicilianen die in de zomer door Italië zwerven) op de Via degli Zingari (Zigeunerstraat) 13-14, ten noorden van het Forum (metro-station Cavour). Verder naar het noorden, bij metrostation Barberini, vormde de Via Rasella het toneel van de aanval door Partizanen die de aanleiding vormde voor de massa-executies in de Ardeatijnse grotten. Het gebouw op nummer 140-142, op de hoek met de Via del Boccacio, is nog steeds getekend door kogelgaten. Het geweervuur was afkomstig van de Duitsers, die dachten dat ze vanaf de daken werden aangevallen en die omhoog vuurden. In werkelijkheid zat de bom in de kar van een straatveger die daar was achtergelaten.

Ten oosten van het centrum ligt het station Tiburtina (bereikbaar met de metro) dat het vertrekpunt was voor de slachtoffers van de razzia van 16 oktober. Ze werden in een periode van acht uur van het Collegio Militare aangevoerd en in achttien veewagons geladen. Elke wagon ging na het vullen op slot en de gevangenen moesten in het donker wachten, ter-wijl de vrachtwagens terugreden om een nieuwe lading uit het college op te halen. Het transport, dat minstens 1023 personen omvatte, vertrok op 18 oktober en kwam vier dagen later in Auschwitz aan. Vijftien mannen en één vrouw overleefden het. Op het eerste perron herinnert een pla-quette aan het konvooi en aan de vele andere Romeinen die naar het Reich werden gedeporteerd. Daarnaast zijn er andere gedenkplaten voor individuen. Er is een bescheiden Holocaustmonument voor het officiële gebouw van het Joodse gedeelte van de begraafplaats van Verano dat bereikbaar is via de ingang aan het Piazza delle Crociate, een paar hon-derd meter lopen van Tiburtina.

Ten zuidoosten van het centrum lag aan de Via Tasso 145-155 het hoofdkwartier van de Gestapo in Rome (metrostation Manzoni). Dit was de plaats waar de leiders van de Joodse gemeenschap op 28 september 1943 de 50 kilo goud moesten afleveren. Feitelijk hadden ze nog 300 gram extra bij zich voor het geval de nazi's probeerden te beweren dat er te weinig goud was (wat een SS-officier inderdaad deed). In de jaren vijf-tig werd een groep voormalige cellen omgebouwd tot het Historisch Mu-seum van de Bevrijding (di, do-vr 9.30-12.30 en 15.30-19.30, wo, za-zo 9.30-12.30; toegang gratis; www.viatasso.eu) dat de naziterreur – waar-onder de deportaties en de massa-executie in de Ardeatijnse grotten – en de verzetsbeweging tot onderwerp heeft. De graffiti die gevangenen op de muren hebben aangebracht zijn bewaard gebleven.

Op het nabijgelegen Piazza San Giovanni in Laterano kan men bus 218 nemen naar de Ardeatijnse grotten (Fosse Ardeatine). De Duitsers hadden geprobeerd de grotten met explosieven af te sluiten om de plaats van het bloedbad te verbergen, maar geruchten brachten binnen enkele dagen mensen naar de locatie, hoewel het uitgraven van de lichamen pas na de bevrijding mogelijk was. Ze werden in stapels begraven onder het puin aangetroffen, want om tijd te besparen hadden de Duitsers de slachtoffers bevolen bovenop degenen te klimmen die al dood waren, zodat ze hen later niet zelf hoefden op te stapelen. In 1948 werd de plaats een aangrijpend nationaal monument (ma-vr 8.15-15.15, za-zo 8.15-16.45; toegang gratis). Een gedeelte van het grottencomplex dat zichtbaar is beschadigd door de Duitse explosieven, kan worden bezocht. De plaats van de massamoord ligt verborgen achter een metalen poort. De slachtoffers liggen nu begraven in een betonnen mausoleum buiten het complex, waarbij elk graf de naam, de leeftijd en het beroep van het slachtoffer draagt. Op het mooie terrein staat ook een klein museum en een opvallende reeks herdenkingsbeelden.

FOSSOLI DI CARPI

In 1940 werd het kamp Fossoli di Carpi haastig gebouwd door de fascistische autoriteiten, maar het begon pas echt gebruikt te worden in 1942, als kamp voor geallieerde krijgsgevangenen. Het werd een dag na de overgave, van 8 september 1943, overgenomen door de Duitsers. Ze deporteerden de krijgsgevangenen naar het Reich om Fossoli te kunnen omvormen tot het belangrijkste doorgangskamp in Italië. Tussen december 1943 en maart 1944 was het enige doel de internering van Joden, wat het noodzakelijk maakte om meer barakken te bouwen. Fossoli stond officieel onder bestuur van de Republiek van Saló, maar in maart 1944 nam de SS het 'nieuwe kamp' (de nieuwe barakken) over en daarin zaten naast Joden politieke gevangenen die gedeporteerd moesten worden (voornamelijk naar Mauthausen). Het 'oude kamp' bleef onder beheer van Saló staan en daarin zaten gevangenen die waren gearresteerd door het regime van Mussolini en burgers van vijandelijke staten. Het is niet bekend hoeveel personen er precies zijn geïnterneerd of gedeporteerd, omdat er geen documenten bewaard zijn gebleven, maar men neemt aan dat in negen konvooien meer dan 5000 mensen naar het noorden werden gebracht. Minstens zes transporten waren 'Joods' (vijf naar Auschwitz, één naar Bergen-Belsen) en die omvatten meer dan 40% van alle gedeporteerde Italiaanse Joden. Onder hen was de dichter-schrijver Primo Levi, die tot de meer dan 600 personen behoorde die op 22 februari met het eerste transport naar Auschwitz werden gebracht. Hij was een van de slechts twintig mensen die het overleefden. De oprukkende frontlinie had tot gevolg dat de leiding in augustus 1944 naar Bolzano verhuisde, maar de Duitsers bleven de locatie tot de uiteindelijke evacuatie in november gebruiken als verzamelplaats voor Italiaanse dwangarbeiders.

Het 'oude kamp' werd in 1946 gesloopt om weer landbouwgrond te worden. Het 'nieuwe kamp' beleefde na de oorlog een kleurrijke geschiedenis als achtereenvolgens interneringsplek voor fascisten, vluchtelingenkamp, een centrum voor verweesde en verlaten kinderen, en een verblijfplaats voor Italiaanse vluchtelingen uit Joegoslavië. Het werd in 1970 verlaten en aan het verval overgelaten, waardoor het behoorlijk bouwvallig werd. De restauratie begon in 1998 en de locatie kan nu bezocht worden, zij het op nogal beperkte tijden (mrt-1e zo in jul: zo 10.00-12.30 en 15.00-19.00 (middagen buiten de Europese zomertijd 14.30-17.30); toegang gratis; www.fondazionefossoli.org; voor bezoeken op andere momenten bel 059 688272). De door weer en wind verwoeste barakken zijn vaak overwoekerd, maar één barak is gerestaureerd en daarin zijn eenvoudige maar informatieve exposities over de geschiedenis van Fossoli ondergebracht. Een ander gedeelte van de barak dat nog wordt gerestaureerd, laat zien hoeveel van het project steunt op de inbreng van vaak oudere vrijwilligers.

In Carpi zelf wordt op een vindingrijke manier geprobeerd de slachtoffers van de naziterreur te herdenken: het Museo Monumento al Deportato (vr, za en feestdagen 10.00-13.00 en 16.00-20.00 (middagen buiten de Europese zomertijd 15.00-17.00); € 3,00; zelfde website) is gevestigd in een vleugel van het Palazzo dei Pio, dat het centrale Piazza Martiri domineert. Het initiatief voor dit monument kwam van voormalig kamp-bewoner Ludovico Barbiano, in een tijd dat het kamp nog in gebruik was. Het bestaat uit een serie kamers waarvan de muren zijn bedekt met citaten uit de laatste brieven van veroordeelde verzetsstrijders uit heel Europa en schetsen van kunstenaars, onder wie Picasso en Léger. Op de muren van de laatste kamer staan de namen van 14.314 gedeporteerde Italianen, terwijl op hoge betonnen platen op de binnenplaats de namen van kampen en getto's zijn gegraveerd. Het feit dat monument en kamp tegenwoordig niet op dezelfde dagen open zijn, is uiteraard een bron van enige ergernis, hoewel de openingsuren van het monument regelmatig zijn aangepast. De voormalige synagoge van Carpi, die in 1922 is gesloten, ligt aan de Via Giulio Rovighi 57, opzij van de Via Jacopo Berengario, tegenover het plein.

Carpi ligt ten noorden van Modena en ten oosten van de A22. Het herdenkingsmuseum ligt in het centrum, op enkele minuten lopen ten westen van het spoorwegstation. Het kamp ligt op ongeveer 6 kilometer ten noorden van de stad en wordt op de SP413 met borden aangegeven (in Carpi zijn taxi's beschikbaar).

LA RISIERA DI SAN SABBA

La Risiera di San Sabba in Triëst was zowel het dodelijkste als geheimzinnigste kamp in Italië. Deze voormalige rijstpellerij werd in september 1943 overgenomen door de Duitsers en aanvankelijk gebruikt als gevangenenkamp voor Italiaanse militairen. Nadat de regio Triëst was ingelijfd bij het Reich, kreeg La Risiera echter algauw een onheilspellender rol. Dit bleek niet alleen uit de nieuwe bestemming die het eind oktober kreeg als interneringskamp voor Joden, partizanen en politieke gevangenen, maar een maand eerder ook door de komst uit Lublin van Odilo Globocnik met zijn *Aktion Reinhardt* waartoe Christian Wirth en Franz Stangl behoorden. Dit waren de mannen die toezicht hadden gehouden op het uitroeien van Poolse Joden en eerder op dat van gehandicapten in Duitsland en Oostenrijk. Officieel moesten ze leiding geven aan de strijd tegen de Joegoslavische partizanen, maar de aanwezigheid van de meest ervaren nazimoordenaars in Triëst gaf aanleiding tot het vermoeden dat La

Risiera een dodenkamp was of minstens moest worden. Er is weinig bekend over hoe het kamp precies functioneerde, maar de commandant was Joseph Oberhauser, de voormalige rechterhand van Wirth in Bełżec en het personeel bestond uit dezelfde SS'ers en Oekraïense hulptroepen die in Polen hadden gediend. Naar schatting passeerden meer dan 20.000 personen de poorten van het kamp. Velen, onder wie meer dan 700 Joden, werden naar Auschwitz, Dachau en Mauthausen gedeporteerd. La Risiera werd echter ook zelf een vernietigingskamp. Schattingen van ooggetuigen doen vermoeden dat daar tussen 3000 en 5000 personen werden vermoord, onder wie Joegoslavische partizanen en Joodse psychiatrische patiënten uit Noordoost-Italië. In veel gevallen werden de slachtoffers gewurgd of doodgeknuppeld door de Oekraïense bewakers, maar er schijnen ook gasauto's te zijn gebruikt, een ijzingwekkende echo van de eerdere activiteiten van het team van Oberhauser. Net als de Poolse kampen werd ook La Risiera een groot centrum voor geplunderde goederen en zaken die waren gestolen van gevangenen en uit plaatselijke Joodse gemeenschappen.

De terugtrekkende Duitsers bliezen een gedeelte van het kamp op tijdens de evacuatie in april 1945, maar na een periode van gebruik als vluchtelingenkamp en daarna van verwaarlozing, werden de overgebleven gebouwen opgenomen in een indrukwekkende herdenkingslocatie die in 1975 opening (dag. 9.00-19.00; toegang gratis; www.risierasansabba. it). De entree bestaat uit een doorgang met aan het eind links de 'dodencel'. Hier werden de veroordeelde gevangenen opgesloten die de cel vaak moesten delen met de lijken van eerdere slachtoffers. In het gebouw ernaast waren voornamelijk de SS'ers en werkplaatsen ondergebracht, maar de benedenverdieping, die toegankelijk is voor bezoekers, bevat zeventien schrikbarend kleine cellen waarin telkens zes gevangenen zaten. Het aangrenzende gebouw staat van binnen nu bekend als de 'zaal van de kruisen' vanwege de vorm van de zware houten balken die ooit de scheiding vormden tussen vloeren en kamers. Hier werden Joden en anderen die gedeporteerd zouden worden, vastgehouden. Hun gedachtenis wordt levend gehouden met kleine nissen in de muren die van Joden uit Triëst gestolen voorwerpen bevatten en een urn met aarde uit Jeruzalem. Buiten, op de

La Risiera di San Sabba (foto van Elizabeth Burns)

binnenplaats, markeren metalen platen de locatie van het afgebroken crematorium – de omtrek van de oostelijke muur is nog zichtbaar op het hoofdgebouw, terwijl metalen zuilen de plaats van de schoorsteen aangeven. De Duitsers gebruikten de bestaande rijstdrogerij aanvankelijk voor het verbranden van lichamen, maar toen de moordcampagne werd uitgebreid, bouwden ze in april 1944 een groter crematorium. Dit werd ontworpen door Erwin Lambert, die verantwoordelijk was voor de gaskamers van het T4-programma en van Treblinka, wat verder het vermoeden doet rijzen wat het uiteindelijke doel van het kamp in Triëst was. De bevrijders vonden te midden van de rommel drie cementzakken vol botten en as. In het hoofdgebouw is een kleine expositie ingericht van foto's en voorwerpen uit La Risiera en andere kampen en daar ligt ook een replica

van de knuppel waarmee Oekraïense bewakers gevangenen doodsloe-
gen – het origineel werd in 1945 in de ruïne van het crematorium gevonden. Aan de achterkant van het hoofdgebouw komt men langs muren met
gedenkplaten voor groepen en individuen in een herdenkingskamer met
een expositie over de geschiedenis van kamp, regio en partizanen.

La Risiera ligt aan de Via Giovanni Palatucci 5 in de zuidelijke buitenwijken van Triëst. Het is te bereiken door buslijn 10 te nemen naar de Via
di Valmaura (voorbij het voetbalstadion) vanwaar het nog een korte
wandeling is.

De Grote Synagoge in Byzantijnse stijl aan de Via San Francesco
d'Assisi 19, in het centrum van Triëst, werd in oktober 1941 en juli 1942
(dus nog voor de Duitse bezetting) op een gewelddadige manier beschadigd, wat een bewijs is van de etnische spanningen in Triëst. De eerste
keer werden antisemitische leuzen op de muren gekalkt. De tweede aanval liep uit op de vernietiging van heilige voorwerpen in het gebouw. De
stad herbergt ook het Carlo en Vara Wagner Museum (di 16.00-19.00,
wo-do 10.00-13.00 en 16.00-19.00, zo 10.00-13.00 en 17.00-20.00;
€ 5,50) met een verzameling rituele voorwerpen, aan de Via del Monte
5/7, onder het Castello.

ANDERE LOCATIES

Na de evacuatie van Fossoli in de zomer van 1944 werd het voornaamste
doorgangskamp gevestigd in de stad Bolzano, in de Dolomieten. Gezien
het verloop van de oorlog in dat stadium waren de meeste passanten partizanen en andere politieke gevangenen, hoewel enkele honderden Joden
naar Auschwitz werden gedeporteerd. Het kamp werd in de jaren zestig
afgebroken. Nu is alleen de ommuring nog over waarbinnen moderne
flatgebouwen staan. Tegenover één kant van de muur staan zes informatiepanelen uit 2004 die te vinden zijn in een doorgang van de Via Resia,
tegenover de Via Piacenza naar de westelijke buitenwijk Gries.

Het oorspronkelijke *getto* in Venetië bevat een aangrijpend monument
in de vorm van een muur waarop de namen en leeftijden zijn aangebracht
van 247 vermoorde plaatselijke Joden. Op de muur staan ook reliëfs van
holocaustbeelden van de kunstenaar Arbit Blatas. De muur staat in het

Campo Nuovo Ghetto bij het Casa di Riposo Israelitica (Joods bejaardenhuis) waaruit de slachtoffers werden weggevoerd. Het Joods museum van de stad (zo-vr 10.00-17.30 (jun-sep tot 19.00); € 4,00; www.museoebraico.it) – in wezen een verzameling judaïca – ligt op hetzelfde plein.

Een van de opmerkelijkste reddingen vond plaats in Nonantola, ten noorden van Modena, aan de SP255. De elegante Villa Emma aan de Via Mavora ten westen van het centrum, werd door *Delasem* gebruikt om Joodse weeskinderen onder te brengen. Dit waren voornamelijk vluchtelingen uit Midden-Europa die in 1942 een toevlucht in Slovenië hadden gevonden. Ze kregen later gezelschap van jonge vluchtelingen uit Kroatië. Na de Duitse bezetting waren ze alle 73 binnen 24 uur verdwenen, opgenomen in de gemeenschap, zodat de nazi's geen enkel kind konden vinden. De meesten werden later naar Zwitserland gesmokkeld met de hulp van twee priesters uit het seminarie van Nonantola (onderdeel van de San Silvesterabdij aan het Piazza Abbazio in het centrum van de stad) waar veel kinderen ondergedoken zaten. In 2004 werd de Villa Emma Stichting opgericht, om de herinnering aan de solidariteit van de bewoners van Nonantola levend te houden. De stichting ontwikkelt allerlei activiteiten (www.fondazionevillaemma.org) en op den duur moet het mogelijk zijn de villa te bezoeken.

5

Duitsland

De Holocaust werd uiteraard gestart, ontwikkeld en georganiseerd in Duitsland. Hoewel het moorden grotendeels in het oosten gebeurde, was Duitsland ook het toneel van de eerste en laatste hoofdstukken van de volkerenmoord, het in steeds toenemende mate buitensluiten en terroriseren van de eigen Joden en de ontstellende tragedie van de dodenmarsen.

Al in de Romeinse periode vestigden zich Joden in Duitsland, maar het was in de vroege middeleeuwen dat het land een voor Joden belangrijk gebied werd, waarin steden als Mainz en Worms een wereldwijde reputatie kregen als centra van geleerdheid. Het tijdperk van vervolging dat werd ingeluid door de kruistochten, maakte deze gemeenschappen echter steeds kwetsbaarder voor pogroms en verbanning. Steeds meer Joden trokken naar het oosten en namen de Jiddische taal mee als een blijvend erfgoed van het Duits-Joodse verleden. De toestand van de Joden die bleven, verslechterde verder als gevolg van de protestantse reformatie, wat het duidelijkst tot uiting kwam in de schokkende verhandeling van Luther *Von den Juden und Ihren Lügen* (Over de Joden en hun leugens). De omslag kwam in de achttiende eeuw, toen de ideeën van de verlichting een gunstiger klimaat schiepen en dat ten slotte resulteerde in volledige emancipatie in de negentiende eeuw. De nieuwe intellectuele stromingen hadden ook een belangrijke invloed op de Joodse gemeenschap, waarbij Duitsland het centrum werd van de *Haskala* (Joodse verlichting) wat zich uitte in de opkomst van het reformjodendom, een hoge mate van assimilatie (met een zeer hoog percentage ge-

Duitsland

mengde huwelijken) en een sterk gevoelde loyaliteit voor het nieuwe, verenigde land.

Helaas ging de Joodse vooruitgang in de jaren zeventig en tachtig van de negentiende eeuw vergezeld van een opleving van antisemitisme onder politiek rechts. Anders dan in het verleden was de aandacht nu meer gericht op ras dan op religie, wat werd geïnspireerd door het sociaal Darwinisme dat aanvoerde dat Joden een minderwaardig volk vormden. Hun integratie bedreigde Duitsland 'dus' met degeneratie. De antisemieten hadden het speciaal voorzien op de *Ostjuden*, de tienduizenden vluchtelingen uit het Russische Rijk die met hun armoede, hun eigen vroomheid en politiek radicalisme een gemakkelijker doelwit vormden dan de burgerlijk gerespecteerde Duitse Joden (helaas bejegenden zelfs de laatsten de immigranten vaak ook vijandig). Hoewel de racisten weinig directe invloed hadden, verwierven hun ideeën enige bijval onder de elite van het Duitse rijk. Het schandelijkste uitvloeisel daarvan was in 1916 de telling van Joden in het leger, na de ongefundeerde beschuldiging dat zij de militaire dienst probeerden te ontlopen. Toen de resultaten in tegenspraak bleken te zijn met de verwachtingen, werden de cijfers nooit gepubliceerd.

Het tweeslachtige van het leven van Duitse Joden werd sterker voelbaar tijdens de Weimarrepubliek. Aan de ene kant waren de jaren twintig van de twintigste eeuw een tijd van ongekende gelijkheid en Joods succes. Aan de andere kant moedigde dit gegeven extreem rechts aan om Joden de schuld te geven van de problemen waarmee de jonge democratie werd bestookt. Erg duidelijk bleek deze haat uit de moord op de minister van Buitenlandse Zaken Walter Rathenau, in 1922. Desondanks bleven de nazi's en andere *völkische* partijen electoraal een marginale rol vervullen en het is ondenkbaar dat Hitler zonder de economische crisis van de jaren dertig aan de macht was gekomen. Ook na 1929 zijn er nauwelijks bewijzen dat antisemitisme een belangrijke reden was voor de toegenomen steun voor de nazi's. Niettemin ontving het idee dat Duitsland een 'Jodenprobleem' had wijdverbreid aanhang in conservatieve kringen, terwijl nazibendes steeds driester Joden en hun eigendommen aanvielen. Het geweld escaleerde na de benoeming van Hitler tot kanselier in januari 1933.

De eerste gecoördineerde nationale actie was de schandelijke winkelboy-cot van 1 april 1933 die snel werd gevolgd (7 april) door de *Gesetz zur Wiederherstellung des Berufsbeamtentums* (Wet voor het herstel van be-roepsambtenarij) die Joden uitsloot van overheidsdiensten (wat ook be-trekking had op leraren, professoren en rechters). Meer dan 60.000 Jo-den besloten in het eerste jaar van het naziregime te emigreren, wat neerkwam op 10% van de gemeenschap die in januari 1933 naar religie 522.000 en naar ras 566.000 (nazidefinitie) personen telde. De groep zo-genaamde veroorzakers van de Duitse tegenslagen vormde trouwens min-der dan 1% van de nationale bevolking.

Een nieuwe fase van vervolging begon in 1935, met plaatselijke ge-weldscampagnes waartoe radicale nazi's de aanzet gaven. Zij wilden nog verdergaande maatregelen, wat resulteerde in de beruchte Neurenberger rassenwetten uit september 1935, die gemengde relaties verboden en die de Joden feitelijk hun Duits staatsburgerschap ontnamen. Tot Joden wer-den gerekend de mensen met drie of vier Joodse grootouders, of met twee Joodse grootouders en getrouwd met een Jood, of het joodse geloof prak-tiserend. De diepgravende bureaucratische discussie over zulke gecompli-ceerde definities – en over de nog ingewikkeldere kwestie van de zoge-naamde *Mischlinge* met minder Joodse voorouders – vormde een sterk contrast met de totale afwezigheid van enig substantieel protest tegen de wetten zelf. Joden die optimistischer waren, hoopten dat hun wettelijke afsplitsing een periode van stabiliteit zou inluiden, omdat ze ervan uitgin-gen dat de nazi's het 'probleem' als opgelost zouden beschouwen. Deze indruk leek te worden bevestigd door een minder openlijk antisemitisme tijdens de Olympische Spelen van 1936. De plannen om de Joden verder te verbannen uit het Duitse leven lagen echter al klaar. De gevolgen daar-van werden in 1938 duidelijk met een opeenvolging van discriminerende wetten, zoals het verbod om als arts of advocaat te werken en een bevel dat alle mannen de naam Israel en alle vrouwen de naam Sara moesten aannemen. Dit ging vergezeld van de opsluiting van 1500 Joden in con-centratiekampen en hernieuwde plaatselijke terreuracties.

Meer dan 15.000 Poolse Joden werden in oktober 1938 Duitsland uit gezet en gedumpt in het niemandsland tussen de twee staten, tot Polen er uiteindelijk mee instemde om ze op te nemen. De moord op een Duitse diplomaat in Parijs door Herschel Gryszpan als wraak voor het deporteren van zijn beide ouders werd vervolgens op 9-10 november benut als excuus voor een pogrom van tot dan toe ongekende gewelddadigheid. De term *Kristallnacht* ('nacht van gebroken glas' – als verwijzing naar de geschatte 7500 kapotgeslagen ruiten van winkels en bedrijven van Joden), die in heel Duitsland plaatsvond, is absoluut geen voldoende omschrijving van de verschrikkingen die toen plaatsvonden (in Duitsland geeft men tegenwoordig de voorkeur aan *Novemberpogrom 1938*). Minstens 91 Joden werden vermoord, 200 synagogen werden platgebrand, en tienduizenden huizen, scholen, ziekenhuizen en begraafplaatsen werden aangevallen en beschadigd. In de nasleep werden 30.000 Joden naar kampen gestuurd en de Joodse gemeenschap werd gedwongen een collectieve boete te betalen van één miljard mark. Andere wetten die in de daaropvolgende dagen werden afgekondigd, bepaalden dat Joden geen zaak mochten hebben en dat Joodse kinderen niet meer naar een openbare school mochten. De bedoeling van de nazi's was klaarblijkelijk om de Joden te dwingen Duitsland te verlaten en hen tegelijkertijd al hun bezittingen te ontnemen.

Een volgende drijfveer om te vertrekken, vormde in januari 1939 Hitlers beangstigende 'voorspelling' dat een wereldoorlog (die natuurlijk de schuld van de Joden zou zijn) 'de uitroeiing van het Joodse ras in Europa' tot gevolg zou hebben. In de loop van 1938-1939 emigreerden bijna 120.000 Joden.

De oorlog bracht nog meer beperkingen. Joden werden in toenemende mate uit bepaalde buurten en wijken verdreven en moesten dwangarbeid verrichten. De nazi's begonnen intussen haastig met een campagne van systematische massamoord in de vorm van het T4-programma. Eind 1941 was het duidelijk dat de Duitse Joden hetzelfde lot zouden ondergaan als de gehandicapten. In september werd de gele ster ingevoerd, en emigratie (die steeds moeilijker was geworden) werd uiteindelijk in oktober verboden. In 1940 waren al enkele duizenden Joden gedeporteerd, sommigen als onderdeel van het *Nisko Plan*, anderen met Gurs in Frankrijk als bestemming. Deze acties waren niet algemeen landelijk en hadden nog niet moord als doel. Daarentegen werd in oktober 1941 een begin gemaakt met de deportatie van alle Duitse Joden. De eersten werden naar Łódź, Minsk, Riga en Kaunas gestuurd en bijna allemaal in de loop van 1942 gedood, hoewel sommigen van degenen die eind 1941 naar de Baltische staten werden gebracht, bij aankomst al werden doodgeschoten. In 1942-1943 gingen de transporten rechtstreeks naar Auschwitz, met uitzondering van ongeveer 40.000 merendeels oudere Joden die naar Theresienstadt werden gestuurd dat eigenlijk een voorportaal van Birkenau was. Rond begin 1943 waren de enige Joden die legaal in Duitsland verbleven degenen die een gemengd huwelijk hadden of die in een wezenlijk belangrijke industrie werkten. Zij waren het doelwit van de *Fabrikaktion* in februari 1943 wat in Berlijn aanleiding gaf tot protesten, een daad van verzet die een zeldzaam hoogtepunt was tussen de algemene houding van onverschilligheid die de meeste burgers tentoonspreidden. Ofschoon de meer op de voorgrond tredende uitingen van vervolging, zoals de *Kristallnacht*, enig onbehagen veroorzaakten, waren er geen grootschalige protesten zoals bij het T4-programma.

Duitsland werd in juli 1943 vrij van Joden verklaard. Dit was echter niet het eind van de Holocaust in het land. Toen de nederlaag steeds dichterbij kwam, werden de bewoners van Poolse kampen naar Duitsland overgebracht. Zelfs toen de geallieerden het land al binnentrokken, werden de gevangenen nog van kamp naar kamp gedwongen, met dodenmarsen die steeds zinlozer werden. Duizenden werden doodgeschoten of stierven van uitputting, terwijl de steeds vollere kampen werden getroffen door epidemieën en uithongering, wat het duidelijkst werd geïllustreerd door de verschrikkelijke taferelen die de Britse bevrijders in Bergen-Belsen onder ogen kregen.

Ironisch genoeg overleefde een groter percentage Duitse Joden de Holocaust, dit vanwege de emigratie van vlak voor de oorlog. Ongeveer 70.000 van degenen die waren gevlucht, werden opgepakt in landen die later door de nazi's werden bezet, maar zo'n 300.000 bereikten de veiligheid. Het merendeel van degenen die bleven, werd vermoord, wat het totale dodencijfer bij benadering op 200.000 bracht. Slechts ongeveer 20.000 Joden kozen ervoor om na 1945 in West-Duitsland te blijven (minder dan 1000 woonden in Oost-Duitsland), maar sinds de eenwording, is er een verbluffende opleving van het Joodse leven geweest die grotendeels het gevolg was van immigratie uit de voormalige USSR. Het feit dat Duitsland weer als een toevluchtsoord voor Joden werd beschouwd – in het begin van de eenentwintigste eeuw trokken meer Joden uit de voormalige Sovjet-Unie naar Duitsland dan naar Israël – geeft aan hoe sterk het land is veranderd. Gedurende een groot gedeelte van de Koude Oorlog werd de waarheid over de Holocaust naar de achtergrond verdrongen door de gemeenplaatsen van communistische dogma's in Oost-Duitsland, terwijl er in de Bondsrepubliek een opvallende tegenzin was om met het verleden geconfronteerd te worden, wat bleek uit het verzuim om het merendeel van de moordenaars voor de rechter te brengen. Vanaf het eind van de jaren zestig probeerde de jongere generatie West-Duitsers de Holocaust op een eerlijkere manier te begrijpen en fatsoenlijk te herdenken. Dat is een proces dat na de eenwording in een stroomversnelling is geraakt. Daarom zijn er weinig of geen landen in Europa waar het besef van de Holocaust groter is of waar die zo publiekelijk wordt herdacht.

BERLIJN

Het hart van het nazirijk was ook de woonplaats van de grootste Joodse bevolking van Duitsland die in 1933 ongeveer 160.000 personen telde. In de middeleeuwen was er een kleine Joodse gemeenschap geweest, maar het gebruikelijke patroon van pogroms en verbanningen had uiteindelijk tot gevolg dat alle Joden vanaf 1570 werden verdreven. Het zou nadien honderd jaar duren voordat ze toestemming kregen om zich weer in Berlijn te vestigen. Als de hoofdstad van het steeds machtiger wordende Pruisen, verbreidde de intellectuele invloed van Berlijn zich in de achttiende eeuw alom: de stad werd het centrum van de *Haskala*. Toch telde de gemeenschap in de jaren veertig van de negentiende eeuw nog altijd minder dan 10.000 personen. De verbluffende groei daarna was vooral te danken aan de immigratie vanuit Oost-Europa, die tot in het interbellum bleef doorgaan. Deze ontwikkeling verleende het Berlijnse Jodendom ook een ander karakter dan de gemeenschappen in de rest van Duitsland. Er leefden in Duitsland beslist duizenden ontwikkelde, burgerlijke en zeer geassimileerde Joden, maar de nieuwkomers waren vaak arm en voelden zich meer aangetrokken tot de orthodox-joodse leer of tot radicalere politieke stromingen.

De grootte en aard van de Berlijnse gemeenschap maakte die al voor 1933 bijzonder kwetsbaar voor het opkomend nazisme. De *Ostjuden* waren een zeer zichtbaar doelwit voor het geboefte van de SA. Als hoofdstad was Berlijn natuurlijk de eerste stad die werd onderworpen aan de steeds verdergaande beperkingen. Het geweld van 1938 was in de stad bijzonder fel, met al in mei aanvallen op synagogen. Het grootste aantal Poolse Joden dat in oktober werd opgepakt, kwam uit Berlijn, terwijl de naam *Kristallnacht* was ontleend aan het kapotte glas van de Joodse winkelruiten aan de Leipziger Straße. Tijdens de nasleep werden enkele duizenden mensen naar Sachsenhausen gestuurd en Joodse huizen in de rijkere buurten werden in beslag genomen. Het resultaat was een dermate grote emigratiegolf dat 90.000 mensen de stad al voor de verbanning van 1941 hadden verlaten. Heel dat jaar had Goebbels als *Gauleiter* van Berlijn aangedrongen op de deportatie van het restant, waarbij hij aanvoerde dat de hoofdstad de eerste stad van het Reich hoorde te zijn die Joden-vrij was. Het proces begon op 18 oktober, toen 1000 mensen naar Łódź werden gestuurd. In de volgende achttien maanden werden ongeveer 60.000 personen gedeporteerd en in juni 1943 werd de stad *Judenfrei* verklaard. In werkelijkheid waren er nog steeds tussen de 6000 en 7000 Joden (die hadden een gemengd huwelijk, zaten ondergedoken of gaven zich uit voor niet-Jood), maar zij vertegenwoordigden minder dan 5% van de bevolking van 1933.

Er werd verwacht dat de overlevenden na de oorlog niet zouden willen blijven, maar een paar duizend deden dat toch en bijna allemaal in West-Berlijn. De gemeenschap is sinds 1989 echter veranderd door de toevloed uit de voormalige Sovjet-Unie. Ook al is het misschien niet op dezelfde schaal als een eeuw eerder, toch heeft deze migratiegolf de Joodse bevolking naar schatting verdubbeld tot meer dan 20.000. Van de vooroorlogse stad is weinig over, maar in de periode sinds de val van de muur vond er ook een enorme opleving plaats van belangstelling voor het Jood-

Berlijn: Neue Synagoge (foto van Elizabeth Burns)

se erfdeel van Berlijn. Het levendigst komt dit tot uiting in het Jüdische Museum Berlin (Joods Museum) uit 2001.

De Joodse wijk en oostelijk Berlijn

Joden woonden in de jaren dertig door heel Berlijn, maar de grootste concentratie was te vinden in de buurten Spansauer Vorstadt en Scheunenviertel, ten noorden en oosten van het Museum Insel. De duidelijkst zichtbare herinnering aan hun aanwezigheid is de bekende Neue Synagoge aan de Oranienburger Straße 28/30 die in 1866 werd ingewijd als godshuis voor de snel groeiende gemeenschap. De tempel was een van de weinige gebouwen die de *Kristallnacht* overleefde en dit was te danken aan Wilhelm Krützfeld, die de menigte met zijn revolver verjoeg. Hij werd

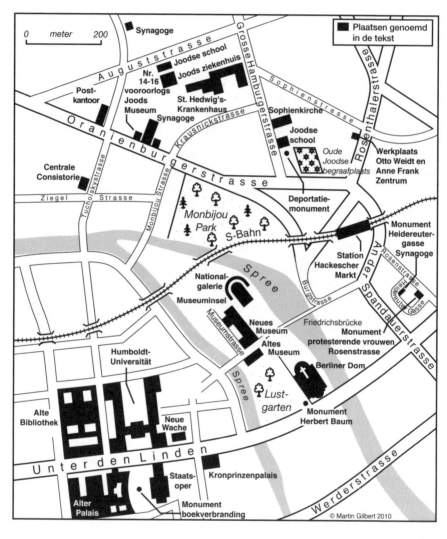

Berlijn

later van zijn post ontheven. Het gebouw (dat vanaf 1940 door de Wehrmacht als magazijn werd gebruikt) kwam er in 1943 minder goed vanaf, want toen werd het zwaar beschadigd bij een bombardement door de RAF. Het zal geen verbazing wekken dat het werd verwaarloosd door de DDR, tot in 1988 een gedeeltelijke restauratie begon. Dat proces werd in 1995 voltooid. Wat ervan over was, is op een indrukwekkende manier gerenoveerd en dat geldt vooral voor de spectaculaire Moorse koepel. De synagoge is nu een van de belangrijke toeristische attracties van Berlijn (zo-ma 10.00-20.00 (nov-feb tot 18.00), di-do 10.00-18.00, vr 10.00-17.00 (okt-mrt tot 14.00); € 3,50; www.cjudaicum.de). Een expositie op de begane grond belicht de geschiedenis van het gebouw en de gemeenschap. De laatste kamer daarvan kijkt uit op de contouren van de verwoeste delen. Het opvallendst is een kaart van de buurt op de vloer, waarbij de straten worden weergegeven door metalen staven, en belangrijke Joodse gebouwen door kasten waarvan de vitrines en kleppen de geschiedenis van het gebouw vertellen. Boven zijn tijdelijke exposities en daar hangt ook een scherm met de namen van 50.576 gedeporteerden waarvan slechts 4641 de oorlog overleefden.

De Tucholskystraße verder naar het westen is vernoemd naar Kurt Tucholsky, een Joods satiricus en socialistisch activist die in 1935 in Zweden zelfmoord pleegde. Nummer 9 biedt onderdak aan het joodse Centrale Consistorie in Duitsland, terwijl nummer 40 ten noorden van de Oranienburger Straße de locatie was van de orthodoxe Adass Yisroel Synagoge die na de *Kristallnacht* werd gesloten en die in de oorlog bij bombardementen werd verwoest. Het nieuwe gebouw op die plaats werd in 1989 teruggegeven aan Adass Yisroel en is nu weer een synagoge. De organisatie was aan het eind van de negentiende eeuw opgericht als reactie op de heersende reformatorische en liberale stromingen en weerspiegelde de toenemende aanwezigheid van Oost-Europese immigranten.

Om de hoek was aan de Auguststraße een aantal instituten van de gemeenschap gevestigd. Het vervallen bakstenen gebouw op nummer 11-13 was een meisjesschool (gesloten in 1942), terwijl nummer 14-16 ernaast tot 1914 een Joods ziekenhuis was en daarna onderdak verschafte aan verschillende organisaties, waaronder *Ahawah*, een tehuis voor uit het oosten gevluchte kinderen. Van 1941 tot 1943 werd het veranderd in een verzamelplaats voor oude en zieke Joden. Beide gebouwen zijn terug-gegeven aan de gemeenschap, maar een gebrek aan fondsen heeft tot ge-volg dat er nog veel gerestaureerd moet worden. Nummer 17 herbergde ook een verscheidenheid aan kantoren waaronder dat van de Vereniging van Oost-Europese Joden.

Om de bocht naar de Koppenplatz bovenaan de Große Hamburger Straße staan twee interessante monumenten. Een beeldhouwwerk be-staande uit een tafel en twee stoelen waarvan er één is omgegooid, moet het gedwongen vertrek van gedeporteerde mensen verbeelden. Op de bin-nenplaats van nummer 6 die toegankelijk is via de Galerie Herrmann und Wagner, staat een monument voor Ilse Goldschmidt, de voormalige eige-naresse van het huis die werd vermoord. Bij terugkeer naar de Oranien-burger Straße door de Große Hamburger Straße zal een aantal metalen struikelstenen opvallen met de namen van vroegere bewoners en hun lot. Dit zijn slechts enkele van de meer dan duizend *Stolpersteine* in Berlijn, een project dat in tientallen Duitse steden de slachtoffers van het nazisme met deze stenen wil eren (www.stolpersteine.eu). De lege ruimte op num-mer 15/16 was de plaats van een huis dat in 1945 door een bom werd verwoest. Op gedenkplaten aan de muren staan de namen en beroepen van vroegere bewoners, een project van de kunstenaar Christian Boltans-ki. Dit is echter niet – zoals vaak wordt aangenomen – uitsluitend een Holocaustmonument, want Joodse slachtoffers van de nazi's staan tussen Duitsers die werden gedood bij bombardementen of tijdens de Slag om Berlijn. Nummer 27 ertegenover was een Joodse school. De oorspronke-lijke inscriptie ('Jongensschool van de Joodse Gemeenschap') staat nog steeds boven de deur (meisjes werden na 1931 toegelaten). Het aantal leerlingen verdubbelde in het eerste jaar dat de nazi's aan de macht wa-ren, waaruit blijkt dat Joodse kinderen op openbare scholen met steeds meer problemen te maken kregen. De school werd in 1942 gesloten en vervolgens werden de bewoners van het naastgelegen bejaardenhuis erin ondergebracht voordat ze werden gedeporteerd. Het is weer een Joodse school nadat hij in 1992 aan de gemeenschap is teruggegeven. Het bejaar-denhuis waarvan nu alleen de contouren zijn aangegeven, was zelf een van de belangrijke centra waarin mensen zaten die gedeporteerd zouden worden. Er waren gewapende bewakers en de ramen hadden tralies, maar toch slaagden enkelen erin tijdens een bombardement op 31 december 1942 te ontsnappen. Het bejaardenhuis lag naast de oudste Joodse begraafplaats van de stad, die tot de negentiende eeuw werd gebruikt. De graven werden in 1943 vernield, maar het terrein werd in de jaren zeventig een herdenkingspark en is kort geleden gerestaureerd. Bij de ingang staat een groep gebeeldhouwde figuren die de gedeporteerden voorstelt. Dit beeld was oorspronkelijk bestemd voor Ravensbrück, maar paste niet goed bij de communistische uitbeelding van de Holocaust. Er bevindt zich ook een grafsteen voor de hervormingsgezinde filosoof Moses Mendelssohn die in de plaats is gekomen van het origineel dat door de nazi's werd vernield.

Aan de evenwijdig lopende Rosenthaler Straße vormen de Hackesche Höfe een serie onderling verbonden art-nouveaubinnenplaatsen die waren gebouwd voor Joodse huurders en zaken. Nu zijn er duurdere winkels, restaurants en culturele instellingen te vinden. De volgende doorgang aan de Rosenthaler Straße 39 bevat drie contrasterende musea. Meteen links vormt *Die Gedenkstätte Stille Helden* een betrekkelijke kleine multimedia-expositie ter ere van Duitsers die Joden hadden gered (dag. 10.00-20.00; toegang gratis; www.gedenkstaette-stille-helden-de). Het volgende museum aan de linkerkant van de binnenplaats is gevestigd in de werkplaats van de borstelfabrikant Otto Weidt (dag. 10.00-20.00; toegang gratis; www.museum-blindenwerkstatt.de). Als overtuigd pacifist en tegenstander van het nazisme had Weidt in zijn onderneming voornamelijk blinde en dove Joden in dienst (hij was zelf bijna blind) en hij redde velen van deportatie door de autoriteiten om te kopen en om de tuin te leiden. Een serie kamers met naambordjes in zowel gewoon schrift als brailleschrift vertelt het verhaal tussen de machines en producten van de werkplaats. Achterin is een geheime kamer waar Weidt de familie Horn verborg. Ze werd ontdekt en in 1943 naar Auschwitz gestuurd, hoewel Weidt zelf zijn verhoor overleefde. Het Anne Frank Zentrum aan de achterkant van de binnenplaats (di-zo 10.00-18.00; € 5,00; www.annefrank.de) richt zich voornamelijk op groepen scholieren met interactieve displays die naast het verhaal van Annes leven een algemene boodschap van tolerantie uitdragen.

Gelegen aan de andere kant van het S-Bahn station Hackescher Markt was de Rosenstraße tijdens de *Fabrikaktion* van februari 1943 het toneel van een opmerkelijke daad van verzet. Toen in een voormalig gebouw van de Joodse gemeenschap op nummer 2-4 (nu gesloopt) een aantal gearresteerde mannen werden vastgehouden, kwamen hun niet-Joodse vrouwen en andere familieleden in steeds grotere aantallen de straat in, tot de mannen op bevel van Goebbels werden vrijgelaten. Uit recent onderzoek zou blijken dat de meeste mannen niet gedeporteerd zouden worden, maar de demonstraties waren niettemin een uiterst zeldzaam voorbeeld van een protest tegen de antisemitische politiek van de nazi's. Dit wordt herdacht met grote stenen beelden van de vrouwen op een pleintje met gras en kiosken en met informatiepanelen aan beide uiteinden van de straat. De meeste bezoekers missen een ander monument, dat iets verborgen achter de bomen in de westhoek van het plein ligt. Fundamenten die in 2000 werden ontdekt, geven de plaats aan van de Heidereutergasse Synagoge, de oudste van Berlijn, die in de *Kristallnacht* zwaar werd beschadigd. De ruïne werd in de jaren zestig door de communisten gesloopt.

Voorbij het Scheunenviertel wordt voormalig Oost-Berlijn vooral gedomineerd door betonnen hoogbouw en brede Stalinistische hoofdwegen, maar er zijn nog enkele overblijfselen van het Joodse verleden die voornamelijk geconcentreerd liggen rond Kollwitzplatz in de buurt van U-Bahn station Senefelderplatz. Een informatiebord bij de noordelijke uitgang van het station geeft uitleg over de Joodse geschiedenis van de buurt. Het grote bakstenen gebouw rechts aan de Schönhauser Allee 22 was een tehuis voor bejaarden. De bewoners werden gedeporteerd naar Auschwitz en de plek werd overgenomen door de SS. De begraafplaats ernaast werd verrassend genoeg grotendeels onaangetast gelaten, hoewel sommige stenen werden vernield tijdens de Slag om Berlijn. Aan de achterkant ligt de afgesloten poort naar de *Judengang*, een 40 meter lang pad dat uitkomt op het Kollwitzplatz, tussen Knaackstraße 39 en 43 (waar een poort met davidsterren staat). De oorsprong van het gangpad is onduidelijk, maar volgens één versie zou het de Joden verboden zijn om de vooringang van de begraafplaats te gebruiken, omdat de Pruisische koning op weg naar zijn zomerresidentie niet gestoord wilde worden door begrafenisstoeten. Iets verder naar het oosten ligt de Rykestraße Synagoge (nummer 53), de grootste tempel in Duitsland die de oorlog heeft overleefd. De synagoge werd op de *Kristallnacht* aangevallen, maar niet in brand gestoken vanwege het gevaar voor de dichtbevolkte buurt. Helaas kreeg een van de weinige synagogen die na de oorlog weer kon worden gebruikt, geen cent van de communisten, een toestand die in 2007 werd rechtgezet door een restauratie. De watertoren tegenover het begin van de Rykestraße werd in de eerste maanden van het regime gebruikt als een geïmproviseerd concentratiekamp.

Berlijn: Monument voor de vermoorde Joden van Europa (foto van Elizabeth Burns)

De Joodse begraafplaats Weißensee is een van de grootste van Europa en werd tijdens de oorlog door Joden en deserteurs gebruikt als schuilplaats. Hij ligt iets verder naar het noordoosten, aan het eind van de Herbert-Baum-Straße (vanaf de halte Albertinenstraße van tram M4 een korte wandeling terug langs de Berliner Allee). De straat is vernoemd naar een Joodse communist die in mei 1942 een aanval leidde op een tentoonstelling van antisemitische en anti-Sovjet propaganda. Hij werd algauw met zijn medeplichtigen gevangengenomen en vermoord terwijl 500 Joden werden opgepakt als 'represaille'. Zijn grafsteen ligt in het eregedeelte. Er staat een Holocaustmonument voor het poortgebouw, terwijl veld G7 een 'urnenveld' bevat waarin de as van kampslachtoffers is begraven.

Berlijn-Centrum

Op de hoek van de Lustgarten, tegenover de Berliner Dom, staat een DDR-monument voor Herbert Baum, op de plaats waar zijn aanval plaatsvond. Moderne perspex panelen op de stenen kubus geven de specifiek Joodse invalshoek die de communisten vergaten te vermelden. De nabijgelegen Bebelplatz tegenover de Humboldt-Universität was de plaats van de schandelijke boekverbranding die Goebbels in mei 1933 propageerde. Daarbij werden meer dan 20.000 boeken van Joodse, linkse en 'gedegenereerde' schrijvers vernietigd, een actie die door studenten in andere Duitse steden werd overgenomen. Midden op het plein bevindt zich een symbolisch monument, bestaande uit een glazen plaat waardoorheen men neerkijkt op lege boekenplanken. Plaquettes eromheen bevatten het beroemde citaat van Heine: 'Waar ze boeken verbranden, zullen ze uiteindelijk ook mensen verbranden.'

De grootste verzameling monumenten in Berlijn bevindt zich aan het andere uiteinde van Unter den Linden, bij de Tiergarten. Het monument voor de vermoorde Joden in Europa, het Holocaust-Mahnmal, springt daarbij het meest in het oog. Het is een plein dat 19.000 vierkante meter beslaat en dat is bedekt met een golvend veld van 2711 grote betonnen blokken waardoor het van een afstand op een enorme Joodse begraafplaats lijkt. De plaats in het midden van de stad (de noordoostelijke hoek is de plek waar de bunker van Goebbels lag) maakt de intentie om te herdenken duidelijk, maar men kan ook zien waarom er kritiek wordt geleverd op dit monument dat in 2005 werd onthuld. In tegenstelling tot de twee ontwerpen waarover kanselier Kohl in de jaren negentig zijn veto uitsprak (waarvan één zou hebben bestaan uit een grote betonnen plaat waarin alle bekende namen van slachtoffers van de Holocaust zouden zijn gegraveerd), is het monument uiterst anoniem. Alleen de bezoeker met voorkennis weet wat het doel ervan is. De locatie krijgt meer diepte door de aanwezigheid van het 'informatiecentrum' – eigenlijk een holocaustmuseum – ónder het monument (di-zo 10.00-20.00 (okt-mrt tot 19.00); toegang gratis; www.stiftung-denkmal.de) dat pas op aandringen van de Bundestag aan het ontwerp werd toegevoegd. Er waren nog verschillende andere controverses die bij de aanleg werden aangevoerd: een van de ernstigste was de onthulling dat een dochteronderneming van het bedrijf dat de antigraffiti-spray leverde, de Zyklon B-korrels had gefabriceerd die waren gebruikt in enkele vernietigingskampen. Een ander probleem was dat een onderzoek in 2008 aan het licht bracht dat meer dan de helft van de blokken al scheuren vertoonde, wat feitelijk schandalig was voor een project dat meer dan € 25 miljoen had gekost.

Sommige critici van het monument voeren aan dat het verkeerd was om alleen Joodse slachtoffers van het naziregime te herdenken, wat heeft geleid tot twee nieuwe initiatieven. In de zuidoostelijke hoek van de Tiergarten, tegenover de onderkant van het Holocaust-Mahnmal, staat een monument uit 2008: voor de homoseksuele slachtoffers, in de vorm van een vergelijkbaar betonnen blok met een venster waardoor bezoekers een steeds herhalend filmpje kunnen zien van kussende homoseksuele mannen en vrouwen. In de noordoostelijke hoek van het park eert een sombere herdenkingsvijver die na vele jaren vertraging eindelijk in 2012 werd voltooid de vermoorde Sinti en Roma. Het wellicht doeltreffendste monument in het gebied is echter ook het eenvoudigste: een rij van meer dan negentig ijzeren platen buiten de Reichstag waarvan elk de naam draagt van een parlementariër die door de nazi's werd vermoord. Daarentegen is er tot voor kort weinig gedaan om de gehandicapte slachtoffers te gedenken. Buiten de Berlijnse Philharmonie, die is gebouwd op de plaats van de geconfisqueerde Joodse villa aan de Tiergartenstraße 4, waar de moorden werden georganiseerd, is in 2013 begonnen met de bouw van een nieuw monument met een informatiepunt. Het abstracte beeld van Richard Serra ernaast was niet bedoeld als monument, hoewel het later als zodanig werd bestempeld nadat activisten hadden gewezen op de historie van die plek.

Het Bendlerblock aan de Stauffenbergstraße 13-14, op korte afstand van de Philharmonie, bood onderdak aan het oppercommando van de Duitse strijdkrachten en was daarom de plaats waar graaf Von Stauffenberg en andere officieren het complot van juli 1944 smeedden dat jammerlijk mislukte. Nadat hij zijn bom op 20 juli in de *Wolfsschanze*, Hitlers hoofdkwartier in Oost-Pruisen, had achtergelaten, keerde Stauffenberg naar Berlijn terug in de veronderstelling dat de Führer dood was. Diezelfde nacht werden hij en zijn medeplichtigen geëxecuteerd op de binnenplaats, wat is aangegeven met een beeld en een herdenkingsplaquette. Het gebouw is nog steeds in gebruik bij het ministerie van Defensie, maar een gedeelte is overgedragen aan het Herdenkingscentrum van het Duitse Verzet, dat een diepgravend overzicht geeft van de antinazistische bewegingen, waaronder het Joodse verzet (ma-wo, vr 9.00-18.00, do 9.00-20.00, za-zo 10.00-18.00; toegang gratis; www.gdw-berlin.de).

Het Gestapo-hoofdkwartier lag aan de Niederkirchnerstraße 8, midden in de regeringswijk ten zuiden van het Holocaust Monument. De gebouwen, die in de oorlog zwaar waren beschadigd, werden in 1956 gesloopt, maar delen van de kelders werden bij opgravingen in de jaren tachtig herontdekt. De locatie naast een gedeelte van de Berlijnse Muur werd veranderd in een openluchtexpositie, de *Topographie des Terrors* (Topografie van Terreur). In 2010 werd op deze plaats een museum geopend. De uitgebreide tentoonstelling besteedt zeer veel aandacht aan de ontwikkeling van de SS, de politiestaat en de ervaringen van de slachtoffers (dag. 10.00-20.00 (buitenexposities okt-apr tot schemering); toegang gratis; www.topographie.de). De laatste afdeling, over het naoorlogse lot van de daders, is bijzonder boeiend maar tegelijk ook deprimerend.

Bijna lijnrecht naar het oosten, aan de Zimmerstraße (of enkele minuten van U-Bahnstation Spittelmarkt), ligt de plaats van de Lindenstraße Synagoge. De ruïne van de tempel die in de *Kristallnacht* zwaar werd beschadigd, werd na de oorlog gesloopt om plaats te maken voor een kantoorgebouw. Via de doorgang onder dat gebouw aan de Axel-Springerstraße 50 komt men bij betonnen banken die daar zijn neergezet om de plaats van de houten banken van de synagoge aan te geven. Verderop aan de Lindenstraße 9-14 (ook bereikbaar via U-Bahnstation Hallesches Tor) staat het terecht befaamde Joods Museum Berlijn (dag. 10.00-20.00 (ma tot 22.00); € 8,00; www.jmberlin.de). Het verbluffend mooie gebouw van Daniel Liebeskind is de voornaamste reden voor de faam, maar de inventieve expositie maakt goed gebruik van de ruimte om de geschiedenis van de Duitse Joden te vertellen. De Shoah speelt daarin onvermijdelijk een rol en met name in de vorm van de As van de Holocaust in de kelder. Dit is een gang met tegen de muren de namen van moordlocaties, naast foto's en persoonlijke bezittingen van slachtoffers die naar de verduisterde Holocaust Toren voert met het zenuwslopende *Shalechet*, een installatie van de Israëlische kunstenaar Menashe Kadishman op de begane grond. Het desbetreffende gedeelte van de vaste tentoonstelling benut het gebouw effectief om de ontwikkeling van de nazivervolging en de reacties daarop na te gaan. Er is een bijzonder schokkende verzameling foto's die de Amerikaanse fotografen Meyer Levin en Eric Schwab in 1945 hebben genomen. Eric vond zijn moeder terug in Theresienstadt.

De Fraenkelufer Synagoge werd grotendeels verwoest tijdens de *Kristallnacht* en ook door bombardementen, maar er is één vleugel overgebleven, samen met een klein monument aan de Fraenkelufer 10 (U-Bahnstation Kottbusser Tor).

West-Berlijn

Aan de zuidwestelijke buitenmuur van het U-Bahnstation Nollendorfplatz herdenkt een roze driehoek de homoseksuele slachtoffers van de nazi's. Buiten het volgende station, Wittenbergplatz, geeft een zeer eenvoudig monument een opsomming van de voornaamste nazikampen. Dicht bij het station Kurfürstendamm beslaat de moderne synagoge aan de Joachimstalerstraße 13 een zaal in het gebouw van een vooroorlogse Joodse school. De nabijgelegen Fasanenstraße Synagoge (op nummer 79–80) is een modern, functioneel gebouw op de plaats van de oorspron-

kelijke, in 1938 verwoeste synagoge. Restanten van het metselwerk staan
– buiten – naast een enorm grote, gebeeldhouwde Thora-rol en een herdenkingsmuur met de namen van kampen en getto's. De Pestalozzistraße
Synagoge (op de binnenplaats achter nummer 14, een paar minuten lopen
van U-Bahnstation Wilmersdorfer Straße) doorstond de pogrom, omdat
de brandweer die bang was voor het overslaan van de vlammen naar andere gebouwen, tussenbeide kwam.

Het Bayerisches Viertel in Schöneberg was een buurt met een belangrijk percentage vooral rijke Joodse inwoners (vandaar de bijnaam 'Joods
Zwitserland'). Tachtig straatnaamborden in de wijk bevatten citaten van
verschillende antisemitische wetten in een poging te laten zien hoe algemeen verbreid de nazidiscriminatie was. Op de Bayerischer Platz staat
tegenover het U-Bahnstation van dezelfde naam een kaart van de locaties.
Toen alles in 1993 werd onthuld, dachten veel inwoners aanvankelijk dat
dit het werk was van neonazi's en zij dienden een klacht in bij de politie.
Er staat een eenvoudig monument op de Münchener Straße 37, voor de
oude synagoge die hier stond. Die overleefde 1938, werd in 1941 gebruikt als opslagplaats voor gestolen Joodse goederen, maar werd later in
de oorlog verwoest.

Er staat een monument voor een voormalige Addas Jisroel Synagoge,
op Siegmunds Hof, langs de Spree (S-Bahnhalte Tiergarten). Een van de
opmerkelijkste Holocaustmonumenten van Berlijn staat iets verder naar
het noorden, op de plaats van de Levetzowstraße Synagoge (op de hoek
met de Jogowstraße) die tijdens de deportaties een verzamelpunt was
voor 37.500 mensen. Na de *Kristallnacht* én de oorlog te hebben overleefd, werd die synagoge verbazingwekkend genoeg in de jaren vijftig
gesloopt. Het monument bestaat uit drie verbonden elementen: geketende, ruw gebeeldhouwde marmeren figuren die een gestileerde veewagon
binnengaan, vloerplaquettes met beelden van Berlijnse synagogen en een
enorme metalen plaat met een opsomming van de deportatietreinen. Deze
treinen vertrokken van het Moabit goederenstation in het noorden. Een
monument op de Putlitzbrücke (S-Bahnhalte Westhafen) kijkt uit over het
station. Een extra gedenkplaat documenteert de aanvallen op het monument in het begin van de jaren negentig.

Een van de eerste herdenkingslocaties voor de slachtoffers van het nazisme (1952) bevindt zich op het terrein van de Gefängnis Plötzensee, aan het Hüttigpfad (dag. 9.00-17.00 (nov-feb tot 16.00); toegang gratis; www.gedenkstaette-ploetzensee.de; bus 123 naar Gedenkstätte Plötzensee). Tussen 1890 en 1932 werden 36 mensen in deze gevangenis geëxecuteerd (allen moordenaars). Tussen 1933 en 1945 bedroeg dat aantal 2891. Dit aantal betrof voornamelijk politieke tegenstanders, onder wie tientallen mensen die in verband werden gebracht met de bomaanslag op Hitler van 20 juli 1944. Hoewel de plaats niet rechtstreeks verband hield met de Holocaust, is het monument – een muur en de nog bestaande gedeelten van de executiegebouwen – gewijd aan alle slachtoffers van de dictatuur.

Berlijn: Station Grunewald (foto van Elizabeth Burns)

De Joodse begraafplaats Charlottenburg, in het uiterste westen van de stad, werd na de oorlog ingericht. As uit Auschwitz werd begraven voor een eenvoudig monument, omgeven door stenen die door overlevenden zijn opgericht voor familieleden en vrienden. Heinz Galinski, die zowel Auschwitz als Belsen overleefde en die na de oorlog voorzitter van de Joodse gemeenschap werd, ligt er dichtbij begraven. Zijn oorspronkelijke grafsteen, die in 1998 door neonazi's werd vernield, ligt nog altijd naast zijn graf. Men komt op de begraafplaats over een pad vanaf de Scholplatz op de hoek van de Heerstraße en Am Postfenn (S-Bahnhalte Pichelsberg, dan naar het zuiden lopen).

De Joden van de zuidelijke voorstad Steglitz worden herdacht met de *Spiegelwand*, op de Hermann-Ehlers-Platz, waarop de namen en adressen staan van de 1723 mensen die uit de wijk werden gedeporteerd; ook is er een korte geschiedenis van de gemeenschap te lezen. Overdag wordt het plein gebruikt als markt (U- en S-Bahnhalte Rathaus Steglitz).

Het station Grunewald (S-Bahn en regionale treinen) in het zuidwesten van de stad, was het vertrekpunt van de meeste transporten. Metalen platen met de vertrekdatum, aantal passagiers en bestemming van elke trein, zijn op het deportatieperron aangebracht en vormen het prachtige monument *Gleis 17*. Buiten de ingang van het station staat een ander monument, in de vorm van een betonnen muur waaruit spookachtige silhouetten zijn gehouwen.

WANNSEE

Een onteigende villa van een industrieel met uitzicht over een prachtig meer vormde de locatie van de beruchte Wannseeconferentie van 20 januari 1942, waarop de *Endlösung der Judenfrage* (de definitieve oplossing van de Joodse kwestie) werd besproken. De conferentie was niet, zoals soms wordt aangenomen, de plaats waar de beslissing over de Holocaust werd genomen. Op dat moment waren namelijk naar schatting al meer dan een miljoen Joden vermoord. Het doel was eerder om te bepalen hoe de genocide verder moest worden uitgevoerd en dan met name de uitbreiding daarvan met de Joden uit de rest van Europa, nadat die uit Polen en de USSR al waren opgepakt. Reinhardt Heydrich, rechterhand van Himmler en de man die door Hitler en Göring was belast met de verantwoordelijkheid voor de *Endlösung*, bracht de vertegenwoordigers samen van de bureaus die betrokken zouden worden bij dit proces (de conferentie zou oorspronkelijk plaatsvinden op 9 december 1941, maar werd uitgesteld vanwege de Japanse aanval op Pearl Harbor). De besproken onderwerpen werden door Adolf Eichmann opgetekend in de officiële notulen, al deed hij dat enigszins verbloemd. Tijdens zijn proces in Jerusalem legde Eichmann uit dat Heydrich hem had opgedragen het verslag 'op te schonen' en om expliciete taal te vermijden. Na de nazipolitiek tot op dat moment te hebben samengevat, gaf hij een uiteenzetting over de vastgestelde politiek van 'evacuatie naar het oosten' waarbij het om alle elf miljoen Joden ging die volgens de Duitsers in Europa leefden (met inbegrip van de Joden uit Groot-Brittannië en de neutrale landen). Sterkere Joden zouden aan het werk worden gezet, waarbij de meesten zouden 'wegvallen'. Niemand mocht zich veel illusies maken over het lot van degenen die níet konden werken. Een groot deel van de daaropvolgende discussie werd in beslag genomen door bureaucratisch gekrakeel over de status van Joden in gemengde huwelijken en hun nakomelingen. Toen de vergadering naar het eind liep, werd cognac geserveerd en bespraken de deelnemers – volgens de tekst uit de notulen – 'verschillende soorten mogelijke oplossingen'.

De elegante villa werd het grootste deel van de naoorlogse periode gebruikt als hospitium voor scholieren, maar op de vijftigste verjaardag van de conferentie werd er een monument en een educatieve locatie van gemaakt (dag. 10.00-18.00; toegang gratis; wwwghwk.de). De kern van de goed gedocumenteerde permanente expositie (die de ontwikkeling van de Holocaust bestrijkt) wordt gevormd door kamer 9, waar de vergadering plaatsvond. Op platen staan biografieën van de deelnemers en de hoogtepunten van de besproken onderwerpen. Boven vindt men een uitstekende bibliotheek en een mediacentrum.

De villa is gemakkelijk te bereiken door de Berlijnse S-Bahn te nemen naar Wannsee, en daarna bus 114 naar de halte Haus der Wannsee-Konferenz. Na een korte wandeling terug komt men bij het adres Am Großen Wannsee 56-58.

BRANDENBURG

Brandenburg is de plaats waar het eerste T4-centrum zijn moordzuchtige werkzaamheden begon. Het was ook het enige van dergelijke centra dat niet in een medisch instituut was gevestigd. De uitgekozen plaats was een voormalige gevangenis die in de eerste maanden van het regime kort dienst had gedaan als concentratiekamp. Een bakstenen schuur werd omgebouwd tot gaskamer en de eerste 'demonstratie' vond plaats in december 1939 of januari 1940 toen ongeveer twintig patiënten werden vergast in het bijzijn van een uitgenodigd publiek van ambtenaren en artsen. Het 'succes' van deze operatie zorgde ervoor dat voor T4 koolmonoxide als moordmethode werd aanvaard. Het werd later door dezelfde mensen toegepast bij *Aktion Reinhardt*. Onder hen waren chefarts Irmfried Eberl (eerste commandant van Treblinka), kok Kurt Franz (de meest gevreesde officier van Treblinka en de laatste commandant) en politieman Christian Wirth (de uiteindelijk verantwoordelijke inspecteur van alle T4-centra en later van de kampen van *Aktion Reinhardt*). De moorden bleven doorgaan tot oktober 1940 toen de operatie werd overgebracht naar Bernburg, waarschijnlijk omdat de plaatselijke bevolking in toenemende mate begon te begrijpen wat er gebeurde. Men neemt aan dat er tegen die tijd 9772 mensen waren vermoord.

Het complex deed gedurende de rest van de oorlog dienst als detentiekamp voor dwangarbeiders. Hoewel in deze periode enkele gebouwen werden verwoest, waren het de communisten met hun gebruikelijke fijngevoeligheid die het grootste deel van de rest sloopten en er bijna helemaal een parkeerplaats van maakten. De enige aanduiding van de gruwelijke geschiedenis van Brandenburg was een muurplaquette die in 1962 werd aangebracht. Onder druk van de families van slachtoffers en actiegroepen voor de rechten van gehandicapten kwam er in 1997 een groter monument, in de vorm van een serie informatieborden, een ingetogen maar onverwacht ontroerend gedenkteken. In 2012 werd eindelijk een herdenkingscentrum geopend dat aandacht besteedt aan de geschiedenis van de plaats en de banden ervan met de Holocaust. Achter de hoofdgroep van informatieborden aan de achterkant van de parkeerplaats liggen de resten van de fundamenten van de schuur waarin de gaskamer was ondergebracht. De locatie ligt aan de zuidzijde van de Nicolaiplatz (trams 1, 2 en 6; bussen F, H en W).

De Brandenburg-Gördenkliniek aan de Anton-Saefkow-Allee 2 in het noorden van de stad (tram 1, Asklepios Klinik) speelde ook een sleutelrol bij de medische moorden. Bijna 2000 vrouwen werden daar vóór de oorlog gesteriliseerd. In 1940 werd dit het eerste gespecialiseerde centrum voor de moord op gehandicapte kinderen, terwijl het ook dienst deed als doorgangshuis voor volwassenen die naar het T4-centrum werden gestuurd (waar ook enkele van de jongste patiënten van Görden werden vermoord). Hans Heinze, hoofd van de afdeling kindergeneeskunde van de kliniek, was een van de drie medische specialisten die in het hele Reich met hun oordeel het lot van gehandicapte kinderen bepaalden. In Görden zette hij een onderzoeksafdeling op waar hij de hersenen van de slachtoffers bestudeerde. De kliniek deed ook dienst als opleidingsinstituut voor jonge artsen die betrokken waren bij de moordprogramma's. Er staat een klein monument bij de ingang rechts van het hoofdpad, terwijl het Psychiatrisch Museum (in huis 23 aan de achterzijde van het complex) een expositie herbergt over de rol van het ziekenhuis in de naziperiode (de openingsuren zijn wisselend; brandenburg@asklepios.com). In de gevangenis van Brandenburg (naast de kliniek) zaten politieke gevangenen.

Brandenburg ligt aan de B1 ten westen van Berlijn, vanwaar regelmatig treinen vertrekken. Om de hoek bij het station verwijst een monument naar de lege ruimte van de voormalige Joodse begraafplaats (verwoest in 1938) aan de Geschwister-Scholl-Straße.

SACHSENHAUSEN

Concentratiekamp Sachsenhausen werd in 1936 opgezet in Oranienburg, ten noorden van Berlijn. Er was in 1933-1934 al een voorlopig kamp in de stad geweest, maar de nieuwe inrichting moest veel groter en belangrijker worden. Doordat de hoofdstad zo dichtbij lag, werd dit het administratieve centrum voor het hele kampsysteem en werd het gebruikt als opleidingsbasis voor SS-officieren. Onder de afgestudeerden bevond zich de toekomstige commandant van Auschwitz, Rudolf Höss. Voor de oorlog waren de meeste bewoners politieke gevangenen, en Sachsenhausen

Sachsenhausen (foto van Elizabeth Burns)

werd het voornaamste interneringscentrum voor invloedrijke tegenstanders van de nazi's, onder wie predikant Martin Niemöller en Herschel
Grynszpan (in 1940 in Frankrijk gevangengenomen). Meer dan 5000 Joden werden na de *Kristallnacht* naar het kamp gestuurd, terwijl nog eens
900 (voornamelijk Poolse burgers die in Berlijn woonden) daar werden
geïnterneerd na het uitbreken van de oorlog. Bijna alle achtergebleven
Joodse gevangenen werden in 1942 naar Auschwitz gedeporteerd. Een
uitzondering werd gemaakt voor 142 gevangenen – van wie er velen uit
Auschwitz kwamen – die waren betrokken bij Operation Bernhard, een
plan om valse Britse bankbiljetten te produceren in een poging de economie van de vijand te destabiliseren (verwerkt in de film *Die Fälscher*). De
meeste gevangenen waren in oorlogstijd echter Polen en Sovjet-Russische

krijgsgevangenen. Onder de laatsten bevond zich Stalins zoon Yakov Dz-
hugashvili die in 1943 overleed (waarschijnlijk omdat hij tegen het onder
stroom staande hek liep). Meer dan 10.000 soldaten van het Rode Leger
werden in het kamp vermoord. De meesten werden doodgeschoten, maar
anderen werden in september 1941 slachtoffer van proeven die de SS
uitvoerde met de nieuw ontwikkelde gasauto's (in 1942 of 1943 werd in
het kamp zelf een kleine gaskamer gebouwd). Vooruitlopend op de evacuatie vonden er meer massamoorden plaats, maar de meeste gevangenen
werden gedwongen in dodenmarsen naar het westen te lopen. Toen het
Rode Leger op 22 april 1945 arriveerde, waren in het kamp nog maar
3000 personen over. Naar schatting passeerden 200.000 mensen de poorten van Sachsenhausen en zijn subkampen. Rond 30.000 van hen kwamen om het leven, het merendeel Sovjet-Russische krijgsgevangenen.

Het kamp werd tussen 1945 en 1950 overgenomen door de NKVD.
Rond de 60.000 mensen werden er geïnterneerd. Sommigen van hen waren nazi, maar velen niet. Van hen stierven 12.000 personen. De plaats
werd in 1961 een monument en weerspiegelde onvermijdelijk de ideologische vooroordelen van de DDR, maar de eenwording maakte een presentatie van het verleden (dag. 8.30-18.00 (okt-mrt tot 16.30, gebouwen
op ma gesloten); toegang gratis; www.stiftung-bg.de) mogelijk die doel-
treffender en eerlijker is, te beginnen met het informatieve bezoekerscentrum bij de parkeerplaats (gebouwd op de plaats van een werkplaats
voor wapenonderhoud). Buiten staat een schaalmodel dat een indruk
geeft van de enorme omvang van het complex Sachsenhausen en dat zich
ver buiten het herdenkingsgebied uitstrekte. De route vanaf het bezoekerscentrum voert langs de *Lagerstraße* die de SS-barakken rechts
scheidde van de commandogebouwen en het gevangenenkamp links. Een
museumgebouw rechts van de ingang tot het kamp bestrijkt het eerste
kamp in Oranienburg en de geschiedenis van Sachsenhausen in Oost-
Duitsland; dit naast tijdelijke exposities. Links bij gedenktekens voor een
groot aantal gevangenen staat de voormalige woning van de commandant. Hierin zal uiteindelijk een expositie over de SS worden ondergebracht, terwijl het massieve poortgebouw de organisatie van Sachsenhausen zal behandelen.

Deze voorgenomen nieuwe tentoonstellingen zijn kenmerkend voor de continue vernieuwing van de plaats. Het concept van het oorspronkelijke monument uit 1961 was gericht op de overwinning van het antifascisme en zag weinig noodzaak voor het behoud van het originele kamp. De meeste gebouwen werden afgebroken en wat overbleef werd niet goed onderhouden. Het resultaat is duidelijk te zien op de halfronde *Appellplatz* waar alleen een betonnen muur de barakken aanduidt die er ooit omheen stonden. Er zijn maar weinig oorspronkelijke bouwwerken over, dus is het doel van het huidige bestuur om die zo goed mogelijk te gebruiken. Dit is het geval met Blok 38 en 39 in het 'kleine kamp' (waar de meeste Joodse gevangenen zaten) aan de rechterkant. Beide barakken werden in 1958-1960 herbouwd met origineel materiaal, en nogmaals in 1992, na een brandstichting waarvan de sporen nog steeds zichtbaar zijn. Barak 38 geeft onderdak aan een expositie over Joodse gevangenen. Het belangrijkste onderdeel is een glazen vitrine met fragmenten van schoenen en andere voorwerpen die in 1996 bij uitgravingen zijn ontdekt. Er is een fascinerende afdeling over de groep vervalsers. Barak 39 toont het dagelijks leven met een multimedia voorstelling die is gebaseerd op de herinneringen van twintig voormalige gevangenen. Daaraan voegt de nog bestaande vleugel van het nabijgelegen gevangenisblok aandenkens op het executieveld toe.

De enige nog bestaande gebouwen achter de betonnen muur (na een plaquette die de plaats van de galgen aangeeft) zijn de wasserij links (waarin een filmzaal en een vergaderzaal zijn ondergebracht) en de keuken rechts. In de laatste is een nieuwe tentoonstelling opgezet over de geschiedenis van het kamp. De bombastische obelisk erna was het oorspronkelijke hoofdonderdeel van het monument. Op de noordpunt van het driehoekige kamp kijkt Toren E (met een kleine expositie over de relatie tussen kamp en stad) uit op de toegang tot de 'speciale afdeling' van Sachsenhausen, waar Sovjet krijgsgevangenen zaten opgesloten en waar later Duitsers door de NKVD werden geïnterneerd. Een nieuw museum en nog overgebleven barakken vertellen de geschiedenis van de laatste periode, in de nabijheid van de massagraven van de slachtoffers daarvan.

Een expositie aan de westelijke muur van het hoofdkamp geeft de plaats aan van 'Station Z', vanaf 1942 het centrum van de moordoperaties. De fundamenten van crematorium en gaskamer liggen onder een overkapping achter de muur in de buurt van askuilen en een executiegreppel. De vernietigingsvoorzieningen waren nog intact toen het kamp werd bevrijd, maar werden in het begin van de jaren vijftig door de Oost-Duitsers opgeblazen, waarna de plek werd gebruikt als stortplaats (oorspronkelijk was het de bedoeling om er een schietbaan voor de politie van te maken!) totdat het monument er kwam. De gaskamer lijkt eerder te zijn gebruikt als aanvulling dan als vervanging van de massaexecuties met vuurwapens. De voornaamste slachtoffers waren waarschijnlijk gevangenen (vaak buitenlandse dwangarbeiders) die naar Sachsenhausen werden gebracht om te worden geëxecuteerd. De laatste maanden waren het ook verzwakte bewoners. Een gedenkplaat verder naar het zuiden tegen de hoofdmuur markeert de plaats van het eerste crematorium.

De nog overeind staande ziekenbarakken liggen links van de *Appellplatz*. Erbinnen wordt aandacht besteed aan medische zorg, maar ook aan de misdaden die werden begaan door de artsen van Sachsenhausen, zoals de moord op soldaten van het Rode Leger door middel van een dodelijke injectie. Een gedeelte van het pathologiegebouw is ook nog bewaard gebleven. Deze afdeling onderhield nauwe betrekkingen met de universiteiten van Berlijn en met de medische academies van de SS, met als gevolg dat skeletten en schedels werden doorgegeven aan hun 'raciaal-antropologische' collecties. Naast de kampmuur liggen de massagraven van ziekenhuispatiënten die overleden na de bevrijding.

Van het bezoekerscentrum is het een korte wandeling naar het T-gebouw aan de Heinrich-Grüber-Platz. Hier was vanaf 1938 de *Inspektion der Konzentrationslager* (Inspectie Concentratiekampen) gevestigd die toezicht hield op het hele kampsysteem binnen het Reich. In een van de grotendeels ongewijzigde kamers is een expositie over de rol ervan ingericht.

Oranienburg ligt ten noorden van Berlijn aan de B96. Het kamp is bewegwijzerd. Om de plaats met openbaar vervoer te bereiken, neemt men de trein of S-Bahn naar Oranienburg en dan bus 804. Vanaf het station kan men ook kiezen voor een wandeling van twintig minuten; men kan de borden volgen. Bij het naderen van het kamp staat op de hoek van de Straße der Einheid met de Straße der Nationen een monument voor de dodenmarsen.

RAVENSBRÜCK

Ravensbrück was het enige grote concentratiekamp voor vrouwen. Voordat het in 1939 werd opgezet, zaten vrouwelijke gevangen in speciale gedeelten van mannenkampen of in een klein kamp in Lichtenberg. Het toezicht was in handen van vrouwelijke bewakers, hoewel de commandant en de administratieve functionarissen mannen bleven. Er waren ook kinderen in Ravensbrück die met hun moeder waren meegekomen of die hier werden geboren, terwijl in de nabijheid het speciale Uckermark kamp voor tienermeisjes werd opgezet. In 1941 werd een aangrenzend kamp voor mannen (officieel een subkamp van Sachsenhausen) gebouwd. De eerste bewoners van Ravensbrück waren politieke gevangen, criminelen en 'asocialen' (zoals prostituees), maar de populatie vertoonde tijdens de oorlog een explosieve groei door de toestroom van Poolse en Russische vrouwen. In het laatste jaar werd dat nog erger door de dodenmarsen. Joden vormden ongeveer 15% van de meer dan 130.000 vrouwen die de poorten van Ravensbrück passeerden en voor Roma was dat ongeveer 5%. Het zal geen verbazing wekken dat deze laatste twee groepen het doelwit waren van de ergste behandeling. Duizenden stierven als gevolg van de omstandigheden in het kamp, terwijl verzwakte bewoonsters naar Auschwitz of Bernburg werden gestuurd. Aan het eind van 1944 werd een kleine gaskamer gebouwd waarin enkele duizenden vrouwen werden omgebracht voordat het kamp werd opgeheven. Hoewel zo'n 7500 West-Europese gevangenen werden overgedragen aan het Rode Kruis en enkele honderden Duitse vrouwen werden vrijgelaten, moest het merendeel van de vrouwen eind maart 1945 aan een dodenmars naar het noorden beginnen. Toen het kamp op 30 april werd bevrijd, bevonden zich daar nog tegen de 3500 zieke gevangenen. De dodenmars werd een paar uur later door het Rode Leger onderschept. Schattingen van het aantal slachtoffers van Ravensbrück variëren, maar dat zou zelfs wel 90.000 kunnen zijn.

De locatie werd na de oorlog door het Rode Leger gebruikt. Hoewel in

Ravensbrück (foto van de auteur)

1959 een kleine herdenkingsplaats werd geschapen, bleef het grootste deel van het complex in gebruik als militaire basis, tot de Russische terug-trekking in de jaren negentig. De huidige herdenkingslocatie (di-zo 9.00-17.00 (mei-sep tot 18.00); toegang gratis; www.stiftung-bg.de) beslaat het grootste deel van het terrein van het kamp, hoewel daar nog maar erg weinig gebouwen van over zijn. Het belangrijkst is het commandoge-bouw bij de parkeerplaats waarin op de eerste verdieping de belangrijkste tentoonstellingen zijn ondergebracht. De twee exposities – over de ge-schiedenis van het kamp en over de vrouwen die er geïnterneerd zaten – zijn alleen in het Duits, maar er zijn wel Engelse informatiefolders. Zeer direct en begrijpelijk zijn de levendige schetsen van de Franse gevangene Violette Lecoq en de bewaard gebleven voorwerpen, waaronder kinderspeelgoed. De SS-garage erachter besteedt aandacht aan de kampgeschiedenis na 1945 en biedt ook onderdak aan tijdelijke exposities. Naast de kampingang wordt nu ten noorden van deze gebouwen een nog bestaand blok (waarin de waterleiding was ondergebracht) gebruikt voor bijzondere tentoonstellingen. Acht beelden van uitgemergelde figuren, werken van de Britse kunstenaar Stuart N.R. Wolfe, staan buiten. Hun gekleurde driehoeken geven verschillende categorieën gevangenen aan. Het kleine wachthuis bij de ingang bevat een enorm boek waarin de gevangenen staan opgesomd.

Het kamp zelf is een groot, leeg terrein met alleen verdiepte plekken in het grint en bordjes om aan te geven waar de barakken stonden. De barak die het dichtst bij de poort stond, achter de plaat met de aanduiding *Appellplatz*, was het ziekenhuis. Gedwongen sterilisatie maakte deel uit van de barbaarse experimenten die hier werden uitgevoerd door dokter Carl Clauberg, die aan het eind van de oorlog uit Auschwitz werd overgeplaatst. Rechts liggen de fundamenten van het keuken- en douchegebouw. De functie van de twee gebouwen links die lang zijn blijven staan, is onbekend. Er is beduidend meer bewaard gebleven van de industriële sector aan de achterkant, die gedeeltelijk wordt omsloten door een nog overeind staand gedeelte van de kampmuur. Het belangrijkste gebouw was een grote textielwerkplaats. Het mannenkamp lag meteen ten zuiden van het industriële gebied, terwijl het meisjeskamp op enige afstand in het zuidoosten lag. Beide zijn niet toegankelijk. Een overwoekerd gedeelte van het vrouwenkamp met één nog overeind staande barak is ook afgesloten met een hek. Hier was eind 1944 een grote tent opgezet voor de Jodinnen en de Roma-vrouwen die uit Auschwitz waren geëvacueerd.

Het enige andere overblijvende gebouw is de voormalige gevangenis ten zuiden van de keukenfundering. De cellen werden in de jaren tachtig veranderd in herdenkingskamers waarbij elk vertegenwoordigd land verantwoordelijk was voor de inhoud van zijn cel. Veel cellen vormden een weerspiegeling van de ideologische opvattingen van die tijd en dat gold vooral voor die van de USSR. Na enige discussie werd besloten deze communistische memorabilia te behouden als op zichzelf staande historische artefacten. Ze zijn echter aangevuld met andere: voor Joden, voor Sinti en Roma en voor de mannen van het complot van 20 juli 1944.

Buiten de gevangenis en ten zuiden van de parkeerplaats ligt het oorspronkelijke herdenkingsterrein naast het crematorium. Er wordt aangenomen dat de gaskamer ernaast lag, hoewel die volgens sommige verslagen in het meisjeskamp Uckermark lag (dat in 1944 was ontruimd). De rozentuin ernaast is aangeplant op het massagraf van 300 bewoonsters die vlak voor of na de bevrijding het leven lieten. Een informatiepaneel aan de zuidzijde verhaalt de geschiedenis van de Siemensfabriek die achter de bomen lag. Het monument bij het meer werd opgericht door de communisten.

De gebouwen ten noorden van de parkeerplaats en langs de toegangsweg waren de verblijven van de SS. Sommige daarvan zijn nu in gebruik als vakantiehuizen. De woning van de commandant was de eerste villa in een rij van vier bij het waterleidinggebouw die over het kamp uitkeken. De eerste barak aan de overkant van de weg wordt nu gebruikt voor internationale jongerenconferenties, in de tweede is een expositie ondergebracht over de vrouwelijke bewakers en de volgende is een jeugdherberg.

Ravensbrück ligt ten oosten van Fürstenberg/Havel, ongeveer 80 kilometer ten noorden van Berlijn. Fürstenberg ligt aan de B96 en is vanuit de hoofdstad gemakkelijk per trein bereikbaar. Helaas is het kamp slecht bewegwijzerd voor zowel automobilisten als wandelaars – volg in plaats daarvan de borden naar de jeugdherberg (*Jugendherberge*). Die zal men op de L15 (Ravensbrücker Dorfstraße) brengen waar de sporen zichtbaarder worden: een herdenkingsbeeld van uitgemergelde vrouwen bij de afslag rechts de Himmelpforter Landstraße op, en dan een Sovjet-tankjager en een monument van gekooide stenen bij de afslag naar de Straße der Nationen die naar het kamp voert. Het is mogelijk om bij het station een taxi te nemen als alternatief voor de wandeling van 2 kilometer.

NEUENGAMME

Concentratiekamp Neuengamme werd eind 1938 opgericht bij een steenfabriek buiten Hamburg. Oorspronkelijk was het een subkamp van Sachsenhausen, maar in 1940 werd het een opzichzelfstaand kamp na een overeenkomst tussen de SS en de stad om materialen voor bouwprojecten te produceren. Dit had namelijk een enorme expansie van het kamp en een netwerk van subkampen in de regio Hamburg tot gevolg. De grootste groepen die in Neuengamme terechtkwamen, waren Sovjet-Russische krijgsgevangenen en Polen. Tot aan de komst van transporten uit Hongarije en Polen waren er weinig Joden, met een totaal van ongeveer 13.000 in de zomer van 1944. Tijdens de periode van de dodenmarsen werden enkele duizenden gevangen ondergebracht op schepen die in de Lübecker Bocht afgemeerd lagen. Op 3 mei 1945 bombardeerde de RAF de *Cap Arcona* en de *Thielbeck* die ten onrechte werden aangezien voor Duitse troepentransportschepen. Ongeveer zevenduizend gevangenen kwamen hierbij om (velen werden doodgeschoten door de SS terwijl ze zich in veiligheid probeerden te brengen). SS'ers en bemanning werden gered door Duitse schepen. In totaal verloren meer dan 40.000 van de 100.000 mensen die in het kampsysteem van Neuengamme gevangen zaten, het leven.

Het kamp werd op 4 mei 1945 bevrijd door de Britten en tot 1948 zaten er mensen die ervan werden verdacht nazi te zijn. Daarna werd het kamp overgeplaatst naar de stad Hamburg. Op de plaats van het kamp werd in 1949 een grote gevangenis gebouwd waaraan later een jeugddetentiecentrum werd toegevoegd. Hoewel er in de jaren zestig een herdenkingsplaats werd gecreëerd (dat in de plaats kwam van een monument uit 1953 waarop geen melding werd gemaakt van de geschiedenis van de plaats), had de aanwezigheid van de strafinrichting tot gevolg dat het kamp zelf niet toegankelijk was. Dit was een reden voor steeds meer protesten. De gevangenissen werden ten slotte in 2002-2006 gesloopt waardoor het hele terrein van Neuengamme kon worden toegevoegd aan wat nu een indrukwekkende herdenkingsplek is (ma-vr 9.30-16.00, za-zo 12.00-19.00 (okt-mrt tot 17.00); toegang gratis; www.kz-gedenkstaetteneuengamme.de).

De moderne zuidelijke ingang was vanaf 1941 de plaats van de eenvoudige kamppoort. Er waren plannen voor een groot poortgebouw, zoals ook elders werd aangetroffen, maar dat werd nooit gebouwd. Rechts is een klein informatiecentrum, links de *Appellplatz*. Het huidige plein is een reconstructie, hoewel een paneel een fragment van het origineel markeert dat werd ontdekt na de sloop van de gevangenis. De barakken van de bewoners lagen links van de *Appellplatz*. De enige nog resterende elementen zijn twee grote bakstenen gebouwen die in 1943-1944 werden opgetrokken (er waren nog plannen voor zes andere) en de fundamenten van de latrine tussen de blokken 7 en 8. In het westelijke bakstenen gebouw zijn nu administratie en archief van het monument ondergebracht. Ten noorden daarvan ligt aan de weg het voornaamste wachtgebouw van de SS, naast een grote wachttoren.

De plaats van de houten barakken wordt aangegeven met bakstenen en stenen waarbij panelen uitleg geven over de functie van elke barak. De lange blokken meteen achter het informatiecentrum vormden bijvoorbeeld het ziekenhuis waar dokter Kurt Heißmeyer op Joodse kinderen experimenten met tuberculose uitvoerde (zie Hamburg onder 'andere locaties' hierna). Een treurwilg rechts is het laatste overblijfsel van de 'oase', een tuin die de gevangenen voor de SS moesten onderhouden. Enige tijd werden daar twee ezels gehouden. Verder naar rechts is de plaats van het kampbordeel dat in 1944 werd opgezet voor bevoorrechte gevangenen.

De locatie van de keuken is te vinden aan het eind van het hoofdpad bij de blootgelegde fundamenten van de kampgevangenis. De laatste werd in de herfst van 1942 tijdelijk veranderd in een gaskamer voor de moord op 448 Sovjet-Russische krijgsgevangenen. Het oostelijke bakstenen gebouw, waarin 3000 gevangenen en een kelderwerkplaats waren gehuisvest, biedt nu onderdak aan het hoofdmuseum dat over twee verdiepingen de geschiedenis van Neuengamme volgt, waarbij door middel van biografieën en foto's vooral aandacht wordt besteed aan de gevangenen. De tentoonstelling laat ook de omstreden naoorlogse geschiedenis van de plaats zien.

Achter het museum ligt – tegen een decor van windmolens – de fabriek van Walther, waar tot wel 1000 gevangenen vanaf 1943 wapens fabriceerden. Omdat het betrekkelijk prettig werk was (binnen en met minder slaag) was er veel animo voor. Er is thans een expositie over slavenarbeid in gevestigd. Het gebouw ertegenover moest een gieterij worden, maar het werd nooit afgebouwd. De parkeerplaats voor bussen (iets meer naar rechts) was de locatie van andere wapenwerkplaatsen.

Het crematorium dat eind 1944 werd gebouwd, lag voor de industriele gebouwen. De plaats wordt aangegeven met een gedenkplaat. Een pad loopt van hier in een bocht naar een gereconstrueerd stuk van de spoorlijn die vanaf 1943 doorliep tot in het kamp. Als monument staat hier een wagon van de Reichsbahn. De betonnen plaat aan de andere kant van het pad die even groot is als de wagon, bevat 80 paar voetafdrukken om aan te geven hoe dicht opeen de gevangenen erin werden geperst. Het veld aan de andere kant van de toegangsweg naar de parkeerplaats voor bussen was het schietterrein van de SS waar executies plaatsvonden.

Bij terugkeer naar het museum voert het hoofdpad noordwaarts langs een restant van de naoorlogse gevangenis naar het terrein waarop het SS-kamp lag. Het voornaamste nog bestaande bouwwerk deed dienst als garage (de twee gebouwen erachter waren schuilkelders) en bevat nu een tentoonstelling over de SS'ers van Neuengamme. Het gebouw rechts (oostelijk) van de garage was de villa van de commandant.

Het jeugddetentiecentrum besloeg de ruimte ten noorden van de garage. De locatie is gerestaureerd tot de oorlogssituatie, met open kleiputten. Honderden gevangenen stierven hier bij wat werd beschouwd als het zwaarste, het dodelijkste werk in het kamp. De klei werd gebruikt in de grote steenfabrieken aan de andere kant van de putten die tussen 1940 en 1942 door kampbewoners werden gebouwd (er is een expositie in de oostelijke vleugel over de geschiedenis van de bouw). Betrekkelijk weinig gevangenen werkten in het grotendeels geautomatiseerde complex. Daarentegen werden duizenden ingezet bij de aanleg van het kanaal in het oosten, een van de andere zeer dodelijke werkzaamheden. De afgemeerde schuit in het kanaal vervoerde afvalmateriaal tijdens de aanleg, en later zand, kolen en bakstenen, wat allemaal door de bewoners in- of uitgeladen moest worden. Het gebouw ten westen van de steenfabrieken was het kantoor van de DEST, het SS-bedrijf dat toezicht hield op de productie.

Het oorspronkelijke herdenkingsterrein ligt ten noorden van het DEST-kantoor, achter een geprefabriceerd huis dat een reconstructie is van veel van dergelijke huizen, die met beton uit Neuengamme in Hamburg werden opgetrokken. Op zondagen (11.30-17.00) verschaffen behulpzame vrijwilligers (lutheranen) informatie aan bezoekers. Een Haus des Gedenkens (herdenkingshuis), waarvan de binnenmuren de namen van de slachtoffers bevatten, staat iets verder op de plaats van de groentetuin van de SS waarin as uit het crematorium als meststof werd gebruikt. Het nu beboste gebied wordt gekenmerkt door een serie monumenten, waaronder één voor de homoseksuele slachtoffers van de nazi's, dat in 1985 werd opgericht en dus een van de eerste was waarmee werd erkend wat eerder nogal een onderwerp van taboe was geweest. Er is ook een monument voor de Opstand van Warschau in 1944; na afloop daarvan werden 6000 Polen naar Neuengamme overgebracht.

Neuengamme ligt bijna 20 kilometer ten zuidoosten van Hamburg en wordt vanaf de afrit Curslack van de A25 met borden aangegeven. Om met openbaar vervoer bij de plaats te komen, neemt men de S-Bahn naar Bergedorf en dan bus 227 of 327. Er zijn bushaltes en parkeerplaatsen bij zowel de zuidelijke ingang als het noordelijke herdenkingsterrein.

BERGEN-BELSEN

Afgezien van Auschwitz wordt geen andere plaats door het grote publiek zo sterk in verband gebracht met de Holocaust als Bergen-Belsen. Toch waren er gedurende het grootste deel van de oorlog weinig aanwijzingen dat de plaats zo berucht zou worden, omdat Bergen-Belsen in 1940 was opgezet als een kamp voor Franse en Belgische krijgsgevangenen. Het werd in 1941 uitgebreid om plaats te bieden aan gevangengenomen Sovjetsoldaten van wie er de volgende winter 14.000 stierven. Maar zelfs met dit dodencijfer onderscheidde Bergen-Belsen zich nauwelijks van tientallen andere kampen. Joden werden daar pas vanaf april 1943 geïnterneerd en de krijgsgevangenen werden grotendeels naar andere plaatsen gestuurd. Zelfs in dit stadium vertoonde het kamp weinig gelijkenis met de hel die het zou worden. Het merendeel van de Joodse gevangenen behoorde tot verschillende speciale categorieën: burgers van neutrale landen, bezitters van visa van dergelijke landen en vooral 'uitwisselingsjoden' die bij de hand werden gehouden om mogelijk uitgewisseld te worden tegen Duitse gevangenen in geallieerde landen of tegen geld. Zo'n ruilhandel vond nauwelijks plaats, terwijl 2000 Poolse Joden met papieren voor neutrale landen na enkele maanden naar Auschwitz werden getranspor-

Bergen-Belsen (foto van Elizabeth Burns)

teerd. Niettemin leek Belsen veiliger dan elk ander kamp in het nazisysteem. Dat veranderde allemaal in het catastrofale laatste jaar. De eerste aanwijzing daarvoor kwam in het voorjaar van 1944, toen het werd aangewezen als 'rustkamp' voor zieke gevangenen uit andere kampen – die werden kortom naar Belsen gebracht om te sterven. Het waren echter de dodenmarsen die de plaats echt veranderden. Het eerste grote transport bestond in de herfst van 1944 uit 8000 vrouwen uit Auschwitz, onder wie Anne en Margot Frank. Er waren niet genoeg barakken, dus werden de vrouwen ondergebracht in speciaal opgezette tenten die in november tijdens hevige stormen omver werden geblazen. Diezelfde maand werd de brute Josef Kramer van Birkenau overgeplaatst naar Belsen om de commandant te worden van wat nu officieel een concentratiekamp was. Vanaf januari 1945 werden tienduizenden gevangenen naar Bergen-Belsen gebracht, dat absoluut niet was ingericht op zo'n toestroom. Gebrek aan voedsel, onderdak en hygiëne – met een tyfusepidemie tot gevolg – veroorzaakte alleen al in maart de dood van 18.000 mensen. Tegen de tijd dat op 15 april de Britten arriveerden, waren er 60.000 gevangenen van wie de meesten ernstig ziek waren, terwijl het kamp bezaaid lag met duizenden niet-begraven lijken. Naar schatting waren sinds het begin van het jaar 1945 35.000 gevangenen overleden. Nog eens duizenden stierven na de bevrijding, velen omdat hun lichaam het voedsel niet kon verdragen dat ze kregen van de goed bedoelende Britse soldaten. De film die de bevrijders maakten, is misschien wel de schokkendste van de Holocaust. De meeste andere kampen waren geëvacueerd voordat de geallieerden arriveerden, maar hier lag het duidelijkst zichtbare bewijs van de nazimisdaden. Vanaf 1943 hadden 50.000 mensen in Belsen het leven verloren.

De tyfusepidemie was zo ernstig, dat het hele kamp werd platgebrand door de Britten nadat de overlevenden waren overgebracht naar ziekenhuizen en naar een nabijgelegen legerkazerne die het grootste Joodse vluchtelingenkamp in Duitsland werd. Als gevolg daarvan is er feitelijk niets overgebleven van dit kamp en de herdenkingsplaats die in 1946 werd ingericht, lijkt eerder op een groot park (dag. 10.00-18.00 (okt-mrt tot 17.00); toegang gratis; bergen-belsen.stiftung-ng.de). Met dit in gedachten zijn de autoriteiten een ambitieuze renovatie van plan waarvan de voltooiing jaren kan vergen. De belangrijkste verandering is in 2007 al verkregen met de bouw en inrichting van een nieuw museum dat zich van de parkeerplaats tot de rand van het kamp uitstrekt. Er wordt veel gebruikgemaakt van video's – in het bijzonder uit het uitgebreide archief van vraaggesprekken met overlevenden en andere getuigen – als aanvulling op de soms schaarse tekst. Daarnaast tonen vitrines artefacten die tijdens opgravingen zijn gevonden.

De uitgang van het museum ligt bij de rand van het kamp. Vandaar loopt het pad naar de voormalige *Appellplatz* in het midden van het 'Sterrenkamp', dat zo werd genoemd omdat de bewoners, voornamelijk Nederlandse uitwisselingsjoden (4100 in juli 1944) geen uniform hadden, maar nog steeds verplicht de gele davidster moesten dragen. Naast het pad ligt hier een met heide begroeide aarden wal, het massagraf van 1000 mensen, een van de vele op het terrein. De voormalige hoofdweg door het kamp die het hoofdonderdeel van het nieuwe monument moet worden, lag hier net ten noorden van. Dit gedeelte is nog lang niet af, hoewel vlak naast de 'weg' ten noordoosten van de *Appellplatz* de fundamenten van Blok 9 en 10 zijn opgegraven. Het eerste bevatte gevangeniscellen en een varkensstal, het tweede Hongaarse Joden die in 1944 naar Belsen waren gebracht als onderdeel van het Kasztner-Transport (zie hoofdstuk 9). De namen van sommigen van hen zijn op stenen geschreven.

Het naoorlogse herdenkingsterrein wordt omgeven door een rondlopend pad ten westen van de *Appellplatz*. Door dit pad met de wijzers van de klok te volgen langs nog meer massagraven, komt men bij het eenvoudige, maar aangrijpende Joodse monument dat op de eerste verjaardag van de bevrijding van het kamp werd onthuld. Eromheen staan stenen voor individuele personen, onder wie Anne en Margot Frank. Beide zusjes stierven tijdens de tyfusepidemie in maart 1945. Deze monumenten staan op het terrein van het tentenkamp waarin zij en duizenden andere vrouwen tot de novemberstormen waren ondergebracht. Daarna werden ze overgebracht naar de veel te kleine barakken vlak ten noorden ervan. Er staan nog meer monumenten op een kleine open plek bij het ruitvormige Huis van Stilte, terwijl het voornaamste monument met een obelisk voor een muur verder naar het westen in 1947 door het Britse bestuur werd aangelegd. Het houten kruis ernaast was misschien nogal gevoelloos het allereerste gedenkteken dat vlak na de bevrijding door vrouwelijke Poolse gevangenen werd opgericht. Een vertakking van het pad naar het noorden voert door bomen en een militair oefengebied naar de begraafplaats voor Russische militairen dat de massagraven van duizenden krijgsgevangenen bevat.

Weer terug op de hoofdroute liggen nog meer massagraven, tegenover de plaats van het crematorium, dat het begin zal worden van de herdenkingsroute over de kampweg. Het kleine crematorium was begin 1945 totaal niet berekend op het aantal sterfgevallen, waardoor lijken in de openlucht bleven liggen en wegrotten. Het pad vervolgt van hier zijn rondgaande route door het bos naar het voormalige krijgsgevangenenkamp waar Franse en Belgische soldaten opgesloten hadden gezeten. Na hun evacuatie in 1943 werd hier een hospitaal voor de achtergebleven Sovjet-Russische gevangenen (die in het latere Joodse kamp hadden gezeten) opgezet. Dit werd in januari 1945 ook opgeheven en duizenden vrouwen, onder wie veel Sinti en Roma, werden in de overvolle barakken ondergebracht. Een omweg (aangegeven op de gratis te verkrijgen kaarten van de plaats) voert naar houten balken die de omtrek van sommige barakken en een van de oorspronkelijke waterreservoirs aangeven. Feitelijk sneden terugtrekkende SS'ers vlak voor de komst van de Britten de watertoevoer af om reddingspogingen te bemoeilijken.

De locatie ligt aan de L298, ten noordwesten van Celle, en wordt op de A7 tussen Hannover en Hamburg met borden aangegeven. Om de locatie per openbaar vervoer te bereiken, neemt men de trein naar Celle en dan een van de onregelmatig rijdende bussen (zie voor de actuele dienstregeling de website van het monument).

BERNBURG

Na de beslissing in de herfst van 1940 om het instituut in Brandenburg te sluiten, werd in Bernburg een nieuw T4-centrum opgezet. Het bestond uit één blok van een psychiatrische inrichting aan de rand van de stad. Ongelooflijk genoeg bleven de andere gebouwen in het grote complex de hele tijd normaal functioneren. Het personeel van Brandenburg verhuisde en masse naar Bernburg en het moorden begon eind november 1940. Tegen augustus 1941 waren 9385 patiënten om het leven gebracht. Zelfs na het veronderstelde stoppen van T4, bleef Bernburg fungeren als een vernietigingsinstituut, waarbij het een leidende rol kreeg bij de moorden in het kader van de *Aktion 14f13* op zieke gevangenen uit concentratiekampen. Tot april 1943 werden ongeveer 5000 gevangenen, voornamelijk Joden uit kampen als Buchenwald, Flossenbürg en Gross-Rosen, vermoord.

Na decennia van verwaarlozing is er nu een opmerkelijk herdenkingscomplex in Haus Griesinger, het gebouw waar de moorden plaatsvonden (di-do 9.00-16.00, vr 9.00-12.00, 1e zo van de maand 11.00-16.00; toegang gratis; www.gedenkstaette-bernburg.de). Een deur rechts na een herdenkingssteen voor de meer dan 14.000 mensen die in het gebouw het leven verloren, voert naar de kelder waar de voorzieningen voor het moorden waren ondergebracht. Hoewel sommige elementen reconstructies zijn – bijvoorbeeld de douchekoppen in de gaskamer en de ontleedtafel – is Bernburg van alle T4-locaties het meest intact gebleven. De oorspronkelijke deur van de gaskamer en het raampje waardoor het personeel de 'voortgang' van hun werk kon controleren, werden tijdens de inrichting van het monument ontdekt. In het crematorium – de ovens worden voorgesteld door foto's – staan twee gedenkstenen en hangen representatieve foto's van de slachtoffers. De tentoonstelling (alleen in het Duits) is met zorg opgezet en behandelt de ontwikkeling van de *Rassenhygiene* door middel van sterilisatie, de programma's T4 en 14f13 en de rol die Bernburg in elk daarvan speelde. Een interessant gedeelte belicht het falen van de Oost-Duitse autoriteiten om de daders voor het gerecht te slepen. Op de verdieping erboven werden de slachtoffers geregistreerd en gefotografeerd bij hun aankomst uit de busgarage en werd vastgesteld wat een geschikte, gefingeerde doodsoorzaak zou zijn. Een ruimte op deze verdieping wordt gebruikt voor wisselende exposities. De andere verdiepingen bevatten nog steeds psychiatrische afdelingen.

Bernburg ligt tussen Magdeburg en Halle naast de A14. Volg de borden 'Fachkrankenhaus'. Het grote complex ligt aan de Olga-Benario-Straße 16/18. Het monument is bij de ingang met borden aangegeven. Om de locatie met openbaar vervoer te bereiken, neemt men bus 553 naar de halte Landeskrankenhaus. Dit is in de ochtend en late middag een directe verbinding met het station. Op andere tijden wandelt men of neemt men een van vele andere bussen naar de Karlsplatz om daar op lijn 553 te stappen.

MITTELBAU-DORA

Mittelbau-Dora was het grootste van de vele kampen die aan het eind van de oorlog werden opgezet om gevangenen als dwangarbeiders in de wapenproductie te gebruiken. Het werd in augustus 1943 gesticht als een subkamp van Buchenwald en veranderde in oktober 1944 in een zelfstandig kamp. De gevangenen groeven tunnels in het Harzgebergte waarin V2-raketten en vliegtuigfabrieken werden ondergebracht. Totdat in het

Mittelbau-Dora (foto van de auteur)

voorjaar van 1944 barakken werden gebouwd, moesten zij ook in deze tunnels leven. De bouwwerkzaamheden werden voornamelijk uitgevoerd door politieke gevangenen (een groot deel van hen was Frans), maar toen alles halverwege 1944 operationeel was, werden duizenden Joden naar Dora en de subkampen daarvan gebracht. De levensverwachting was kort, zelfs naar de algemene maatstaven van het kamp, en veel verzwakte bewoners werden naar de gaskamers van Auschwitz en Mauthausen gestuurd. Begin 1945 arriveerden er meer Joden na de evacuatie van Auschwitz en Gross-Rosen, maar in april werd Dora zelf verlaten; duizenden moesten in de richting van Belsen lopen. Velen werden onderweg vermoord. Naar schatting verbleven rond de 60.000 gevangenen in Dora en de subkampen, van wie ongeveer een derde het leven liet.

Het huidige herdenkingscomplex (terrein: dag. tot zonsondergang; museum: di-zo 10.00-18.00 (okt-mrt tot 16.00); toegang gratis; www. buchenwald.de/29) is toegankelijk via een weg die door de industriële en SS-zone van het kamp loopt. De parkeerplaats ligt naast de plaats van het kantoor van de commandant. Van het SS-kamp is vrijwel niets overgebleven, maar kaarten geven aan waar de gebouwen stonden. Het moderne bezoekerscentrum (2006) geeft onderdak aan een vrij klein museum.

De ingang van het gevangenenkamp wordt aangegeven door twee betonnen palen. Dora had geen poorthuis, maar in plaats daarvan stond hier een poort van prikkeldraad. Het betonnen gebouw rechts, dat nu wordt gebruikt als cursusruimte, staat op de plaats van een voormalig Gestapo-gebouw. Het betonnen bouwwerk links, waar een stoomlocomotiefje voor staat, was vroeger een schuilkelder van de SS die in de jaren zeventig werd gereconstrueerd. Dit geeft al aan dat er erg weinig van het kamp is overgebleven, iets wat nog duidelijker wordt als men op de *Appellplatz* staat. De geleidelijk oplopende aarden wallen waarop de barakken stonden, zijn nu grotendeels bedekt met gras of verderop met bomen. Achter het grote monument uit 1974 ligt het sportveld van het kamp met daar weer achter de fundamenten van de gevangenis. De barak bevatte dertig cellen en een verhoorkamer en was van de rest van het kamp gescheiden door een hek dat onder stroom stond. Na massa-arrestaties eind 1944 werden in elke cel twintig gevangenen gepropt. Het aangrenzende pakhuis staat op de plek van de timmerwerkplaats.

Weer terug op de *Appellplatz* liggen de fundamenten van de eetzaal van de gevangenen en het provisiegebouw links achter het monument, gevolgd door die van de keuken. Op het punt waar het pad zich vertakt, liggen verder naar achteren de fundamenten van een barak waarin vanaf december 1943 meer dan 1100 Italianen zaten. Slechts de helft van hen was soldaat, maar ze werden allemaal gearresteerd nadat Italië zich had overgegeven aan de geallieerden. Hitler was zo kwaad dat ze werden bestempeld als Italiaanse militaire geïnterneerden in plaats van als krijgsgevangenen om de Geneefse Conventie te omzeilen. Ongeveer de helft van hen kwam om het leven.

Kleine fragmenten van het kamp zijn nog overgebleven in het bos, dat het grootste deel van de locatie heeft omsloten. Het opmerkelijkst is de ruïne van de kampbioscoop waarvan nog een hoekmuur overeind staat. Deze barak die in de herfst van 1944 werd voltooid, was bedoeld voor bevoorrechte gevangenen, maar dat zou niet lang duren, want begin 1945 werd het een quarantaineblok voor transporten uit het oosten. Bij het volgen van het gebogen pad door het bos komt men uiteindelijk bij het nog overeind staande crematorium, waarvan de twee ovens zijn omgeven door gedenkplaquettes. Het gebouw was in bedrijf vanaf eind zomer 1944. Daarvoor waren lijken verbrand in Buchenwald of in een mobiele oven. Een beeld van vijf verzwakte bewoners kijkt uit over het kamp. Dit werk uit 1964 was oorspronkelijk bedoeld als het DDR-monument in Auschwitz, maar werd niet heroïsch genoeg geacht. Er zijn ook moderne gedenkplaten voor zowel Joodse als Roma-slachtoffers. Een nieuwe trap voert omlaag naar de enige twee andere gebouwen. Het houten blok links (een reconstructie uit 1991 met materiaal van barakken uit het voorma-lige dwangarbeiderskamp Nordhausen) was het eerste museum van het kamp, maar het is nog niet duidelijk wat de toekomstige rol zal zijn. Het betonnen gebouw was de brandweerpost van het kamp. Het was zo dege-lijk gebouwd dat het aan afbraak ontkwam en het wordt nu gebruikt voor speciale exposities.

Achter het SS-kamp lag aan weerszijden van de weg die het herden-kingsgebied uit voert, het industrieterrein van Mittelwerk. Aan de noord-zijde van de weg lagen twee transporttunnels die waren verbonden met het ondergrondse complex. De Amerikanen haalden de machines en do-cumenten weg voordat het ondergrondse gedeelte werd overgedragen aan de Sovjet-autoriteiten die het in 1949 opbliezen. Het is echter mogelijk een klein gedeelte van het tunnelsysteem te bezoeken, onder begeleiding van een Duits sprekende gids. De bezichtiging begint buiten het museum (di-vr 11.00 en 14.00, za-zo 11.00, 13.00 en 15.00 ('s zomers ook om 16.00)). Een model dat aan het plafond hangt, geeft een idee van de ver-bluffend grote schaal van het ondergrondse netwerk. De zijtunnels liggen bezaaid met puin van de ontploffingen en stukken uitrusting, waaronder V2-delen.

Tegenover de ingang tot de tunnels liggen enkele fundamenten van industriële gebouwen en het perron van het kampstation. Hier kwamen begin 1945 de transporten uit Polen aan en hier vertrokken de transporten naar Belsen een paar weken later. Verder naar het oosten staat naast de weg een veewagon bij wijze van monument tegenover een bakstenen muur met een kaart van de dodenmarsen. Bij het bord dat de toegang tot het herdenkingscomplex markeert, voert een pad ten noorden van de weg naar de pilaren van de spoorbrug die het kamp met het spoorwegnetwerk verbond.

Dora wordt op de B4 van Nordhausen naar Magdeburg met borden aangegeven. Om de locatie met openbaar vervoer te bezoeken neemt men de nummer 10 Harzquerbahn van de tramhalte buiten het station van Nordhausen naar Nordhausen-Krimderode. Borden links van de halte geven de weg aan. Het is ongeveer 10 minuten lopen naar de rand van het complex.

BUCHENWALD

Buchenwald, een van de grootste concentratiekampen, werd in 1937 opgezet. De eerste bewoners waren politieke gevangenen en criminelen. De eerste transporten met Joden arriveerden in de lente van 1938, maar het was pas in de nasleep van de *Kristallnacht* dat het kamp een meer centrale rol kreeg, toen er meer dan 10.000 Joden werden geïnterneerd. De meesten werden aan het eind van het jaar vrijgelaten, nadat ze hadden beloofd te zullen emigreren. Enkele honderden Tsjechische Joden ontvingen dezelfde behandeling toen de oorlog begon. In dit stadium waren de meeste bewoners Duitse en Poolse politieke gevangenen en de resterende Joden werden in 1942 naar Auschwitz gedeporteerd. Dit proces werd echter omgedraaid, toen transporten Hongaarse Joden in 1944 naar Buchenwald werden doorgestuurd als slavenarbeiders voor de wapenfabrieken. De daaropvolgende komst van evacués uit Auschwitz en Gross-Rosen bracht de kampbevolking tot boven de 85.000. Het was er dermate overbevolkt dat in de eerste honderd dagen van 1945 13.969 personen overleden. De dodenmarsen begonnen in begin april te vertrekken, maar de evacuatie werd niet voltooid als gevolg van de goed georganiseerde verzetsbeweging in het kamp. Toen de SS op 11 april 1945 op de vlucht sloeg, konden de achtergebleven 21.000 gevangenen zichzelf bevrijden en de Amerikaanse troepen begroeten die een paar uur later verschenen. Op dat moment waren bijna een kwart miljoen mensen door de poorten van Buchenwald gegaan. Ongeveer 50.000 verloren er het leven.

Hoewel de Amerikanen Buchenwald veroverden, lag het in de Sovjet-Russische zone. Dat het tot 1950 een NKVD-kamp werd (7000 van de 28.000 gevangenen kwamen om het leven) was dus voorspelbaar. De nieuwe bestemming als voornaamste Oost-Duitse herdenkingsplaats in de jaren vijftig ging gepaard met de gebruikelijke ideologische beperkingen, maar het is nu een indrukwekkend monument (terrein: dag. tot zonsondergang; exposities: di-zo 10.00-18.00 (nov-mrt tot 16.00); toegang gratis; www.buchenwald.de).

De parkeerplaats is het voormalige SS-kamp. De grote gebouwen die eromheen liggen, vormden de SS-kazerne die nu grotendeels in particuliere handen is. In het linker van de twee kleinere gebouwen is het informatiecentrum van het monument gehuisvest. Van hier voert een pad naar het hoofdkamp. De meeste gebouwen langs de route zijn van na de oorlog, hoewel het lange, gelijkvloerse blok van één verdieping tegenover de poort een deel van het commandogebouw bevat. Er zijn ook overblijfselen van de SS-dierentuin te zien waar jonge beren werden gehouden. Het poortgebouw waarvan de klok is stilgezet op 3.15 uur (de tijd van de aankomst van de Amerikanen) bevat gevangeniscellen in de linkervleugel. In cel 1 brachten veroordeelde gevangenen hun laatste nacht door. De poort zelf draagt de leus '*Jedem das seine*', vaak vertaald met het schijnbaar onschuldige 'ieder het zijne'. De betekenis daarvan kan echter het best worden geïnterpreteerd als 'iedereen krijgt wat hij verdient'.

Vanaf de *Appellplatz* krijgt men een goede indruk van de omvang van Buchenwald, hoewel het kamp groter was dan het lijkt, omdat het noorden van het complex heeft plaatsgemaakt voor bomen (het is mogelijk om over het pad van de SS-bewakers rond de hele omtrek van het hoofdkamp te lopen – zie de folder in het informatiecentrum). Wat eigenlijk meteen in het oog springt, is het geringe aantal gebouwen, want net als in Sachsenhausen werden de meeste gesloopt om in het herdenkingsconcept te passen. Het eerste nog bestaande bouwwerk achter een monument voor 2098 Polen die in oktober 1939 naar het kamp werden gebracht (1650 stierven binnen vijf maanden), is rechts het crematorium, dat in 1940 werd gebouwd en in 1942 werd vergroot. Dat bevatte ook een pathologisch lab dat oorspronkelijk werd gebruikt om voor de familie van de gevangenen een geloofwaardige doodsoorzaak vast te stellen en later om de doden te ontdoen van gouden kronen. Het mortuarium bevat 700 open urnen die in 1997 tijdens restauratiewerk werden ontdekt. De as werd aanvankelijk naar familieleden gestuurd, maar later steeds vaker buiten het kamp gedeponeerd. Achter het crematorium ligt het toiletblok dat werd gebouwd na een dysenterie-epidemie in de winter van 1939-1940. Het bevat een reconstructie van delen van een stal buiten het kamp waar van 1941 tot 1944 8000 Russische krijgsgevangenen werden vermoord. De poort rechts van het crematorium voerde naar een wapenfabriek. Nadat die bij een bombardement in 1944 zwaar was beschadigd, werd het terrein gebruikt als een verzamelkamp voor 6000 Joden, die in april 1945 moesten beginnen aan een dodenmars.

Het hoofdpad van het crematorium naar het kledingmagazijn van het kamp (het grote gebouw achterin) voert langs de plaats van de barakken waarvan sommige zijn aangeduid met monumenten: voor de 2700 vrouwen die in Buchenwald gevangen zaten (Blok 5), voor opgehangen Britse en Canadese soldaten (17) en Joden (22). De laatste was tot oktober 1942 de voornaamste Joodse barak. Tussen de *Kristallnacht* en die datum verloren 2795 Joden het leven, de grootste groep gevangenen die in die periode de dood vond. In plaats van de puinhopen waarmee andere blokken worden aangegeven, bestaat deze uit een holte die is gevuld met keien uit de steengroeve van het kamp – alsof de aarde is ingezakt. Rechts van het hoofdpad staat een stronk van een boom die de gevangenen de bijnaam 'Goethe-eik' hadden gegeven en die in 1944 bij een luchtaanval werd beschadigd.

Het magazijn, het grootste nog bestaande gebouw, was de plaats waar nieuwkomers naartoe werden gebracht na het verlaten van het desinfectiegebouw ernaast. Hier kregen ze hun uniform, schoenen en eetgerei, en leverden ze hun burgerkleren en bezittingen in. Er is nu een museum in ondergebracht, waarvan de vaste tentoonstelling zeer gedetailleerd de geschiedenis van Buchenwald behandelt. Het bezit een grote verzameling artefacten, waaronder zelfs een gedeelte van de draagbare galg die vanaf 1942 werd gebruikt om gevangenen in het bos rond het kamp op te hangen. Op de bovenverdieping bevindt zich een nieuwe grote tentoonstelling van foto's die zijn geselecteerd uit de meer dan 10.000 die het archief van Buchenwald bevat. Het desinfectieblok toont de kunstcollectie van het monument, waarbij de werken van gevangenen behoorlijk ver uitsteken boven enkele nogal banale eigentijdse stukken.

In het bos achter het desinfectiegebouw en de ruïne van de groentetuin van de SS worden de massagraven van gevangenen uit het NKVD-kamp aangegeven met staken en een herdenkingsexpositie. Andere nazislachtoffers – Bulgaren, homoseksuelen, Jehova's getuigen en principiële dienstweigeraars – worden herdacht in Blok 45 links van het magazijn. Achter Blok 45 liggen de ruïnes van de fundamenten van Blok 50, waar het *Hygiene-Institut der Waffen-SS* een tyfusserum produceerde. Het 'kleine kamp', dat in 1942 werd opgezet als een quarantainegebied, lag verder naar links. Hier werden nieuwelingen vanuit het magazijn naartoe gestuurd voordat ze bij arbeidseenheden werden ingedeeld. De barakken waren oorspronkelijk stallen geweest die elk geschikt waren voor vijftig paarden. Uiteindelijk boden ze tijdens de afschuwelijke laatste maanden van Buchenwald toen de grote transporten uit Auschwitz kwamen elk onderdak aan 1900 gevangenen. Het kleine kamp bevatte een speciaal blok voor honderden Joodse kinderen en ook Blok 61, waar zieken werden vermoord met een dodelijke injectie, maakte er deel van uit. Als een plaats van voornamelijk Joods leed, werd onder het DDR-bewind nauwelijks aandacht besteed aan deze locatie. Een gedeelte werd in 2002 echter gereconstrueerd als monument. De ontwerper daarvan was de New Yorkse architect Stephen Jacobs, die als Stefan Jakobowitz gevangene 87900 was.

Het ziekenhuis lag in de noordwestelijke hoek naast het kleine kamp. Het enige gebouw dat nu nog overeind staat, was een barak die in 1945 werd gebouwd en die in de jaren vijftig werd ontmanteld om te worden gebruikt door een plaatselijke firma. In 1994 kwam de barak terug en werd hij weer opgebouwd (fundamenten van andere gebouwen zijn in het bos erachter zichtbaar). Ertegenover lag, aangegeven door een nieuwe bakstenen muur Blok 46, het experimenteercentrum van het Hygiene-Institut, waar tyfusserums werden uitgetest op gevangenen. Bij terugkeer heuvelop herdenkt een steenhoop en een rij zuiltjes op Blok 14 de Sinti-en Roma-gevangenen van Buchenwald. De meesten van hen kwamen net als de Joden begin 1945 aan. In het blok rechts en in de volgende twee blokken zaten Sovjet-Russische krijgsgevangenen. Het met gras begroei-de terrein boven deze groep was de plaats van het 'Joodse kamp' waar degenen zaten die na de *Kristallnacht* waren opgepakt. Hoewel de mees-ten werden vrijgelaten, overleden in Buchenwald voor februari 1939 600 personen. Het nog overeind staande gebouw verderop was de kantine voor de gevangenen waarin nu les- en expositieruimtes zijn onderge-bracht. Bij terugkeer naar de poort geeft een herdenkingssteen een op-somming van alle nationaliteiten die in het kamp waren geïnterneerd.

Buiten het gevangenenkamp voerden verschillende paden door het ge-bied van het SS-kamp, dat nu voornamelijk bestaat uit bemoste funda-menten (alle routes staan aangegeven op de kaart die verkrijgbaar is bij het informatiecentrum). Vlak ten zuidwesten van het hoofdkamp stonden de paardenstallen, waar in 1941 Russische gevangenen werden geëxecu-teerd. Van hieruit of van de parkeerplaats is het een korte wandeling naar de grote steengroeve van Buchenwald en de gedeeltelijk gereconstrueerde kelder van de SS-barak die nu een monument is voor Dietrich Bonhoeffer. Deze befaamde protestantse predikant en ook andere tegenstanders van Hitler werden hier gevangen gehouden voordat ze naar Flossenbürg wer-den gestuurd om te worden geëxecuteerd. De plaats waar in 1944-1945 as werd uitgestrooid en die wordt aangeduid door grote stenen die het woord '*memento*' vormen, ligt verder naar het zuiden. Ten oosten van de parkeerplaats liggen de resten van het spoorwegstation van het kamp, naast de fundamenten van het grote industriële complex.

Op de terugweg van het kamp komt men langs het Oost-Duitse monu-ment dat in 1958 werd opgericht bij de begraafplaats waar de lichamen van 400 gevangenen die na de bevrijding waren overleden, samen met 1286 in het kamp aangetroffen urnen, aan de aarde zijn toevertrouwd. De eenvoudige graven worden behoorlijk overschaduwd door de didactisch getinte communistische monumenten die ten tijde van de DDR de plaats vormden van politieke manifestaties. Vanaf de ingang dalen trappen af langs grote stèles met afbeeldingen van het kampleven naar drie enorme kuilen waarin de SS vlak voor de bevrijding 3000 lijken had begraven. De route gaat daarna weer omhoog naar het voornaamste element, de 'klokkentoren', waarin as is ondergebracht van andere kampen. Ervoor staat een typisch communistisch beeldhouwwerk van een groep gespierde gevangenen die in verzet was gekomen.

Buchenwald ligt een kleine 10 kilometer te noordwesten van Weimar, naast de L1054 naar Ettersburg. De afslag wordt aangegeven door een obelisk. Elk uur rijdt bus 6 van het station van Weimar naar de parkeerplaats.

SONNENSTEIN

Het krankzinnigengesticht Sonnenstein, gevestigd op het terrein van het kasteel dat uitkijkt over de stad Pirna in de buurt van Dresden, was wereldvermaard vanwege de zorg voor geesteszieken. Het was opgezet in 1811 en het eerste grote instituut van deze aard in Duitsland dat patiënten probeerde te behandelen in plaats van ze alleen maar op te sluiten. Onder de nazi's werden onder leiding van eugeneticus en directeur van Sonnenstein Hermann Paul Nitsche al dergelijke humanistische principes afgeschaft. Na de sluiting van de inrichting in oktober 1939, werden drie van de gebouwen begin 1940 omgebouwd tot een T4-moordcentrum. Tussen juni 1940 en augustus 1941 werden 13.720 patiënten om het leven gebracht, terwijl Nitsche uiteindelijk medisch hoofddirecteur van T4 werd. Sonnenstein werd ook ingeschakeld bij het doden van concentratiekampbewoners in het kader van het *14f13-programma,* wat het geschatte dodencijfer op 14.751 bracht. Het is een weinig bekend gegeven dat de eerste gevangenen uit Auschwitz die werden vergast, 575 Poolse burgers (Joden en niet-Joden) waren, die op 28 juli 1941, een maand voor de eerste experimenten met Zyklon B in het toekomstige vernietigingskamp, naar Sonnenstein waren gebracht.

De moordapparatuur werd in 1942 ontmanteld en de gebouwen werden een militair hospitaal. Na de oorlog werden de gebouwen gebruikt voor zakelijke doeleinden en bleef hun werkelijke geschiedenis verborgen. Pas in 1989, twee maanden voor de val van het communisme, gaf een tentoonstelling in Pirna die was georganiseerd door de historicus Götz Aly, de aanzet tot een campagne om op die plaats een fatsoenlijk monument op te richten. Als gevolg daarvan herbergt C16 (het gebouw waarin de moorden plaatsvonden) nu een gedenkteken en een tentoonstelling (ma-vr 9.00-15.00, za 11.00-16.00; toegang gratis; www.stsg.de/cms/pirna/startseite). Het complex wordt ook gebruikt door een werkplaats voor gehandicapten, die wordt gefinancierd door AWO. Men komt in de kelder via een deur met het opschrift 'Gedenkbereich'. Daar vindt men een meditatieruimte met gedenktekens waaronder één van de Poolse regering uit 2005 voor de gevangenen van Auschwitz. Tweeëntwintig borden in een aangrenzende kamer bevatten foto's en biografieën die laten zien hoeveel verschillende slachtoffers er waren. De moordinstallatie wordt aangegeven door stalen constructies op de plaats van de oorspronkelijke stenen muur van de gaskamer, een van de twee ovens en de schoorsteen van het crematorium. De kleine expositie op de bovenverdieping in het Duits (er zijn Engelse folders) geeft een overzicht van de geschiedenis van Sonnenstein met tegelijk een algemeen overzicht van medische moorden onder de nazi's.

De herdenkingslocatie ligt aan het Sloßpark 11. Volg de borden naar Sloßpark en dan naar 'Gedenkstätte'. Bus H/S stopt op de Struppener Straße aan de rand van het Sloßparkcomplex. Een andere manier om de locatie vanuit het centrum van Pirna te bereiken is een van de twee herdenkingsroutes te volgen. Het Gedenkspur dat van de Elbe naar de kelder van C16 loopt, bestaat uit 14.751 gekleurde kruisjes die door plaatselijke jeugdgroepen op straatkeien zijn getekend, hoewel vele daarvan aan het vervagen zijn. In de route Vergangenheit ist Gegenwart (Verleden is Heden), ontworpen door de Duitse kunstenaar Heike Ponwitz, moeten zestien glazen panelen van het station naar het monument worden gevolgd. Elk bevat een Canalettoschilderij van kasteel Sonnenstein met een term of uitdrukking die verband houdt met het 'euthanasie'-programma. Kaarten van beide routes kunnen worden opgehaald bij het Toeristenbureau van Pirna op het centrale plein Am Markt waar beide routes langs komen. Er is een DDR-herdenkingsplaquette die – voorspelbaar – is gewijd aan de 'slachtoffers van het fascisme', op de trap van de Obere Burgstraße naar het kasteel.

HADAMAR

Hadamar was het laatste T4-centrum dat werd opgezet, waarbij de voormalige psychiatrische inrichting van de stad de plaats innam van Grafeneck. Het moorden begon in januari 1941 en tegen augustus had Hadamar het tienduizendste slachtoffer gecremeerd. Deze mijlpaal werd gevierd met een macaber feest. Onder leiding van een als priester verklede leidinggevende begon het met de aanwezigheid van het hele personeel bij de crematie en het liep ten slotte uit op een dronken processie over het terrein van de inrichting. Het doden werd diezelfde maand op bevel van Hitler officieel gestopt. Bij de minimaal 10.072 patiënten die onder T4 werden vergast, moeten echter minstens 4000 personen worden geteld die tijdens de 'wilde euthanasie' met dodelijke injecties werden vermoord. Onder degenen die op die manier werden gedood, waren Joodse kinderen uit gemengde huwelijken. Ze waren vrijgesteld van deportatie naar het oosten, dus werd in april 1943 in Hadamar een 'opvoedingsinrichting' opgezet, als dekmantel voor hun moord.

Het gebouw waar de moorden plaatsvonden, is nu blok 5 van het Centrum voor Sociale Psychiatrie. Het verschaft onderdak aan de oudste (en jarenlang de enige) aan T4 gewijde herdenkingsexpositie (di-do 9.00-16.00, vr 9.00-13.00, 1e zo van de maand 14.00-17.00; toegang gratis; www.gedenkstaette-hadamar.de). In de hal van de hoofdingang vindt men een plaquette uit 1953, de eerste gedenkplaat van dien aard. De expositie is ondergebracht in de kamers waar de slachtoffers werden geregistreerd en gefotografeerd. De informatie is in het Duits, maar het is mogelijk een Engelstalige catalogus te lenen of te kopen (€ 7) die de volledige tekst bevat. Eén gedeelte gaat over de weinig onderzochte moord op buitenlandse dwangarbeiders. Polen en Russen van wie werd vermoed dat ze tuberculose hadden, werden naar Hadamar gebracht en automatisch gedood zonder zelfs maar de schijn van een medisch onderzoek. De tentoonstelling gaat ook in op de reacties op het moorden. Paul F., een inwoonster van Hadamar die protesteerde, werd als waarschuwing voor andere inwoners naar een kamp gestuurd. De expositie sluit af met de naoorlogse rechtszaken. De meeste betrokkenen hebben hun straf nooit uitgezeten – als ze al veroordeeld werden – wat een groot contrast vormt met de langdurige strijd van families van slachtoffers voor compensatie. Een eenvoudige herdenkingsruimte is versierd met werken die zijn vervaardigd in een kunsttherapieprogramma dat nu is opgezet in een gedeelte van het gebouw.

De moordinrichting was ondergebracht in de kelder, die tegenwoordig toegankelijk is via een buitendeur rechts van het gebouw, achter een herdenkingsklok in de tuin. De ruimtes zijn grotendeels kaal, hoewel de geblokte tegels van de gaskamer en de ontleedtafel nog aanwezig zijn. Op panelen hangen biografieën en foto's van representatieve slachtoffers. Achter het gebouw staat een houten busgarage waar de slachtoffers aankwamen, de enige busgarage die is overgebleven. Schade aan de constructie had tot gevolg dat de garage in 2003 werd ontmanteld voor reparatie en in 2006 weer werd opgebouwd. Erachter voert een trap de heuvel op naar de herdenkingsbegraafplaats waar een serie stenen symbolisch de massagraven aanduidt van degenen die er tijdens de jaren van de 'wilde euthanasie' werden begraven.

Het herdenkingscomplex ligt aan de Mönchberg 8, in het westen van Hadamar, dat ten noorden van Limburg an der Lahn aan de L3462 ligt. Van Limburg gaan treinen naar het stationnetje van Hadamar, waar men de noordelijke uitgang moet nemen, die uitkomt op Am Bahnhof. Neem de tweede straat links (Brückenvorstadt) en sla rechtsaf bij de kruising na de spoorbrug. De locatie wordt vanaf hier aangegeven. Hadamar heeft ook een vrij zeldzaam voorbeeld van een gespaard gebleven synagoge die aan de Nonnengasse 6, net voorbij het marktplein ten oosten van het station, ligt.

FLOSSENBÜRG

Het concentratiekamp Flossenbürg werd in 1938 opgezet en was oorspronkelijk bedoeld voor criminelen en 'asocialen'. Zij werden tewerkgesteld in de nabijgelegen granietgroeven, wat de SS naar de plaats trok

Flossenbürg (foto van de auteur)

(hoewel de ruïne van het kasteel op de bergtop, die een grote aantrek-
kingskracht uitoefende op *völkische* groepen, het dorp verder onder de
aandacht van Himmler bracht). De percentages kampbewoners veranderden tijdens de oorlog, waarbij politieke gevangen (uit het Reich en Polen)
en Russische krijgsgevangenen de boventoon voerden. In heel zuidelijk
Duitsland en westelijk Bohemen ontstond ook een groot netwerk van
subkampen. Flossenbürg is vooral met de Holocaust verbonden door zijn
rol als een van de voornaamste bestemmingen van de dodenmarsen. Dit
kan worden afgeleid uit de groei van de populatie van 3300 aan het eind
van 1943 tot 15.445 in maart 1945, waarbij 1500 gevangenen in een
enkel blok werden geperst. Flossenbürg zelf werd in april 1945 geëvacueerd, zodat de Amerikanen slechts 1600 doodzieke gevangenen aantrof-

fen toen ze er op 23 april aankwamen. Men denkt dat bijna 100.000 mensen tussen 1938 en 1945 door de poorten van Flossenbürg zijn gegaan. Ongeveer 30.000 verloren er het leven.

Er is weinig van het kamp over, maar wat bewaard is gebleven, is doelmatig gebruikt (dag. 9.00-17.00 (dec-feb tot 16.00); toegang gratis; www. gedenkstaette-flossenbuerg.de). De parkeerplaats ligt binnen het SS-terrein, naast het grote commandogebouw waarin nu het bestuur van het monument huist. De doorgang onder het gebouw was bedoeld als de poort naar het gevangenenkamp, maar deze plannen gingen niet door, want het eigenlijke kamp begon verder naar achteren. Op de heuvels aan weerszijden zijn andere SS-gebouwen te zien. Links was in een lang gebouw (nu een restaurant) de officiersclub gevestigd. Op de tegenovergelegen heuvel was een vrij lang, lichtgeel gebouw – boven het platte, witte naoorlogse gebouw – de slotenmakerij. Verder naar achteren werden op deze heuvel huizen voor hogere SS'ers gebouwd. Ze zijn vanaf de parkeerplaats moeilijk te zien, maar de donkere houten gebouwen met stenen fundamenten worden al snel zichtbaar als men om de bocht de Unterer en Oberer Plattenberg op wandelt.

De ingang naar het gevangenenkamp werd aangegeven door twee stenen pilaren die na de oorlog werden verplaatst naar het herdenkingsterrein. De *Appellplatz* erachter lijkt groter dan hij in werkelijkheid was, omdat in de jaren vijftig de meeste barakken werden gesloopt. Er staan nog maar twee oorspronkelijke gebouwen overeind: de onlangs gerestaureerde kampkeuken links (nu in gebruik voor congressen) en de wasserij rechts, waarin een voortreffelijk nieuw museum is ondergebracht. Een belangwekkende afdeling behandelt de verhouding tussen kamp en plaatselijke burgerij, een onderwerp dat nog steeds vaak taboe is, terwijl een behoorlijk groot gedeelte is gewijd aan het afschuwelijke laatste jaar. Afzonderlijke dodenmarsen worden belicht en de tentoonstelling eindigt met enkele films uit 1945, waaronder één die verbijsterende beelden bevat van gevangenen uit Litoměřice (subkamp van Flossenbürg) die in het geheim in Roztoky bij Praag werden gefilmd. De Tsjechische burgers lieten de trein stoppen, gaven de gevangenen te eten en hielpen meer dan 300 ontsnappen voordat de SS besloot om de vruchteloze tocht voort te zetten. De kelder, die dienstdeed als badhuis, bevat representatieve biografieën van gevangenen.

De ziekenhuisgebouwen lagen rechts van de wasserij. Dokter Alfred Schnabel castreerde gevangenen en diende later dodelijke injecties toe aan verzwakte gevangenen en Sovjet-Russische krijgsgevangenen na het stoppen van de moordactiviteiten in Bernburg. Een pad voert langs die plek naar de resten van het detentieblok, waar een plaquette op de nog bestaande muur van de binnenplaats eer betuigt aan predikant Dietrich Bonhoeffer, admiraal Wilhelm Canaris en anderen die betrokken waren bij het complot van 20 juli 1944 en die hier in april 1945 werden geëxecuteerd. Vijftien agenten van de Britse SOE en drie jonge vrouwen van de Franse Résistance worden op dezelfde manier herdacht. In het nog bestaande gedeelte is de oorspronkelijke museumtentoonstelling ondergebracht, die alleen in het Duits is gesteld en die nogal mager afsteekt bij die in de wasserij.

De isolatiebarakken die in 1942 werden gebouwd voor Sovjet-Russische gevangenen, maar die in feite dienstdeden als quarantaineblokken, lagen achter de gevangenis. Aan het eind van de jaren vijftig van de twintigste eeuw werd het gebied veranderd in een begraafplaats voor slachtoffers van de dodenmarsen uit heel Beieren. Een van de drie bewaard gebleven stenen wachttorens kijkt neer op het kleine crematorium (gesloten dec-mrt) erachter. Toen het dodental eind 1944 toenam, werd bij deze toren een hellingbaan aangelegd om de lijken naar de ovens te brengen. Een trap naast de nu met gras bedekte helling voert naar het herdenkingsterrein (in 1946 opgezet door voormalige gevangenen), waarbij men tussen de verplaatste stenen pilaren van de kamppoort doorloopt. Twee monumenten voor Joodse slachtoffers bevinden zich onderaan de hellingbaan boven het crematorium. Het centrale herdenkingsgebied, het *Tal des Todes* (Dal van de Dood), bevat bijdragen voor slachtoffers uit vele landen. De executieplaats wordt aangegeven door een geplaveide driehoek, terwijl as ligt begraven in een aarden piramide erachter. Aan de andere kant voert een trap naar de begraafplaats en de kapel '*Jesus im Kerker*' die door ex-gevangenen is gebouwd met stenen van de afgebroken wachttorens. Een andere toren is erin opgenomen alsof die de klokkentoren van de kerk was. Er vlakbij is een Joods herdenkingsgebouw, waarin de 319 bekende namen van de meer dan 3000 Joodse slachtoffers van Flossenbürg zijn opgenomen.

De steengroeve waarin de gevangenen als slaven moesten werken, ligt ten westen van het kamp. Wandel van de parkeerplaats over de Birkenstraße terug naar de hoofdweg, sla linksaf en bijna meteen rechtsaf de Bocksbühlweg op die uitkomt op een T-kruising met de Wurmsteinweg. In het grote gebouw rechts zat de administratie van de DEST, het SS-bedrijf dat de groeve exploiteerde. Na links afslaan over de Wurmsteinweg en dan rechtsaf de Rumpelbachstraße op, komt men bij de steengroeve die nog steeds in gebruik is en dus niet toegankelijk is. De vier stenen gebouwen voor de ingang waren werkplaatsen van steenhouwers.

In het midden van het dorp ligt een begraafplaats voor 121 gevangenen die hier op bevel van de Amerikanen in mei 1945 zijn begraven. Alle mannen uit de plaats werden gedwongen aan de ceremonie deel te nemen. In 1946 richtten Poolse overlevenden een groot monument op dat langs de kant van de weg staat. Om vanuit het kamp bij de begraafplaats te komen, neemt men de Birkenstraße en slaat men linksaf op de hoofdstraat (die Birkenstraße blijft heten tot de bocht bij het plaatselijk kerkhof, waarna het de Hohenstraufenstraße wordt). De weg volgen (een paar honderd meter de heuvel af) en dan vindt men de gevangenenbegraafplaats rechts bij de Schulweg.

Flossenbürg ligt bijna 100 kilometer ten noordoosten van Neurenberg, dicht bij de Tsjechische grens. Om de plaats met de auto te bereiken, neemt men op de B93 de afslag Neustadt an der Waldnaab en volgt de borden naar het oosten. Bij gebruikmaking van openbaar vervoer, neemt men de trein naar Weiden in der Oberpfalz en daarna bus 6272, die een uurdienst onderhoudt (minder vaak in het weekend) en die stopt op de parkeerplaats van het monument. Auto of bus, altijd zal men bij het rijden door het dorp de donkere SS-huizen op de heuvel in de achtergrond zien liggen.

DACHAU

Dachau was het eerste echte concentratiekamp dat op 22 maart 1933 in gebruik werd genomen als een uitermate zichtbaar symbool van het nieuwe regime. De toon werd grotendeels gezet door Theodor Eicke, die in juni 1933 werd benoemd tot tweede kampcommandant van Dachau, ondanks het feit dat de *Gauleiter* van Rijnland-Palts hem kort daarvoor had laten opnemen in een psychiatrische inrichting. Eicke ontwierp het stelsel van regels en straffen dat bedoeld was om de gevangenen te vernederen en hen elk besef van individualisme of solidariteit te ontnemen. Dachau stond daarmee model voor kampen die later werden geopend, iets wat nog werd versterkt door de benoeming van Eicke tot inspecteur-generaal van concentratiekampen in 1934 en het aanwijzen van Dachau als een trainingscentrum van de SS. Veel commandanten van andere kampen hadden dienstgedaan in Dachau. Overeenkomstig de ontwikkelingen in het kampsysteem werd het vervolgens in 1937-1938 opnieuw ingericht en uitgebreid, om zo de capaciteit te vergroten en de ontwikkeling van economische activiteiten mogelijk te maken.

De eerste gevangenen waren voornamelijk sociaaldemocraten en communisten die in de loop van de tijd gezelschap kregen van 'asocialen' en 'gewone' criminelen. De eerste Joodse bewoners waren eerder gearresteerd vanwege hun politieke opvattingen dan om hun ras. Wel werden ze vanaf het allereerste begin uitgekozen voor de zwaarste behandeling: al op 12 april 1933 werden vier mannen doodgeschoten, gewoon omdat ze Jood waren. De toenemende vervolging door de nazi's bracht meer en meer Joden in het kamp, met als toppunt de opsluiting van meer dan 10.000 personen na de *Kristallnacht*. De meesten mochten vertrekken nadat ze de vereiste maatregelen hadden getroffen om te emigreren. De overgeblevenen werden in 1942 gedeporteerd naar Polen. Gedurende het grootste deel van de oorlog bestond de populatie voornamelijk uit Duitsers en buitenlandse politieke gevangenen. Het kamp werd ook gebruikt voor de executie van Russische krijgsgevangenen. Het toenemende belang van de wapenproductie had vanaf de zomer van 1944 tot gevolg dat Joodse gevangenen terugkwamen van Auschwitz; en dat aantal nam toe in de tijd van de dodenmarsen. Toen de Amerikanen op 29 april 1945 arriveerden, troffen ze meer dan 60.000 gevangenen aan van wie rond 30% Joods was (nog eens 7000 die een paar dagen eerder gedwongen aan een dodenmars waren begonnen, werden begin mei door de Amerikaanse

Dachau (foto van de auteur)

troepen ingehaald). Meer dan 200.000 gevangenen werden in de twaalf-jarige geschiedenis van Dachau geregistreerd als nieuwe gevangenen, van wie 31.000 te boek werden gesteld als overleden. De echte cijfers lagen bijna zeker hoger als gevolg van de chaos van de laatste weken. Het kamp werd geteisterd door een tyfusepidemie en de SS was zelfs nog gevange-nen aan het doodschieten toen de Amerikanen het kamp al bezetten, wat aanleiding was voor heftige represailles.

Het kamp

De Amerikanen gebruikten het kamp tot 1948 voor het interneren van voormalige nazi's. Daarna werd het overgedragen aan de regering van Beieren. Pas in de jaren zestig werd van het kamp een monument gemaakt (do-zo 9.00-17.00; toegang gratis; www.kz-gedenkstaette-dachau.de) en dat was grotendeels het gevolg van de druk die voormalige gevangenen uitoefenden. Dachau is nu een belangrijke toeristische attractie, wat in-houdt dat het verstandig is om de plaats wat vroeger in de ochtend, voor de komst van de grote groepen, te bezoeken.

Het pad van het nieuwe bezoekerscentrum naar het hoofdkamp voert door de 'politieke sectie' waar het gebouw van de Gestapo lag (de hoeken zijn aangegeven). Hier werden de nieuwe gevangenen gefotografeerd, vonden verhoren plaats en werden sterfgevallen opgetekend. Een gedeelte van het grote SS-kamp dat zich verder naar het westen uitstrekte, is te zien achter het hek bij het overgebleven stuk spoorweg links, waarbij vooral het commandogebouw op de voorgrond opvalt. Dit gebied is niet toegankelijk. Na de oorlog werd het gebruikt door de Amerikanen, eerst als interneringskamp en daarna als militaire basis. In de jaren zeventig werd het overgenomen door de Beierse politie. Toen de Amerikanen in 1945 bij het spoorwegemplacement binnen het SS-terrein aankwamen, troffen ze daar 50 veewagons aan met de lijken van meer dan 2000 Joden die vanuit Polen waren aangevoerd; de Duitsers hadden de wagons daar laten staan, zodat de mensen waren gestorven.

Het beruchte '*Arbeid macht frei*' op de poort rechts was de bijdrage van Eicke aan de nazi-iconografie, die bij verscheidene andere kampen werd gekopieerd. De uitdrukking – die volgens velen was bedacht door de nazi's – was in feite sinds het eind van de negentiende eeuw gangbaar geweest in Duitse nationalistische kringen en werd door de regering van de Weimar-republiek gebruikt om de programma's voor publieke werken te promoten. Twee plaquettes op de muren bij de poort herdenken de Amerikaanse bevrijders. Het grote kampgebouw rechts van de poort werd tijdens de reconstructie van 1937-1938 door gevangenen gebouwd. Naast de werkplaatsen waren er het badhuis en de keuken voor de gevangenen in ondergebracht en ook de *Schubraum*, waar nieuwe bewoners werden binnengelaten. Op het dak van het gebouw was een belerende boodschap geschilderd: 'Er is één weg naar de vrijheid. De mijlpalen zijn: gehoorzaamheid, eerlijkheid, zindelijkheid, soberheid, vlijt, discipline, opoffering, oprechtheid, liefde voor het vaderland.' Het is nu het museum waarin de geschiedenis van het kamp indringend wordt behandeld. Een belangwekkende afdeling – 'Dachau in propaganda en werkelijkheid' – stelt het nazibeeld tegenover de harde realiteit, terwijl er ook mee wordt aangetoond dat de kampen in het Reich niet werden weggestopt. Er werd actief over gepubliceerd, om zowel potentiële tegenstanders te intimideren als om de conservatieven gerust te stellen dat de nazi's de orde aan het herstellen waren.

Achter het kampgebouw ligt het gevangenisblok dat in dezelfde tijd werd gebouwd. De oostelijke muur die beide gebouwen verbond was de plaats waar executies door een vuurpeloton plaatsvonden. De cellen 63-65 zien er nu normaal uit, maar in 1944 waren ze onderverdeeld in 'stacellen', een ruimte van nog geen kwart vierkante meter waarin gevangenen tot 72 uur opgesloten konden worden. In de oostelijke vleugel vertellen cel 81 en 82 het verhaal van Georg Elser die in november 1939 Hitler in München probeerde te vermoorden.

De *Appellplatz* voor het kampgebouw wordt gedomineerd door een monument van verwrongen lichamen dat werd ontworpen door de Servische kunstenaar Nandor Glid die het kamp had overleefd. De tegenoverliggende muur bevat een beeldhouwwerk van ketens bedekt met gekleurde driehoeken die de grote verscheidenheid aan gevangenen vertegenwoordigen. Het beeld omvat ook een betonnen blok dat de as van onbekende slachtoffers bevat. Twee bewaard gebleven barakken staan opzij van de kampweg, waarvan de populieren werden aangeplant door gevangenen.

Andere barakken worden aangegeven door bedden van puin. Het bewaard gebleven blok links had verschillende functies: kantine, administratie-ruimte, bibliotheek, SS-museum en werkplaats voor wapens. De barak rechts (Blok A) maakte deel uit van het ziekenhuis, hoewel het interieur in 1965 werd vernieuwd om de verschillende stadia van het kampleven te laten zien. Gevangenen die niet snel genoeg herstelden, gingen naar een kamer die bekendstond als de 'dodenkamer' om daar te sterven. Blok B erachter was ook een ziekenhuisbarak. De volgende drie barakken (1, 3 en 5) werden vanaf 1942 gebruikt voor medische experimenten die zoge-naamd bedoeld waren om de Duitse oorlogsinspanningen te ondersteu-nen. In de zomer van 1944 bijvoorbeeld werden veertig Sinti- en Roma-gevangenen gedwongen om uitsluitend zeewater te drinken, om zo de mogelijke effecten te achterhalen voor zeelieden van wie het schip was getorpedeerd. In dezelfde trant waren de experimenten waarbij 90 gevan-genen stierven aan onderkoeling, omdat ze in ijswater werden onderge-dompeld om te bepalen welke organen het eerst verlamd raakten. Meer dan 70 gevangenen werden gedood bij experimenten die in 1942 de effec-ten van leven op grote hoogte simuleerden.

Na de barakken kwam een afgescheiden terrein dat verschillende ge-bouwen bevatte, waaronder hokken voor angorakonijnen die in het kamp waren gefokt. Begin 1944 werd hier een kampbordeel opgezet voor bevoorrechte gevangenen. Voor dit doel waren vrouwen van Ravens-brück gehaald. Al deze bouwwerken werden in de jaren zestig gesloopt en vervangen door drie herdenkingsgebouwen (joods, katholiek en protes-tants). Een karmelietessenklooster is bereikbaar via een poort achter de katholieke kapel. Een pad links van de protestantse kerk voert langs een gracht, een prikkeldraadhek (in de jaren zestig gedeeltelijk herbouwd) en een orthodoxe kapel die is gebouwd door leden van de Russische strijd-krachten, naar de twee crematoria van Dachau die worden gemarkeerd door een herdenkingssteen en een beeld van 'de onbekende gevangene'. Een andere steen markeert de plaats van de galg. Het kleine crematorium (waarin 11.000 lichamen werden verbrand) was in gebruik van de zomer van 1940 tot april 1943, toen het de grote aantallen doden niet meer kon verwerken. Het werd dus vervangen door een groter gebouw dat ook een gaskamer bevatte. Het is niet duidelijk of die ooit werd gebruikt – zieke gevangenen werden afwisselend naar Hartheim en de Poolse vernietigingskampen gestuurd, met een dodelijke injectie vermoord in het ziekenhuis van Dachau of gewoon aan hun lot overgelaten om te sterven. De vier ovens werkten regelmatig, totdat in februari 1945 de kolen opraakten. Toen de Amerikanen arriveerden, troffen ze 3000 lijken aan in 'dodenkamer II' (de opslagruimte voor crematie) aan de rechterkant van het gebouw. Inwoners van de stad Dachau werden toen naar die plek gebracht om te aanschouwen wat er in hun naam was gebeurd. Achter het gebouw liggen twee executieplaatsen en asgraven. Onder degenen die hier werden vermoord, waren 92 Sovjet-Russische soldaten die werden doodgeschoten voor verzetsactiviteiten binnen het kamp. Het gebied is nu een vreedzame herdenkingstuin met verschillende monumenten, waaronder één voor Joodse slachtoffers.

Een ander, weinig opgemerkt gedeelte van het complex ligt ten oosten van het gevangenenkamp. Dit was de 'plantage', de kruidentuin van de SS waarin soms wel 1500 gevangenen werkten. Men komt hier via het karmelietessenklooster door het pad rechts te nemen naar de Alte Römerstraße langs de oostelijke muur van het kamp. Het gele gebouw met de kassen (nog altijd in gebruik) ligt vlak achter de Hans-Böckler-Straße, een paar minuten lopen naar het noorden.

Dachau is gemakkelijk te bereiken. De stad ligt op korte afstand ten noordwesten van München aan de A8 en het kamp is duidelijk met borden aangegeven. Om de plaats met openbaar vervoer te bezoeken neemt men de S-Bahn (lijn S2) naar Dachau en dan bus 726. Een andere mogelijkheid is om vanaf het station over een herdenkingspad te lopen dat wordt aangegeven door een serie informatieborden. Iets over de helft, bij de John-F-Kennedy-Platz, staat een monument voor de dodenmarsen – een groep kleine, uitgeteerde figuren op een sokkel – op de Theodor-Heuss-Straße, vlak ten zuiden van de kruising met de Sudetenlandstraße.

Andere plaatsen

In 1941-1942 werden 4000 Sovjet-Russische soldaten geëxecuteerd op een schietbaan van de SS ten noorden van het kamp, een plek die nu wordt aangegeven door gedenkstenen. Deze plaats is te bereiken door ten noorden van de plantage de Alte Römerstraße (die niet geschikt is voor voetgangers) te volgen. Na ongeveer anderhalve kilometer komt men bij een kruising met de Freisinger Straße. Sla rechtsaf en rijd dan links een onverharde weg op bij het bord 'Gedenkstätte Schießplatz'. In het gebouw rechts van de parkeerplaats was de SS ondergebracht.

Toen de kolen in het crematorium begin 1945 opraakten, werden enkele duizenden overleden gevangenen begraven op de Leitenberg, ongeveer anderhalve kilometer ten zuidwesten van de schietbaan. De plaats is nu een beboste begraafplaats met aan de ene (westelijke) kant een Italiaanse kapel en aan de oostzijde een torenachtige herdenkingshal (de sleutel van beide is in het kamp te verkrijgen). Keer vanaf de schietbaan terug naar de Freisinger Straße (die na het spoorwegviaduct Leitenweg wordt) en rijd naar het zuidwesten tot het bord 'KZ Friedhof auf der Leiten'. Maak daar een scherpe bocht naar rechts. Een pad afgezet met stenen waarop de kruiswegstaties zijn afgebeeld, voert vanaf de parkeerplaats omhoog naar de Italiaanse kapel. Bus 725 rijdt onregelmatig van het station naar de halte Leitenweg vanwaar het niet al te ver lopen is langs de weg. Terug rijdt de bus echter alleen tussen de middag.

De lichamen van 1268 gevangenen die na de bevrijding overleden, liggen begraven op het Waldfriedhof van Dachau, op een hellend terras rechts van de hoofdingang. De eenvoudige stenen vormen een schril contrast met de vaak barokke graven van de plaatselijke bewoners die tijdens het bestaan van het kamp werkeloos toekeken. Aan de voet van de heuvel staan twee monumenten, één voor alle slachtoffers, het andere opgericht door voormalige gevangenen van de Oostenrijkse volkspartij. Komend vanaf de Leitenberg moeten automobilisten de Leitenweg/Freisinger Straße door de stad blijven volgen totdat onderaan de Krankenhausstraße de afslag naar 'Waldfriedhof' wordt aangegeven. Voetgangers kunnen al eerder rechtsaf de Weblinger Weg na het dorp Etzenhauzen in slaan en doorlopen naar de noordelijke ingang van de begraafplaats. Vanaf het station bus 720 nemen tot de halte Waldfriedhof is een andere mogelijkheid.

Een plaquette op de muur van de Dachauer Gemäldegalerie tegenover het Rathaus (bus 720, halte Rathaus) herdenkt een groep burgers en ontsnapte gevangenen die op 28 april 1945, de dag voor de bevrijding, het gemeentehuis bezetten. Zes van hen werden door de SS gedood.

GRAFENECK

Kasteel Grafeneck, dat voorheen een vakantieverblijf van de hertogen van Württemberg was en vanaf 1929 een liefdadigheidsinstelling voor gehandicapten van de *Samariterstiftung*, werd eind 1939 omgevormd tot een van de oorspronkelijke T4-centra. Op het terrein werden speciale barakken neergezet. Daaronder was ook het moordblok (met gaskamer en crematorium) waar in januari 1940 met het moorddadige werk werd begonnen. Tegen december waren 10.654 patiënten gedood. Het complex werd toen gesloten en het personeel werd overgeplaatst naar Hadamar, wat grotendeels het gevolg was van de toenemende vijandigheid van de plaatselijke bevolking. Ondanks de betrekkelijk afgelegen ligging van Grafeneck beseften mensen uit naburige steden en dorpen algauw wat er in het kasteel gebeurde en de autoriteiten ontvingen schriftelijke protesten van met name Theophil Wurm (Bisschop van Württemberg) en Else von Löwis. De laatste was een leidster van de nazivrouwenbeweging en haar brief uit november 1940 kwam terecht bij Himmler, die het T4-hoofdkwartier adviseerde om Grafeneck te sluiten door het gebrek aan geheimhouding en de stemming in de regio. Het complex werd daarna gebruikt door de Hitlerjugend.

Na de oorlog nam de *Samariterstiftung* de plaats weer in bezit en het moordblok werd gesloopt. Hoewel er in 1963 een klein monument werd opgericht, werden pas in de jaren negentig stappen ondernomen om de slachtoffers op een passende manier te gedenken. Dit kreeg in 2005 als aanvulling een nieuw informatiecentrum (dag. 9.00-18.00; toegang gratis; www.gedenkstaette-grafeneck.de). De betrekkelijk kleine tentoonstelling (in het Duits) toont de geschiedenis van het kasteel, T4 en het verband tussen Grafeneck en de Holocaust. Bij het laatste wordt ook aandacht besteed aan dokter Horst Schumann, de chefarts die (via Sonnenstein) werd bevorderd naar Auschwitz, en de alom aanwezige Christian Wirth, wiens carrière hem naar vrijwel elk belangrijk moordcentrum van het Derde Rijk voerde. Het pad van het noorden van het informatiecentrum voert langs moderne chalets voor patiënten die op de plaats van het dodenblok staan. Een lage bakstenen muur links van het pad geeft de hoek van de gaskamer aan. Het belangrijkste herdenkingsgebied ligt verderop langs het pad. De ingang wordt aangegeven door een steen en bestrating met een lijst van 37 plaatsen in heel Zuid-Duitsland van waaruit slachtoffers naar Grafeneck werden gebracht. Tot het monument behoort een werk van de Amerikaanse kunstenares Diane Samuels, bestaande uit 26 kleine granieten stenen die elk gegraveerd zijn met een letter om de namen van de slachtoffers weer te geven, en een kleine openluchtherdenkingskapel. Achter de laatste ligt de begraafplaats. Daar liggen latere patiënten begraven, geen T4-slachtoffers, maar daar staat wel het monument uit 1963, een eenvoudig stenen kruis naast twee verhoogde aarden bedden die 270 urnen met de as van slachtoffers bevatten. Beeldhouwwerken van patiënten uit de huidige tijd staan naast de muur erachter.

Grafeneck ligt ten westen van het stadje Münsingen dat tussen Reutlingen en Ulm ligt. Neem de L230 uit Münsingen. Sla na ongeveer 3 kilometer linksaf de L247 op (Marbach en Grafeneck staan aangegeven). Na ongeveer een kilometer voert een weg links de heuvel op naar het complex. Op schooldagen rijdt een trein van Münsingen naar Grafeneck die vlak naast de weg naar het kasteel stopt, hoewel eerst in Münsingen terechtkomen op zich al een uitdaging is. Tijdens schoolvakanties en op zaterdagen stopt bus 7606 uit Reutlingen in Grafeneck bij de treinhalte (kijk op www.bahn.de).

ANDERE LOCATIES

Er zijn zoveel herdenkingslocaties in Duitsland dat het alleen mogelijk is om een fractie van de belangrijkste en interessantste te noemen. Een volledige database is te vinden op www.ns-gedenkstaetten.de.

Een uniek instituut – weinig bekend tot een brandstichting in 2002 – is het kleine dodenmarsmuseum (www.stiftung-bg.de) in het Belower Wald, waar eind april 1945 16.000 uitgeputte gevangenen uit Sachsenhausen een week lang werden vastgehouden. Het museum met als kern een openluchtexpositie ligt aan de Belower Damm, een zijweg door de bossen van de L153 ten noorden van Wittstock, een kleine 100 kilometer ten noordwesten van Berlijn en ongeveer 45 kilometer ten westen van Ravensbrück.

Twee nogal abstracte bouwsels herdenken de duizenden Joden die uit Hamburg werden gedeporteerd. Op de Platz der Republik (S-Bahnhalte Altona, zuidelijke uitgang) is een zakelijke, zwarte muur – een ontwerp van de kunstenaar Sol LeWitt – gewijd aan de Joodse gemeenschap die lang in deze voorstad was gevestigd (er is ook een steen voor de Poolse Joden die in oktober 1938 door de stationsuitgang werden verdreven). Op de Edmund-Siemers-Allee (station Dammtor) wordt de Platz der Jüdischen Deportierten aangegeven met een vergelijkbaar anoniem granieten blok. Een expressiever monument op de nabijgelegen Joseph-Carlebach-Platz (vernoemd naar de opperrabbijn van de stad die in 1942 in Riga werd vermoord) volgt de omtrek van de Hoge Synagoge die in de *Kristallnacht* werd verwoest. De aangrijpendste plaats in de stad is echter de school aan de Bullenhuser Damm (S-Bahn Rothernburgsort). In november 1944 liet de arts Kurt Heißmeyer twintig Joodse kinderen van Auschwitz naar Neuengamme brengen om experimenten met tuberculose uit te voeren. Toen in april 1945 de Britten naderden, werden de kinderen en hun vier verzorgsters naar het gebouw gebracht en vermoord in een poging alle bewijzen te vernietigen. Ook werden 24 Sovjet-Russische krijgsgevangenen gedood. De kelder waar de moorden plaatsvonden is nu een ontroerend monument (zo 10.00-17.00; toegang gratis; www.kz-gedenkstaette-neuengamme.de) en te betreden door een gedachtenistuin met rozen aan de Großmannstraße (altijd geopend).

Meer dan 1000, met name Joodse gevangenen werden in april 1945 tijdens een dodenmars vanuit Mittelbau-Dora in Gardelegen, ongeveer halverwege Berlijn en Hannover, in een schuur gedreven en daarin levend verbrand. De Amerikanen die de gruweldaad twee dagen later ontdekten, dwongen de bewoners van de plaats de lijken te begraven in een speciaal aangelegde militaire begraafplaats die nu naast een monument op de plaats van de schuur ligt. Het complex ligt ten noordoosten van de plaats aan de nieuwe rondweg B71.

Zeithain, ongeveer 65 kilometer ten oosten van Leipzig, was het dodelijkste krijgsgevangenenkamp in Duitsland. Tussen de 25.000 en 30.000 Russische soldaten vonden hier de dood. Hoewel het kamp grotendeels werd vernietigd, vormen twee grote massagraven en een tentoonstellings-complex samen de Gedenkstätte Ehrenhain Zeithain (dag. 10.00-16.00 (vr tot 14.00); toegang gratis; http://www.stsg.de/cms/zeithain/startseite), die op de Gröditzer Straße ten noordoosten van het dorp met borden is aangegeven.

Het voortreffelijke Dokumentations- und Kulturzentrum Deutscher Sinti und Roma, aan de Bremeneckgasse 2 in Heidelberg (di 9.30-19.45, wo-vr 9.30-16.30, za-zo 11.00-16.30; toegang gratis; www.sintiundro-ma.de), biedt onderdak aan de eerste permanente expositie die is gewijd aan de nazimoord op Sinti en Roma. Het centrum ligt aan de oostelijke rand van de stad.

Het *Zeichen der Erinnerung* (Teken van herinnering) in Stuttgart is een indrukwekkend monument bij het Nordbahnhof vanwaar de depor-tatietreinen vertrokken. Muren met een opsomming van de transporten en de namen van de gedeporteerden staan rond stukken spoorrails. Het monument is toegankelijk via een pad tussen Nordbahnhofstraße 67 en 69 (tram U15 naar Mittnachtstraße).

In de voormalige Kongresshalle van de nazipartij aan de Bayernstraße 110 in Neurenberg (S-Bahnhalte Dutzendteich) bevindt zich de tentoon-stelling *Faszination und Gewalt* die aandacht besteedt aan de geschiede-nis van de nazi's en hun relatie met de stad (ma-vr 9.00-18.00, za-zo 10.00-18.00; € 5,00; www.museen.nuernberg.de). De naoorlogse proces-sen vonden plaats in het Paleis van Justitie, dat toegankelijk is vanaf de Bärenschanzstraße 72 (U-Bahnhalte Bärenschanze) waarin nu een ten-toonstelling is ingericht (wo-ma 10.00-18.00; € 5,00; www.memorium-nuremberg.de). Rechtszaal 600, de proceszaal, is nog steeds in gebruik en dus alleen op bepaalde tijden toegankelijk. Het Deutsche Bahn Museum (di-vr 9.00-17.00, za-zo 10.00-18.00; € 5,00; www.dbmuseum.de) aan de Lessingstraße 6, ten zuiden van het centrum, laat de rol van de Reichs-bahn bij de Holocaust zien.

München heeft een aanzienlijk aantal monumenten. Het indrukwek-kendst is misschien wel een grote steen die de plaats van de Hoge Synagoge aangeeft (verwoest in de *Kristallnacht*) aan het eind van de Herzog-Max-Straße bij de Karlsplatz. Central Platz der Opfer des Nationalsozialismus bevat een gedenkplaat voor vermoorde Sinti en Roma naast een nogal koel hoofdmonument. Lindwurmstraße 127 (U-Bahnhalte Goetheplatz) bezit een gedenkplaat voor een andere verwoeste synagoge die gemakkelijk over het hoofd wordt gezien, terwijl de tegenovergelegen Hermann-Schmid-Straße een monument heeft (tussen 5 en 7) voor de patiënten en het personeel van een Joods verzorgingshuis die in 1942 naar Theresienstadt werden gedeporteerd. In het noorden van de stad (U-Bahnhalte Am Hart), op de hoek van Knorrstraße en Troppauer Straße, markeert een monument het kamp Milbertshofen, dat de Joodse gemeenschap in het voorjaar van 1941 op eigen kosten gedwongen werd te bouwen. Ongeveer 1100 Joden werden daar tot hun deportatie in november van datzelfde jaar vastgehouden. Deze en andere monumenten staan uitgebreid beschreven in een driedelige studie die te vinden is op de website van het Dokumentationszentrum München zur Geschichte des Nationalsozialismus (http://www.ns-dokumentationszentrum-muenchen.de; volg de link 'Nationalsozialismus in München'). Het documentatiecentrum zelf zal naar verwachting in 1914 worden geopend op de plaats waar het hoofdkwartier van de NSDAP, het in de oorlog verwoeste 'Bruine Huis' heeft gestaan. Een museum dat in 2007 werd geopend, is het Jüdisches Museum München (di-zo 10.00-18.00; € 6,00; www.juedisches-museum-muenchen.de) aan de Sankt-Jakobs-Platz 16.

6

Oostenrijk

Als volledig rijksdeel van de nazistaat sinds 1938 speelde Oostenrijk een belangrijke rol binnen de Holocaust. Geschiedkundigen constateren vaak dat Oostenrijkers de overhand hadden bij het vernietigingsproces. Naar schatting vormden ze een derde van het personeel dat daarin een hoofdrol speelde, terwijl ze slechts 8% van de bevolking van het Reich uitmaakten. Naast Hitler zelf kwamen bijvoorbeeld Eichmann, Ernst Kaltenbrunner (Heydrichs vervanger als Himmlers rechterhand), Odilo Globocnik (leider van *Aktion Reinhardt*), Franz Stangl (commandant van Sobibór en Treblinka), Arthur Seyss-Inquart (*Reichskommissar* van Nederland) en Amon Goeth (commandant van Płaszów) uit Oostenrijk.

Dit kan voor een deel de weerspiegeling zijn van de problematische geschiedenis van de Joden in Oostenrijk. De Joodse populatie werd in de middeleeuwen voortdurend geplaagd door vervolgingen, wat werd hervat in de zeventiende eeuw, toen de Habsburgse keizers van Oostenrijk de politieke leiders van de contrareformatie werden. Pas onder Jozef II werd de Joden in de jaren tachtig van de achttiende eeuw godsdienstvrijheid gegund en pas halverwege de negentiende eeuw werd volledige burgerlijke gelijkheid verkregen. Deze laatste ontwikkelingen, én de positie van Oostenrijk in het centrum van het rijk met de meeste nationaliteiten van Europa, bracht een snelle groei van de Joodse populatie met zich mee. In de Eerste Wereldoorlog werd een piek van bijna 250.000 bereikt. Oostenrijk werd echter een belangrijk centrum van het moderne antisemitisme. In het algemeen deden antisemitische partijen het daar voor de Eerste

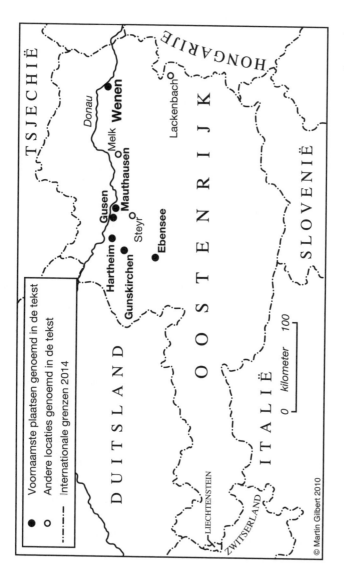

Wereldoorlog en daarna in de jaren twintig veel beter dan in Duitsland. De opkomst van het nazisme aan de andere kant van de grens verduisterde de horizon nog meer en had in 1933-1934 een drierichtingen machtsstrijd tot gevolg tussen de socialisten, de Oostenrijkse nazi's en de steeds meer door fascisten beïnvloede Christelijk-Sociale Partij van Engelbert Dollfuß. De laatste won de verkiezingen, maar werd vervolgens in 1934 vermoord door de nazi's. Hoewel Mussolini aanvankelijk een belemmering vormde, betekende de diplomatieke toenadering tussen Italië en Hitler-Duitsland dat Oostenrijk kwetsbaar werd voor Duitse ambities. In maart 1938 resulteerde dat tenslotte in de *Anschluß*, een gebeurtenis die waarschijnlijk door de meerderheid van de bevolking met enthousiasme werd begroet.

Terwijl de nazipolitiek in Duitsland een proces van geleidelijk toenemende vervolging was geweest, nam die in Oostenrijk de vorm aan van een directe en fanatieke geweldsuitbarsting. Vernederingen gingen vergezeld van het snel ontnemen van rechten en de confiscatie van Joodse eigendommen. In deze fase was het doel emigratie, een proces dat werd ondersteund door de oprichting van de Zentralstelle für jüdische Auswanderung (Centraal kantoor voor Joodse emigratie) onder leiding van Eichmann in augustus 1938. Duizenden werden na de *Kristallnacht* naar kampen gestuurd en alleen vrijgelaten op voorwaarde dat ze het land zouden verlaten. Deze politiek had het gewenste effect, want in september 1939 was ongeveer twee derde van de Oostenrijkse Joden – 126.445 – naar het buitenland gevlucht. Paradoxaal genoeg zorgde dit ervoor dat een veel groter percentage Joden overleefde dan in veel andere landen vanaf het moment dat uitroeiing het doel van de nazi's werd. Van de 58.000 die bleven, slaagden slechts ongeveer 2000 erin te ontsnappen voordat eind 1941 emigratie definitief werd verboden. De overgebleven Joden werden voor het grootste deel gedeporteerd naar getto's en kampen in Polen en de USSR of naar Theresienstadt. Niet meer dan 7000 Joden bleven in Oostenrijk achter, de meesten in gemengde huwelijken. Zij werden dwangarbeiders. Naar schatting werden meer dan 65.000 Oostenrijkse Joden in de Holocaust gedood, waarbij de gedeporteerden, degenen die in Oostenrijk stierven en allen die naar andere landen waren gevlucht om daarna weer in handen van de nazi's te vallen, zijn meegeteld. Minder bekend is de rol van Oostenrijk bij het lot van de Hongaarse Joden. Meer dan 20.000 van hen werden vanaf de zomer van 1944 tewerkgesteld bij de aanleg van verdedigingswerken langs de oostgrens. Met de nadering van de Sovjets werden velen naar het westen gestuurd, eerst naar Mauthausen en daarna dramatisch genoeg naar Gunskirchen. Duizenden stierven en hun graven liggen verspreid over heel landelijk Oostenrijk.

Gepaste herdenkingen kwamen maar langzaam op gang, beslist langzamer dan in Duitsland. Hoewel van Mauthausen wel algauw een herdenkingsoord werd gemaakt, kreeg de Holocaust in het algemeen geen plaats in het publieke debat en werden veel locaties vergeten of kregen ze een andere bestemming. De Verklaring van Moskou uit oktober 1943 maakte die toestand er niet beter op, want daarin werd Oostenrijk opgevoerd als Hitlers eerste slachtoffer, een beschrijving die niet helemaal wordt gerechtvaardigd door de publieke reactie in 1938. Naoorlogse politici konden hierdoor elke serieuze aandacht voor medeplichtigheid aan nazimisdaden ontlopen. Eigenlijk begon pas tijdens en na de affaire Waldheim aan het eind van de jaren tachtig in alle ernst een debat over de rol van Oostenrijk in de oorlog. In de twee decennia daarna heeft het land meer gedaan om de eigen geschiedenis onder ogen te zien, wat mag blijken uit een hele serie nieuwe monumenten. Hoewel het wisselende succes van extreem rechts in de afgelopen jaren een bron van zorg is, heeft dat ook een hernieuwde belangstelling gewekt voor Oostenrijks moeizame relatie met het nazitijdperk en de Holocaust.

WENEN

Rond het begin van de twintigste eeuw bezat Wenen de grootste Joodse gemeenschap in de Duitstalige wereld. Er zijn gedocumenteerde bewijzen dat Joden al in de tiende eeuw in de stad woonden, maar perioden van welvaart werden afgewisseld met vervolgingen en in 1420-1421 en in 1670 werden ze helemaal verdreven. Zelfs in 1846 woonden er nog geen 4000 Joden in de stad. Aangemoedigd door gelijke burgerrechten en versterkt door de immigratie uit andere Habsburgse provincies en uit het Russische keizerrijk, nam de populatie daarna explosief toe tot meer dan

200.000 in 1923. In deze periode van groei en zelfvertrouwen werd de stad een centrum van Joodse geleerdheid en Hebreeuwse literatuur, maar ook de basis van de zionistische beweging. Dat laatste is waarschijnlijk niet zo verrassend, omdat er zelfs ten tijde van de gouden eeuw van het Weense Jodendom al duistere onderstromen aanwezig waren, die het duidelijkst aan het licht kwamen door het succes van de rabiaat antisemitische Karl Lueger, de burgemeester uit 1896 van de Christelijk-Sociale Partij. En in deze vergiftigde atmosfeer begon de jonge Hitler, toen een mislukte kunstenaar en armoedzaaier, zijn racistische filosofie te ontwikkelen.

Hoewel de Joodse populatie tussen de beide wereldoorlogen terugliep – door zowel naar huis terugkerende vluchtelingen van de Eerste Wereldoorlog als de vrees voor het nazisme – woonden er in 1938 nog steeds ongeveer 170.000 Joden in Wenen, de overgrote meerderheid van de 185.000 personen tellende gemeenschap van Oostenrijk. De gevolgen van de *Anschluß* waren meteen merkbaar toen duizenden burgers zich gretig aansloten bij de 'bruinhemden' om Joden aan te vallen en te vernederen, waarbij gedwongen de stoep schrobben het bekendst was. De Duitse bezetting versterkte de vervolging alleen maar, want plaatselijke nazi's waren al in 1938 begonnen met het treiteren van de Joodse gemeenschap. Eind mei 1938 werden 2000 leden van de intelligentsia naar Dachau gestuurd, terwijl er al vóór de *Kristallnacht* georganiseerde aanvallen op synagogen plaatsvonden. Tijdens de pogrom zelf werden 49 synagogen verwoest en 3600 Joodse mannen werden naar Dachau en Buchenwald gestuurd. Het merendeel van de Weense Joden emigreerde het jaar daarop.

Bij het uitbreken van de oorlog woonden er echter nog 50.000 Joden in de stad en kort na de inval in Polen begonnen de deportaties. Meer dan 1000 Poolse en statloze Joden werden naar Buchenwald gestuurd, terwijl Weense Joden in oktober 1939 deel uitmaakten van de slecht georganiseerde Nisko-transporten (afgezien van 198 personen werden alle 1584 Joden over de rivier de San naar de Sovjetzone in het oosten gedreven). In 1941 begonnen de massadeportaties in alle ernst, in februari eerst naar Kielce en daarna de laatste, systematische deportaties van oktober 1941 tot in 1942. De voornaamste bestemmingen waren Łódź, Riga, Izbica, Minsk en in 1942 in toenemende mate Theresienstadt. De operatie was zo alomvattend dat de Joodse gemeenschap op 1 november 1942 werd ontbonden. De enige nog overgebleven Oostenrijkse Joden in de stad waren – afgezien van een klein aantal dat was ondergedoken of dat een bevoorrecht beroep had – de minder dan 6000 personen uit een gemengd huwelijk. Dat betekende echter nog niet het einde van de rol van Wenen in de Holocaust, want ongeveer de helft van de Hongaarse Joden die in de zomer van 1944 naar Oostenrijk kwamen, werd tewerkgesteld in kampen rond de hoofdstad.

De Joodse gemeenschap van de stad kon zich, zoals zoveel andere, nooit fatsoenlijk herstellen van de slachting. Veel overlevenden waren zo verdoofd door alles wat ze hadden verloren, en zo gedesillusioneerd door de plaatselijke reactie op hun terugkeer, dat ze liever kozen voor emigratie, waardoor het leek of het Weense Jodendom weleens helemaal zou kunnen verdwijnen. Daarnaast kwam de openbare herdenking van de Holocaust langzaam op gang. Er is echter sinds de jaren tachtig sprake van een veelzeggende verbetering en dat gaat zelfs zover dat de stad zich nu op de kaart zet als een toeristische bestemming van Joods erfgoed. De eigentijdse gemeenschap die is geconcentreerd in de historische Joodse wijk Leopoldstadt, beleeft een periode van betrekkelijke groei. De bevolkingscijfers zijn de laatste tijd omhooggegaan door immigratie uit Oost-Europa en, nogal ongebruikelijk, uit Iran. Het officiële aantal ligt nu rond de 7000. Dit is slechts een fractie van de populatie in 1938, maar het voortbestaan en herstel van een zichtbare en steeds zelfverzekerdere Joodse aanwezigheid in Wenen is al een prestatie op zich.

Wenen-Centrum

Judenplatz, het hart van het middeleeuwse Joodse leven, is de locatie van het Holocaust Monument voor de Joodse slachtoffers, ontworpen door de Britse kunstenares Rachel Whiteread. Net als het meeste van Whitereads werk is het monument uit 2000 een betonnen afgietsel van een binnenruimte, in dit geval dat van een bibliotheek die de verloren levens moet symboliseren en de rol van de Joden als het Volk van het Boek.

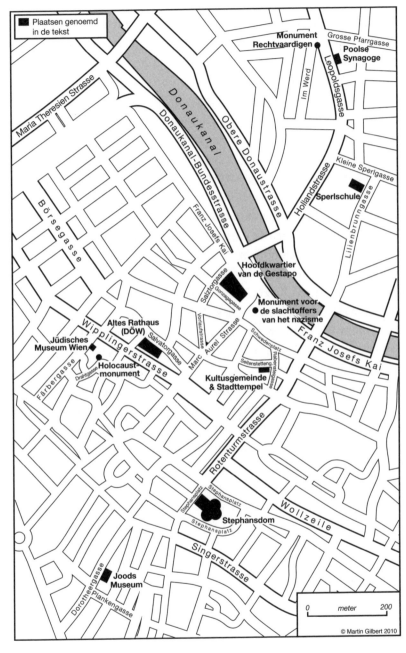

Plaatsen genoemd
in de tekst

Monument
Rechtvaardigen

Grosse Pfarrgasse

Poolse
Synagoge

Im Werd

Leopoldsgasse

Maria Theresien Strasse

Donaukanal

Donaukanal-Bundesstrasse

Obere Donaustrasse

Hollandstrasse

Kleine Sperlgasse

Sperlschule

Lilienbrunngasse

Börsegasse

Franz Josefs Kai

Hoofdkwartier
van de Gestapo

Salztorgasse

Gonzagagasse

Monument voor
de slachtoffers
van het nazisme

Wipplingerstrasse

Altes Rathaus
(DÖW)

Jüdisches
Museum Wien

Salvatorgasse

Vorlaufstrasse

Marc Aurel Strasse

Schwedenplatz

Franz Josefs Kai

Färbergasse

Drahtgasse

Holocaust-
monument

Seitenstetteng.

Rabensteigasse

Kultusgemeinde
& Stadttempel

Rotenturmstrasse

Wollzeile

Stephansplatz

Stephansplatz

Stephansdom

Singerstrasse

Stephansplatz

Dorotheergasse

Joods
Museum

Plankengasse

0   meter   200

© Martin Gilbert 2010

Wenen

Rondom staan op het voetstuk de namen van de plaatsen waar Oostenrijkse Joden zijn gestorven. Het ontwerp is nogal omstreden geweest,
hoewel het monument zeker opvallend is en het het plein domineert. De
locatie werd gekozen om uiting te geven aan de geschiedenis van het antisemitisme in Wenen. Na de uitwijzing van de Joden in het jaar 1420
werden 210 van hen in de stad vastgehouden, voor het openbare spekta-
kel van een gedwongen bekering. Toen zij weigerden, werden ze de synagoge op het plein in gedreven die vervolgens in maart 1421 tot de grond
toe werd afgebrand. Verbazingwekkend genoeg is er boven nummer 2
aan de oostelijke kant van het plein een muurreliëf te vinden als huldiging
van deze gebeurtenis. Op de muur van nummer 6 is een mooiere toevoeging uit het recente verleden te vinden – een gedenkplaat waarop de katholieke kerk verontschuldigingen aanbiedt en om vergeving vraagt. Tijdens de bouw van het monument werden resten van de fundamenten van
de synagoge ontdekt en die zijn nu samen met een kleine expositie over
het middeleeuwse Joodse leven te bekijken in de dependance van het Jüdisches Museum Wien (Joods Museum Wenen) op de Judenplatz 8 (zo-do
10.00-18.00, vr 10.00-14.00; € 10,00 in combinatie met de hoofdvesti-
ging van het Joods Museum; www.jmw.at). Het museum bevat ook de
Herdenkingsruimte voor de Slachtoffers van de Shoah. De computerter-
minals in de zaal maken het mogelijk om meer te ontdekken over leven
en dood van de Weense Joden. Op de buitenmuur is een plaquette aangebracht voor een klein aantal Oostenrijkse Rechtvaardigen.

Vlak ten noorden van de Judenplatz ligt het Altes Rathaus aan de
Wipplingerstraße 8 waarin het Documentatiecentrum van het Oostenrijkse Verzet (DÖW) is ondergebracht. Aan de achterkant van de binnenplaats is een expositie ingericht (ma-vr 9.00-17.00 (do tot 19.00); toegang gratis; www.doew.at) over de naziterreur en de slachtoffers daarvan.
Een interessant gedeelte gaat over de naoorlogse periode met de allesbehalve heldhaftige houding van de Oostenrijkse regering tegenover de
overlevenden.

Iets verder naar het oosten is het elegante hoekgebouw op Marc-Au-
rel-Straße 5 het voormalige onderkomen van de *Palamt* (Palestina Bureau), het centrum van zionistische activiteiten en feitelijk het sociaal cen-

trum voor jonge Joden toen de vervolging heftiger werd. De nabijgelegen Seitenstettengasse wordt tegenwoordig net als in de jaren dertig gedomineerd door het hoofdkwartier van de *Kultusgemeinde* (de Joodse gemeenschapsorganisatie) op nummer 2-4. Net als elders werd later kritiek geleverd op de leiders ervan vanwege hun vermeende passiviteit en meegaandheid. Het is echter goed om op te merken dat zij vrijwel meteen na de *Anschluß* naar Dachau werden gestuurd, dus mag het nauwelijks een verrassing heten dat ze terughoudend waren in hun openlijke verzet tegen de nazi's nadat ze in mei 1938 hun functie weer hadden teruggekregen. Het complex bevat de Stadttempel, de enige synagoge in de stad die de *Kristallnacht* doorstond, naar verluidt omdat men bang was dat het vuur zich zou verspreiden naar de kelders van het nabijgelegen Gestapohoofdkwartier. Deze synagoge, die een opmerkelijk neoklassiek rond interieur heeft, kan alleen onder leiding van een gids worden bezocht (ma-do 11.30 en 14.00; € 3.00; www.ikg-wien.at). Bij de ingang staat een Holocaustmonument met de namen van de vermoorde Joden. Aan de achterkant van de *Kultusgemeinde* ligt het Desider-Friedman-Platz, vernoemd naar de voorzitter van de gemeenschap die in 1944 in Auschwitz de dood vond. Op nummer 1 is het Informatie- en Ondersteuningscentrum voor Holocaustslachtoffers.

Na het afdalen van de trap in noordelijke richting naast de Ruprechtskirche komt men op de Morzinplatz. Het nu gesloopte Hotel Metropol dat dienst deed als het Gestapohoofdkwartier, lag aan dit plein. Een monument voor de slachtoffers van het nazisme staat op de hoek van het kleine plantsoen en bestaat uit de figuur van een gevangene die wordt omgeven door betonnen blokken met op de bovenste een davidster en een rode driehoek. De plaats van het vroegere hotel wordt nu ingenomen door het Leopold-Figl-Hof, dat is vernoemd naar de eerste naoorlogse kanselier van Oostenrijk. Aan de kant van de Salztorgasse van het gebouw is op nummer 6 de Gedenkstätte für die Opfer des Österreichischen Freiheitskampfes (Monument voor de Slachtoffers van de Strijd voor Oostenrijkse Vrijheid, de standaard naoorlogse formulering voor slachtoffers van het nazisme). Het is een ruimte met een altaarvormig gedenkteken en een kleine expositie (ma, do-vr, 10.00-13.30 en 14.00-17.00;

toegang gratis). In hetzelfde gebouw is ook het Simon Wiesenthal Documentatiecentrum gevestigd, waar de nazi-jager tot zijn dood in 2005 werkte. Dit centrum is niet voor publiek toegankelijk. Veel van het materiaal is overgebracht naar het Wiesenthal Center in Los Angeles, maar er zijn plannen om ter ere van hem in Wenen een groot Holocaust onderzoeksinstituut te vestigen.

Ten zuiden van de Judenplatz vormt de Barbarakapelle in de noordelijke kruisbeuk van de Stephansdom een christelijk gedenkteken voor de kampslachtoffers, bestaande uit een groot kruis waarvan de kruisbalk aarde en as uit Auschwitz en Mauthausen bevat. Het Toeristenbureau tegenover de kathedraal aan de Stephansplatz 10 herbergt de Jewish Welcom Service (www.jewish-welcome.at) die informatie verschaft aan Joodse bezoekers.

Verder naar het zuiden ligt het Joods museum, aan de Dorotheergasse 11 (zo-vr 10.00-18.00 (vr tot 14.00); € 10,00 in combinatie met de Judenplatz-dependance; www.jmw.at). Wenen was de plaats waar het oudste instituut van dien aard ter wereld stond, maar dat werd uiteraard in 1938 gesloten. De moderne uitvoering (geopend in 1993) is eerder een centrum van conceptuele kunst dan een historisch museum. Veel ruimte is toebedeeld aan tijdelijke exposities, maar op de derde verdieping is het *Schaudepot* (opslagdepot) ondergebracht met vitrines die een grote verzameling rituele objecten bevatten. Sommige daarvan dragen nog de schroeiplekken van de *Kristallnacht*.

Nog iets verder naar het zuiden staat het Monument tegen Oorlog en Fascisme, op de Albertinaplatz. Het is een enorm groot en controversieel ensemble van beeldhouwwerken, dat op de opmerkelijk late datum van 1989 werd onthuld als het eerste door de overheid bekostigde monument van Oostenrijk. Het meenemen van de oorlog in het concept houdt in dat er geen onderscheid is gemaakt tussen de verschillende groepen mensen die in de Tweede Wereldoorlog om het leven kwamen. Dit wordt nog benadrukt door het feit dat het monument op de plaats staat waar door een geallieerd bombardement in 1945 enkele honderden mensen om het leven kwamen. De enige verwijzing naar het Joodse leed bestaat uit een zwart beeldje van een oudere Jood die wordt gedwongen de stoep te schrobben. Velen vonden dit weer vernederend, wat de directe aanleiding was voor de campagne om een monument op de Judenplatz op te richten.

Leopoldstadt

Het tweede district van de stad, ten noordoosten van het Donaukanaal, vormt het historische centrum van Joods Wenen sinds Ferdinand II in 1624 toestemming gaf voor de aanleg van een getto. Ondanks de verdrijving in 1670 door Leopold I, naar wie het district werd genoemd, vestigden zich wederom Joden in dit gebied toen ze in de achttiende eeuw mochten terugkeren. Leopoldstadt bleef de wijk met de meeste synagogen en gemeenschapsinstellingen, ook nadat Joden als gevolg van emancipatie en assimilatie door de hele stad waren gaan wonen. Na de machtsovername door de nazi's werd de gemeenschap weer in toenemende mate gedwongen binnen het district te gaan wonen; hier werden de mensen voorafgaand aan hun deportatie vastgehouden.

De *Sperlschule* aan de Kleine Sperlgasse 2a, te bereiken via een steegje, was het voornaamste detentiecentrum voor Weense Joden. Ten tijde van de deportaties werden hier 40.000 mensen vastgehouden, in sommige gevallen enkele weken lang. Het gebouw is tegenwoordig weer een school en op de muur bij de poort van de ingang is een herdenkingsplaquette aangebracht. De Kleine Sperlgasse is na de Salztorbrücke de tweede zijstraat rechts op de Hollandstraße.

De Hollandstraße gaat algauw over in de Leopoldsgasse. Een bord bij een lelijk naoorlogs appartementenblok op nummer 29 markeert de plaats van de Poolse Synagoge, een slachtoffer van de *Kristallnacht*, terwijl een driehoekige metalen en glazen zuil op de kruising met Im Werd een monument is voor de Oostenrijkse rechtvaardigen. Het Theodor Herzl-Hof aan de Leopoldsgasse 13 staat op de plaats van een vooroorlogs gebouw waarin een vakschool voor jonge vrouwen en een orthodoxe meisjesschool was gevestigd. Ook deze school werd voor meer dan 10.000 Joden gebruikt als een opvangcentrum voorafgaand aan deportatie. Een plaquette aan de muur herinnert aan deze historie, terwijl een andere eer bewijst aan Herzl. Om de hoek was Malzgasse 16 de plek van een synagoge en een Joods ziekenhuis (het enige ziekenhuis dat vanaf 1942 voor

Joden beschikbaar was) dat ook werd gebruikt om de *Sperlschule* aan te vullen tijdens de deportatie naar Łódź. Tegenwoordig is hier een Talmud-Torahschool gevestigd op een binnenplaats achter een bewaakte poort.

Leopoldsgasse wordt ten slotte kort de Kraftgasse, die een verbinding vormt tussen de Untere Augartenstraße en de Rembrandtstraße. Op nummer 33 van de laatste straat is in het portiek een plaquette te vinden met de namen van 27 voormalige Joodse bewoners die werden gedeporteerd. Ongebruikelijk was dat de plaquette werd aangebracht door de huidige bewoners. Evenwijdig aan de Kraftgasse ligt verder naar het zuiden over de Rembrandtstraße de Förstergasse. Nummer 7 was de plaats van een bijzonder tragische gebeurtenis die wordt herdacht met een muurplaquette. Negen Joden die de oorlog hadden overleefd door onder te duiken, hadden hun toevlucht gezocht in de kelder van dit gebouw tijdens de felle gevechten van de Slag om Wenen. Ze werden op 11 april 1945 's middags ontdekt door een eenheid van de Waffen-SS en later die avond op straat doodgeschoten. Het Rode Leger arriveerde slechts een paar uur later.

In het oostelijk deel van Leopoldstadt vormde de Tempelgasse 5 (U-Bahnhalte Nestroyplatz) de locatie van de Leopoldstadt Tempel, tot de *Kristallnacht* een van de belangrijkste synagogen van de stad. De plaats wordt nu in beslag genomen door een groot complex. Onderdeel daarvan zijn een synagoge, een school en het *Psychosoziales Zentrum* (ESRA) dat zich onder andere bezighoudt met de zorg voor slachtoffers van de Holocaust. Aan het hek van metaalgaas zijn herinneringsplaquettes bevestigd voor de synagoge, voor individuen en voor de 30.000 Joden (onder wie 1600 kinderen) uit Leopoldstadt die zijn omgekomen. Op Tempelgasse 2 stond de *Piper Heim*, uiteindelijk de enige school die nog open was voor Joden.

Pazmanitengasse 6, enkele straten verder naar het noorden, was de plaats van een andere synagoge. Nu staat er een appartementenblok met een muurplaquette (tram 21, halte Rueppgasse). In het westen ligt na het oversteken van de Taborstraße aan de Castellezgasse 35 de *Zwi Perez Chajes Schule* die tijdens de deportaties werd gebruikt als detentiecentrum, zoals is vastgelegd op een andere gedenkplaat (trams 21 en N, halte Heinestraße).

Andere plaatsen

Vanuit Leopoldstadt aan de andere kant van de Augarten werd het *Brigittenauer Gymnasium* aan de Karajangasse 14-16 (tram 5, halte Rauscherstraße of 5 en 33, halte Wallensteinplatz) in 1938-1939 door de Gestapo gebruikt als interneringscentrum. Meteen achter de voordeur is een gedenkplaat aangebracht (schooldagen 16.00-18.00). Verder naar het noorden ligt de Anton Schmid Hof, een naoorlogs nieuwbouwproject tegenover het U-Bahnstation Jägerstraße op de Leipziger Platz (ook tram 33). Schmid was een officier in de Oostenrijkse Wehrmacht die in 1942 werd geëxecuteerd, omdat hij Joden in het getto van Vilnius had geholpen. Hij wordt geëerd met een plaquette bij de ingang van Leipziger Straße 40.

Het elegante gebouw direct ten noorden van het centrum aan de Schottenring 25 (trams 1, 2 en D, halte Börse) was het tijdelijke naoorlogse hoofdkwartier van de Joodse gemeenschap tijdens de restauratie van het complex aan de Seitenstettengasse. Hier kwam het kleine aantal overlevenden dat terugkeerde naar Wenen bijeen om angstig te wachten op het onveranderlijk trieste nieuws over het lot van hun geliefden. Het voormalige huis van de beroemdste inwoner van Wenen, de neuroloog Sigmund Freud, die zelf in 1938 gedwongen naar Londen moest vluchten, is nu het Freud Museum (dag. 9.00-18.00; € 9,00; www.freud-museum. at; tram D, halte Schlickgasse) en ligt in de buurt aan de Berggasse 19. Twee tramhaltes verder naar het noorden (tram D, halte Seegasse) is de Rossauer Joodse begraafplaats. Het is de oudste van Wenen en de toegang is via een bejaardentehuis aan de Seegasse 9. Het moderne tehuis ligt op de locatie van een Joods bejaardentehuis met ziekenhuis dat hier tot de jaren zeventig van de vorige eeuw stond. De andere belangrijke, historische Joodse begraafplaats, de Währing, werd grotendeels door de nazi's verwoest en de restauratie ervan is binnen de gemeente een voortdurend onderwerp van discussie. Voorlopig is de locatie aan de Semperstraße 64A (U-Bahn, halte Nußdorfer Straße) gesloten. Mocht dit veranderen, dan wordt dat aangegeven op de website van de Joodse gemeenschap (www.ikg-wien.at).

In het zuidwesten van Wenen liggen rond het Westbahnhof verscheidene opmerkelijke locaties. Het station zelf heeft een nieuw monument voor de kinderen die in 1938-1939 met het *Kindertransport* naar het veilige Groot-Brittannië gingen. Ertegenover bevindt zich een gedenkplaat voor de eerste Oostenrijkers die naar Dachau werden gestuurd. Een blok verder naar het noordoosten aan de Kenyongasse 4-12 (tram 5, halte Stollgasse) staat een katholieke school die een van de plaatsen was waar opgepakte Joden na de *Kristallnacht* werden vastgehouden, voordat ze naar Dachau of Buchenwald werden gedeporteerd. Van de mannen die in dit gebouw opgesloten zaten, werden er 27 gedood en 88 kritiek gewond. Ten zuiden hiervan heeft een onopvallend gebouw aan de Schmalzhofgasse 3 (U-Bahn, halte Zieglergasse) een gedenkteken voor de synagoge die hier tot de pogrom stond. Twee andere verwoeste synagogen worden herdacht met gedenkplaten ten zuidwesten van het Westbahnhof, aan de Turnergasse 22 (trams 52 en 58, halte Staglgasse), en de in verval rakende Storchengasse 21 (U-Bahn, halte Längenfeldgasse).

Enkele van de belangrijkste locaties in de geschiedenis van de Weense Holocaust ligt ten zuidoosten van het centrum, rond het Slot Belvedere. Aan de Prinz-Eugen-Straße 20-22 (tram D, halte Plößlgasse) stond ooit het Rothschild Palais, een symbool van het succes van de geëmancipeerde Joodse elite in het vroegere Habsburgse Wenen. Het gebouw werd in 1938 door de nazi's gevorderd en vormde het hoofdkwartier van Eichmanns *Zentralstelle für jüdische Auswanderung* (Centraal Bureau voor Joodse Emigratie). Het initiatief voor de *Zentralstelle* kwam aanvankelijk vanuit de Joodse gemeenschap zelf als een middel om een vertrek uit Oostenrijk na de inval gemakkelijker te maken. Het werd echter uitgebuit door de nazi's met als doel de Joden het land uit te dwingen, terwijl het hen financieel zo moeilijk mogelijk werd gemaakt. Op die manier konden de nazi's ervoor zorgen dat het grootste deel van de Joodse rijkdom hen in handen viel. Het 'succes' van dit project had tot gevolg dat soortgelijke instituten in 1939 in Berlijn en Praag werden opgezet en dat Eichmann langzamerhand werd gezien als een expert op het gebied van de 'Joodse kwestie'. Te zijner tijd werd de *Zentralstelle* een middel om Joden voorafgaand aan hun deportatie te registreren. In maart 1943 werd het bureau gesloten, omdat er nog maar heel weinig Joden over waren. Het paleis werd bij een bombardement verwoest en na de oorlog kwam er een groot lelijk gebouw voor in de plaats waarin het hoofdkwartier van het Portal der Arbeiterkammern (AK) was gevestigd. Dit gebouw werd ingrijpend verbouwd. Om de hoek, aan de Theresianumgasse 16-18, werd een ander voormalig paleis van Rothschild het Weense hoofdkwartier van de SD, Heydrichs geheime politie en inlichtingendienst. Ook dit gebouw werd verwoest door geallieerde bommen en er staat nu een modern gebouw waarin de kantoren van de AK zijn ondergebracht. Een ronde glazen plaat die uit de muur steekt, doet dienst als gedenkteken.

Aan de oostkant van het Belvedere, vanaf het S-Bahnstation Rennweg een stukje de Aspangstraße af, ligt de Platz der Opfer der Deportation, een plantsoen in de buurt van het Aspangstation, waar de deportatietreinen vertrokken. De straatnaamborden geven uitleg over de geschiedenis, zonder te vermelden dat de slachtoffers Joods waren. Een herdenkingssteen in een afgescheiden grasveldje is wel duidelijker in dat opzicht.

Verder naar het zuiden staat op de Reumannplatz, een parkje waarop het U-Bahnstation van dezelfde naam uitkomt, een grijze herdenkingssteen voor de 'Slachtoffers van het Facisme 1934-1945', die in 1981 werd geplaatst op initiatief van de belangrijkste politieke partijen van Oostenrijk. In de buurt is op de muur van de *Reno*-schoenenwinkel aan de Leibnizgasse 10 (op de hoek met de Quilleergasse) een herdenkingsplaquette aangebracht voor de Tsjechen en Slowaken die zijn gesneuveld in de strijd met de nazi's in Oostenrijk.

Ver in het zuidoosten vormde Wien-West (of Saurerwerke) een subkamp van Mauthausen, dat in 1944 was opgezet in een industriegebied. Vlak ernaast lag een werkkamp voor Hongaarse Joden. Er staat een herdenkingssteen op het terrein van het *Gasthaus Zur Bast* op de hoek van de Haidestraße en de Oriongasse (S-Bahn, halte Haidestraße, dan bus 76A naar Oriongasse of een kilometer wandelen).

De grote Zentralfriedhof (Centrale begraafplaats) aan de Simmeringer Hauptstraße 230–244 (zomer, 7.00-19.00; lente en herfst, 7.00-18.00; winter, 8.00-17.00; zie hieronder voor de afwijkende openingsuren van de nieuwe Joodse begraafplaats) ligt nog verder naar het zuidoosten en is zo groot dat elk van de vier poorten een eigen tramhalte heeft (trams 6 en 71, alleen de laatste gaat naar de vierde poort). Poort 1 geeft toegang tot de oude Joodse begraafplaats met veel indrukwekkende negentiende-eeuwse graftombes. Toen dit gedeelte in de jaren twintig van de twintigste eeuw vol raakte, opende de gemeenschap een nieuwe begraafplaats, die door muren van de rest van de Zentralfriedhof was gescheiden en die toegankelijk was via poort 4 ('s zomers: zo-ma en wo 7.00-17.00, do 7.00-19.00, vr 7.00-15.00; 's winters: zo-do 8.00-16.00; vr 8.00-14.00). De binnenplaatsen met zuilengalerijen rond de grote hal bevatten enkele stenen voor families die in de Holocaust het leven verloren. Ook is er een monument voor Joodse soldaten die in de geallieerde legers en met partizanen vochten. Een grote steen in de vorm van een gestileerde Thorarol geeft de plaats aan waar in 1987 de resten van heilige boeken die in de *Kristallnacht* waren verscheurd en verbrand, zijn begraven. Achter de hal voor plechtigheden, op de hoek van groep 8A, liggen de graven van de negen slachtoffers van de Föstergasse. Helemaal achterin (groep 22 in de zuidoostelijke hoek) liggen de massagraven van Hongaarse Joden. In het christelijke gedeelte van de begraafplaats dat toegankelijk is via poort 2, staat een serie monumenten voor andere slachtoffers van het nazisme, waaronder een graf voor de gehandicapte kinderen die in de kliniek *Am Spiegelgrund* (zie hieronder) werden vermoord en stenen voor de slachtoffers van de kampen Hinterbruhl en Hadersdorf. Alles is te vinden in het oostelijke gedeelte van groep 40. Het westelijke gedeelte daarvan bevat gedenktekens voor de slachtoffers van luchtbombardementen. De begraafplaats bevat ook een groot monument voor nazislachtoffers in groep 41H, terwijl er in rij 36 en 37 van groep 28 gedenktekens staan voor socialistische slachtoffers van de machtsstrijd in 1934 en voor Oostenrijkers die vielen in de Spaanse burgeroorlog.

Het Otto Wagner psychiatrisch ziekenhuis aan de Baumgartner Höhe 1 (Bus 48A, halte Otto Wagner Spital) in het uiterste westen, was oorspronkelijk de Steinhof psychiatrische inrichting, een van de grootste en belangrijkste in Europa. Tijdens de periode van de 'wilde euthanasie' werd het een belangrijk moordcentrum. Hier werden meer dan 3000 mensen, onder wie 772 kinderen, vermoord in de zogenoemde *Heilanstalt Am Spiegelgrund*. De kinderen kregen cacaopoeder gemengd met vergif of dodelijke injecties. Directeur-geneesheer Heinrich Gross verzamelde lichaamsdelen in formaldehyde – een collectie die werd gebruikt als basis voor enthousiast ontvangen naoorlogse wetenschappelijke artikelen. Alleen een erg langdurige campagne van familieleden van slachtoffers ondersteund door de film *Spiegelgrund* uit 2001 leverde iets op dat leek op gerechtigheid. De stoffelijke resten van de kinderen (direct na de oorlog heimelijk in het complex begraven) kregen in 2002 een fatsoenlijke begrafenis op de Zentralfriedhof, terwijl Gross in 2003 het *Ehrenkreuz für Wissenschaft und Kunst* werd ontnomen. Ondanks het feit dat bij een proces uit 1981 het onweerlegbare bewijs van zijn rol bij de moorden werd geleverd, had hij zijn prestigieuze carrière kunnen voortzetten. Achter de hal van de hoofdingang bevindt zich een indrukwekkend monument voor de vermoorde kinderen, in de vorm van een veld met 772 pilaren die 's nachts worden verlicht. Aan de achterkant van het complex is in het administratiegebouw (blok V achter blok 13) een kleine tentoonstelling in het Duits ingericht, aangevuld met hartverscheurende foto's van de vermoorde kinderen (wo-vr 10.00-17.00, za 14.00-18.00; toegang gratis; www.gedenkstaettesteinhof.at). Bij de trap naar de kapel er vlakbij staat een gedenksteen voor alle slachtoffers van de 'euthanasie'-politiek.

MAUTHAUSEN

Mauthausen was samen met subkamp Gusen het dodelijkste concentratiekamp binnen het eigenlijke Reich. De kans was altijd aanwezig geweest dat er in Oostenrijk een kamp zou worden gevestigd, maar een drijfveer voor Mauthausen was ook de toegenomen economische activiteit van de SS. De steengroeves van het gebied waren daarbij aanleiding voor de ontwikkeling van het kamp dat in augustus 1938 openging en aanvankelijk enkele honderden criminelen uit Dachau bevatte. De eerste politieke gevangenen kwamen in 1939 en het uitbreken van de oorlog werd gevolgd door zo'n snelle expansie, dat in het nabijgelegen Gusen een apart kamp werd opgezet. Tot de gevangenen behoorden Tsjechen, Spaanse republikeinen, Polen, Sovjetburgers en later verzetsstrijders uit West-Europa. Waardoor Mauthausen en Gusen zich onderscheidden, was dat Heydrich beide aanwees als de enige Categorie III 'kampen zonder terugkeer', dat wil zeggen, kampen waarvan de bewoners als onverbeterlijk werden beschouwd en dus geëlimineerd moesten worden door dwangarbeid. Gedurende het grootste deel van Mauthausens geschiedenis was de Joodse bevolking betrekkelijk klein, hoewel er in 1941 enkele honderden Nederlandse Joden naartoe werden gestuurd. Net als bij de andere kampen in het Reich veranderde dit in het laatste jaar van de oorlog toen er transporten arriveerden uit Polen en duizenden Hongaarse Joden van de oostgrens kwamen lopen en onvermijdelijk voor overbevolking zorgden. Toen de oorlog ten einde liep, moesten ongeveer 20.000 Joodse gevangenen naar Gunskirchen (zie hierna) lopen, voordat het kamp op 5 mei 1945 werd bevrijd door de Amerikanen. Men neemt aan dat in Mauthausen en Gusen bijna 200.000 gevangenen hebben gezeten. Met inbegrip van de gevangenen die in Hartheim werden vergast, werden ongeveer 119.000 mensen vermoord, onder wie 38.120 Joden.

Het kamp, dat bovenop een heuvel verscholen ging achter dikke stenen muren, werd algauw een herdenkingsplaats en is nog altijd de best bewaard gebleven en drukst bezochte holocaustlocatie in Oostenrijk, hoewel er vreemd genoeg entree wordt geheven (dag. 9.00-17.30; € 2,00; www.mauthausen-memorial.at/int/nl/). Een monument links van de toegangsweg markeert het gebied waar oorspronkelijk Russische krijgsgevangenen opgesloten zaten. Later werden hier ziekenverblijven geplaatst. Het bezoekerscentrum waar toegangskaartjes te koop zijn, ligt rechts van de toegang tot het kamp naast een bioscoopgebouw (ook gebruikt voor tijdelijke exposities).

Het eigenlijke kamp wordt betreden via een indrukwekkende poort en het garageterrein van de SS dat niet zo lang geleden is hersteld van stormschade. Tegenover de poort ligt op de muur het commandohoofdkwartier. Het gevangenenkamp en herdenkingsgebied is toegankelijk over een trap. Boven aan de trap staat een monument voor Sovjetgeneraal Dmitry Karbyshev. Samen met 200 andere gevangenen werd hij in de nacht van 16 februari 1945 gedwongen om buiten te blijven staan, terwijl koud water over hen heen werd gespoten. Niemand overleefde het. Links vooruit ligt een groot terrein dat is gewijd aan de 'Gedenktekens van de Naties', de voornaamste herdenkingsplaats.

Mauthausen (foto van de auteur)

Het is echter verstandig om eerst het gevangenenkamp te bezoeken dat wordt betreden door een ander indrukwekkend stenen poortgebouw. Een sarcofaag op de *Appellplatz* dient als een monument voor de voormalige bewoners. Hun houten barakken lagen links van het plein, maar de meeste werden na de oorlog afgebroken. De drie resterende (1, 6 en 11) werden in 2007 zwaar beschadigd door een storm. Achter barak 1 ligt barak 5 waar tussen 1941 en 1944 zieke gevangenen en 2700 Joden zaten. Deze gevangenen werden bijna allemaal vermoord. Verder naar achteren ligt een reeks herdenkingsbegraafplaatsen waaronder die voor lichamen die in de jaren zeventig werden opgegraven uit massagraven in het bos bij Gunskirchen en voor gevangenen uit Mauthausen en Gusen die na de bevrijding waren overleden. Het beruchte Blok 20 (oorspronkelijk een

ziekenbarak) stond in dit gebied: 4500 Sovjet officieren die uit krijgsge-
vangenenkampen waren ontsnapt en weer gevangen waren genomen,
werden hier vanaf het voorjaar 1944 ondergebracht om te verhongeren.
Op 2 februari 1945 ontsnapten er 495 gevangenen, hoewel slechts 419
erin slaagden de buitenste omheining te passeren. De meesten vroren
's nachts dood of werden de volgende dag weer gevangengenomen. Van
slechts een tiental is bekend dat ze het hebben overleefd. Aan het verste
uiteinde van het kamp lag achter de muur een speciaal kamp dat aanvankelijk na de neergeslagen Opstand van Warschau in 1944 werd opgezet
voor Poolse vrouwen. In het voorjaar van 1945 werden hier 1400 verzwakte gevangenen ondergebracht; 560 werden vervolgens omgebracht
in de gaskamers.

Rechts van de appèlplaats liggen stenen blokken die het voornaamste
gedeelte van het moderne complex vormen. Aan het uiteinde tegenover
de massagraven ligt de grote ziekenhuisbarak, waarin nu het museum is
ondergebracht. De teksten zijn in het Duits, maar in het bezoekerscentrum zijn gidsen in andere talen (€ 2,60) verkrijgbaar. De tentoonstelling
volgt over twee verdiepingen in de oostvleugel de geschiedenis van Mauthausen en de subkampen. De begane grond van de westvleugel heeft een
expositie over Oostenrijkers in het nazikampsysteem. In de kelder van de
westvleugel is de moordapparatuur ondergebracht. Monumenten geven
nu de plaats aan van de drie crematoria en de gaskamer. Deze laatste
werd tussen 1942 en 1945 gebruikt om verzwakte gevangenen te vermoorden (daarvoor werden slachtoffers in Hartheim van het leven beroofd). Het tweede crematorium werd ook gebruikt als executieplaats: in
de hoek stond een apparaat dat bedoeld scheen te zijn voor hoofdmetin-
gen, maar wanneer de gevangene in positie was geplaatst, werd hij in de
nek geschoten. In deze ruimte werden ook mensen opgehangen. Het derde crematorium ligt onder het gevangenisblok met de open ingangshal
(toegankelijk van buiten). De twee houten barakken in de richting van de
poort waren de keuken en de wasserij. De laatste bevat gedenktekens en
een kapel. De hoek bij de wasserij en het poorthuis stond bekend als de
'klaagmuur', de plaats waar nieuwe gevangenen vaak uren achtereen in
de houding moesten staan. Hier is een groot aantal gedenktekens ge-

plaatst, waaronder een modern stenen monument dat is opgericht door de Joodse gemeenschap van Wenen en een gedenkplaat voor Sinti- en Roma-slachtoffers.

Buiten het gevangenenkamp nemen de 'Gedenktekens van de Naties' in het westen een groot gebied in beslag dat wordt gedomineerd door een onvermijdelijk enorm groot Sovjet bouwwerk en een veel meer aansprekende Tsjecho-Slowaakse sculptuur van een uitgemergelde figuur. Het misschien wel aandoenlijkste monument is het Italiaanse, bestaande uit een stenen muur met een groot aantal individuele naamplaatjes. Het Nederlandse gedenkteken in de zuidwesthoek bevat de namenlijsten van alle slachtoffers uit Nederland. Een groot Joods monument kijkt uit over de steengroeve erachter. In de buurt staat een gedenkteken voor Sinti- en Roma-slachtoffers onder wie zich 450 vrouwen en kinderen bevonden die van Ravensbrück naar Mauthausen waren overgebracht en werden vermoord.

Vanaf hier voert een pad langs andere gedenktekens (voor kinderen en Oostenrijkse Joden) naar de steengroeve Wiener Graben. Er staan rechts tussen de bomen ook resten van woongebouwen en werkplaatsen van de SS. Daarachter lag het zogenaamde tentenkamp dat in 1944 werd opgezet om de toevloed van nieuwkomers op te vangen. Begin 1945 werd het gebruikt om duizenden Hongaarse Joden onder te brengen die later moesten doorlopen naar Gunskirchen. Het kamp bezat geen toiletblok of stromend water. Het ongelijke stenen pad loopt langs de steile wand van de steengroeve die door de SS-bewakers 'Fallschirmspringerwand' (parachutistenwand) was gedoopt, omdat zij er een gebruik van maakten om gevangenen de trappen van de steengroeve op te jagen en ze dan een duw te geven als ze eenmaal boven waren. Wie de val overleefde, verdronk beneden in de poelen stilstaand water. Deze praktijk wordt in het bijzonder in verband gebracht met een transport van 348 Nederlandse Joden die op 17 juni 1941 vanuit Buchenwald aankwamen. De volgende ochtend werden vijftig naakt uit het badhuis tegen het hek gedreven. De anderen werden naar de steengroeve gestuurd. Binnen drie weken waren ze allemaal dood.

Toen het kamp tijdens de oorlog werd uitgebreid, werkte nog maar een minderheid van de gevangenen in de steengroeve, maar hun aantal bedroeg toch steeds tussen de 1500 en 3500. Voordat er in de zomer van 1942 trappen in de steengroeve werden aangelegd, moesten de gevangenen hun weg naar beneden en, nog gevaarlijker, naar boven zoeken tussen losliggende rotsen door. Velen werden gedood door vallende stenen, wanneer iemand vóór hen struikelde. De 186 treden waren bijna even dodelijk, want afgezien van een paar onderbrekingen waar de trap een bocht maakte naar de top, bestond die grotendeels uit één enkele, steile klim die zelfs vandaag de dag nog zwaar is. Gevangenen werden gedwongen deze route snel af te leggen onder voortdurende pesterijen en met de dreiging te worden neergeschoten. Leden van het *Strafkommando* moesten stenen van rond de 50 kilo of meer op hun schouders meetorsen. De steengroeve zelf is een enorm uitgehold gebied. Naast het werk in de steengroeve werd hier in 1943 een wapenfabriek gevestigd.

Het kamp wordt op de weg B123 ten oosten van Linz tussen Sankt Georgen an der Gusen en het dorp Mauthausen met borden aangegeven. Wil men gebruikmaken van het openbaar vervoer, dan neemt men bus 360 (ma-vr en za-ochtend) vanuit Linz naar de halte Mauthausen Hauptschule, vanwaar borden de weg aangeven over de Ufer Straße die vrij geleidelijk bergop loopt naar het kamp. Het is een wandeling van ongeveer 20 minuten. Wie terugloopt, kan de steengroeve richting Wienergraben verlaten en ongeveer even lang naar de halte Mauthausen Wasserwerk wandelen om dezelfde bus terug naar Linz of naar Gusen te nemen. Het spoorwegstation Mauthausen ligt veel verder van het kamp, hoewel het mogelijk is daar een taxi te nemen.

GUSEN

Gusen werd als gevolg van overbevolking in Mauthausen in december 1939 opgezet in de buurt van steengroeven waarin gevangenen al dwangarbeid verrichtten. Toen het kamp in maart 1940 in bedrijf werd genomen, waren de eerste bewoners Polen, terwijl er in 1941 een groot aantal Sovjet-Russische krijgsgevangenen werd geïnterneerd. Net als het andere categorie III-kamp lag de doorloopsnelheid van gevangenen in Gusen bijzonder hoog. De toegenomen vraag naar arbeid ten behoeve van de oorlogsinspanningen leidde tot een verdere uitbreiding met Gusen II en Gusen III die in 1944 werden geopend en die het complex met verscheidene kilometers groter maakten. Feitelijk was de populatie van Gusen gedurende de hele oorlog groter dan die van Mauthausen. Er zijn bewijzen dat de SS van plan was alle 25.000 gevangenen in de tunnels van Gusen II op te blazen, wat voor de plaatselijke Rode Kruisvertegenwoordiger Louis Häfliger aanleiding was om op 5 mei 1945 met gevaar voor eigen leven de Amerikanen hierheen te halen. Naar schatting gingen bijna 70.000 mensen door de poorten van Gusen, van wie er minstens 37.000 het leven lieten.

Gusen II werd door de Amerikanen verwoest om de verspreiding van epidemieën tegen te gaan. Gusen I bleef in gebruik als Sovjetkazerne, tot de bezetting in 1955 werd beëindigd. Het gemeentebestuur besloot toen een woonwijk op die plaats te bouwen. Kavels werden aan families verkocht om ermee te doen wat ze wilden. Enigszins ironisch zorgde dit onbedoeld voor de instandhouding van Gusen als herdenkingsplaats. Voormalige gevangenen hadden na de oorlog gedachtenisstenen geplaatst bij het toen nog intacte crematorium (dat vanaf januari 1941 in bedrijf was geweest) om een kleine maar betekenisvolle herdenkingsplaats te creëren. Toen in 1960 plannen werden aangekondigd om de stenen en de oven naar Mauthausen te verhuizen, kocht een groep voormalige bewoners van Italiaanse en Franse afkomst het land van de gemeente op, om de plek in stand te houden en een groter monument te bouwen dat in 1965 werd voltooid. Dit gedenkteken, ontworpen door een overlevende van Gusen, omsluit het crematorium met betonnen muren met daaromheen een groot aantal gedachtenisplaquettes voor groepen en individuen. Het grenst aan het bezoekerscentrum uit 2004 (gebouwd rond de fundamenten van het crematorium) waarin een expositie is ondergebracht over de geschiedenis van het kamp met enkele zeer schokkende foto's van bewoners die ten tijde van de bevrijding zijn genomen (di-zo 9.00-16.30; toegang gratis; http://www.gusen-memorial.at). Het bezoekerscentrum zelf is het resultaat van een grotere investering na de overname van de locatie in 1997 door de Oostenrijkse regering. Het *Gedenkdienstkomitee Gusen* dat aanvankelijk de locatie beheerde, speelt nog steeds een actieve rol; en de website (www.gusen.org in het Engels onder de naam van KZ

Gusen Memorial Committee) is een uitstekende bron van informatie over Gusen en andere subkampen van Mauthausen.

Het bezoekerscentrum is ook de plaats om de Gusen audiotour op te halen. Het is een indringende manier om Gusen I en Gusen II te bezoeken. De audiotour is ook beschikbaar in het Engels (gratis, maar paspoort achterlaten als onderpand). Bezoekers krijgen een iPod met een begeleide wandeling van 96 minuten die wordt onderbroken door kanttekeningen van gevangenen, ooggetuigen, een oprechte kampbewaker en moderne bewoners. De laatsten – met uitzondering van enkele, voornamelijk jongere dorpelingen – gaan niet prat op het verleden. De rondgang begint op de driehoekige plaats buiten het monument (waar een reliëfkaart van het kamp staat) aan de hoofdweg (Georgestraße) die zelf werd aangelegd door gevangenen van Gusen. Iets verder naar het oosten staat op Georgestraße 18 op enige afstand van de weg, achter een groot ijzeren hek, een flink gebouw van twee verdiepingen. Dit was het poortgebouw van Gusen dat nu is omgebouwd tot privéwoning. Om de hoek (de volgende weg links) staan twee voormalige SS-barakken die ook woningen zijn geworden. Het gebouw direct aan de weg was een wachthuis, terwijl in het andere een badhuis en een kapper waren ondergebracht. Ertussenin lagen oorspronkelijk nog twee andere barakken en er staat nu een eenvoudige herdenkingssteen die na de oorlog door onbekende personen is opgericht. Een dergelijk medeleven is niet echt zichtbaar bij de huidige bewoners die vrijwel recht tegenover de gedenksteen een 'stop'-bord hebben geplaatst dat bezoekers erop moet wijzen dat het betreden van dit privéterrein strikt verboden is. Dit was een directe reactie op de audiotour. Bezoekers zijn dus verplicht om langs het poorthuis terug te lopen en rechtsaf te slaan naar de Mitterweg. Het lange gebouw rechts bovenaan de weg (eigenlijk Untere Gartenstraße 14) was het kampbordeel, waar bevoorrechte gevangenen vanaf 1942 voor twee Reichsmark prostituees konden bezoeken (de prostituee kreeg Pf. 50 en de rest ging naar de SS). Ook dit is nu weer een woonhuis. Vanaf Untere Gartenstraße kan men staande op wat de *Appellplatz* was, de steengroeven in de heuvels naar het noorden zien waar de gevangenen hun slavenarbeid verrichtten. Men ziet ook een groot betonnen gebouw: dit was de steenbreker van Gusen, in die tijd blijkbaar de grootste van Europa. De twee geelkleurige gebouwen links daarvan waren Blokken 6 en 7, de enige nog overgebleven gevangenenbarakken.

Deze gebouwen zijn de enige nog tastbare overblijfselen van het kamp, maar doorlopen geeft een indruk van de grootte van Gusen. Loopt men over de Untere Gartenstraße naar het westen dan komt men na het achterlangs passeren van het monument uit op de Parkstraße. Het gebouw van drie verdiepingen op nummer 1 staat op de plaats van blok 27, de pathologische eenheid onder leiding van de arts Helmut Vetter die eerder in Auschwitz had gewerkt. Hij gaf gevangenen van Gusen onder dwang injecties met zogenaamd een geneesmiddel tegen tuberculose. Deze hadden geen enkel nut of versnelden hun dood. Blok 27 bevatte ook het 'Pathologisch Museum Gusen' met 286 organen die waren 'geoogst' van gevangenen. Parkstraße 3 staat op de plek van Blok 31 waarin de zwakste gevangenen waren ondergebracht. Op 22 april 1945 werden hier 684 ernstig zieke bewoners vergast. Gevangenen uit de Sovjet-Unie, Polen en Spanje waren eerder vergast, in andere blokken, tijdens een tyfusepidemie in maart 1942. Daarnaast reed tussen de herfst van 1941 en de herfst van 1942 een gasauto heen en weer tussen Gusen en Mauthausen waarin voornamelijk Sovjet-Russische krijgsgevangenen werden omgebracht. Gevangenen uit Gusen werden vermoord op weg naar Mauthausen – en vice versa.

Gusen II lag iets verder naar het westen in een gebied dat wordt begrensd door de Spielplatzstraße, Buchenstraße, Georgestraße en Ringstraße. In de herinnering van sommige overlevenden was dit kamp erger dan Auschwitz. De aanleg begon in maart 1944 om dwangarbeiders voor de ondergrondse fabriek Bergkristall in het nabijgelegen Sankt Georgen an der Gusen onderdak te verschaffen. Gevangenen moesten tunnels graven of in de straalmotorenfabrieken van Messerschmitt werken, allebei werkzaamheden waarbij hitte en stof een vernietigend effect hadden op de al ondervoede mensen. Om de zaak nog erger te maken, liet de SS in Gusen II de leiding over aan criminele *kapo's* die gevangenen ongestraft konden misbruiken of doden. Joden vormden de grootste groep; zij werden geselecteerd voor het zwaarste werk en kregen het minste te eten. Als ze te verzwakt werden, gingen ze naar Hartheim of Auschwitz (waar de meesten vandaan kwamen) om te worden vergast. In de winter van 1944-1945, toen grote aantallen met transporten uit het oosten kwamen, liet de SS de Joden gewoon buiten doodvriezen. Er is niets in deze rustige woonwijk wat herinnert aan zulke verschrikkingen, maar er zijn een paar resten van Gusen II buiten het dorp te vinden. Waar de Ringstraße uitkomt op de Georgestraße, kan men de hoofdweg oversteken en een pad volgen dat naar het westen loopt. Volg dit pad tot het zich in drieën splitst. De middelste route (een verhoogd pad tussen bomen) was een gedeelte van een door gevangenen aangelegde spoorweg tussen de steengroeve in Mauthausen en de Bergkristall-tunnels. De baan kruist de *Schleppbahnbrücke*, een door gevangenen gebouwde brug onder aan de Wimmingerstraße, met een monument van de plaatselijke kunstenaar Rudolf Berger, waarna het pad doorloopt naar de Bahnhofstraße in Sankt Georgen an der Gusen. Sla rechtsaf, volg de bocht in de weg onder de spoorbrug door en sla dan linksaf de Kellerstraße in. Men komt dan bij een pad in een veld waarboven de heuvels van Bergkristall-complex opdoemen. Het pad loopt langs één ingang (nu gemoderniseerd als schuilkelder!) en hier eindigt de audiotour. Een grote rotsmuur verderop markeert een andere tunnel op het terrein van het waterschap, achter een hek. Er is meer te zien als men terugkeert naar de Bahnhofstraße, na de spoorbrug verder loopt naar het noorden en dan bij de volgende kruising links de Brunnenweg in slaat. Vlak na Brunnenweg 5 staat een gedenkbord en achter de waterwerken zijn tunnels te onderscheiden. Met behulp van de audiotour zal het ongeveer 25 minuten kosten om van hier terug te lopen naar het bezoekerscentrum Gusen.

Gusen III, dat in december 1944 werd opgezet, lag 3 kilometer ten noordoosten van Sankt Georgen in Lungitz naast een plaatselijke steenfabriek. Hier werden onderdelen voor Messerschmitt gemaakt. In februari 1945 kwam er een bakkerij in bedrijf voor het hele Gusen-stelsel. Het kamp, het eerste van het complex dat werd bereikt door de Amerikanen, werd na de oorlog gesloopt maar in 2000 werd een monument opgericht in de vorm van een driehoekige steen met een kaart van het kamp. Dit staat op een grasveld op de plaats waar het kamp was gevestigd.

Het voornaamste Gusen-monument is gemakkelijk te bereiken en is zichtbaar vanaf de B123 tussen Sankt Georgen en Mauthausen. Het staat naast de bushalte in Gusen waar dezelfde lijn 360 stopt die van Linz naar Mauthausen rijdt. De locaties van Gusen I en II liggen op korte afstand van het monument, terwijl de voormalige spoorroute naar Sankt Georgen een wandeling van ongeveer 2 kilometer is. Om bij het monument van Gusen III te komen, is er de korte treinreis van Sankt Georgen naar Lungitz. Verlaat het station aan de linkerkant en volg na ongeveer 200 meter de met een bord aangegeven bocht naar links (vlak na de fabriek) onder de spoorbrug door. Eenmaal op de weg van Sankt Georgen staat het monument rechts met een bord aangegeven.

HARTHEIM

Schloß Hartheim in het stadje Alkoven, bij Linz, was het dodelijkste onder de T4-centra en het belangrijkste in de geschiedenis van de Holocaust. Het gebouw uit het eind van de zestiende eeuw was sinds 1898 een tehuis voor gehandicapte kinderen en werd gedurende de winter van 1939/1940 omgevormd tot een moordcentrum waarvan de vernietigingsinrichting was gelegen op de begane grond, rond een binnenplaats. Het doden begon in mei 1940 en tegen augustus 1941 hadden meer dan 18.000 moorden plaatsgevonden, het veruit grootste aantal van alle T4-centra. Hartheim was ook de grootste vernietigingslocatie als het ging om de *14f13*-moorden op verzwakte concentratiekampgevangenen. In twee fasen – augustus 1941 tot december 1942 en daarna heel 1944 – werden gevangenen uit voornamelijk Dachau, Mauthausen en Gusen naar Hartheim gebracht om te worden vergast. Zelfs nadat Mauthausen in 1942 een eigen gaskamer had gebouwd, werd Hartheim nog steeds gebruikt om gevangenen en vooral Joden te doden. Algemeen wordt aangenomen dat hier minstens 12.000 gevangenen uit concentratiekampen werden vermoord, wat het aantal doden in totaal op meer dan 30.000 brengt. Moord op deze schaal en op deze locatie was niet gemakkelijk geheim te houden en algauw deden geruchten de ronde onder de burgers van Alkoven, wat geen verbazing hoeft te wekken gezien de donkere, stinkende wolken die opstegen na de aankomst van de bussen en het gegeven dat niemand die naar het kasteel werd gebracht ooit weer naar buiten kwam. De onrust werd zo groot, dat de nazi's ertoe waren genoopt een dekmantel te verzinnen over vervuilde olie die er werd verbrand. Toch voelden ze zich gedwongen de waarschuwing af te geven dat het verspreiden van anders luidende geruchten ernstige consequenties zou hebben, waaruit men mag opmaken dat de verklaring niet echt overtuigend was.

Het belang van Hartheim in de ruimere context van de Holocaust ligt niet alleen in het aantal moorden of de afkomst van de slachtoffers, maar ook in de staf die de kern vormde van het personeel van de *Aktion Reinhardt*. De leiding was enige tijd in handen van de wrede Christian Wirth die hierheen was overgeplaatst na de sluiting van Grafeneck. Wirth had als commandant van Bełżec en inspecteur van alle drie de *Reinhardt*-kampen aantoonbaar de grootste persoonlijke rol bij de vernietiging van de Poolse Joden. Tot de anderen die hem vanuit Hartheim volgden, behoorden Stangl, Franz Reichleitner (de opvolger van Stangl in Sobibór), Gottlieb Hering (de opvolger van Wirth in Bełżec) en Kurt Franz (de laatste commandant van Treblinka).

De plaats werd in 1948 weer overgedragen aan de Oberösterreichischer Landeswohltätigkeitsverein (Opper-Oostenrijkse liefdadigheidsvereniging) en werd gebruikt om mensen onder te brengen die in 1954 bij overstromingen hun huis waren kwijtgeraakt (gehandicapten zijn sinds het eind van de jaren zestig van de vorige eeuw behandeld in het nabijgelegen Hartheim Instituut). In 1969 werd een monument opgericht, maar de druk werd steeds groter om de bewoners naar elders over te brengen en van de hele plaats een geschikt herdenkingsoord te maken. Dit werd in 2002-2003 bereikt. Het nieuwe herdenkingscomplex (ma en vr 9.00-15.00, di-do 9.00-16.00, zo 10.00-17.00; toegang gratis; http://www.schloss-hartheim.at) is het grootste en indrukwekkendste van alle monumenten bij de T4-centra. Het wordt betreden door een apart poortgebouw aan de Schloßstraße 1 aan de oostzijde van het kasteel. Bij het naderen van de ingang markeert een metalen sarcofaag met glaspanelen – waarop citaten uit de boeken Job en Mattheus en van de Oostenrijkse dichter Franz Rieger staan – de plaats waar as en gemalen botten van slachtoffers werden begraven (ze werden ook in de Donau gegooid). Sommige van deze stoffelijke resten werden ontdekt bij de vernieuwing van het verwarmingssysteem in 2000-2001 waarna de sarcofaag werd gebouwd om deze een gepaste begrafenis te geven. Er is ook een monument voor twee plaatselijke inwoners die in april 1945 door de nazi's bij de poort werden geëxecuteerd.

In het midden van het in renaissancestijl gebouwde Schloß voorbij een boekenwinkel en een herdenkingssteen in de hal bij de ingang, ligt een kleine binnenplaats. Tijdens het hoogtepunt van de moorden stond hier de crematoriumoven. Drie zalen aan de overkant herbergen de voornaamste tentoonstelling die een overzicht biedt van T4 en de rol van Hartheim daarin. De derde zaal heeft een computer database van 37 representatieve slachtoffers met foto's, biografieën en medische gegevens. Hierna komt een herdenkingsgebied dat begint met foto's van slachtoffers en kasten waarin hun bezittingen liggen (opgegraven tijdens renovatiewerkzaamheden). Hun namen staan gegraveerd op glaspanelen in de ontvangstruimte bij een groot stuk opgegraven aarde dat nog meer begraven artefacten bevat. Een gang voert rechtstreeks naar de nu kale gaskamer, wat aantoont hoe kort de weg naar de dood was. Tot 150 mensen werden hier tegelijkertijd omgebracht. Alle ruimtes – gaskamer, technische ruimte, mortuarium en crematorium – zijn wit gepleisterd en onversierd. In de laatste maanden van de oorlog werden gevangenen uit Mauthausen hierheen gebracht om bewijsmateriaal te vernietigen. Na het verlaten van het voormalige crematorium in de zuidoosthoek zijn de muren bedekt met individuele gedenkplaten. Hartheim heeft ook de multimedia expositie *Wert des Lebens* (Waarde van het Leven) die aandacht besteedt aan de houding tegenover gehandicapten in de loop van de geschiedenis en in huidige ethische discussies. Deze begint in een hoek van de binnenplaats op de begane grond en gaat boven verder.

Weer buiten het Schloß lag aan de westkant de speciaal gebouwde houten schuur waar de bussen aankwamen. Er staat nu een herdenkingsinstallatie in de vorm van stalen panelen die de zijkanten van de garage vertegenwoordigen met glazen schermen waarop staat waar de slachtoffers vandaan kwamen. Aan de noordkant staat langs de weg een monument voor Franse slachtoffers.

Alkoven ligt aan de B129 ten noordwesten van Linz. Wanneer men gebruik wil maken van de trein, neemt men in Linz de Lokalbahn naar

Alkoven. Loop het station aan de rechterkant uit en neem dan de eerste weg naar rechts. Het kasteel ligt op 10 minuten lopen afstand en is al van veraf zichtbaar.

GUNSKIRCHEN

Kamp Gunskirchen bestond slechts kort, maar was in sommige opzichten het Oostenrijkse Belsen. Het werd in maart 1945 opgezet omdat het tentenkamp in Mauthausen overbevolkt raakte. De Hongaarse Joden die gedwongen vanuit oostelijk Oostenrijk waren komen lopen, werden toen overgebracht naar Gunskirchen. In de tweede helft van april 1945 werden tussen de 15.000 en 20.000 Joodse gevangenen overgebracht naar het kamp dat totaal niet klaar was om hen op te vangen. Er stonden slechts zeven onvoltooide barakken, er was geen stromend water en slechts één toiletgebouw – een ruimte voor 12 mannen en 16 vrouwen die slechts zes uur per dag toegankelijk was – voor het hele kamp. Met rond de 2500 gevangenen in elke barak (waarin ze 's nachts twaalf uur opgesloten zaten) heerste er al snel tyfus en dysenterie en elke dag stierven er 200 tot 300 mensen. Gevangenen die niet op het toilet konden wachten en zichzelf bevuilden, werden meteen door de SS doodgeschoten. Toen het kamp op 4 mei 1945 door Amerikaanse troepen werd bevrijd, vonden ze slechts 5419 overlevende gevangenen (een onbekend aantal was ontsnapt), honderden rottende lijken en massagraven in de bossen. Schattingen van het dodental lopen uiteen van 2500 tot 5000, terwijl er misschien nog duizenden meer waren overleden tijdens de mars naar Gunskirchen.

Het kamp lag in het Hocholz Wald vlak ten zuiden van het dorp Gunskirchen. Op de plaats waar de ingang van het kamp lag, staat een eenvoudige driehoekige gedenksteen die in 1995 werd opgericht door de Amerikaanse 71e infanteriedivisie om de vijftigste verjaardag van de bevrijding te herdenken. Een tekstbord verhaalt in het Duits de geschiedenis van het kamp. Zoals op het bord staat, besloeg het kamp het bos (waardoor paden lopen) ten zuiden en oosten van dit punt. De gebouwen werden aan het eind van de oorlog afgebroken, maar in het bos lagen massagraven voor 1227 gevangenen tot die in de jaren zeventig werden herbegraven op de begraafplaats van Mauthausen, dit na gevallen van vandalisme en branden die waren veroorzaakt door kaarsen die bij de grafstenen waren achtergelaten. Er is een ander monument aan de rand van het dorp, ongeveer 600 meter naar het noorden.

Het dorpsmonument ligt naast de B1 tussen Wels en Lambach bij de westelijke afslag naar Gunskirchen (Lambacher Straße). De Lambacher Straße loopt aan de overkant van de B1 naar het zuiden door in een weg zonder naam naar het monument in het bos. Dit ligt aan de linkerkant, precies op de plaats waar de weg een scherpe bocht naar rechts maakt. Vanaf het station Gunskirchen is het 2 kilometer lopen naar het dorpsmonument (men neemt de linker uitgang van het station tot aan de trap naar de Lambacherstraße en loopt dan langs die straat verder naar het zuiden). Postbus 2434 van het station naar de Fliederstraße bekort de reis aanzienlijk, maar dit is een zeer onregelmatige dienst.

EBENSEE

Het allerlaatste kamp dat in het westen werd bevrijd was Ebensee, in november 1943 opgezet als subkamp van Mauthausen voor dwangarbeiders die tunnels aanlegden in een nabijgelegen berg. De tunnels die oorspronkelijk waren bedoeld voor onderzoek aan raketten, werden gebruikt voor de fabricage van motoronderdelen en de raffinage van benzine. De omstandigheden waren vanaf het begin erbarmelijk, met onafgebouwde barakken en daardoor heel veel sterfgevallen in de eerste ijskoude winter. Gedurende het hele bestaan van Ebensee was het gemiddelde maandelijkse sterftecijfer meer dan 10%. De eerste kampcommandant was Georg Bachmayer die het prachtig vond om zijn Duitse herders gevangenen te laten aanvallen die aan bomen hingen, terwijl zijn dronken opvolger Otto Riemer regelmatig op hen schoot. Overbevolking in de laatste maanden van de oorlog – begin 1945 waren er meer dan 18.000 gevangenen (van wie 40% Joods) als gevolg van de dodenmarsen – leidde snel tot een verslechtering die zo'n omvang had dat het crematorium het aantal slachtoffers niet kon verwerken. Toen het Amerikaanse leger op 5 mei naderbij kwam, gaf de laatste commandant, Anton Ganz, de gevangenen bevel een van de tunnels in te gaan, maar die weigerden. Toen de Amerikanen het kamp de volgende dag begonnen te bevrijden, ontdekten ze dat in de tunnel een watertank vol explosieven stond. Exacte cijfers ontbreken, maar in Ebensee verloren minstens 8000 mensen het leven.

Op de plaats van het kamp ligt nu de buitenwijk Finkerleiten die aan het eind van de jaren veertig werd gebouwd door de plaatselijke overheid. Het is moeilijk om je zulke verschrikkingen voor te stellen te midden van de geriefelijke huizen en het verbluffende decor van de bergen. Het enige wat als monument bewaard is gebleven, is de boog van de poort aan de Aufeldstraße (zijstraat van de Finkerleitenstraße). Tijdens de bouw van de huizen werden ongeveer 3000 lichamen in de bodem ontdekt, wat de Italiaanse weduwe Hilda Lepetit ertoe bracht in 1948 een monument op te richten op het massagraf waarin zij dacht dat haar man begraven lag. Deze plaats werd daarna een herdenkingsbegraafplaats die in 1952 werd ingewijd en waar alle lichamen, samen met andere die de Amerikanen in 1945 hadden begraven, werden herbegraven. Helaas waren niet alle motieven zo bewonderenswaardig als die van Lepetit. Een van de belangrijkste voorstanders van de aanleg van de begraafplaats was een voormalige nazi-activiste op wier grond slachtoffers lagen begraven – zij wilde de grond terug hebben en voerde zelfs de noodzaak van het in goede banen leiden van 'toeristisch verkeer naar het monument' als reden aan voor het ruimen van de graven op haar land! Op de begraafplaats die vanaf de poort met borden wordt aangegeven, liggen ongeveer 4000 mensen, onder wie aanvankelijk 235 overlevenden van andere kampen, van vooral Gunskirchen, die na de bevrijding waren overleden. De locatie is de voormalige noordwesthoek van het kamp waar de ziekenbarak stond en het beruchte Blok 23 waarin de zwakste gevangenen waren ondergebracht. Hun toestand was zo wanhopig dat sommigen in de chaotische dagen van april 1945 vervielen tot kannibalisme. Borden bij de massagraven geven aan waar personen van wie de naam bekend was, liggen begraven. Er zijn veel gedenktekens, zowel voor nationaliteiten als voor afzonderlijke personen, met als opvallendste monument dat van Lepetit, een groot betonnen kruis.

Borden wijzen bezoekers vanaf de begraafplaats de weg naar de *Anlage B*-tunnels waarvan één is opengesteld voor een herdenkingsexpositie

(15 juni-15 sept: di-zo 10.00-17.00, 4 mei-16 juni en 21-29 sept: za & zo 10.00-17.00; € 7,50 in combinatie met museum; memorial-ebensee.at). De kamppoort die is weggehaald bij de boog op de Aufeldstraße, staat bij de ingang. Het was in deze kille tunnel nummer 5 dat Ganz van plan was de gevangenen op te blazen. Het *Anlage B*-complex besloeg in totaal negen tunnels en van de andere (behalve de twee die niet rechtstreeks met de buitenlucht in verbinding stonden) ligt de ingang aan het pad aan de andere kant van tunnel 5. De vier opzij van het pad links van de expositie zijn gedeeltelijk open, hoewel het dwaasheid zou zijn om zich in de donkere tunnels te wagen die vol rommel liggen en vaak onder water staan. Dit pad loopt geleidelijk heuvelaf terug naar de Finkerleitenstraße in de buurt van de boog. Verder de Finkerleitenstraße af wijst een bord op een pad aan de rechterkant naar '*KZ Gedenkstätte Löwengang*', de route waarover gevangenen naar het werk in de *Anlage A*-tunnels werden gedreven. *Löwengang* was de sardonische verwijzing naar de behandeling van de gevangenen die als leeuwen in een circus tussen prikkeldraad en blaffende honden door moesten lopen. Boomstammen opzij van het pad geven de route aan en een oorspronkelijke trap is bewaard gebleven. Dit pad daalt ten slotte af naar twee van de tunnels, vanwaar een trap omlaag voert naar de Alte Traunstraße. Sla hier linksaf om terug te keren naar het kamp of rechtsaf naar het centrum van de plaats waar aan de Kirchengasse 5 het Zeitgeschichte Museum ligt (di-zo 10.00-17.00 (nov-dec niet in de weekends); € 7,50 in combinatie met de tunnels; zelfde website als hierboven). Dit is echter een aanzienlijk stuk lopen.

Ebensee ligt tussen Gmunden en Bad Ischl, aan de B145. Neem de afslag Rindbach en volg de borden naar de monumenten. Vanaf het station Ebensee is het bijna een uur lopen, hoewel Postbus 2031 naar de halte Schwaigerweg een gedeelte van de route aflegt. Wie gaat lopen moet het station aan de linkerkant verlaten en dan links de Doktor-Rasper-Straße in slaan. Aan het eind van deze straat staan borden. De smalspoorbaan langs de Doktor-Rasper-Straße loopt door naar nog twee *Anlage A*-tunnels die nu deel uitmaken van een mijncomplex (niet toegankelijk). Treinreizigers die in Attnang-Puchheim overstappen naar Ebensee zullen op perron 1b trouwens een monument aantreffen voor gevangenen uit Ebensee die hier tewerk waren gesteld om bombardementsschade op te ruimen en die op 21 april 1945 ter plaatse werden vermoord.

ANDERE LOCATIES

Er waren meer dan honderd kampen in Oostenrijk waarvan bijna de helft deel uitmaakte van het Mauthausen-systeem. Aan de meeste is en wordt nauwelijks aandacht besteed, hoewel bezoekers meer te weten kunnen komen over de provincie waar Hitler vandaan kwam in *Oberösterreichische Gedenkstätten für KZ-Opfer: Eine Dokumentation* (in Engelse vertaling: *Memorial Sites for Concentration Camp Victims in Upper Austria*) van Siegfried Haider en Gerhart Marckhgott, een uitstekend boek dat is uitgegeven door de plaatselijke overheid en dat voor de verbluffende prijs van € 1,00 te koop is in boekwinkels in Mauthausen en Hartheim.

Tot aan de bouw van installaties in Mauthausen en Gusen werd het stadscrematorium in Steyr gebruikt om de doden te verbranden. Op de begraafplaats aan de Taborweg 6 is een aantal gedenktekens voor deze slachtoffers te vinden, terwijl op de aangrenzende Joodse begraafplaats op nummer 4 een massagraf ligt voor rond de 100 Hongaarse Joden die op de dodenmarsen het leven lieten. Een gedenksteen tegenover een benzinestation aan de Haagerstraße (B122a) buiten de stad geeft de plaats aan van het kamp Steyr-Münichholz.

De plaats Melk was vanaf 1944 de locatie van een van de grotere subkampen van Mauthausen. Het crematorium is als monument behouden gebleven. Er is ook een kleine tentoonstelling (do-zo 10.00-14.00) aan de Schießstattweg, een zijstraat van de Dorfnerstraße, ten zuidwesten van het station.

Lackenbach in Burgenland was de locatie van het grootste 'zigeuner'-kamp. Het werd hier gevestigd in 1940 en er hebben bij benadering 4000 Roma gevangen gezeten. Ongeveer de helft van hen werd gedeporteerd naar Łódź en vermoord in Chełmno. Honderden anderen werden in Lackenbach zelf geëxecuteerd of bezweken aan tyfus. Er staat een monument in het dorp op de hoek van de Ritzinger Straße en de Bergstraße, ten oosten van de S31 in de buurt van Weppersdorf.

7
Tsjechië

In tegenstelling tot Oostenrijk was het moderne Tsjechië zonder meer slachtoffer van het nazisme, nadat het onder dreiging van oorlog in 1938/1939 in het Reich was opgenomen. Daarna ondergingen hun Joden hetzelfde lot als die in Duitsland en Oostenrijk, hoewel er kenmerkende verschillen waren, zoals het getto van Theresienstadt dat als instelling nergens anders werd geëvenaard.

Joden lijken zich in de tiende eeuw voor het eerst in Bohemen en Moravië te hebben gevestigd en in een aantal steden ontstonden bloeiende gemeenschappen, waarvan die van Praag gedurende de middeleeuwen het bekendst was. De toenemende religieuze spanningen in de vijftiende eeuw gingen echter vergezeld van hun verbanning uit veel stedelijke centra. Het begin van de Habsburgse heerschappij in de zestiende eeuw hield in dat het lot van de Tsjechische Joden daarna even wisselvallig was als in Oostenrijk tot ze halverwege de negentiende eeuw gelijke burgerrechten kregen. Dit laatste proces ging gepaard met een even grote mate van assimilatie als in Duitsland of Oostenrijk. Alleen zorgde de vraag aan welke cultuur ze zich moesten aanpassen voor spanningen. In de negentiende eeuw neigden de meeste Joden naar de Duits sprekende wereld, maar uiteindelijk kreeg een voornamelijk Tsjechisch-Joodse identiteit de overhand. Deze band werd in het interbellum versterkt door het feit dat Tsjecho-Slowakije de enige stabiele en liberale democratie in Centraal-Europa was. Tomáš Masaryk, president tot 1935, werd beschouwd als een vriend van de Joden en niet in het minst vanwege de rol die hij rond de eeuwwisseling speelde in de strijd tegen

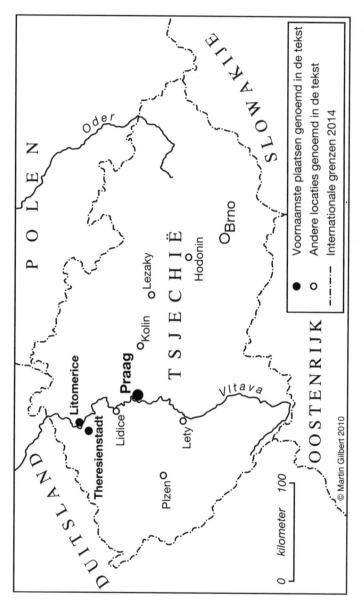

de berechting van Leopold Hilsner, de van rituele moord beschuldigde 'Tsjechische Dreyfus'.

De betrekkelijke gouden eeuw van de eerste Tsjecho-Slowaakse republiek beleefde een gewelddadig einde, toen de westerse mogendheden Hitler in september 1938 bij het Verdrag van München toestemming gaven het Sudetenland te bezetten. De Joden van dit gebied vielen nu onder het gezag van de nazi's, terwijl de rest van Tsjecho-Slowakije (als de tweede republiek) nog geen zes maanden standhield en op 15 maart 1939 door de Duitsers werd geannexeerd. De Tsjechische provincies werden in het Reich opgenomen als het Protectoraat Bohemen en Moravië waarbij nog eens 118.310 Joden (volgens de rassencriteria van de nazi's) onder Duits bestuur kwamen. Meer dan 10% daarvan bestond feitelijk uit Duitse of Oostenrijkse Joden die al een keer voor de nazi's waren gevlucht. Zij en andere ballingen uit Duitsland vormden samen met belangrijke Tsjechische en Joodse leiders het doelwit van *Aktion Gitter* waarbij meteen na de inval 5000 mensen werden gearresteerd. De eerste belangrijke anti-Joodse verordening zette op 21 juni 1939 de '*Arianisierung*' van de economie in gang. De volgende dag kwam Eichmann – die intussen werd beschouwd als de expert van de SD op het gebied van Jodenzaken – in Praag aan om leiding te geven aan het opzetten van een Tsjechische *Zentralstelle*. Net als het originele instituut in Wenen had het tot doel zoveel mogelijk Joden te dwingen om te emigreren terwijl ze tegelijk hun geld en bezittingen moesten afgeven. Meer dan 26.000 vertrokken voordat emigratie in oktober 1941 werd verboden, maar dit was een veel geringer percentage dan in Duitsland en Oostenrijk, wat inhield dat de meeste Tsjechische Joden bleven en te maken kregen met een toekomst die steeds dreigender werd.

Al in oktober 1939 behoorden 3000 Joden uit het oosten van het land tot degenen die met de Nisko-transporten naar Polen werden gestuurd. Daarop volgde een steeds groeiend aantal verordeningen, maar de belangrijke maand was september 1941. Een telling van de gemeenschap stelde vast dat er 88.105 Joden in het Protectoraat woonden (nog eens 4000 waren ondergedoken) die nu de gele ster moesten dragen. Later die maand werd Reinhardt Heydrich benoemd tot waarnemend *Reichspro-*

tektor, waardoor hij feitelijk dictator van de Tsjechische gebieden werd, en dat op een moment dat hij ook werd belast met het organiseren van de '*Endlösung*' in heel Europa. De gevolgen waren bijna meteen merkbaar. Heydrich gaf bevel alle synagogen te sluiten en er werd besloten het voormalige garnizoen Theresienstadt te veranderen in een concentratiekamp waarin alle Tsjechische Joden voorafgaande aan hun deportatie opgevangen zouden worden. Intussen werden in oktober en november 1941 echter zes transporten rechtstreeks naar de getto's in het oosten gezonden. Vanaf eind november werden meer dan 70.000 naar Theresienstadt gestuurd, waarvan de meesten de vervolgreis naar Auschwitz maakten. Joden vormden ook een belangrijk deel van de naar schatting 13.000 burgers die werden gedood uit vergelding voor de moord op Heydrich in mei 1942 door in Engeland getrainde Tsjecho-Slowaakse soldaten die per parachute het land waren binnengekomen. Naar schatting verloren ongeveer 78.000 Joden uit Bohemen en Moravië het leven in de Holocaust, rond 85% van de Joodse bevolking van 1941.

Een doeltreffende herdenking werd tegengegaan door het antisemitisme waarvan de communistische partij in het begin van de jaren vijftig was doordrongen. Weliswaar werd Stalin hierbij gevolgd, maar het anti-Joodse sentiment was vooral in Tsjecho-Slowakije erg uitgesproken. In het beruchte schijnproces tegen Slánský en dertien andere voormalige communistische leiders waren elf van de aangeklaagden Joods. Een lichte dooi in de jaren zestig eindigde met de heropleving van officieel antisemitisme na de Zesdaagse Oorlog en het neerslaan van de Praagse Lente. De situatie is wel veranderd sinds 1989, toen het land met Polen begon te wedijveren als bestemming van reizen naar Joods erfgoed en er verscheidene nieuwe monumenten werden opgericht. Helaas waren de ontwikkelingen minder positief als het ging om het herdenken van enkele duizenden Roma die het leven lieten in de Holocaust.

PRAAG

De Tsjechische hoofdstad was vanaf de middeleeuwen een van de grote Joodse centra van Europa. In die tijd werd de stad beschouwd als een uitzonderlijk kenniscentrum, een reputatie die in de volgende eeuwen

grotendeels behouden bleef. De gemeenschap was kwetsbaar voor dezelfde gevaren waaraan Joden in heel Europa blootstonden – met name
een pogrom met Pasen 1389 en een tijdelijke verbanning in de jaren veertig van de achttiende eeuw – maar Praag werd algemeen beschouwd als
een van de stabielere en gastvrijere steden in Centraal-Europa, hoewel
Joden tot het midden van de negentiende eeuw alleen mochten wonen in
de traditionele Joodse wijk (met Josefov als nieuwe naam ter ere van de
hervormingsgezinde keizer). Tijdens de volkstelling van 1930 woonde
bijna de helft van de Joden uit Bohemen en Moravië in Praag, en hun
aantal groeide snel door de toevloed van vluchtelingen uit Duitsland. Aan
de vooravond van de bezetting waren er bijna 56.000 Joden onder wie
meer dan 10.000 vluchtelingen uit het Reich.

Praag: Deportatiemonument (foto van de auteur)

De komst van de nazi's op 15 maart 1939 ging niet vergezeld van de spontane pogroms die hun intocht in Wenen hadden gekenmerkt. Dit voorkwam echter niet dat er snel een begin werd gemaakt met een vergelijkbare politiek van intimidatie en onteigening. Dit ging vergezeld van een propagandacampagne met een door de Gestapo georganiseerde tentoonstelling – *Der Jude als Feind der Menschheit* – die Tsjechische arbeiders en kinderen gedwongen moesten bezoeken. De vorming van de *Zentralstelle* in juli 1939 na de komst van Eichmann, een maand eerder, had een onvermijdelijke escalatie van de druk tot gevolg. Eichmann zou zelfs gedreigd hebben om Praag straat voor straat uit te kammen en 300 Joden per dag naar Dachau te sturen, tot de gemeenschap ermee instemde om massaal te vertrekken. In deze context was het de bedoeling dat Praag een rol zou spelen die vergelijkbaar was met de latere rol van Theresienstadt – in wezen een doorgangscentrum voor Tsjechische Joden – want in augustus 1939 kregen alle Joden bevel zich binnen één jaar in de stad te vestigen, hoewel dit door het uitbreken van de oorlog nooit helemaal werd voltooid. De meerderheid van de Praagse Joden die niet emigreerde, kreeg te maken met de toenemende reeks beperkingen die het Protectoraat opgelegd kreeg. Sommige daarvan hadden speciaal betrekking op de hoofdstad, zoals een verordening uit oktober 1940 die de Joden verbood om in bepaalde delen van de stad, waaronder de rivieroever, te lopen.

De deportaties begonnen op 16 oktober 1941 met het eerste van vijf transporten naar Łódź die elk ongeveer 1000 mensen telden. Vanaf eind november werden treinen naar Theresienstadt gestuurd. Gezinnen kregen van de leiders van de Joodse gemeenschap bericht dat ze zich moesten verzamelen in de Expositiehal in de wijk Holešovice, waar ze een nacht en soms langer werden vastgehouden, voordat ze de drie uur durende treinreis moesten maken. Volgens officiële cijfers werden 46.067 personen van Praag naar Theresienstadt of de getto's in het oosten gedeporteerd. Slechts weinigen overleefden het. Het laatste transport met mensen uit gemengde huwelijken vertrok pas op 16 maart 1945.

De terugkeer van overlevenden, onder wie ook personen uit andere delen van Tsjecho-Slowakije die bijna als natuurlijk naar de hoofdstad werden getrokken, hield in dat de Joodse bevolking van Praag na de oorlog meer dan 10.000 mensen telde, maar velen verlieten het land aan het eind van de jaren veertig voordat emigratie in 1950 werd verboden. Nog eens duizenden vertrokken in 1968. Sinds de val van het communisme is er zowel onder Tsjechen als buitenlanders sprake geweest van een hernieuwde belangstelling voor het Joodse verleden van de stad. Het blijft echter een triest gegeven dat er nog betrekkelijk weinig Joden in Praag wonen – ongeveer 1500 maken deel uit van de religieuze gemeenschap en nog eens enkele duizenden hebben een of meer Joodse voorouders – waardoor het contrast tussen de rijkdom van de bewaard gebleven Joodse cultuur en de betrekkelijke afwezigheid van een modern Joods leven in de stad groter is dan bijna overal elders in Europa.

Josefov

Het historische hart van Joods Praag, de wijk Josefov in het noorden van de Staré Město (Oude Stad), is door de eeuwen heen geroemd en geromantiseerd. Het karakter van de wijk veranderde echter radicaal na het afschaffen van de verplichte vestiging in 1852. Toen de rijkere Joden wegtrokken, werd het merendeel van de oude stegen en binnenplaatsen gesloopt om plaats te maken voor brede boulevards naar het voorbeeld van Parijs. Slechts weinig gebouwen overleefden die ontwikkeling, en de enkele die dat wel deden, vormen nu het Praags Joods Museum.

In 1906 werd een Joods museum gesticht, maar het zal niemand verbazen dat het in 1939 werd gesloten. Daarna vestigden de nazi's echter in 1942 het Centraal Joods Museum, waarin objecten uit heel Bohemen en Moravië bijeen werden gebracht, waardoor de vooroorlogse verzameling van rond de 1000 artefacten aangroeide tot 100.000. Er wordt algemeen aangenomen dat het de bedoeling was hiervan een 'Museum van een uitgestorven ras' te maken, maar de waarheid is waarschijnlijk complexer. Het initiatief voor het nieuwe instituut kwam feitelijk van dr. Augustin Stein, stichter van het oorspronkelijke museum en voormalig bestuurslid van de Tsjecho-Slowaakse Raad van Joodse Religieuze Gemeenschappen, die mede hoopte de vele rituele voorwerpen, vaak van onschatbare waarde, te redden die door de nazi's waren onteigend. De Duitsers hadden duidelijk andere motieven en sommige geleerden hebben geopperd dat ze

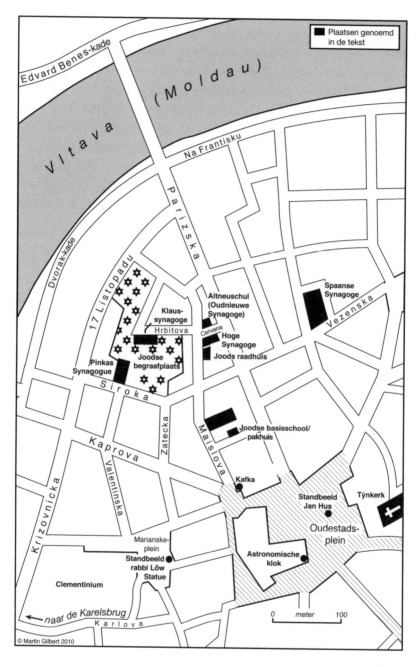

Praag

niet bezig waren met het opzetten van een exotisch museumproject, maar gewoon hoopten de relikwieën op één plaats bijeen te kunnen brengen om ze financieel te kunnen uitbuiten na de uiteindelijke uitroeiing van de Joden. De voorwerpen werden verzameld en opgeslagen in pakhuizen door heel Josefov, maar vooral in een voormalige Joodse basisschool aan de Jáchymova 3. Een plaquette herdenkt zowel de scholieren als de personeelsleden van het museum die in Auschwitz het leven lieten.

Na de oorlog werd het Joods Museum heropend, ook al werd het onderworpen aan beperkingen na de communistische machtsovername in 1948. Sinds 1989 is het museum nieuw leven ingeblazen en een van de belangrijkste toeristische attracties van Praag geworden (zo-vr 9.00-18.00 (16.30 in de winter); Kč 300 of Kč 480 in combinatie met de Oudnieuwe Synagoge en de andere Joodse monumenten in de Oude Stad; www.jewishmuseum.cz). De start ligt bij de opnieuw ontworpen, zestiende-eeuwse Maiselsynagoge aan de Maiselova 10 waarvan het schaarse interieur de geschiedenis van de Joden in Tsjechië bestrijkt vanaf de eerste vestigingen in de tiende eeuw tot de dood van Maria Theresa in 1780. Een belangwekkende afdeling besteedt aandacht aan middeleeuwse christelijke voorstellingen van Joden die niet allemaal overeenkomen met de stereotypes die men zou verwachten. Het verhaal gaat verder in de negentiende-eeuwse Spaanse Synagoge, een paar straten ten oosten van de rest van het complex, aan de Vězeňská 1 naast een surrealistisch standbeeld van Franz Kafka. De indrukwekkende Moorse gevel wordt nogal ontsierd door een lelijke betonnen aanbouw die de entree bevat. Het vergulde interieur is echter spectaculair. De tentoonstelling heeft betrekking op de twintigste eeuw, waarbij de Holocaust wordt toegelicht aan de hand van hartverscheurende foto's van kinderen in Theresienstadt. Er is ook een grote vitrine met synagogezilver uit het hele land.

Weer in het hart van Josefov gaat het museum verder met de eenvoudige zestiende-eeuwse Pinkassynagoge aan de Široká 3, die het Holocaustmonument van Praag vormt. Op de binnenplaats vindt men gedenkplaten voor Joden die in het Tsjechische leger en bij de partizanen vochten en voor Tsjechische Rechtvaardigen. De muren van de benedenverdieping en van een deel van de vrouwengalerij zijn bedekt met de namen van

77.297 slachtoffers uit Bohemen en Moravië die alfabetisch zijn gerang-schikt onder hun 153 gemeenschappen. Rond de ark staan de plaatsen opgesomd waar ze het leven lieten. De hele tijd noemen opgenomen stem-men de namen van de doden op. De namen werden oorspronkelijk na de oorlog op de muren aangebracht, maar verwijderd door de communisten toen bouwkundige problemen de sluiting van het gebouw in 1968 nood-zakelijk maakten. Pas in de jaren negentig werden ze weer aangebracht. Boven bevat kamer V voorbeelden van de beroemde kinderkunst uit The-resienstadt, ingedeeld naar thema's die variëren van sprookjes en Bijbel-verhalen tot het leven in het getto en de transporten. Er is ook een kleine selectie van stukken uit het eigentijdse project *Kunst in extreme situaties*, waarin Tsjechische kinderen te horen krijgen over Theresienstadt en dan hun eigen kunstwerken maken.

De beroemde rommelige verzameling middeleeuwse grafstenen op de oude begraafplaats, die men betreedt via een pad achter de synagoge, is een van de iconische bezienswaardigheden van Praag. Het laatste gedeelte van het museum bestaat uit de Klausensynagoge en de aangrenzende ceremo-niezaal achter de begraafplaats aan de U starého hřbitova 3A waarin aan-dacht wordt besteed aan joodse religieuze rituelen, aan Joodse feesten en aan het gezinsleven. In 1943 herbergde de Klausensynagoge de expositie *Joods leven van de wieg tot het graf*. Dat laatste was in die tijd een pas-sende term. Aan het eind van de straat ligt op de hoek van Červená en Maiselova de opmerkelijke Oudnieuwe Synagoge, waarvan men beweert dat die de oudste nog in gebruik zijnde synagoge van Europa is (zo-di 9.30-18.00 (17.00 in de winter), vr 9.30-17.00; Kč 200 of Kč 480 in combinatie met het Joods Museum). Op 20 maart 1939, vijf dagen na het begin van de Duitse bezetting, werd een bomaanslag op het gebouw gepleegd. Ertegen-over ligt de versterkte Hoge Synagoge, zo genoemd omdat de nog steeds in gebruik zijnde gebedsruimte op de bovenverdieping ligt. De eerste tentoon-stelling van het Centraal Joods Museum (van religieuze boeken) werd hier in 1942 gehouden. In een kamer op de benedenverdieping worden kaartjes verkocht voor de Oudnieuwe Synagoge. Ernaast ligt het Joodse raadhuis (Maiselova 18) dat opvalt door de Hebreeuwse klok aan de Červenázijde. Dit is tegenwoordig nog altijd het hoofdkwartier van de gemeenschap.

Het nieuwe raadhuis verder naar het zuiden aan de Mariánské námĕstí wordt aan de zuidzijde geflankeerd door een groot standbeeld van de legendarische rabbi Löw, wiens graf op de oude begraafplaats nog altijd een bedevaartsplaats is. Ondanks zijn naam als een grote Talmoedist en mysticus, is de zestiende-eeuwse rabbi in de joodse folklore het bekendst als de mythische schepper van de Praagse Golem. Volgens de populairste versie van het verhaal vormde hij uit klei een menselijke gestalte en bracht die tot leven met kabbalistische spreuken om de gemeenschap van Josefov te beschermen tegen antisemitische aanvallen. De Golem werd echter te gewelddadig en doodde zoveel niet-Joden, dat rabbi Löw hem zijn leven ontnam en de stoffelijke resten op de zolder van de Oudnieuwe Synagoge opsloeg.

Het centrum van Praag

In de Nové Mĕsto lag in de buurt van het Nationaal Museum het gepast indrukwekkende Petschkův Palác aan de Politických vĕzňů 20 (op de hoek met de Washingtonova) dat vanaf mei 1939 het hoofdkwartier van de Gestapo was. Op de hoek is aan de muur een gedenkplaat aangebracht met een afbeelding van een opstandige gevangene. Iets verder naar het noorden ligt aan de Jeruzalémská 7 de Jubileumsynagoge (apr-okt: zo-vr 13.00-17.00; toegang met het kaartje voor de Oudnieuwe Synagoge) waarvan de mooie veelkleurige gevel doet denken aan Centraal-Azië of India. Het rijk versierde interieur van deze grootste synagoge van de stad die in 1906-1907 werd gebouwd, doet daar niet voor onder. Een paar straten verder naar het noorden huisde aan de Hybernská 32 de *Hadega*, een speciale firma die was opgezet om te handelen in Joods bezit. Joden werden gedwongen om juwelen en kostbare edelmetalen tegen afbraakprijzen aan deze firma te verkopen.

In het zuidwesten van de Nové Mĕsto ligt de barokke kathedraal van de Heilige Cyrillus en de Heilige Methodius aan de Resslova 9 (metro Karlovo námĕsti). Dit was de plaats waar Gabčík en Kubiš, de moordenaars van Heydrich, met vijf kameraden op 18 juni 1942 hun laatste gevecht met de nazi's leverden. Ze waren verraden door een kameraad van het verzet en werden in de kerk belegerd door 700 SS'ers die echter niet in staat waren hen levend gevangen te nemen. Drie van hen, onder wie Kubiš, stierven bij een vuurgevecht op de zolder. De overgebleven vier hielden stand in de crypte tot die werd volgepompt met gas en toen water, waarop zij zelfmoord pleegden. Volgens schattingen hadden de Duitsers daarbij veertien doden en eenentwintig gewonden aan verliezen geleden. Op een met kogelgaten overdekte muur van de kerk is een herdenkings-plaquette aangebracht voor de parachutisten en bisschop Gorazd die werd geëxecuteerd nadat hij de verantwoordelijkheid op zich had geno-men voor het feit dat ze daar onderdak hadden gevonden. Een kleine tentoonstelling in de crypte (di-zo 10.00-18.00; Kč 60) is toegankelijk op de Na Zderaze om de hoek. Deze besteedt aandacht aan de geschiedenis van de moord en de vergeldingsmaatregelen, waaronder de onmiddellijke moord op in hechtenis genomen Joden en het veel bekendere bloedbad van Lidice.

De wijk Holešovice

Holešovice, dat is gelegen ten noorden van de rivier, is de wijk waar de meeste Praagse Joden hun laatste uren in de stad doorbrachten. Het gro-te, strak modernistische gebouw aan de Dukelských hrdinů 47 is het Veletržni Palác (trams 5, 12, 14, 15 & 17 naar Veletržni), dat werd ge-bouwd in de jaren dertig als de Expositiehal waarin handelsbeurzen plaatsvonden. Het gebouw werd in 1974 door brand beschadigd en in 1995 herbouwd. Sindsdien is er de collectie moderne kunst van het Nati-onaal Museum ondergebracht. In 1941 was dit het verzamelpunt voor de deportaties naar Theresienstadt. Duizenden werden hier opgesloten zon-der fatsoenlijk eten en zonder medicijnen of sanitair. Tegenover het Palác is tegen de muur van het Park Hotel aan de Veletržni een gedenkteken bevestigd in de vorm van een gebeeldhouwd reliëf van uitgeteerde figu-ren. Met duidelijk zichtbare davidsterren marcheren ze het onbekende tegemoet.

Station Bubny, ten oosten van Bubenská, was het vertrekpunt van de transporten. Joden moesten gewoonlijk in de vroege uren van de ochtend van de Expositiehal naar het station marcheren om te voorkomen dat Tsjechen medeleven zouden betuigen. Het nogal troosteloze gebouw heeft in de hal gedenktekens voor spoorwegmensen die zijn gestorven in dienst van het verzet, maar geen enkele voor Joden.

Het noorden van Praag

De aanslag op Heydrich vond op 27 mei 1942 plaats, op de hoek van Holešovičkách en Zenklova (trams 10, 24 en 25 naar Vychovatelna), waar nu een belangrijk verkeerskruispunt ligt. Toen de open auto aan kwam rijden, stapte Gabčík de straat op en probeerde te schieten, maar zijn stengun weigerde. Toen de *Reichsprotektor* ging staan om terug te schieten, gooide Kubiš een granaat die de auto raakte, waardoor Heydrich granaatscherven en stukken bekleding in zijn lichaam kreeg. Het was het vuil en het paardenhaar uit die bekleding die de bloedvergiftiging veroorzaakte waaraan hij op 4 juni overleed. In 2009, op de zevenenzestigste verjaardag van de aanslag, werd een opvallend nieuw monument op het kruispunt onthuld. De geschiedenis van de plaats bleek eerder alleen uit de straten meteen ten westen hiervan, die Gabčíkova en Kubišova waren genoemd. Op die 27ste mei vluchtte Gabčík, achtervolgd door Heydrichs chauffeur Klein, de straat af die nu naar hem is genoemd. Hij zocht zijn toevlucht in een slagerij aan de Valčíkova 22 (de straat is genoemd naar de uitkijk) op de kruising met Gabčíkova. Helaas was de eigenaar een etnische Duitser en nazisympathisant die de aandacht van Klein wist te trekken. Gabčík kon Klein echter in een been schieten en slaagde erin te ontsnappen. Kubiš kwam weg door de Zenklova naar het zuiden af te fietsen. Bijna onderaan de Zenklova, aan de Na Žertvách bij het metrostation Palmovka, ligt de Libeňsynagoge, waarvoor nauwelijks aandacht is.

Het schietterrein Kobilysi (voor de oorlog een militaire trainingsbasis) werd door de Duitsers gebruikt als een plaats voor massaexecuties. Het is nu een herdenkingscomplex dat toegankelijk is via een tunnel aan de rand van een woonwijk. Twee aarden wallen die de schietbaan vormden zijn bewaard gebleven, tegenover een beeld van een voorovergebogen vrouw en een kruis. Op gedenkplaten staan de namen van degenen die zijn gedood, de meesten tussen 30 mei en 3 juli 1942 tijdens de nasleep van de aanslag op Heydrich. De plaats is met borden aangegeven ('*Kobyliská střelnice*') op de Čumpelíkova ten zuiden van de Žernosecká (bus 136 van metrostation Střížkov naar Bojasova). Aan de andere kant van de woonwijk tussen Střelničná en Na Malém klínu (metrostation Ládvi) ligt een kleine, ommuurde voormalige Joodse begraafplaats (bel 272 734 609 voor de sleutels).

Andere plaatsen

Het grootste deel van de oude Joodse begraafplaats Žižkov, die van de zeventiende tot de negentiende eeuw in gebruik was, werd door de communisten geruimd om plaats te maken voor de reusachtige tv-toren die de buurt domineert. Het overgebleven gedeelte aan de Fibichova (ten noorden van het metrostation Jiřího z Poděbrad) wordt beheerd door het Joods Museum en kon op beperkte tijden worden bezocht (ma, wo, vr 9.00-15.00 (vr tot 13.00); Kč 50) hoewel de graven duidelijk zichtbaar zijn vanaf het plein rond de tv-toren. De nieuwe Žižkov begraafplaats ligt verder naar het oosten (zo-do 9.00-17.00 (16.00 in de winter), vr 9.00-13.00) aan de Izraelská 1 (metro- en bushalte Želivského). Er staat een rij Holocaustmonumenten bij de ingang, waaronder één voor alle Tsjechen: de andere zijn speciaal bedoeld voor de slachtoffers van Łódź en Theresienstadt. Er is ook een gedenkteken voor degenen die stierven in dienst van de geallieerden. Het graf van Franz Kafka, die ligt begraven bij zijn ouders, wordt vanaf de ingang met borden aangegeven. Een gedenkplaat aan de voet van de grafsteen eert de drie zussen van de schrijver. Gabriela Hermannova en Valerie Pollakova werden naar Łódź gedeporteerd en in Chełmno vermoord. Kafka's favoriete jongste zus Ottla Davidova koos ervoor om te scheiden van haar niet-Joodse man om hun dochters te beschermen. Ze werkte als verpleegster in Theresienstadt en behoorde tot de verzorgers van een groep van 1260 kinderen die in augustus 1943 uit Białystok kwam. Zij werd met de andere verzorgers en de kinderen in oktober naar Auschwitz gedeporteerd. Allen werden bij aankomst vermoord.

In het zuiden van de stad staat achter grimmige muren de Pankrác gevangenis aan de Soudní (trams 18 en 53 naar halte Pankrác Vozovna). Duizenden Tsjechen werden hier door de Duitsers geïnterneerd. Meer dan 1000 werden in de gevangenis zelf geëxecuteerd nadat in april 1943 in de kelder een guillotine was geïnstalleerd. De drie cellen die waren aangepast voor de executies, zijn veranderd in een monument en worden af en toe geopend voor educatieve rondleidingen (vvpankrac@volny.cz).

Er liggen minder locaties ten westen van de rivier, maar de Hrad, het traditionele machtscentrum in Bohemen, vormde de zetel van Heydrich en het regime van de bezetters. Ten noorden van het kasteel (tien minuten lopen vanaf het metrostation Dejvická) werd een villa aan de U laboratoře 22 (op de hoek met de Dělostřelecká) die Joods eigendom was geweest, in juli 1939 gevorderd om de woning van Eichmann en het hoofdkwartier van de *Zentralstelle* te worden. Ten zuiden van de Hrad, aan de Stroupežnického 32 (metrostation Anděl), ligt de modernistische Smíchovskásynagoge, een reconstructie uit de jaren dertig van de twintigste eeuw naar het voorbeeld van een origineel uit de negentiende eeuw. Na jaren van verwaarlozing werd die in 2004 gerestaureerd en nu is er het archief van het Joods Museum in ondergebracht.

THERESIENSTADT

De voormalige Habsburgse garnizoensstad Theresienstadt (Terezín in het Tsjechisch) werd omgevormd tot een unieke instelling in de geschiedenis van de Holocaust. Het werd deels getto, deels concentratiekamp en deels Potjomkindorp. De stad werd in de achttiende eeuw door Josef II gesticht als een fort en bleef een militaire basis, ook nadat het strategische belang ervan was verdwenen. De Kleine Vesting (ten oosten van de stad of Grote Vesting) werd vanaf 1940 door de Gestapo gebruikt als gevangenis, maar het was de beslissing uit 1941 om in de buurt van Praag een verzamelkamp op te zetten voor de Joden van het Protectoraat, die een ingrijpende verandering voor Theresienstadt inhield. Het eerste transport uit de hoofdstad, een groep jonge mannen die was gestuurd om het getto voor te bereiden, kwam op 24 november 1941 aan. Tussen die datum en 16 maart 1945 brachten in totaal 122 treinen 73.608 mensen uit Bohemen en Moravië. De Joodse leiders – onder wie Jacob Edelstein, lid van de Raad van Ouderen van Theresienstadt – geloofden aanvankelijk dat deportatie kon worden voorkomen door in het getto productief te werken,

Theresienstadt (foto van de auteur)

maar zulke ideeën werden algauw de grond in geboord, want het eerste transport naar het oosten (naar Riga) vertrok al op 9 januari 1942. De acute overbevolking (in de eerste maanden van het bestaan van het getto werden bijna 30.000 Tsjechische Joden naar Theresienstadt gestuurd) leidde vanaf de lente tot rechtstreekse deportaties naar de Poolse kampen. Het eerste transport naar Auschwitz vertrok op 26 oktober 1942. Alle volgende treinen hadden dezelfde bestemming. De Raad van Ouderen werd geconfronteerd met de pijnlijke keus lijsten te moeten opstellen van mensen die gedeporteerd zouden worden.

Het karakter van Theresienstadt veranderde in 1942 in twee belangrijke opzichten. De Tsjechische burgerbevolking werd in juli uitgezet, waardoor de hele stad kon worden opgenomen in het getto en de leefomstandigheden wezenlijk verbeterden. Vanaf juni begonnen transporten met Joden uit Duitsland en Oostenrijk aan te komen. Meer dan 40.000 Duitse Joden en 15.000 Oostenrijkse passeerden uiteindelijk het getto. Dit was een uitvloeisel van de beslissing die op de Wannseeconferentie werd genomen om bepaalde categorieën Joden uit het Reich – vooral de leiders van gemeenschappen, ouderen en veteranen van de Eerste Wereldoorlog – naar Theresienstadt te sturen in een poging de ware aard van de nazipolitiek te verhullen. Hoewel het nog steeds de bedoeling was hen uit te roeien, werd minstens in het Reich de indruk gewekt dat ze naar een 'modelgetto' werden gestuurd waar ze geïsoleerd maar in relatieve rust hun leven zouden mogen slijten. Te zijner tijd werden ook Joden uit Nederland en Denemarken naar Theresienstadt gebracht.

Het was de komst van de laatste groep – 481 Deense Joden die waren opgepakt voordat ze zich konden aansluiten bij de massale vlucht naar Zweden – in oktober 1943 die mede aanleiding zou zijn voor het beruchtste incident in de geschiedenis van Theresienstadt. De opschudding in Denemarken (en Zweden) en het groeiende besef van de Holocaust in de rest van de wereld zorgden ervoor dat de nazi's met het aanbod kwamen het getto open te stellen voor een inspectie door het Rode Kruis om 'geruchten' te ontzenuwen. Als voorbereiding daarop namen eind 1943 en begin 1944 de transporten naar Auschwitz toe om de overbevolking te verminderen. Alleen al in mei 1944 werden meer dan 7000 personen gedeporteerd, onder wie de zieken en wezen. Zij werden in een speciale afdeling van Birkenau opgesloten om de misleiding in stand te houden wanneer het Rode Kruis zou besluiten daar een inspectie te houden. Toen dat niet het geval was, werden alle gedeporteerden in juli 1944 vermoord. De inspectie van Theresienstadt werd vanaf april voorafgegaan door de 'opknapactie' waarbij gebouwen werden schoongemaakt, nieuwe voorzieningen werden geschapen en amusement werd georganiseerd. De ploeg van het Rode Kruis die op 23 juni op bezoek kwam, was behoorlijk onder de indruk en bracht een positief rapport uit. Dit propagandasucces werd uitgebuit met een film die algemeen bekendstond als *Der Führer schenkt den Juden eine Stadt* (officiële titel: *Theresienstadt. Ein Dokumentarfilm aus dem jüdischen Siedlungsgebiet*) en die in augustus en september werd gedraaid. Nadat het doel was bereikt, begonnen de nazi's weer met de deportaties. In september en oktober werden 18.000 bewoners naar Auschwitz gestuurd. De Deense Joden werden in april 1945 trouwens naar Zweden overgebracht.

Na het stoppen van de moordactiviteiten in Birkenau veranderde de rol van Theresienstadt. Het werd een opvangcentrum, eerst voor Joden uit Hongarije en Slowakije, en daarna vanaf april 1945 voor dodenmarsen. De grote instroom betekende een behoorlijke ondermijning van een tweede opknapprogramma dat in maart werd gestart als onderdeel van Himmlers pogingen een afzonderlijke vrede met de Amerikanen te sluiten. Een andere inspectie door het Rode Kruis op 6 april leverde een minder positieve reactie op en de vertegenwoordiger van de organisatie, Paul Dunant, bleef voor de rest van de oorlog in het getto. Hij nam de feitelijke leiding over toen de SS het door een tyfusepidemie getroffen Theresienstadt op 3 mei 1945 verliet. Het Rode Leger verscheen op 8 mei. In de loop van het bestaan van het getto waren ongeveer 155.000 mensen binnengekomen (15.000 in de laatste veertien dagen). Meer dan 35.000 overleden in Theresienstadt en 83.000 werden gedeporteerd naar de vernietigingskampen. Van deze laatste groep overleefden slechts 3097 mensen de oorlog.

Na de oorlog werd Terezín weer een Tsjecho-Slowaakse garnizoensstad. De Kleine Vesting waarin de meeste slachtoffers niet-Joods waren, werd met middelpunt van de herdenkingen, een toestand die voorspelbaar pas begon te veranderen na de val van het communisme.

Het getto

Het moderne Terezín is een nogal armoedige stad, omdat 3000 inwoners vertrokken toen het garnizoen in 1996 werd opgeheven. De straten liggen in een rasterpatroon, binnen zware, versterkte muren. Oorspronkelijk werden de straten aangeduid met een letter-cijfercombinatie (L16 voor de noord-zuidas, Q19 voor de oost-westas) terwijl elk blok ook nog een aanduiding kreeg van letters en Romeinse cijfers (de Magdeburgkazerne was bijvoorbeeld BV). Tijdens het opknapprogramma kregen de straten echter Duitse namen. Hoewel deze na de oorlog werden vervangen door

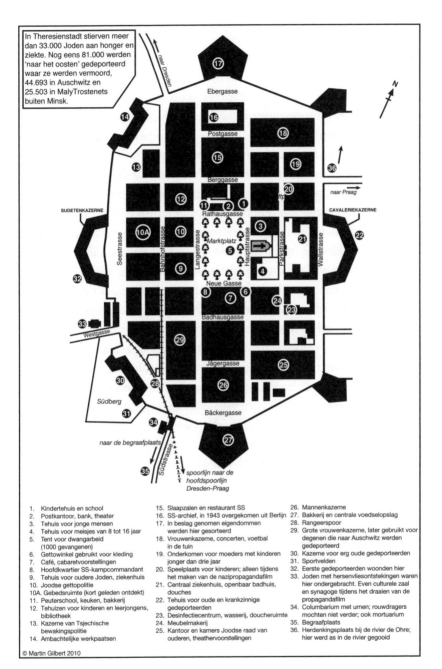

In Theresienstadt stierven meer dan 33.000 Joden aan honger en ziekte. Nog eens 81.000 werden 'naar het oosten' gedeporteerd waar ze werden vermoord, 44.693 in Auschwitz en 25.503 in MalyTrostenets buiten Minsk.

naar Dresden

Ebergasse

Postgasse

Berggasse

SUDETENKAZERNE

Seestrasse

Bahnhofstrasse

Langestrasse

Rathausgasse

Marktplatz

Hauptstrasse

Neue Gasse

Badhausgasse

Westgasse

Jägergasse

Bäckergasse

Südberg

naar de begraafplaats

Südstrasse

spoorlijn naar de hoofdspoorlijn Dresden-Praag

naar Praag

CAVALERIEKAZERNE

Wallstrasse

Parkstrasse

1. Kindertehuis en school
2. Postkantoor, bank, theater
3. Tehuis voor jonge mensen
4. Tehuis voor meisjes van 8 tot 16 jaar
5. Tent voor dwangarbeid (1000 gevangenen)
6. Gettowinkel gebruikt voor kleding
7. Café, cabaretvoorstellingen
8. Hoofdkwartier SS-kampcommandant
9. Tehuis voor oudere Joden, ziekenhuis
10. Joodse gettopolitie
10A. Gebedsruimte (kort geleden ontdekt)
11. Peuterschool, keuken, bakkerij
12. Tehuizen voor kinderen en leerjongens, bibliotheek
13. Kazerne van Tsjechische bewakingspolitie
14. Ambachtelijke werkpaatsen

15. Slaapzalen en restaurant SS
16. SS-archief, in 1943 overgekomen uit Berlijn
17. In beslag genomen eigendommen werden hier gesorteerd
18. Vrouwenkazerne, concerten, voetbal in de tuin
19. Onderkomen voor moeders met kinderen jonger dan drie jaar
20. Speelplaats voor kinderen; alleen tijdens het maken van de nazipropagandafilm
21. Centraal ziekenhuis, openbaar badhuis, douches
22. Tehuis voor oude en krankzinnige gedeporteerden
23. Desinfectiecentrum, wasserij, doucheruimte
24. Meubelmakerij
25. Kantoor en kamers Joodse raad van ouderen, theathervoorstellingen

26. Mannenkazerne
27. Bakkerij en centrale voedselopslag
28. Rangeerspoor
29. Grote vrouwenkazerne, later gebruikt voor degenen die naar Auschwitz werden gedeporteerd
30. Kazerne voor erg oude gedeporteerden
31. Sportvelden
32. Eerste gedeporteerden woonden hier
33. Joden met hersenvliesontstekingen waren hier ondergebracht. Even culturele zaal en synagoge tijdens het draaien van de propagandafilm
34. Columbarium met urnen; rouwdragers mochten niet verder; ook mortuarium
35. Begraafplaats
36. Herdenkingsplaats bij de rivier de Ohre; hier werd as in de rivier gegooid

© Martin Gilbert 2010

Theresienstadt

Tsjechische namen, gebruiken alle plattegronden van het getto met inbegrip van de grote kaart buiten het stadhuis de Duitse versie, dus is deze hier toegepast.

Bussen zetten bezoekers af buiten het stadhuis aan de Rathausgasse. Een plaquette aan de muur geeft aan dat dit na de bevrijding het commandohoofdkwartier van het Rode Leger was en bewijst eer aan de Sovjet-inspanningen om de tyfusepidemie te bestrijden. In het gebouw waren vroeger de bank en het gerechtshof van het getto ondergebracht en het werd ook gebruikt voor concerten. Het gebouw links op de hoek dat nu een postkantoor is, was een tehuis voor kinderen in de leeftijd van 3 tot 10 jaar. Zulke tehuizen waren een van de opvallende kenmerken van het getto. Aanvankelijk bleven de kinderen die jonger dan twaalf jaar waren bij hun moeder, terwijl de oudere jongens naar de mannenkazerne werden gestuurd. Na het vertrek van de Tsjechische burgers in de zomer van 1942 stichtte de Raad van Ouderen met Duits goedvinden speciale tehuizen in een poging de kinderen zoveel mogelijk te beschermen tegen de ontberingen van het volwassen bestaan, terwijl ze daarmee ook zorgden voor gemeenschapszin, een concept dat sterk werd beïnvloed door de zionistische idealen van de leiders van de jongerenafdeling Egon Redlich en Fredy Hirsch. Binnen elk tehuis werden kinderen georganiseerd in groepen die werden aangemoedigd een collectieve identiteit te ontwikkelen door activiteiten als sport en amusement. Er vond ook scholing plaats, hoewel dat heimelijk gebeurde totdat de Duitsers het voorafgaand aan de inspectie door het Rode Kruis formeel toestonden. In dit tehuis was ook de centrale keuken ondergebracht voor alle kinderenblokken in Theresienstadt.

Rechts van het stadhuis ligt een ander voormalig kindertehuis, met de ingang aan de Hauptstraße. Hierin waren ongeveer 350 Tsjechische Joodse jongens ondergebracht. In 1991, vijftig jaar na het inrichten van het getto, werd dit het Gettomuseum (dag. 9.00-18.00 (nov-mrt tot 17.30); Kč 170 of Kč 210 in combinatie met de Kleine Vesting; www.pamatnikterezin.cz). De benedenverdieping bevat een bioscoop (waar bewaard gebleven fragmenten van de propagandafilm worden vertoond) en een zaal die gewijd is aan de kinderen met een kleine selectie van hun kunst. Tekenen en schilderen werden aangemoedigd door de jeugdleiders als een expressiemiddel en een manier om de werkelijkheid te ontvluchten. Dit waren alleen de bekendste facetten van de buitengewone creativiteit die aan de dag werd gelegd in de kindertehuizen, die ook gedichten, liederen, theater en kranten voortbrachten. Het grootste deel van de kunst is nu ondergebracht in de Pinkassynagoge in Praag, maar kopieën hangen aan de muur van het trappenhuis. Dit geeft toegang tot de grote expositie die de geschiedenis van het getto gedetailleerd belicht. Tot de aangrijpendste van de vele artefacten die tentoon zijn gesteld behoren de poppen van gettofiguren, onder wie een Joodse politieman, een verpleegster, en een jongen en een meisje die op weg zijn naar een deportatietrein.

De Marktplatz ligt ten zuiden van het stadhuis en het Gettomuseum. Het plein was met hekken afgesloten van de rest van het getto en was alleen toegankelijk voor bewoners die waren aangesteld in de werkplaatsen. Vreemd genoeg werden die vanaf mei 1943 ondergebracht in een circustent. Voorafgaand aan het bezoek van het Rode Kruis werd het hek verwijderd, het gras ingezaaid waarmee het plein nog steeds is begroeid en een podium voor muziekuitvoeringen gebouwd. Het eerste gebouw aan de oostkant van het plein was tot augustus 1942 het hoofdkwartier van de SS, waarna het een tehuis voor Duits sprekende kinderen werd. Er was ook een postkantoor in ondergebracht. In het gebouw voorbij de kerk woonden Tsjechisch sprekende kinderen. Een muurplaat geeft aan wat de rol van het gebouw in het culturele leven van het getto was. Achter het gebouw ligt een kleine ommuurde tuin, met aan de Neue Gasse een poort met een houten deur die toegang geeft tot het atelier van schilderes Friedl Dicker-Brandeis, die haar opleiding had genoten aan het Bauhaus en die een leidende rol vervulde in het kunstonderwijs van de kinderen. Ze kon meer dan 5000 van haar werken in twee koffers verstoppen die ze voor haar deportatie naar Auschwitz in oktober 1944 achterliet bij een kennis.

Het blok aan de zuidzijde van de Marktplatz bevatte van oost naar west een winkel met gebruikte kleding, een café en vanaf augustus 1942 in de laatste twee gebouwen het SS-hoofdkwartier. De cellen in de kelder van het hoofdkwartier werden gebruikt voor het martelen van gevangenen. Loopt men langs de westkant van het plein naar het noorden, dan zijn er nog twee opmerkelijke gebouwen. In het eerste waren oude en zieke bewoners ondergebracht, in het tweede de Joodse politie van Theresienstadt. Op de muur van het laatste is een gedenkplaat aangebracht voor dr. Ludwig Czech, socialistisch leider en oud-minister, die in augustus 1942 in het getto overleed. In het gebouw op de noordwesthoek van de Rathausgasse en Langestraße waren kinderen en leerjongens ondergebracht.

Tegenover de ingang van het Gettomuseum ligt het Stadtpark, waarin een eenvoudig monument staat dat in 1950 door het Rode Leger werd opgericht. In dit park werd een kinderspeelplaats aangelegd tijdens de opknapcampagne. Op de binnenplaats van het museum, die te bereiken is via een poort aan de Berggasse, ligt het 'Kinderpark' – een kleine herdenkingsruimte die onder anderen eer bewijst aan Fredy Hirsch, Friedl Dicker-Brandeis en Kafka's zus Ottla. Ten noorden van het Stadtpark bevindt zich het blok dat het dichtst bij de omwalling ligt, het kindertehuis, maar dit werd na de oorlog afgebroken. De Dresdenkazerne, het volgende blok naar het noorden (en een van de twee grootste), was het voornaamste onderkomen voor vrouwen. In de kelder was de gevangenis van het getto. Aan de nabijgelegen Postgasse werd het zuidelijke blok bezet door het slaaphuis van de SS (afgebroken aan het eind van de oorlog). Op die plaats staat nu een hotel. In de Bodenbachkazerne aan de noordkant lag het archief van Himmlers RSHA (*Reichssicherheitshauptamt*) dat in 1943 uit Berlijn was overgebracht. De documenten werden vernietigd toen het Rode Leger naderbij kwam. Het noordelijke bastion erachter was tot juni 1943 de *Schleuse*, het station waar gevangenen werden vastgehouden voordat ze werden gedeporteerd. Het werd later gebruikt als het centrale magazijn voor kleding die van bewoners was afgenomen. In het nabijgelegen noordwestelijke bastion bevonden zich werkplaatsen. In een ondergrondse doorgang werd op dit terrein in februari 1945 een gaskamer gebouwd, hoewel die nooit in gebruik werd genomen. In het huis ten zuiden van het bastion was de Tsjechische marechaussee ingekwartierd, die toezicht hield op gevangenen als ze taken buiten het getto uitvoerden.

Theresienstadt: begraafplaats (foto van de auteur)

Verderop aan de Bahnhofstraße werd tijdens recent restauratiewerk een geheime gebedsruimte ontdekt in een opslagruimte in de tuin van het gebouw ten zuidwesten van de Rathausgasse (nu Dlouhá 17) die kan worden bezocht door aan te bellen bij het bordje 'Modlitebna'. Op het plafond en op de bovenkant van de muren staan Hebreeuwse teksten en sterren.

De Sudetenkazerne in het westelijk bastion was de slaapzaal van de jonge mannen die in 1941 hierheen waren gestuurd om het getto op te bouwen, en later was het een van de belangrijkste onderkomens voor de gezonde mannen, tot het gebouw in 1943 in gebruik kwam als opslag voor de RSHA. Vlak hierachter voert een straat tot buiten de vesting naar een vooroorlogse sportclub die nieuw werd ingericht als onderkomen voor mensen die aan hersenontsteking leden. Tijdens de opknapcampagne werd het veranderd in het 'gemeenschapscentrum' van het getto, compleet met bibliotheek, theaterzaal en synagoge. In de zuidwesthoek waren de ouderen ondergebracht in de vervallen Jägerkazerne. Op het binnenplein van het Südbergbastion erachter werd in 1943 een sportterrein aangelegd.

De Seestraße loopt op dit punt breder uit in een open terrein dat het vertrekpunt was voor de meeste gevangenen. De gedeporteerden moesten oorspronkelijk naar het station in het nabijgelegen Bohušovice lopen, maar vanaf juni 1943 leidde een spoorlijn rechtstreeks de vesting in. Een gedeelte is bij wijze van monument bewaard gebleven. Ernaast is een aangrijpende gedenkplaat aangebracht waarop de gedeporteerden staan afgebeeld. Deze plaat zou oorspronkelijk in Praag worden geplaatst, maar dit werd verhinderd door het communistische gezag (hoewel een soortgelijk gedenkteken nu bij het Parkhotel is aangebracht). De grote Hamburgkazerne aan de Bahnhofstraße, eerst het belangrijkste onderkomen voor vrouwen, werd na de aanleg van het spoor de plaats van de Schleuse. Niemand zag dan de mensen die werden gedeporteerd, door het getto lopen. In het blok waren ook Nederlandse Joden ondergebracht. Ertegenover staat een stenen gebouwtje bij het eindpunt van de spoorlijn.

De spoorlijn loopt samen met de weg de vesting uit, door de Bohušovicepoort naar het mortuarium en de urnenbewaarplaats (allebei dag. 9.00-18.00 en nov-mrt tot 17.00). De laatste werd in 1942 ingericht om de as op te slaan van degenen die overleden in het getto – ze werden in kartonnen 'urnen' op planken gezet. De kartonnen dozen werden in november 1944 door de Duitsers naar de rivier de Ohře en concentratie-kamp Litoměřice gebracht, waar de as werd uitgestrooid. Het mortuari-um ertegenover is veranderd in een aangrijpend monument waarvan de centrale tunnel langs bewaard gebleven artefacten naar een achterkamer voert. Hier staat een grote menora naast zes glazen kisten gerangschikt in de vorm van een Davidster die aarde bevatten uit plaatsen waar bewoners van Theresienstadt werden vermoord. Iets verder de weg naar Bohušovice af voert een pad links naar het crematorium en de begraafplaats. De laat-ste wordt gedomineerd door een gestileerde menora en hier liggen onge-veer 9000 mensen begraven die in het eerste jaar van het bestaan van het getto overleden. Daarna werden de slachtoffers van het getto, van de Kleine Vesting en Litoměřice, gecremeerd (afgezien van een korte onder-breking tijdens het bezoek van het Rode Kruis). Het crematorium (dag. 10.00-18.00 en nov-mrt tot 16.00) heeft een tentoonstelling over dood en begrafenis in het getto rond de vier grote ovens. Bij de ingang ziet men een gedenksteen die daar in 1991 door Chaim Herzog is gelegd. De be-graafplaats werd voor de oorlog door het garnizoen gebruikt, vandaar het schijnbaar misplaatste monument voor Russische doden uit de Eerste Wereldoorlog. Er is ook een Sovjetbegraafplaats voor soldaten die stier-ven bij het bestrijden van de tyfusepidemie na de bevrijding.

Weer binnen de vesting waren in het zuidelijke bastion de bakkerij en de centrale voedselopslag ondergebracht, terwijl in de Hannoverkazerne ertegenover mannen sliepen. De Magdeburgkazerne naar het oosten was de zetel van de Raad van Ouderen en herbergt nu een onderdeel van het Gettomuseum (zelfde openingstijden en toegangsbewijs) dat aandacht be-steedt aan het culturele leven. Te midden van zalen die zijn gewijd aan theater, literatuur en muziek, valt vooral een over meer zalen verdeelde expositie van gettokunst op. Het werk van kinderen mag dan bekender zijn, wat de volwassenen hebben gemaakt, is net zo indrukwekkend en wordt hier tentoongesteld. Een gedeelte omvat 'illegale' kunst waarin het gettoleven realistisch wordt afgebeeld. Enkele kunstenaars die daarvoor verantwoordelijk waren, werden naar de Kleine Vesting gestuurd waar ze werden gemarteld en uiteindelijk vermoord. Een blok verder naar het noorden lag de voormalige brouwerij van het garnizoen, te herkennen aan de grote schoorsteen. De brouwerij werd omgebouwd tot een desinfectiecentrum dat al degenen die nieuw aankwamen moesten passeren. In augustus 1943 arriveerde een groep van 1260 kinderen uit Białystok in erbarmelijke conditie. Toen ze naar de doucheruimtes werden gebracht, reageerden ze hysterisch en weigerden naar binnen te gaan tot de Joodse medewerkers lieten zien dat het echte douches waren. Het feit dat de angst van de kinderen de bewoners van Theresienstadt verbijsterde, zegt alles over de mate waarin de Duitsers erin waren geslaagd het getto te isoleren. Het vervallen gebouw aan de overkant van de Parkstraße was een timmerwerkplaats. Het oostelijke bastion dat toegankelijk was vanuit de Rathausgasse, was de plaats waar de oudere en geesteszieke patiënten naartoe werden gebracht en waar die steeds vaker aan hun lot werden overgelaten om te sterven. De Hohenelbekazerne ertegenover deed dienst als het voornaamste ziekenhuis van het getto.

Weer terug bij het Stadtpark wordt de vesting verlaten via de oostelijke poort, waar borden de weg wijzen naar de plaats langs de Ohře waar in 1944 de as van 22.000 gettoslachtoffers door de Duitsers werd uitgestrooid. Het monument in het midden heeft de vorm van een grote gestileerde grafurn en ernaast staat een kleine grafsteen.

Terezín ligt op ongeveer 50 kilometer ten noorden van Praag en wordt op de 8/E55 met borden bewegwijzerd. Er is een vrij geregelde busdienst vanaf de busstations Florenc en Nádraží Holešovice in de hoofdstad.

De Kleine Vesting

De Kleine Vesting (dag. 8.00-18.00 (nov-mrt tot 16.30); Kč 170 of Kč 210 in combinatie met het Gettomuseum) ligt een paar honderd meter ten oosten van de Ohře, aan de hoofdweg. De vesting werd vanaf de achttiende eeuw gebruikt als gevangenis, aanvankelijk voor soldaten die een overtreding hadden begaan, maar later voor tegenstanders van de Habsburgers, waardoor het voor de nazi's een natuurlijke keus was om hier politieke gevangenen te interneren. Ongeveer 32.000 personen hebben er in de loop van de oorlog gevangen gezeten. De meesten werden doorgestuurd naar gevangenissen of kampen elders, hoewel 2600 mensen binnen de muren zijn overleden. De vesting was afgescheiden van het getto, maar meer dan 1500 Joden hebben er gevangen gezeten, gewoonlijk voor overtreding van gettoregels. Een derde verloor hier het leven. Het was echter de multinationale afkomst van de slachtoffers (onder wie Tsjechen, Polen, Sovjets en Duitsers) die ervoor zorgde dat de Kleine Vesting en niet het getto het belangrijkste punt van herdenking onder het communisme zou worden.

Langs de toegangsweg naar de vesting ligt de nationale begraafplaats waar zowel Joodse als niet-Joodse slachtoffers begraven liggen. Er staat een grote davidster, maar die valt bijna in het niet bij een enorm kruis. De Kleine Vesting voelt met een reeks cellenblokken rond het grote centrale binnenplein veel meer aan als een concentratiekamp dan het getto. Dit wordt nog benadrukt door de zogenaamde eerste binnenplaats links (noord) van de ingang die wordt betreden door een poort met het opschrift 'Arbeit macht frei'. De cellen meteen daarachter werden normaal gebruikt voor Russische soldaten en Joden die voorspelbaar de ergste behandeling kregen. De Israëlische ambassade heeft hier een gedenkplaat opgericht voor de Joodse slachtoffers. Blok 12 bevat de cel van Gavrilo Princip, de Bosnisch-Servische moordenaar van aartshertog Frans Ferdinand, die het grootste deel van de Eerste Wereldoorlog hier doorbracht en overleed in de Hohenelbekazerne in de grote vesting. Van de eerste binnenplaats kan men terugkeren naar het plein, of de lange, kronkelende tunnels door de fortificaties volgen die uitkomen bij het executieterrein buiten. De voormalige schietbaan werd vanaf 1943 gebruikt voor het doodschieten of ophangen van ongeveer 250 gevangenen, hoewel velen stierven door martelingen of uithongering.

Ten oosten van het centrale plein, door het blok waarin de SS-bioscoop was ondergebracht (nu gebruikt voor documentaires over de plaats) en na een monument met aarde van verschillende kampen, ligt de grote vierde binnenplaats, in 1943 door de nazi's aangelegd. In grote cellen links zaten tegelijk 400 tot 600 gevangenen. Toen het fort werd bevrijd, werden hier onder schrikbarende omstandigheden ruim 3000 gevangenen aangetroffen.

Het museum in de voormalige SS-kazerne ten zuiden van het centrale binnenplein besteedt aandacht aan de geschiedenis van de bezetting en aan die van de Kleine Vesting. De tentoonstelling omvat stukken die zijn gemaakt door gevangenen, waaronder verscheidene schilderijen uit het getto (hoewel niet als zodanig aangeduid). In de zuidwesthoek van het complex bevat de derde binnenplaats een weinig opgemerkte tentoonstelling over de geschiedenis van het nabijgelegen concentratiekamp Litoměřice; de eerste groepen gevangenen die werden uitgestuurd om het kamp aan te leggen, werden op deze binnenplaats ondergebracht.

LITOMĚŘICE

Ruim 3 kilometer ten noorden van Terezín vormde de stad Litoměřice (Leitmeritz in het Duits) de locatie van een kort bestaand maar meedogenloos concentratiekamp. Het werd opgezet als gevolg van de verhuizing van oorlogsindustrieën naar ondergrondse tunnels in reactie op geallieerde luchtaanvallen. Het programma met de codenaam *Richard* begon in maart 1944 en twee maanden later werd het kamp geopend als een subkamp van Flossenbürg, waarvan gevangenen werden aangevoerd om als slaven te werken in de bouwprojecten. In de laatste stadia van de oorlog werd Litoměřice ook een belangrijke bestemming voor de dodenmarsen, omdat het in een van de laatste gebieden lag die nog niet bevrijd waren. Onder de duizenden die hierheen gebracht werden waren 4000 Joden uit Auschwitz en Gross-Rosen. Deze enorme toevloed veroorzaakte de uitbraak van een tyfusepidemie die nog bovenop de gevolgen van ondervoeding en zware arbeid kwam. Hoewel het kamp nog geen jaar bestond – het werd op 5 mei 1945 bevrijd – overleden er 4500 van de 18.000 gevangenen.

Ook al lag het dichtbij en is er verborgen in de Kleine Vesting een expositie aan gewijd, toch schijnen maar weinig toeristen van de honderdduizenden die naar Terezín reizen, zich bewust te zijn van het bestaan van Litoměřice en wordt het door nog minder mensen bezocht. Er staat wel een opvallend en nogal verontrustend monument naast het crematorium van het kamp dat de vorm heeft van een grote kooi van gaas die lijkt op een fabriek waarin geketende poppen vastzitten aan een spoorkar of aan katrollen hangen. Boven in de 'schoorsteen' klimt een eenzame gevangene naar de vrijheid. Ernaast staat een symbolische urn die lijkt op die aan de oever van de Ohre in Terezín. Het crematorium zelf wordt onderhouden door het Terezín Monument en kan alleen worden bezocht door eerst schriftelijk een afspraak te maken (e-mail via de website) hoewel het mogelijk is door de tralies van de ramen te gluren. De plaats van het monument ligt ten westen van Litoměřice aan de Michalovická, een zijstraat van hoofdweg 261 die rond het centrum van de stad loopt. Om de plaats te bereiken moet de Michalovická ongeveer 500 meter worden gevolgd. Het is vlak nadat de straat de spoorlijn kruist. De plaats is meteen herkenbaar aan de reusachtige schoorsteen. Vlak voor dit punt ligt de begraafplaats van de stad aan de zuidzijde van de weg waarop vlak bij de ingang een monument staat voor de vermoorde Joden uit de plaats.

Het feit dat delen van het kamp zelf nog intact zijn, is nauwelijks openbaar gemaakt. Na de oorlog werd het kamp overgenomen door het Rode Leger en hoewel de Sovjets zijn vertrokken, is de weliswaar vervallen locatie nog steeds een militaire basis. Toegang is uiteraard verboden, maar het grote complex kan worden gezien vanaf de Kamýcká ten noordwesten van het centrum die vanaf de 261 bereikbaar is over de Liškova (de basis en het crematorium worden gescheiden door een fabriekscomplex). De tunnels in de heuvels naar het westen zijn er ook nog en worden onderhouden door het Terezín Monument, maar zijn niet toegankelijk voor bezoekers.

Litoměřice ligt aan de overkant van de Elbe, op korte afstand van Terezín, en is gemakkelijk per auto of bus te bereiken.

ANDERE LOCATIES

Een van de belangrijkste Holocaustmonumenten is de 'Tuin der Herinneringen' in Plzeň (Pilsen), gelegen in de ruïne van de Hulpsynagoge naast de Oude Synagoge aan de Smetanovy sady 5. In april 2002 schreven plaatselijke vrijwilligers de namen van holocaustslachtoffers uit de stad op meer dan 2600 stenen die nu de vloer bedekken. De Grote Synagoge die op korte afstand aan de Sady pětatřicátníků 11 ligt, is de op twee na grootste ter wereld.

De meeste monumenten staan op Joodse begraafplaatsen. Een beroemd voorbeeld staat in Kolín, ten oosten van Praag. Het lot van de Joden uit de stad is een van de minder bekende elementen van de brute vergeldingsmaatregelen na de moordaanslag op Heydrich. Uit Kolín en omgeving werden op 10 juni 1942 1000 inwoners opgepakt en gedeporteerd met een speciaal transport dat opmerkelijk genoeg niet meteen naar Theresienstadt ging, maar op het station van Bohušovice werd vastgehouden, terwijl het aantal mensen werd gecontroleerd. Toen werd ontdekt dat er 1050 personen in de trein zaten, werden 50 naar het getto teruggemarcheerd. De resterende 1000 werden nooit meer teruggezien. De begraafplaats aan de Veltrubská in het noorden van de stad bevat een monument waarop de namen van 487 slachtoffers staan opgesomd. De drukker bezochte oude begraafplaats, een van de voornaamste van Centraal-Europa, ligt aan de Kmochova, vlak ten westen van het centrum van de plaats. Toegang tot beide is te regelen via het Toeristenbureau naast de gerestaureerde synagoge aan de Na Hradbách.

Het beroemdste slachtoffer van de vergeldingsacties voor Heydrich was het dorp Lidice, vlak ten noordwesten van Praag. De SS nam op de avond van 9 juni 1942, de dag van de begrafenis van de *Reichsprotektor*, bezit van het dorp. Alle mannen werden doodgeschoten. De vrouwen werden naar Ravensbrück gestuurd (waar er meer dan 50 overleden) en 82 kinderen werden naar het getto van Łódź gedeporteerd voordat ze in Chełmno werden vergast. In totaal verloren 340 Tsjechen het leven. Het dorp zelf werd met de grond gelijkgemaakt. Na de oorlog werd besloten de ruïnes als monument zo te laten liggen, terwijl ernaast een nieuw Lidice werd gebouwd. Het resultaat is een aangrijpend testament van de verschrikkingen van het nazisme. Bovendien staat er een nieuw museum (dag. 9.00-18.00 (mrt tot 17.00 en nov-feb tot 16.00); Kč 80; www.lidice-memorial.cz).

Twee weken na de verwoesting van Lidice onderging het dorp Ležáky eenzelfde lot. Hoewel het om een kleiner aantal ging, was de vernietiging nog vollediger, omdat alle 33 volwassenen en 11 kinderen werden vergast in Chełmno. In tegenstelling tot Lidice werd er geen nieuw dorp gebouwd. Alleen gedenktekens en een klein museum (mrt-okt: di-zo 9.00-17.00; Kč

30; www.lezaky-memorial.cz) markeren de locatie. Ležáky kan worden bereikt door van Pardubice de 37 naar het zuiden te nemen en ongeveer 11 kilometer ten zuiden van Chrudim de 337 in te slaan. Het ligt ten zuiden van het dorp Miřetice.

Locaties die speciaal verband houden met het leed van Roma zijn historisch beschouwd niet goed herdacht. Een uitzondering is het Museum van Roma Cultuur in Brno (di-vr en zo 10.00-18.00; Kč 60; www. rommuz.cz) dat ten oosten van het stadscentrum aan de Bratislavská 67 ligt. De permanente tentoonstelling besteedt aandacht aan de Holocaust in het bredere verband van de geschiedenis van de Tsjechische en Slowaakse Roma en Sinti. De Joden van Brno, van wie er ongeveer 10.000 werden vermoord, worden herdacht met een eenvoudig monument op de Joodse begraafplaats aan de Nezamyslova 27 in het oosten van de stad, en met een plaquette op de plaats van de Nieuwe Synagoge (in de jaren tachtig van de vorige eeuw door de communisten gesloopt) aan de Ponávka 8 dichter bij het centrum. De enig bewaard gebleven synagoge die nog in gebruik is (buiten Praag de enige in het hele land) is een kleurloos modernistisch gebouw uit de jaren dertig van de vorige eeuw aan de Skořepka 13.

In 2008 kondigde de regering aan dat een Holocaustmonument, tevens educatief centrum, voor de Roma zou worden gecreëerd op de plaats van het Hodonín 'zigeuner'-kamp. Dit plan is echter sterk teruggedraaid en onderwerp van controverses. In 2011 heeft de regering het Museum van Romani cultuur uit het project geschrapt. Hopelijk zal een bescheidener complex in de komende jaren worden voltooid. Dit was één van twee van dergelijke plaatsen – de andere ligt in Lety – die oorspronkelijk waren bedoeld als werkkamp voor 'asociale' elementen, maar in oktober 1942 werden omgevormd om Roma gevangen te houden, van wie de meesten (bijna 1500) werden gedeporteerd naar Auschwitz. Nog eens 500 overleden tijdens de tyfusepidemieën waardoor beide kampen werden getroffen. Aan deze geschiedenis werd na de oorlog totaal geen aandacht besteed. Op een zelfs voor communistische normen botte manier werd in de jaren zeventig besloten in Lety een varkensfokkerij op industriële schaal te bouwen. Hodonín bleef een werkkamp (voor tegenstanders van het communisme) tot het een recreatiecentrum voor kinderen werd en daarna een toeristisch complex. In de jaren negentig werden dicht bij beide plaatsen eenvoudige monumenten opgericht, maar pogingen om de geschiedenis ervan duidelijker te belichten ondervonden tegenstand van nationalistische en communistische politici. Hodonín ligt aan weg 19/150 ten westen van Kunštát (ongeveer 40 kilometer ten noorden van Brno) en moet niet worden verward met de plaats van dezelfde naam aan de Slowaakse grens. Sinds 2009 valt het monument Lety bestuurlijk onder het monument Lidice (www.lety-memorial.cz). De plaats ligt ongeveer 65 kilometer ten zuidwesten van Praag. Men neemt weg 4 naar het zuiden en draait de 19 op. Na het dorp Lety in de richting van Orlík nad Vltavou te zijn gepasseerd, staat het monument ('*Památník*') met borden aangegeven.

8

Slowakije

In tegenstelling tot de Tsjechische buur was Slowakije tijdens de oorlog in naam onafhankelijk; toch was de collaborerende regering de eerste die de eigen Joden bereidwillig overdroeg aan de Duitsers. Als gevolg daarvan werd bij benadering 80% van de Slowaakse Joden vermoord.

Joden woonden al in de Romeinse tijd in het gebied dat Slowakije zou worden, maar de bevolking fluctueerde totdat in de achttiende en negentiende eeuw een periode van gestage groei aanbrak die gepaard ging met meer gelijkheid op het punt van burgerrechten. De volkstelling van 1930 kwam uit op 135.918 Slowaakse Joden. Hoewel het land en met name Bratislava de reputatie had streng orthodox te zijn, bestond er een vrije, grote geassimileerde gemeenschap waarin de Hongaarse taal en cultuur toonaangevend waren. Het orthodoxe jodendom kende zelf een scheiding tussen de traditionalistische hoofdrichting en een sterke chassidische stroming in het oosten. Naast deze ontwikkelingen speelde antisemitisme een steeds grotere rol in de Slowaakse politiek en dan vooral onder de nationalisten die hadden gehoopt op een onafhankelijke staat toen het Habsburgse rijk ineenstortte. De Joden werden ervan beschuldigd dragers van een vreemde Hongaarse cultuur te zijn en paradoxaal genoeg kregen ze ook te horen 'Praag-georiënteerd' te zijn.

Het antisemitisme werd enigszins in toom gehouden door de liberale democratie die Tsjecho-Slowakije was, maar dit evenwicht werd verstoord door de gebeurtenissen van 1938-1939. Na het verdrag van München werd Slowakije een autonome regio, maar de oostelijke provincies

gingen wel verloren aan Hongarije. De teleurstelling die de nationalisten mogelijk voelden, viel algauw in het niet bij het ontstaan van een onafhankelijk Slowakije. Dit werd voor het eerst in de geschiedenis in maart 1939 een feit, omdat Hitler Tsjecho-Slowakije ten slotte in stukken hakte. De nieuwe eenpartijstaat met aan het hoofd de rechtse katholieke priester Jozef Tiso was tot op zekere hoogte een marionettenregime, hoewel de leiders nauwelijks aangemoedigd hoefden te worden om een anti-Joodse politiek te volgen. Al in de herfst van 1938, dus nog voor de onafhankelijkheid, voerde de door de SS beïnvloede, paramilitaire Hlinka-garde aanvallen op Joden uit en dwongen zij velen om over de nieuwe grens met Hongarije te vluchten. De 89.000 die woonden in wat er van Slowakije was overgebleven, werden onderworpen aan een reeks wetten die hen in de loop van 1939 en 1940 beroofde van hun politieke en economische rechten, een proces dat duidelijk was geënt op de Duitse politiek. Na een ontmoeting tussen Hitler en de Slowaakse leiders in juli 1940 werd zelfs besloten een Duitse adviseur op het gebied van Joodse zaken naar Bratislava te sturen, in de persoon van Dieter Wisliceny. In het jaar daarop werden 10.000 Joodse bedrijven en winkels onder dwang gesloten. De deelname van Slowakije aan de oorlog met Rusland in 1941 bracht een verdere radicalisering van de politiek mee, die ten slotte uitliep op de afkondiging van de Židovský Kódex (Joodse Wet) in september; deze wet was gebaseerd op de Neurenberger rassenwetten. Joden werden ook verdreven uit bepaalde stedelijke gebieden, moesten een gele ster dragen en werden verplicht dwangarbeid te verrichten.

Het is dus nauwelijks verrassend dat Slowakije graag meedeed toen de nazi's begonnen met hun massadeportaties. Het eerste transport vertrok eind maart 1942 en in juni stemde de regering er zelfs mee in om de Duitsers een vergoeding van omgerekend € 1,3 miljoen te betalen voor het opnemen van de eigen Joden, op voorwaarde dat ze nooit terug zouden keren. Tussen maart en oktober 1942 werden meer dan 58.000 Joden naar Polen gestuurd en 3500 anderen werden geïnterneerd in drie werkkampen (Sereď, Nováky en Vyhne) in Slowakije. De reactie van de Joodse leiders op deze ontwikkelingen was ongebruikelijk. De *Ústredňa Židov* (Joodse centrale) was in september 1940 opgericht als een Slowaakse tegenhanger van de Joodse Raden in andere landen. Enkele leden daarvan richtten de *Pracovná Skupina* (Werkgroep) op, een semiondergrondse organisatie die de deportaties probeerde te voorkomen. Tot hun methoden behoorden hulp bij de ontsnapping naar Hongarije, uitbreiding van de werkkampen om aan te tonen dat Joodse arbeid van essentieel belang was en, het meest aanvechtbaar, grote omkoopbedragen voor Wisliceny. De deportaties stopten inderdaad in oktober 1942, hoewel geschiedkundigen eerder druk op Tiso uit delen van de regering en van de kant van de katholieke kerk als oorzaak daarvan zien. De Joodse leiders vonden dit echter bemoedigend genoeg om het Europa Plan te lanceren, een ambitieuze poging om de overgebleven Joden in Slowakije en elders te redden door Joden in de vrije wereld een losgeld van € 1,5-2,5 miljoen te laten opbrengen – en dat Wisliceny eiste. Natuurlijk was dit niet realistisch en de motieven van Wisliceny waren ook niet duidelijk. Afgezien daarvan zijn sommige geschiedkundigen van mening dat het voortzetten van de onderhandelingen in elk geval heeft voorkomen dat de deportaties meteen werden hervat. Het uitstel bleek tijdelijk te zijn en ironisch genoeg was dat een gevolg van het groeiende verzet tegen de Duitse overheersing. De nationale Slowaakse opstand, van augustus tot oktober 1944, was de grootste uiting van verzet tegen de nazi's in Centraal-Europa – *onder de tienduizenden die eraan deelnamen bevonden zich* 2000 Joden – maar uiteindelijk werd de opstand neergeslagen, waardoor de Duitsers in staat waren grote delen van het land direct te bezetten en nog eens 13.500 Joden te deporteren. Al met al verloren minstens 70.000 van de 89.000 Joden die Slowakije eind 1938 telde, het leven. Daarnaast werden de meesten van de 46.000 die in de verloren gegane provincies woonden, slachtoffer van de Hongaarse deportaties van 1944. Van de vooroorlogse bevolking van 135.000 zielen zullen dus naar schatting 25.000 tot 30.000 Joden het hebben overleefd. Zij kregen na de oorlog te maken met pogroms die mogelijk waren georganiseerd door het nieuwe communistische regime, waarna de meesten in 1948-1949 het land verlieten.

De communistische herdenking van de oorlog had als zwaartepunt de nationale opstand, zeker niet de Holocaust. Ook nu heeft Slowakije nog minder Holocaustmonumenten dan de buurlanden. De oorlog blijft ook een punt van onenigheid, zoals in 2000 duidelijk bleek uit de internationale discussie die oplaaide na het openbaar worden van plannen om in Žilina een gedenkplaat voor Tiso te onthullen. Toch is er sinds de val van het communisme weer een kleine Joodse gemeenschap aan het ontstaan, is een aantal Joodse eigendommen teruggegeven en heeft er een openbaar, vaak pijnlijk, onderzoek plaatsgevonden naar de bedroevende rol van Slowakije bij de Holocaust.

BRATISLAVA

Al in de tiende eeuw was sprake van een gedocumenteerde Joodse aanwezigheid in Bratislava, maar pas in de zeventiende eeuw, toen deze plaats als Pozsony de hoofdstad van Hongarije was, ontwikkelde de stad zich echt tot een belangrijke Joodse metropool. Het werd in het begin van de negentiende eeuw een vooraanstaand centrum van orthodox jodendom, hoewel er later sprake was van een schisma tussen orthodoxe en neologe gemeenschappen; deze scheuring verspreidde zich door heel Habsburgs Hongarije. Bratislava verwierf echter ook een reputatie voor antisemitisme, vooral nadat de stad deel was gaan uitmaken van Tsjecho-Slowakije, en de Slowaken de Joden begonnen te identificeren met de voormalig dominante Duitse en Hongaarse elite van de stad. Dit werd erger aan het eind van de jaren dertig van de vorige eeuw en in oktober 1938 vonden er na het Verdrag van München en kort voor de Slowaakse onafhankelijkheid in maart 1939 anti-Joodse rellen plaats. De Joodse bevolking van Bratislava – die eind 1940 een omvang had van 15.000 zielen – kreeg met steeds meer vervolging te maken, tot er een dramatische terugval in aantallen plaatsvond doordat de regering Tiso in het najaar van 1941 besloot de Joden uit bepaalde wijken van de stad te verbannen. Tegen maart 1942 waren 6700 Joden uit hun huizen verdreven en onder dwang verhuisd naar de provincie of naar nieuw opgezette werkkampen. Hun eigendommen werden geplunderd door de staat en aan Slowaken gegeven. De meesten van degenen die achterbleven, werden in 1942 of na de Duitse bezetting in 1944 gedeporteerd. De Holocaust in Brastislava kreeg net als in het nabijgelegen Wenen een nieuwe dimensie met de komst van duizenden Hongaarse Joden die in 1944 als dwangarbeiders te werk werden

Bratislava: Museum van Joodse Cultuur (foto van de auteur)

gesteld aan verdedigingswerken. Ze werden tot eind maart 1945 ondergebracht in het kamp Engerau en moesten daarna aan een dodenmars
beginnen. Degenen die niet konden lopen werden in hun barakken vermoord. Slechts een klein aantal overlevende Joden kon op 4 april 1945
het Rode Leger in Bratislava welkom heten. De verschrikking was daarmee echter nog niet ten einde. Antisemitische relletjes die in 1946 twee
dagen aanhielden, werden in 1948 gevolgd door meer geweld. Het zal
geen verbazing wekken dat de meeste overlevenden van de Holocaust het
land verlieten en dat men aanneemt dat de Joodse bevolking van Bratislava tegenwoordig nog geen 1000 personen telt.

De historische Joodse wijk die tot de jaren zestig van de vorige eeuw
onder de burcht lag, werd met een groot deel van de Oude Stad afgebro-

ken bij een kenmerkend gevoelloos communistisch stedelijk ontwikke-
lingsprogramma waarbij de enorme Nový Most over de Donau werd gebouwd en een aansluitende hoofdweg, de Staromestská, door het hart
van de stad werd aangelegd. Het enige dat nog rest van de Joodse wijk is
één enkele straat, de Židovská, tussen de burcht en Staromestská. Het
kleine, maar mooie Museum van Joodse Cultuur op nummer 7 (zo-vr
11.00-17.00; € 7,00) bevat een zaal die is gewijd aan de Holocaust in
Slowakije. Op een herdenkingsmuur staan de namen van de rabbijnen die
zijn overleden in de kampen.

Aan de Zámocká, linksaf bij het noordelijk einde van de Židovská,
staat op de plaats waar de straat zich splitst een eenvoudig monument
voor Raoul Wallenberg. Het voornaamste Holocaustmonument van Bratislava bevindt zich op het plein bij de Martinuskathedraal aan het eind
van de Panská (wandel van het museum naar het zuiden over de Židovská
en door de tunnel onder de hoger gelegen Staromestská). Het monument
uit 1996 staat op de plaats van de voormalige Rybné-plein synagoge die
in 1967 door de communisten werd afgebroken. Op de achterste muur
van de tunnel is een omtrek getekend van het gebouw met Moorse invloe-
den dat een achtergrond vormt voor een sculptuur van verwrongen metaal, met afdrukken van handen en prikkeldraad, en erbovenop een davidster. Op de voet van het beeld staat in het Slowaaks '*Pamätaj*' en in het
Hebreeuws '*Zachor*' ('gedenk').

De enige nog bestaande synagoge in Bratislava is een nogal intimide-
rend orthodox bouwwerk aan de Heydukova 11-13, ten noordoosten van
de Oude Stad, in het voornaamste winkelgebied. Sinds 2011 biedt de synagoge onderdak aan het kleine Museum van de Joodse gemeenschap
(jun-okt: vr 13.00-16.00, zo 10.00-13.00; toegang gratis; www.synago-
gue.sk). Het belangrijkste monument voor orthodoxe joden is echter de
graftombe van Chatam Sofer, gelegen aan de Nábrežie armádneho ge-
nerála Ludvika Svobodu, de hoofdstraat die vanaf de Nový Most langs de
noordelijke oever van de Donau naar het westen loopt (trams 4, 12 en 17,
halte Chatam Sófer). De in Duitsland geboren Jood Sofer was een van de
belangrijkste religieuze denkers van Europa uit het begin van de negentiende eeuw. Hij gebruikte zijn rabbinaat en zijn jesjiva in Bratislava als

een platform om onverzoenlijk oppositie te voeren tegen de joodse verlichting. De plaats was oorspronkelijk een Joodse begraafplaats die in 1943 door het Tiso-regime werd geruimd. Een klein gedeelte onder de nieuwe weg met Sofers graf bleef gespaard. Er zijn verschillende redenen aangedragen voor deze beslissing, waaronder omkoping en angst voor vervloeking. De plaats werd onder het communisme verwaarloosd, maar is niet zo lang geleden grondig gerestaureerd. De graftombe wordt betreden via een opvallend smal zwart bouwwerk naast de tramtunnel, onder de burchtheuvel. Bezoek moet vooraf worden besproken (www.chatamsofer.com). Aan de Žižkova, die achter het Sofermonument loopt, liggen bij nummer 36 en 50 nog twee bewaard gebleven Joodse begraafplaatsen.

Aan de overkant van de Donau was de saaie voorstad Petržalka in de laatste maanden van de oorlog de locatie van het werkkamp Engerau voor Hongaarse Joden. Zelfs na de invoering van de communistische stadsplanning zijn nog herinneringen aan deze gebeurtenissen bewaard gebleven. Bijna meteen ten oosten van de uitgang van de voetgangersbrug van de Nový Most ligt de herberg Leberfinger, in een park aan de Viedenská cesta. De herberg staat er al sinds de tijd van Napoleon, maar werd door de Duitsers gevorderd; enkele gevangenen werden opgesloten in de stallen achter het hoofdgebouw. Toen Engerau op 29 maart 1945 werd geëvacueerd, werden dertien gevangenen op de binnenplaats doodgeschoten. Zij behoren tot de 497 Hongaarse Joden die begraven liggen in een massagraf op perceel XII van de begraafplaats van Petržalka, veel verder naar het zuiden. Een eenvoudige gedenksteen met de namen van 36 slachtoffers markeert de plaats (rechts van het administratiegebouw aan de achterkant). Er zijn ook dertien individuele grafstenen. Bij de begraafplaats stopt bus 180, maar die rijdt alleen in het zuiden van Petržalka. Gemakkelijker is het om een trein of trolleybus naar het station Petržalka te nemen, vanwaar het een kwartier lopen is. Neem de westelijke uitgang van het station, sla linksaf de Kopčianska op, dan rechts de Údernícka, links de Gogoľova, rechts de Dargovská en ten slotte links de Nábrežná. De begraafplaats ligt aan het eind van de straat. Deze route voert ook langs het grote industriële Matador complex met de voormalige Semperit fabriek die het hart van het werkkamp vormde.

SERED'

Sered' was het bekendste en uiteindelijk ook belangrijkste Slowaakse kamp. Het werd opgezet als een van de resultaten van de Joodse Wet uit 1941. Gedurende de volgende winter veranderde een ploeg Joodse vaklui de voormalige militaire basis in een dwangarbeiderskamp. Het initiatief voor deze ontwikkeling lag deels bij de leiding van de Joodse gemeenschap en maakte deel uit van de strategie om arbeid in te zetten als middel om deportatie te voorkomen. Tegen de tijd dat het kamp in het voorjaar van 1942 echter in bedrijf kwam, waren de deportaties begonnen en Sered' werd onder toezicht van de Hlinka-garde ook een doorgangskamp. Ongeveer 4500 Joden werden in 1942 in vijf transporten naar Polen gestuurd. Het laatste daarvan vertrok op Jom Kipoer. Daarna werd de toestand gestabiliseerd en werkten er ongeveer 1000 Joden in het kamp, een aantal dat in 1943 opliep tot 1300. Sered' werd door de autoriteiten zelfs als productief genoeg beschouwd om het kamp gedeeltelijk te laten besturen door een Joodse Raad, onder leiding van Alexander Pressburger. Dit betekende grotere voedselrantsoenen, scholing voor kinderen en zelfs tijdelijke verlofpassen voor bevoorrechte kampbewoners. Tijdens de nationale opstand van 1944 speelden deze gevangenen een actieve rol en velen konden ontsnappen. Sered' werd echter door de Duitsers heroverd en werd daarna het voornaamste doorgangskamp voor de delen van Slowakije die nog onder nazibestuur vielen. Tussen oktober 1944 en maart 1945 werden 13.500 Joden naar Auschwitz, Theresienstadt en Sachsenhausen gedeporteerd. Het Rode Leger bevrijdde het kamp op 1 april, een dag na het laatste transport.

Na de oorlog kreeg kamp Sered' de oorspronkelijke functie van militaire basis terug. Tot op de dag van vandaag is het militair terrein dat natuurlijk niet toegankelijk is en jarenlang was er niets om bezoekers of inwoners te herinneren aan het verleden. Er is nu een eenvoudig monument, een betonnen pilaar bij de poort waarin 'Zachor' is gegraveerd, hoewel de metalen plaquette met uitleg over het gedenkteken is verdwenen. Afgezien daarvan is Sered' een nogal intrigerende plaats om te bezoeken. Het is immers een voormalig concentratiekamp dat nog steeds wordt gebruikt. De gebouwen langs de straat zijn van na de oorlog, maar de hekpalen zijn origineel, net als de barakken die door het hekwerk van de poort zichtbaar zijn.

Sereď ligt 50 kilometer ten noordoosten van Bratislava en is per bus of trein bereikbaar. In het laatste geval moet worden overgestapt in Trnava of Galanta. Het kamp ligt aan de Kasárenská, in het westen van de stad, bijna recht tegenover het station, maar helaas aan de andere kant van het spoor. Het is daardoor noodzakelijk om vanaf het station de Železničná af te lopen naar het zuiden en bij de Dionýza Štúra, de hoofdstraat die naar het westen de stad uit gaat, rechtsaf te slaan. De Kasárenská is de straat rechts vlak na de spoorbrug, met op de hoek de stedelijke begraafplaats. Naar het kamp is het vanaf hier een korte wandeling nadat de Kasárenská een bocht naar links heeft gemaakt. Bezoekers die per auto komen, nemen op de E571 de afslag Sereď en slaan linksaf de Kasárenská in op de plek waar vlak voor de brug over het spoor de begraafplaats opdoemt.

ANDERE LOCATIES

Raadpleeg voor een uitstekende database van locaties www.slovak-jewish-heritage.org. Nitra, op ruim 70 kilometer ten noordoosten van Bratislava, aan de E571, beschikt over het enige Holocaustmuseum van Slowakije (di, za-zo 13.00-18.00, wo-do 9.00-12.00 en 13.00-18.00; € 1,00) in de vrouwengalerij van de voormalige synagoge aan de Pri synagóge 3. De grote Joodse begraafplaats van de stad (do, zo 8.00-14.00) ligt aan de Hviezdoslavova trieda, ten zuidwesten van het centrum.

Eenvoudige monumenten van het soort dat in Sereď is te zien, zijn op drie andere belangrijke plaatsen opgericht. Het werkkamp Nováky wordt aangeduid met een plaquette aan de buitenmuur van het station van de stad, aan de Gašpara Košťála (het kamp lag feitelijk buiten de stad, maar die plaats is niet toegankelijk). Nováky ligt vlak ten zuiden van de 50/E572, ruim 55 kilometer ten noordoosten van Nitra. Het kamp in Vyhne dat vanuit Bzenica is te bereiken over een secundaire weg ten oosten van de 65/E571, werd aan het eind van de oorlog geplunderd en verwoest door de plaatselijke inwoners; op deze locatie ligt een vrij nieuw waterpark. In het centrum van het dorp staat wel een herdenkingsteken dat vergelijkbaar is met dat in Sereď en dat aan de kant van de straat gemakkelijk over het hoofd wordt gezien. Een plaquette herdenkt het eerste Slowaakse transport naar Auschwitz (25 maart 1942) op het station van de noordelijke plaats Poprad, die ligt aan de Jiřího Wolkera. Een andere plaquette is aangebracht aan de muur van de voormalige synagoge aan de Popradskej brigády 9, iets verder naar het oosten.

Vanaf mei 1944 werden tijdens de Hongaarse deportaties bijna 15.000 Joden uit Košice en het omliggende gebied naar Auschwitz gestuurd. Deze gebeurtenissen worden herdacht met plaquettes op de synagoge aan de Puškinova 3, vlak ten oosten van het centrum waar Joden voorafgaand aan de deportatie werden vastgehouden. Een voormalige chassidische gebedshal ligt om de hoek aan de Krmanova 5, terwijl een zeldzaam bewaard gebleven voorbeeld van een orthodox-joods woonblok van het type dat in dit deel van Europa gebruikelijk was, aan de Zvonárska 7 ligt. Op korte afstand vindt men ten westen van het centrum een andere voormalige synagoge, aan de Moyzesova 66, die een opvallende koepel heeft. Op de koepel stond ooit een grote davidster, die nu een Holocaustmonument vormt op de grote Joodse begraafplaats. De begraafplaats kan worden betreden via het stedelijke christelijke kerkhof aan de Ratislavova 83, ten zuiden van het centrum.

9

Hongarije

Hoewel Hongarije later dan enig ander land te maken kreeg met de Holocaust en dat ook nog op een moment dat de Duitsers de oorlog duidelijk gingen verliezen, waren de effecten zo direct en vernietigend, dat dit land – afgezien van Polen en de USSR – het hoogste aantal Joodse verliezen telde. De grootste groep slachtoffers van Auschwitz-Birkenau waren Hongaarse Joden. Zelfs nadat de verzwakking van de Duitse militaire positie en politieke veranderingen in Hongarije een eind hadden gemaakt aan de deportaties, moesten de overlevende Joden een brute geweldscampagne ondergaan van binnenlandse fascisten die nog eens tienduizenden levens eiste.

Hoewel Joden al sinds de Romeinse tijd in het gebied hadden gewoond – lang voor de Hongaren zelf – kwamen in de middeleeuwen belangrijke gemeenschappen tot ontwikkeling. Die waren net als in buurlanden onderworpen aan hetzelfde wisselende patroon van vervolging en intolerantie, tot de Turkse overheersing in de zestiende eeuw meer stabiliteit en welvaart bracht. Oostenrijkse veroveringen vanaf het eind van de zeventiende eeuw brachten echter een opleving van het antisemitisme teweeg, iets wat pas in de jaren tachtig van de achttiende eeuw enigszins begon af te nemen, hoewel er in die periode ook sprake was van een aanzienlijke Joodse immigratie. Op religieus gebied behoorden de Hongaarse Joden tot de meest uiteenlopende stromingen van Europa, doordat de hoofdstroming rond de jaren 1860 uiteen was gevallen in orthodox, neoloog (liberaal) en status quo (met geen van beide verbonden). Er waren ook belangrijke chassidische gemeenschappen in het oosten van het

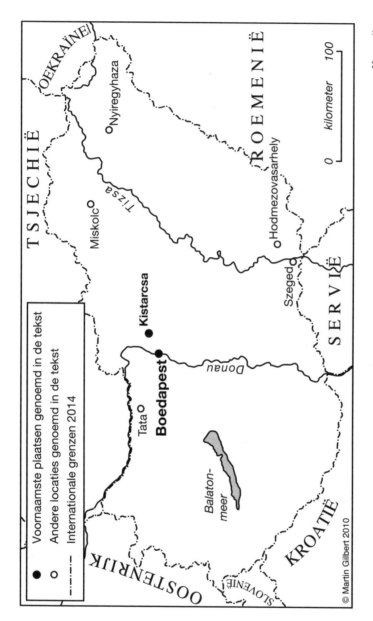

land. Afgezien daarvan waren de meeste Joden verenigd door een sterk gevoelde Hongaarse identiteit die was ontstaan bij de strijd om een grotere autonomie vanuit Oostenrijk. De Joden hadden daardoor ook de neiging zichzelf te zien als een onlosmakelijk en geïntegreerd onderdeel van de Hongaarse maatschappij.

Dit zou veranderen in de nasleep van de Eerste Wereldoorlog toen Hongarije bij het Verdrag van Trianon in 1920 werd beroofd van twee derde van het grondgebied. Het gevoel van wrok dat daardoor werd opgewekt, legde het fundament voor een nationalistische beweging die hereniging nastreefde en die net zo fanatiek was als die in Duitsland. De gevoelens van verlies en woede werden over het algemeen gedeeld door de Joden, en niet in het minst door degenen die moesten ontdekken dat ze ineens in Tsjecho-Slowakije, Roemenië of Joegoslavië woonden. Niettemin kreeg het Hongaars nationalisme net als in Duitsland algauw een sterk autoritair karakter dat nog werd versterkt door een toenemend antisemitisme. De mislukte communistische revolutie van 1919, waarvan een aantal leiders Joods waren, werd gevolgd door pogroms. De opkomst in 1920 van admiraal Miklós Horthy als regent (staatshoofd) resulteerde in een verzwakking van democratische instituten, hoewel het parlement nog bleef bestaan. Antisemitisme speelde geen centrale rol in het conservatief nationalisme van Horthy, maar wel bij de radicalere elementen in het parlement, met als gevolg dat Hongarije in het interbellum de eerste staat was die een anti-Joodse wet aannam, die in 1920 quota's vaststelde voor inschrijvingen aan de universiteiten. Het waren echter de oogmerken van de Hongaarse buitenlandse politiek die uiteindelijk fataal zouden blijken te zijn voor de Joden. Ofschoon Horthy de ontluikende fascistische beweging onder leiding van Ferenc Szálasi onder de duim probeerde te houden, leidde zijn verlangen naar het terugdraaien van Trianon tot een steeds nauwere band met Duitsland. Hongarije werd beloond met de teruggave van gebiedsdelen van Slowakije en Roemenië, in respectievelijk 1938 en 1940. Het land sloot zich formeel in oktober 1940 bij de As-mogendheden aan en breidde het eigen territorium verder uit door in maart 1941 deel te nemen aan de inval in Joegoslavië.

De prijs voor deze successen werd in toenemende mate betaald door de Joodse bevolking die van minder dan 450.000 in het Trianon Hongarije door de territoriale aanwinsten was toegenomen tot 725.000 (en zelfs een totaal van 825.000 indien christenen van joodse komaf worden meegeteld). Wetten uit 1938 en 1939 stelden quota's vast voor beroepen en zaken gevolgd door een rassenstatuut op basis van de Neurenberger wetten in 1941. Szálasi, die in 1938 gevangen was gezet, kwam in 1940 vrij, hoewel zijn beweging (in 1939 georganiseerd in de Pijlkruispartij) officieel werd verboden. Het is dramatisch te noemen dat Joodse mannen bij het uitbreken van de Europese oorlog werden opgeroepen voor arbeidsdienst die zijdelings verband hield met militaire dienst (zij mochten niet dienen als soldaat). Toen Hongarije zijn verplichtingen aan de As-mogendheden nakwam door mee te doen aan de inval in de USSR, werden tienduizenden Joden naar het Oekraïense front gestuurd om als dwangarbeiders bouwprojecten uit te voeren. Tot maart 1944 verloren daar minstens 27.000 Joden het leven. Nog eens 20.000 Joden zonder Hongaars staatsburgerschap werden op verzoek van Duitsland in augustus 1941 naar Oekraïne gedeporteerd. In theorie werden zij daar ook als dwangarbeiders naartoe gestuurd, maar de overgrote meerderheid – minstens 15.000 – werd vermoord door de *Einsatzgruppen*. De Hongaren zelf richtten in januari 1942 een berucht bloedbad aan onder Joden en Serven in de geannexeerde Joegoslavische stad Novi Sad.

Ondanks deze gruwelen weigerde Horthy te voldoen aan Duitse verzoeken om Hongaarse Joden te deporteren. Net als in Italië waren het ironisch genoeg de mindere militaire prestaties van de As-mogendheden die verandering brachten in deze toestand. Horthy, voor wie de verbintenis altijd vooral een verstandshuwelijk was geweest, probeerde zich na Stalingrad in toenemende mate aan de oorlog te onttrekken. Om echter een Hongaarse terugtocht te voorkomen, viel Duitsland het land op 19 maart 1944 binnen. Horthy bleef weliswaar aan, maar er werd een nieuwe regering geïnstalleerd die de Duitse belangen was toegedaan. Een speciale SS-ploeg onder leiding van Eichmann begon snel met zijn gruwelijke werk en voerde als eerste op 5 april de gele ster in. Vanaf 15 april werden Joden die buiten de hoofdstad woonden geconcentreerd in de grotere steden, die tijdelijke getto's werden (geen enkele daarvan bestond langer dan zes weken). Systematische deportatie begon op 15 mei 1944, waardoor in minder dan twee maanden 434.351 mensen werden getransporteerd in meer dan 145 treinen. De meeste Joden gingen naar Auschwitz waar ze bij aankomst werden vermoord. Het feit dat de Duitsers zo'n ingewikkelde logistieke operatie uitvoerden op het moment dat elke trein nodig was voor de oorlogsinspanning, zegt alles over de prioriteiten van de nazi's.

Tegen juli was de Joodse gemeenschap van Boedapest nog als enige overgebleven en zij vormde daarmee het laatste doelwit van Eichmann. Horthy stopte de deportaties echter op 7 juli. Hij hoopte nog steeds Hongarije aan de oorlog te kunnen onttrekken en werd steeds banger voor geallieerde vergelding. Twee Slowaakse Joden, Rudolf Vrba en Alfréd Wetzler, waren in april uit Auschwitz ontsnapt en zij wilden zowel het Westen als de Hongaarse Joden op de hoogte stellen van de moorddadige activiteiten. De leiders van de laatste groepering kozen er echter voor het rapport niet openbaar te maken – wat sindsdien de oorzaak is van een enorme controverse. De meest geopperde reden is dat zij de Duitsers niet tegen zich in het harnas wilden jagen op een moment dat zij in het geheim aan het onderhandelen waren met Eichmann om Joden vrij te kopen in ruil voor goederen van de geallieerden. Uiteindelijk bleek het enige positieve resultaat van de gesprekken – die bijna zeker niets anders waren dan een Duitse list – dat nog slechts één trein vertrok. De inhoud van het Vrba-Wetzlerrapport werd in juni echter in het Westen over de radio uitgezonden: Roosevelt zelf waarschuwde Horthy ervoor dat hij verantwoordelijk zou worden gehouden voor het lot van de Hongaarse Joden. Dezelfde dag stuurde een Britse diplomaat een opzettelijk ongecodeerd bericht waarin werd aangegeven dat bij wijze van vergelding met name genoemde regeringsgebouwen in Boedapest gebombardeerd zouden worden. Toen de Amerikanen de hoofdstad een week later inderdaad bombardeerden, trok Horthy de voor de hand liggende, maar feitelijk verkeerde conclusie. Toen hij op 15 oktober echter aankondigde dat Hongarije vrede ging sluiten met de USSR, zetten de Duitsers hem gewoon af en installeerden zij een Pijlkruisregering met Szálasi aan het hoofd. Tienduizenden Joden werden opgepakt en als dwangarbeiders naar Oostenrijk gestuurd, terwijl Pijlkruisers in de hoofdstad een waar schrikbewind begonnen. Tegen de tijd dat het Rode Leger in januari 1945 Boedapest innam, waren sinds het begin van de bezetting tien maanden eerder meer dan 500.000 Hongaarse Joden overleden, van wie bijna 270.000 binnen de Trianongrenzen hadden gewoond. Nog eens 63.000 waren in de periode 1941-1944 omgekomen. Naar schatting telt de moderne Joodse gemeenschap rond de 100.000 mensen.

De Hongaarse Joden worden herdacht met een groot aantal monumenten door het hele land die meestal op begraafplaatsen staan. Boedapest bezit echter prominente monumenten, die tot de indrukwekkendste van Europa behoren.

BOEDAPEST

De Joodse gemeenschap van Boedapest was buiten Polen de grootste van Europa. Sinds de twaalfde eeuw was er al sprake geweest van een belangrijke aanwezigheid in de stad (of liever de steden, want Boeda en Pest werden pas in 1873 officieel samengevoegd), hoewel Joden na de Oostenrijkse herovering in de zeventiende eeuw werden verdreven en tot de jaren tachtig van de achttiende eeuw aan de noordelijke rand van Boeda moesten wonen. Zowel de stad als de Joodse bevolking liet in de negentiende eeuw een enorme groei zien. Ten tijde van het interbellum woonden er meer dan 200.000 Joden in Boedapest, bijna de helft van de hele gemeenschap in Trianon-Hongarije. Deze aantallen namen nog verder toe door duizenden vluchtelingen vanuit Duitsland en Oostenrijk en later vanuit Polen en Slowakije. Hoewel de antisemitische wetten van het regime Horthy veel leed veroorzaakten, leek Boedapest een oneindig veiliger toevluchtsoord dan welke andere stad in Centraal-Europa ook.

De Duitse bezetting bracht daar meteen verandering in. De eerste maatregelen behelsden de sluiting van 18.000 Joodse winkels in de stad en de inbeslagname van 1500 appartementen. Er was geen getto, maar toen de geplande deportatie naderde, moesten Joden in bepaalde aangewezen gebouwen binnen de stad blijven, die bekend raakten als 'gele ster'-huizen. Eichmann had oorspronkelijk ingestemd met 2639 van dergelijke percelen, maar dit aantal werd teruggebracht tot 1835 toen het project eind juni 1944 van start ging. Tienduizenden Joden kwamen tot de ontdekking dat ze in totaal 19.000 appartementen moesten verlaten om zich snel in de begrensde blokken te vestigen. De SS en de Hongaarse politie begonnen in de eerste dagen van juli de voorsteden uit te kammen en pakten 17.500 mensen op die vervolgens naar Auschwitz werden gestuurd. De rest van de Joden van Boedapest zou ditzelfde lot hebben ondergaan als niet Horthy op 7 juli tussenbeide was gekomen. Eichmann verzocht op 19 augustus weer om de Joden te mogen deporteren (te beginnen op de volgende dag!), maar dat werd geweigerd. Het kantoor van Horthy werd vijf dagen later gesloten. Het Rode Kruis kreeg toestemming om de Joden hulp te bieden en de belangrijkste feestdagen van de joodse religieuze kalender werden gevierd in een stemming van enige

Boedapest: schoenenmonument (foto van de auteur)

hoop – de regering hief voor Jom Kipoer (28 september) zelfs voor Joden de avondklok op.

Elk optimisme dat hierdoor werd gewekt, bleek ongegrond. De machtsovername door de Pijlkruisers in oktober werd gevolgd door aanvallen op Joodse buurten en het doodschieten van enkele honderden mensen. Op 26 oktober stemde de nieuwe regering ermee in om Joden voor dwangarbeid naar Oostenrijk te deporteren. Binnen een week werden 35.000 mensen verzameld. Zij moesten met anderen naar het westen marcheren, terwijl weer anderen per trein naar kampen in het Reich werden gebracht. Het regime Szálasi zette halverwege november ook een getto op, waarin de meeste Joden tegen begin december werden geconcentreerd. Er kwam daarnaast een 'internationaal getto', bestaande uit percelen die neutrale regeringen in bezit of gehuurd hadden en die dus als buitenland werden beschouwd. Hierin zaten 15.000 tot 20.000 Joden die beschermende documenten hadden gekregen van diplomaten van neutrale landen. De bekendste van hen was de Zweed Raoul Wallenberg. Hun opzet was om tot de komst van het Rode Leger zoveel mogelijk Joden te beschermen door het uitreiken van papieren waaruit bleek dat de drager burger was van het toepasselijke land die aan het wachten was op repatriëring. Zelfs voordat het internationale getto werd opgezet, hadden Joden in diplomatiek beschermde huizen door de hele stad asiel en ook voedsel en medische zorg gekregen.

De nadering van Sovjetstrijdkrachten veroorzaakte echter chaos in de laatste weken van 1944 en elk gezag dat Szálasi nog over de Pijlkruisers had, ebde weg. Bendes hadden sinds 15 oktober Joodse eigendommen geplunderd, maar halverwege november werd het geweld heviger. Het was in deze uitzichtloze situatie dat met name Wallenberg zijn moed en volharding toonde. In tegenstelling tot wat algemeen wordt aangenomen heeft hij niet het grootste aantal beschermende documenten uitgereikt, maar was hij waarschijnlijk wel het onvermoeibaarst bij zijn pogingen om de nazi's en Pijlkruisers te frustreren. Hij hield Duitse deportatietreinen en dodenmarsen tegen en gaf passen aan zoveel mogelijk Joden. Toen hij op 12 januari 1945 te horen kreeg dat Pijlkruisers van plan waren alle Joden in het getto af te slachten, haalde Wallenberg het Duitse leger over om tussenbeide te komen en het bloedbad te voorkomen. De tragische ironie van het geheel is dan ook dat hij niet zijn leven verloor door toedoen van de nazi's en ook niet van de Pijlkruisers, maar door het optreden van de communisten. Op 17 januari, de dag voordat het getto werd bevrijd, werd Wallenberg voor het laatst in Boedapest gezien toen hij de stad uit reed om het Rode Leger te begroeten. Hij werd gearresteerd om redenen die nog steeds niet bekend zijn en uiteindelijk naar de goelag gestuurd. In een verklaring uit 1957 gaven de Sovjets toe dat Wallenberg gevangen was genomen, maar daarin werd ook beweerd dat hij in 1947 aan een hartaanval was overleden. Hier wordt in brede kring geen geloof aan gehecht, want sommige getuigen beweren hem nog in 1987 in de USSR te hebben gezien.

Rond de 85.000 Boedapestse Joden werden tijdens de Holocaust vermoord, maar de inspanningen van mannen als Wallenberg voorkwamen dat dit aantal nog groter werd. Het resultaat is dat meer dan 100.000 Joden de oorlog overleefden en dat Boedapest tegenwoordig de enige stad in Centraal-Europa is die met 80.000 of meer zielen een Joodse gemeenschap van enige omvang heeft.

Het getto

De locatie die de regering Szálasi in november 1944 voor het getto van Boedapest koos, was de traditionele Joodse wijk van de stad, in district VII. Het feit dat de gebouwen van dit gebied de tand des tijds nog altijd hebben doorstaan, maakt het tot een fascinerende wijk om te onderzoeken, want die getuigt niet alleen van de verschrikkingen die er in 1944-1945 hebben plaatsgevonden, maar ook van de bloeiende vooroorlogse Joodse cultuur. Wat de Joodse wijk van Boedapest uniek maakt onder de steden van Centraal- en Oost-Europa, is echter de duurzaamheid van deze cultuur en van de scheppende gemeenschap, hoewel dat thans wel iets is afgenomen.

Het getto lag rond de hoofdstraten Dob utca en Wesselényi utca, met als zuidelijkste punt de Centrale Synagoge aan de Dohány utca. Deze grote tempel werd gebouwd in 1859 en is de grootste van Europa (zo-do 10.00-18.00 (nov-feb tot 16.00), vr 10.00-16.00; Ft 1400; www.doha-

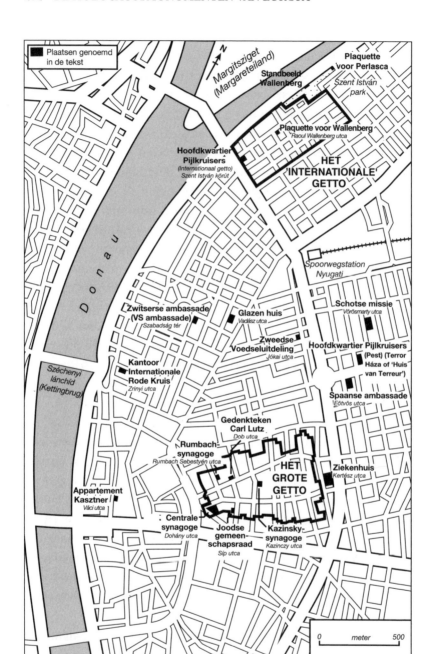

Boedapest

nystreetsynagogue.hu). Het schitterende Moorse exterieur wordt geëvenaard door het rijk versierde spelonkachtige interieur – gerestaureerd in de jaren negentig van de vorige eeuw – waarin 3000 mensen een zitplaats kunnen vinden. Bij de ingang is een aantal plaquettes voor slachtoffers van de Holocaust te vinden en één voor de deelnemers aan de jaarlijkse Mars van de Levenden naar Auschwitz. Het eenvoudige Joods Museum (zo-do 10.00-18.00 (nov-feb tot 16.00), vr 10.00-16.00; Ft 2000; www. zsidomuzeum.hu) is gevestigd op de bovenverdieping van een aanbouw (in de jaren 1920 gebouwd op de plaats waar het geboortehuis van Theodor Herzl stond) links van de synagoge. Drie zalen bevatten een keur aan rituele voorwerpen, terwijl een kleinere vierde ruimte de Holocaust tot onderwerp heeft, met reproducties van foto's en kranten uit oorlogstijd en een buste van Wallenberg. Een trap naar beneden voert naar een klein Holocaustmonument. Tussen museum en synagoge voert een gang langs de Heldensynagoge die werd gebouwd als eerbetoon aan de Hongaarse soldaten van Joodse afkomst die in de Eerste Wereldoorlog sneuvelden, naar de herdenkingstuin voor Wallenberg aan de achterzijde. Deze wordt gedomineerd door een enorm kunstwerk, een metalen treurwilg, waarvan de bladeren de namen van slachtoffers dragen. Rechts daarvan staat het monument voor de Rechtvaardigen, een veelkleurig glazen mozaïek boven stenen platen waarop de namen van redders in Hongarije zijn gebeiteld. De prominentste staan met Wallenberg aan het hoofd op de grote gedenkplaat op de grond die wordt omgeven door honderden stenen die bezoekers hebben achtergelaten. Daarachter ligt een symbolisch mausoleum voor bij naam genoemde slachtoffers. Achterin de tuin eert een gedenkplaat Angelo Giuseppe Roncalli, beter bekend als de latere paus Johannes XXIII. Als pauselijk gezant speelde Roncalli in Griekenland en Turkije een prominente rol bij het opzetten van katholieke reddingsacties in geheel Europa en in Hongarije in het bijzonder.

De tuin ligt aan de Wesselényi utca. Een plaquette op een van de steunberen van de buitenmuur van de Heldensynagoge die de bevrijding van het getto op 18 januari 1945 gedenkt, wordt gemakkelijk over het hoofd gezien. Dit is tegenover de plaats van een van de gettopoorten. Aan de

Wesselényi utca 7 was de Goldmarkhal gevestigd, een Joods cultureel centrum dat na de bezetting werd gesloten. Bij de slag om Boedapest werd het gebouw getroffen door een bom en pas in de jaren zeventig herbouwd. Er is nu een Talmoed- en Thoraschool. De volgende straat rechts op de Wesselényi utca is de Síp utca, een aardige straat, maar met donkere, vervallen gebouwen. Nummer 12 was het hoofdkwartier van de Joodse gemeenschapsraad en is dat tegenwoordig nog steeds. Hier werd gesproken over de reactie op het Vrba-Wetzlerrapport en hier kwam Eichmann zijn eisen aan de gemeenschap stellen. Toen het getto op 10 december 1944 werd afgegrendeld, werd een granaat naar het gebouw gegooid, waarbij verscheidene mensen werden gedood.

Weer terug over de Wesselényi utca is de straat tegenover de Wallenbergtuin de Rumbach Sebestyén utca. In het indrukwekkende secessionsgebouw op nummer 6 (op de hoek) was een gettokeuken gevestigd. Verderop in de straat lag op nummer 11 de Rumbachsynagoge, waar de Joden die in augustus 1941 met dodelijke afloop naar Kamenets Podolsky in Oekraïne werden gedeporteerd, voorafgaand aan hun vertrek werden vastgehouden. Om de hoek is op Dob utca 12 een gedenkteken aanwezig voor de Zwitserse diplomaat Carl Lutz. Als viceconsul werkte hij samen met de Jewish Agency for Palestine, om Zwitserse passen uit te reiken voor emigratie. Na de bezetting kwam Lutz met de Duitsers en Hongaren overeen dat hij nog eens 8000 passen zou uitreiken, maar opzettelijk gaf hij daaraan de uitleg dat het om 8000 gezinnen in plaats van individuen zou gaan. Hij nam ook het voortouw bij het coördineren van de diplomaten en speelde daarnaast een grote rol bij het opzetten van veilige huizen in de stad. Het gedenkteken heeft de vorm van een gouden engel die aan de muur hangt en hulp biedt aan een liggende bronzen figuur. Plaquettes in het Engels en Hongaars bevatten citaten uit de Talmoed, maar maken niet direct melding van het feit dat Lutz Joden redde. Kennelijk was men bang voor antisemitische beschadigingen toen het monument in 1991 werd opgericht. In het *Spinoza* koffiehuis aan de Dob utca 15 was een bakkerij voor het getto gevestigd. Ertegenover is op nummer 16 de ingang van de Gozsdu udvar, een reeks licht gebogen, onderling verbonden binnenplaatsen en appartementen die in 1904 waren gebouwd voor

Joodse kunstenaars en die doorlopen tot aan Király utca. Dit was decennialang een van de sfeervolste straatjes van Centraal-Europa, maar na lang verwaarloosd te zijn is het eindelijk gerestaureerd en nu liggen er luxe winkels en appartementen. Een straat verder kruist de Dob utca de Kazinczy utca waarvan de synagoge (op nummer 29-31) de derde punt vormt (met de twee andere synagogen) van de 'Joodse driehoek', het hart van de wijk.

Vlak buiten de noordoostelijke rand van het getto werd Wesselényi utca 44 in juni 1944 aangewezen als een ziekenhuis voor Joden. Op 15 oktober 1944 vierden Pijlkruisers hun machtsovername door in het gebouw te schieten. Op 20 januari 1945 – een dag voor de totale bevrijding – werd het getroffen door een granaat die veel verplegend personeel en veel patiënten doodde. Op de muur is nu een herdenkingsplaquette aangebracht.

Pest centrum

Een van Europa's doeltreffendste Holocaustmonumenten is te vinden aan de oever van de Donau, de plaats van vreselijke taferelen in de winter van 1944-1945. Vanaf 23 november werden elke dag honderden Joden opgepakt door bendes Pijlkruisers, naar de rivier gebracht en doodgeschoten. Naar schatting werden daar tussen de 10.000 en 20.000 mensen vermoord. Deze gebeurtenissen worden in herinnering geroepen door levensgrote ijzeren afgietsels van schoenen die een beetje wanordelijk op een rij langs het water staan. Het idee kwam van de beeldhouwer Gyula Pauer en de dichter Can Togay en is schitterend eenvoudig maar ook krachtig en doeltreffend. Dit monument ligt ten zuiden van het parlementsgebouw, tegenover de Zoltán utca. Het kost wel wat moeite om bij het monument te komen, omdat ofwel de zeer drukke Pesti Alsó rakpart moet worden overgestoken ofwel een stuk langs de boulevard moet worden gelopen naar de dichtstbijzijnde voetgangersoversteekplaats.

De Amerikaanse ambassade aan het Szabadság tér 12 was de plaats van het kantoor van Lutz waar de Zwitserse documenten werden uitgereikt. Uiteraard is het gebouw zwaar beveiligd. Een tastbaardere herinnering aan de inspanningen van Lutz is het 'Glazen Huis' aan de Vadász utca 29. Het modernistische gebouw was vanaf eind juli 1944 een huis dat onder Zwitserse bescherming stond. Naar schatting konden rond 3000 Joden hier hun toevlucht zoeken. Bij een overval door Pijlkruisers op 31 december 1944 werden 600 mensen opgepakt, maar de eigenaar van het perceel, Arthur Weiss, haalde de politie over tussenbeide te komen, hoewel het voor drie bewoners te laat was. Weiss werd de volgende dag door de woedende Pijlkruisers vermoord. Aan de buitenkant van het gebouw zijn gedenkplaten aangebracht voor Lutz, Weiss, de drie slachtoffers van 31 december en drie anderen die op 6 januari werden gedood. Door de metalen deur (er is een bel als die is gesloten) en rechts van de binnenplaats is de Lutz Herdenkingskamer (dag. 13.00-16.00; donatie gewenst; www.uveghaz.org), een kleine expositieruimte met getuigenissen van overlevenden en reproducties van documenten (voor een donatie is een Engelse gids beschikbaar).

Verder naar het oosten is het Terror Háza (Huis van Terreur; di-zo 10.00-18.00; Ft 2000; www.terrorhaza.hu) gevestigd, in een gebouw aan de Andrássy út 60 (metrohalte Oktogon) waarin van 1937 tot 1945 het hoofdkwartier van de Pijlkruispartij huisde en daarna van 1945 tot 1956 de ÁVO (communistische geheime politie). Dit maakt het tot een uiterst geschikte plaats voor een museum dat is gewijd aan totalitarisme, hoewel duidelijk is waar te nemen waarom de opvallende tentoonstelling controversieel is geweest. Hoewel wordt beweerd dat aandacht is besteed aan twee dictaturen, is vrijwel de hele expositie gericht op de communistische misdaden – zelfs de afsluitende Zaal van de Tranen is gewijd aan degenen die 'werden vermoord 1945-1967'. Sommige displays doen ook een beetje denken aan een themapark, waardoor het gevaar bestaat dat de verschrikkingen van het stalinisme als triviaal worden ervaren. Men krijgt de indruk dat het museum zich, misschien heel verklaarbaar, op de jeugd richt.

Aan de nabijgelegen Vörösmarty utca vormde het grote Collegium Josephinum op nummer 34A een schuilplaats voor Joden. Beroemder is de Schotse Missie van St. Columba, op nummer 49-51, die in verband wordt gebracht met Jane Haining. Deze Schotse vrouw kwam in 1932 naar Boedapest om hier in de school te werken waar ze op jonge Joodse meisjes paste. Hoewel bekering het oogmerk van de missie was, waren veel van de pupillen wees en hadden ze waarschijnlijk geen andere plaats waar ze naartoe konden. Toen de Duitsers binnenvielen, negeerde Haining het bevel om naar Schotland terug te keren en zij werd in april 1944 door de Gestapo gearresteerd. Naast de voorspelbare beschuldiging van spionage voor de Britten, werd ze ook beschuldigd van de ongebruikelijke overtreding te hebben gehuild – toen ze moest aanzien hoe haar meisjes gele sterren op hun kleren naaiden. Ze werd in mei naar Auschwitz gestuurd en overleed daar in juli. Het missiegebouw werd later, in november en december 1944, onder de vleugels van het Zweedse Rode Kruis gebruikt als een veilig huis voor zeventig Joodse kinderen en veertig ouders.

Bij het teruglopen over de Andrássy út komt men langs de Spaanse ambassade aan de Eötvös utca 11B. Hier reikte Giorgio Perlasca, de opmerkelijkste diplomatieke reddende engel, visa uit. Perlasca was een gedesillusioneerde voormalige fascist die in Hongarije voor de Italiaanse regering werkte, toen de Duitsers binnenvielen. Hij zocht zijn toevlucht in de ambassade en werd Spaans staatsburger, omdat hij in de burgeroorlog had meegevochten. Hij werkte samen met zaakgelastigde Ángel Sanz Briz bij het verstrekken van bescherming biedende documenten. Zelfs nadat Sanz Briz in november 1944 was teruggeroepen, bleef Perlasca vermetel doorgaan onder het mom dat hij diens vervanger was. Bij één gelegenheid trok hij op het Józsefvárosstation twee Joodse jongens uit een trein, om later van Wallenberg te horen dat de officier die hij hiermee had gedwarsboomd, Eichmann in eigen persoon was geweest. Toen Perlasca naar Italië terugkeerde, vertelde hij niemand van zijn heldendaden. Blijkbaar wist zelfs zijn familie van niets tot hij in 1987 werd opgespoord door een groep overlevenden.

Het Jókai tér, verder de Andrássy út af en gelegen aan de noordkant, gaat over in de Jókai utca. Het gebouw op nummer 1 was de voedseluitdeling van de Zweedse ambassade, en waar honderden Joden verborgen zaten. Op 8 januari 1945, op het hoogtepunt van de terreur, grepen en doodden de Pijlkruisers 266 van hen. Een plaquette herdenkt de slachtoffers. Om de hoek, op Andrássy út 36, eert een plaquette Wallenbergs chauffeur Vilmos Langfelder die hier woonde en die hetzelfde lot onderging als de diplomaat.

Er zijn weinig plaatsen van belang te vinden ten zuiden van het parlement en ten westen van het getto. Het moderne Intercontinental Hotel, tussen Apáczai Csere János utca en Belgrád rakpart, vlak ten zuiden van Roosevelt tér, staat op de plaats van het Ritz dat in 1944 de laatste locatie van de Portugese ambassade vormde. Een onopvallend stel plaquettes in het Hongaars en Portugees aan de kant van de rivier eren ambassadeur Sampaio Garrido en consul Carlos Branquinho die 600 paspoorten verstrekten, hoewel de begunstigden alleen werden aangeduid als 'Hongaren vervolgd omwille van racistische en politieke motieven'. Het nabijgelegen Váci utca 12 was het appartement van de controversiële en uiteindelijk tragische figuur Rezső Kasztner, wat wordt aangegeven met een muurplaquette. Kasztner was de activist wiens onderhandelingen met Eichmann in de zomer van 1944 tot gevolg hadden dat bijna 1700 Joden met een speciale trein Hongarije mochten verlaten in ruil voor een losprijs bestaande uit geld, goud en diamanten. Het transport vertrok op 30 juni 1944 en bracht de passagiers naar Bergen-Belsen – waarmee de belofte van Eichmann dat de Joden veilig naar Zwitserland zouden worden gebracht, werd gebroken. Niettemin waren bijna allen van die groep in staat aan het eind van dat jaar toch de oorspronkelijke bestemming te bereiken. Kasztners aanhangers voeren aan dat hij zo meer Joodse levens redde dan wie ook in de Holocaust. Kasztner zelf geloofde dat de onderhandelingen deel uitmaakten van een grotere inspanning om alle Hongaarse Joden te redden, hoewel hij op dat punt werd bedrogen door de nazi's. Critici beschuldigen hem van collaboratie en speciaal van het niet waarschuwen van de overgrote meerderheid van de Joodse bevolking voor het lot dat hen wachtte om de onderhandelingen over die ene trein niet in gevaar te brengen. Deze punten kwamen aan de orde bij een beruchte rechtszaak in 1955, toen de Israëlische regering een van de critici namens Kasztner aanklaagde voor smaad, een actie die averechts uitwerkte toen de rechter oordeelde dat hij 'zijn ziel had verkocht aan de Duitse Satan'. Hoewel het vonnis in 1958 in hoger beroep nietig werd verklaard, kwam dit te laat voor Kasztner zelf, die een jaar eerder in Israël was vermoord. Tegenover het gebouw van Kasztner was nummer 11B een van de 'gele ster'-huizen waarin de Joden vanaf juni 1944 moesten wonen.

Het 'internationale getto'

Het 'internationale getto' dat ook bekendstond als het 'kleine getto', werd in november 1944 opgezet voor Joden met documenten die hen beschermden. Het bestond uit een groepje straten ten noorden van de Margit Hid (Margaret brug) waarin de meeste huizen onder het gezag van de neutrale mogendheden vielen. Meer dan 15.000 Joden verhuisden hierheen om te gaan wonen in appartementen waarin daarvoor nog geen 4000 mensen hadden gewoond. Naast de problemen die deze overbevolking veroorzaakten, was het getto ook niet helemaal veilig, omdat Pijlkruisers steeds vaker geen aandacht besteedden aan de diplomatieke bescherming waaronder de huizen vielen en gewoon overvallen pleegden. Als gevolg daarvan werden veel Joden overgeplaatst naar het hoofdgetto, ook al hoefde dat niet meteen veiliger te zijn. Desondanks leverde het internationale getto zonder meer een bijdrage aan het redden van duizenden levens.

Het gebied dat een mengeling te zien gaf van secessionsgebouwen en bescheiden flatgebouwen, ligt een kilometer ten noorden van het 'schoenenmonument' aan de Donau en dicht bij de metrohalte Nyugati pályaudvar. De grootste concentraties beschermde huizen lagen aan de Tátra utca, de Pozsonyi út en de dwarsstraat Katona József utca. De meeste geven geen aanduiding van hun geschiedenis, maar hier of daar is een gedenkteken te vinden. Een plaquette aan de Pozsonyi út 1 (een door Zweden beschermd huis) eert de Hongaars Joodse dichter Miklós Radnóti. Hij had deel uitgemaakt van de Joden die waren opgeroepen in de bataljons dwangarbeiders in Oekraïne. Zijn groep werd later ingezet in de kopermijnen van Servië. Hij werd in november 1944 doodgeschoten in het Hongaarse dorp Abda. Het elegante gebouw van zes verdiepingen aan de nabijgelegen Katona József utca 21 werd op 30 december 1944 overvallen door de Pijlkruisers. De 170 bewoners werden naar het partijhoofdkwartier gebracht (nu het Huis van Terreur), tot op hun ondergoed uitgekleed en gedwongen om barrevoets naar de rivier te marcheren waar vijftig van hen werden doodgeschoten. Om de hoek, aan de Tátra utca 6, lag Wallenbergs hoofdkantoor waar beschermende documenten, voedsel en medicijnen werden geregeld. Dit is niet aangegeven, maar de Zweedse inspanningen worden elders herdacht met de Raoul Wallenberg utca ten noorden hiervan. Op de kruising met de Pozsonyi út is op de noordoosthoek een gedenkteken te vinden waarin een beeldhouwwerk is opgenomen. Drie van de vier huizen op deze kruising waren Zweedse huizen. De volgende straat richting noorden is vernoemd naar Radnóti. Na links afslaan vanaf de Pozsonyi út waren de nummers 40, 43 en 45 door Zwitserland beschermde huizen, terwijl nummer 41 door Horthy voor Joden was aangewezen. Aan de muur van nummer 45 hangt een buste van Radnóti. Iets verder naar het noorden ligt ten westen van de Pozsonyi út het Szent István park, waarin een ander monument voor Wallenberg staat, in de niet geheel passende vorm van een beeld van een heldhaftige naakte Sint Joris (de andere beelden houden er geen verband mee). Tegenover de noordelijke uitgang van het park is aan de muur van Szent István park 35 een plaquette aangebracht voor Giorgio Perlasca.

Oostelijk Pest

Het Holocaust herdenkingscentrum (di-zo 10.00-18.00; Ft 1400; www. hdke.hu) ligt ten zuidoosten van het centrum aan de Páva utca 39 in District IX (metrostation Corvin-negyed en dan een korte wandeling naar het oosten over de Üllői út). Toen het centrum in 2004 werd geopend, deed de keuze van de locatie nogal wat stof opwaaien vanwege de afstand tot het getto. De plaats is echter historisch verantwoord, omdat het complex is gebouwd rond een voormalige synagoge die in 1944 werd gebruikt als interneringskamp. Er werd een heleboel overheidsgeld in het centrum gestopt en het biedt de bezoeker een goed georganiseerde en doordachte tentoonstelling. Het grote verhaal wordt steeds weer afgewisseld met persoonlijke verslagen terwijl er ook zorgvuldig aandacht wordt besteed aan het lot van de Hongaarse Romagemeenschap. De voornaamste expositie is te vinden in een reeks zalen rond het thema beroving – van rechten, eigendommen, vrijheid, waardigheid – en uiteindelijk de beroving van het leven. Het oogmerk is om aan te tonen hoe de systematische uitholling van vrijheden door zowel de Hongaarse autoriteiten als de nazi's ten slotte uitdraaide op genocide. Een bijzonder indrukwekkende expositie in zaal 6 laat op vijf televisieschermen de beroemde foto's van de Joden van Beregszász (nu Berehove in Oekraïne) zien die op 26 mei 1944 in Birkenau zijn genomen. Een klok in de bovenhoek geeft de tijd aan van elke fase van hun laatste momenten, te beginnen met de aankomst van het konvooi om 9.14 uur 's ochtends. Het hele proces nam nog geen zes uur in beslag. Een trap voert van de tentoonstelling naar de synagoge waarvan het fraaie interieur prachtig is gerestaureerd.

Het nu verlaten station Józsefvárosi Pályaudvar werd eind 1944 gebruikt voor de deportaties. Zelfs Szálasi probeerde in dit stadium om de transporten te beperken, maar zijn partijleden waren niet in de hand te houden en werkten samen met Eichmann bij het oppakken van Joden. Vanaf 21 november werden duizenden naar Mauthausen en Ravensbrück gestuurd. Wallenberg kwam bij vier gelegenheden met documenten naar het station. De laatste trein op 24 december kon hij zelfs nog laten stoppen om er passagiers uit te halen nadat die het perron al hadden verlaten. Zijn inspanningen worden herdacht met een plaquette die samen met een andere voor de gedeporteerden is aangebracht aan de muur van het stationsgebouw, dat iets van de straat af ligt aan de oostzijde van de Fiumei út (neem bus 9 of tram 28 naar Orczy tér en wandel naar het noorden of neem tram 37 naar Fiumei út en wandel naar het zuiden).

Op de volgende kruising, richting het noorden, loopt de Magdolna utca (op de Fiumei út linksaf) een ooit uitgesproken Joodse buurt in. Op de hoek van Magdolna utca en Dobozi utca werd er op 15 en 16 oktober 1944 gevochten toen plaatselijke Joden zich probeerden te verzetten tegen de Pijlkruisers. Op het nabijgelegen Teleki László tér vond de legendarische vooroorlogse Joodse vlooienmarkt plaats (op die plaats wordt nog steeds een markt gehouden) die op 16 november 1944 werd overvallen door de Pijlkruisers. Weer terug op de kruising met de Fiumei út voert de Salgótarjáni utca in oostelijke richting naar de Joodse afdeling van de grote Kerepesi begraafplaats die toegankelijk is via een aparte ingang aan het eind van de straat (tram 37, halte Salgótarjáni utca, temető). Er zijn veel prachtige graven, maar sommige gedeelten, waaronder ook stukken aan de achterkant waar enkele slachtoffers van het getto begraven liggen, zijn inmiddels zo overwoekerd dat ze ontoegankelijk zijn geworden.

Het ziet er mooier uit op de begraafplaats in de wijk Rákoskeresztúr (tram 37 naar het eindpunt Izraelita Temető). Dit is de grootste Joodse begraafplaats van Hongarije. Er staat een bijzonder markant Holocaustmonument links achter de ceremoniële hal. Een lang L-vormig dak wordt gedragen door zuilen waarop de namen van holocaustslachtoffers zijn gegraveerd. Ontroerend is dat familieleden duizenden andere namen hebben toegevoegd, wat het monument completer en persoonlijk maakt. Bijna aan het eind van het lange been van de L staat een symbolische urn met as uit Auschwitz-Birkenau in een zwart marmeren monument.

Boeda

De Burchtheuvel, vanwaar Horthy over Hongarije regeerde, was ook de plaats van het gezantschap van het Vaticaan dat onder leiding stond van nuntius Angelo Rotta. Hoewel minder bekend dan Wallenberg of Lutz, verstrekte hij feitelijk het grootste aantal (minstens 15.000) beschermende passen aan Joden. Rotta's unieke positie stelde hem ook in staat om voor valse doopbewijzen te zorgen. Zijn gedachtenis wordt nogal onopvallend geëerd met een enigszins vervaagde plaquette op de muur van het gelige gebouw op nummer 4-5 aan het Dísz tér, het hoofdplein van de burcht. Aan de lutherse kerk, aan de Táncsics Mihály utca 28 in het noorden van het ommuurde gebied, stond dominee Gábor Sztehlo aan het hoofd, die in samenwerking met de calvinistische Goede Herderbeweging eind 1944 Joodse kinderen een toevluchtsoord bood. Daarvoor regelde Sztehlo 32 schuilplaatsen in huizen van vrienden en familie in Boeda en in kerkeigendommen in Pest. Hij gaf onderdak aan 1540 kinderen en verzorgers, die de oorlog allemaal overleefden. Na de oorlog zette hij een weeshuis op voor honderden kinderen die geen ouders meer hadden. Hij hield daar tot de nationalisering in 1951 door de communisten toezicht op. Later leidde hij tehuizen voor kinderen met een beperking en voor ouderen en hij was terecht de eerste Hongaar die door Jad Wasjem werd erkend als Rechtvaardige onder de Volkeren. Aan de muur achter de toren is een gedenkplaat aangebracht waarop Sztehlo staat afgebeeld met de olijfboom die ter ere van hem in Jeruzalem is geplant. Nummer 26 ernaast bleek tijdens restauratiewerkzaamheden in de jaren 1960 de res-

ten te bevatten van een middeleeuwse synagoge (mei-okt: di-vr 10.00-
17.00; Ft 800). Op nummer 23 aan de overkant van de straat stond de
oorspronkelijke Grote Synagoge, die werd platgebrand tijdens de Oostenrijkse herovering van Boedapest op de Turken.

Een aantal locaties ten westen van de Burchtheuvel is te bereiken vanaf het knooppunt van openbaar vervoer op het Moszkva tér (metrolijn 2;
wie vanaf de burchtheuvel komt lopen, daalt van de noordelijke uitgang
de Várfok utca af). Drie straten ten zuidwesten van het plein kruist de
Csaba utca de Maros utca. Op Maros utca 16 stond een Joods ziekenhuis
dat op 12 januari 1945 werd overvallen door Pijlkruisers; 92 patiënten en
personeelsleden werden in de tuin gedood. Vervolgens kruist de Csaba
utca de Városmajor utca waarvan het westelijk gedeelte een paar belangrijke gebouwen bevat. Nummer 52 en 54 behoorden tot de huizen van de
Goede Herder. Hierin zaten achttien Joodse kinderen en acht moeders.
Minder gelukkig waren de negentig bewoners van het Joodse bejaardenhuis op nummer 62 op de hoek met de Alma utca, die op 19 januari
1945, twee dagen voor de bevrijding, werden vermoord door de Pijlkruisers. Aan de overkant van de kruising werd het voormalige Joodse ziekenhuis aan de Városmajor utca 64-66 iets eerder, op 14 januari, overvallen. De Pijlkruisers vermoordden 130 patiënten en 24 personeelsleden.
Aan de muur van nummer 64 hangt een gedenkplaat uit 2007. De opmerkelijkste locatie in dit gebied is een ander monument voor Wallenberg.
Een standbeeld van de Zweed, dat in 1987 werd onthuld, staat tussen
twee grote stenen platen in een parkje aan de Szilágyi Erzsébet fasor tegenover huis nummer 101 (bus 956 van Moszkva tér naar halte Nagyaj-
tai utca).

Verder naar het noorden, de heuvel op ten westen van de Margaret-
brug, vormde de elegante villa aan de Apostol utca 13b de residentie van
Eichmann. De voormalige Joodse eigenaar van het herenhuis, Lipó Asch-
ner, werd naar Mauthausen gestuurd, maar overleefde het.

Bécsi út 134-136 in Obuda was de locatie van een steenfabriek waar
eind 1944 de 35.000 opgepakte Joden werden vastgehouden voordat ze
naar Oostenrijk werden gestuurd om aan versterkingen te werken. Het
complex werd in de jaren negentig gesloopt.

KISTARCSA

Kistarcsa is het bekendst van de Hongaarse doorgangskampen. Hier werden tienduizenden Joden uit de buitenwijken van Boedapest en het omliggende gebied vastgehouden. Wanneer de deportaties in juli 1944 niet waren gestopt zou het kamp nog beruchter zijn geworden, omdat het dan dezelfde rol voor de hoofdstad zelf zou hebben vervuld. De gebouwen waren oorspronkelijk neergezet om er plaatselijke fabrieksarbeiders in onder te brengen, voordat ze in de jaren dertig werden gevorderd door het ministerie van Binnenlandse Zaken om te worden gebruikt als interneringskamp voor politieke tegenstanders. Ook al vóór de Duitse bezetting waren hier Joden ondergebracht, sommigen als politieke gevangene, anderen als vluchteling. Kistarcsa werd toen door Eichmann aangemerkt als het voornaamste verzamelpunt voor Joden die uit Boedapest en Centraal-Hongarije gedeporteerd zouden worden. Het kamp stond onder beheer van de SS, hoewel het grotendeels werd geleid door Hongaren. Een transport van 1800 mensen was op 29 april het eerste van negentien transporten die naar Auschwitz werden gestuurd voordat Horthy in juli tussenbeide kwam. Dit was echter niet de laatste acte. Eichmann probeerde op 14 juli, ruim een week na het bevel van de Regent om te stoppen, nog een konvooi weg te sturen, wat pas werd gestopt toen de Hongaarse kampcommandant – die door de bewoners werd beschouwd als een betrekkelijk fatsoenlijke figuur – en Joodse leiders in Boedapest Horthy hiervan op de hoogte brachten, waardoor de trein nog voor de grens kon worden teruggestuurd. Eichmann was daardoor echter niet ontmoedigd en beraamde een volgende deportatie, op 19 juli, van 1220 personen (van wie de meesten deel hadden uitgemaakt van het mislukte transport). Hij gebruikte daarbij de list om de Joodse leiders voor een vergadering naar Boedapest te roepen, terwijl de treinen werden geladen, zodat die te laat op de hoogte zouden raken van het vertrek en terugkeer niet meer mogelijk was. Deze acties werden op Eichmanns proces aangevoerd als bewijs van zijn obsessieve vastberadenheid om de Europese Joden ten koste van alles te vernietigen. Na dit laatste transport bleven nog ongeveer 1000 Joden in Kistarcsa achter, tot die op 27 september 1944 naar werkkampen werden gestuurd.

Zoals zo vaak het geval was in het Sovjetblok, zou er niet tegelijk met de oorlog een eind komen aan de duistere geschiedenis van Kistarcsa. Het werd tot de dood van Stalin gebruikt als concentratiekamp en vervolgens als gevangenenkamp voor revolutionairen na het neerslaan van de opstand van 1956. Het werd later een trainingscentrum voor de politie en uiteindelijk een interneringscentrum voor zogenaamd illegale immigranten. Beschuldigingen van mishandeling van deze laatste groep bewoners vormden voor de Hongaarse regering ten slotte aanleiding om Kistarcsa na aanzienlijke druk van de EU in 1995 te sluiten. De plaats staat er nu grotendeels verlaten bij en de barakken beginnen langzaam uiteen te vallen achter een hek van prikkeldraad. Het enige monument in de nabijheid ervan is voor de slachtoffers van 1956, een nogal schandalige toestand gezien de rol die het kamp niet alleen bij de deportaties speelde, maar ook onder Stalin en zelfs in de periode voor de oorlog. Als zodanig is er weinig te zien – er zitten gaten in het hek, maar misschien is het niet verstandig om naar binnen te gaan. Het is echter wel ongebruikelijk om een voormalig kamp te ontdekken dat intact is, maar niet wordt gebruikt. Dit zal waarschijnlijk in de loop van de tijd veranderen, maar voor het moment biedt het een nogal fascinerende aanblik.

Kistarcsa is gemakkelijk te bereiken met de plaatselijke HÉV-trein die een frequente dienst onderhoudt vanaf het station Örs Vezér tere in Boedapest. Verlaat het station van Kistarcsa in oostelijke richting. Na een paar meter staat tegenover het spoorviaduct een herdenkingsmuur voor de slachtoffers van 1956 aan het Október 23-a tér. Sla na de muur linksaf langs een standbeeld dat van een middeleeuwse ridder lijkt te zijn maar feitelijk van een plaatselijke operazanger is, en volg de straat tot die overgaat in een pad. De barakken liggen recht vooruit, van de moderne huizen gescheiden door het hek. Het is mogelijk om meer van het kamp te zien door voor de barakken rechtsaf te slaan en dan links de Batthyányi utca op te lopen. In het gebouw met de toren was de administratie van het kamp ondergebracht.

ANDERE LOCATIES

Veel gemeenschappen die door de Holocaust werden getroffen, leven in de herinnering voort en worden vaak op dezelfde manier herdacht met de lijst namen die zo indringend is toegepast op de begraafplaats van Boedapest. Hierna volgt een handvol van de belangrijkere gedenktekens. Raadpleeg voor informatie over andere, specifieke gemeenschappen www.zsido.hu/guide/english.htm (klik op de link 'community' en dan 'Jewish life in Hungary').

Miskolc, op ongeveer 145 kilometer ten noordoosten van Boedapest, kwam voor de oorlog met ongeveer 15.000 personen achter de hoofdstad op de tweede plaats als het ging om de grootte van de Joodse bevolking. De Joodse begraafplaats aan de Mendikás dűló, boven op de heuvel, telt verscheidene Holocaustmonumenten waarop de slachtoffers staan van verschillende gemeenschappen in de regio. De grootste synagoge van de stad, aan de Kazinczy Ferenc utca 7, heeft ook herdenkingsplaquettes. Er is nog een andere plaquette om de hoek aan de Arany János tér, als aanduiding van het getto dat hier kort heeft bestaan.

Restanten van een verwoeste Status Quo synagoge maken deel uit van een zeer indrukwekkende en gewelfde herdenkingsmuur waarop weer namen zijn aangebracht. Deze staat op de Joodse begraafplaats van Nyíregyháza, in het oosten van het land. Deze is gelegen aan de Kótaji út 5-7 ten noorden van het centrum. De bewaard gebleven orthodoxe synagoge staat aan het eind van Síp utca en kijkt uit op de centrale Mártírok tere.

In Hódmezóvásárhely is een permanente Holocausttentoonstelling – een zeldzaamheid in provinciaal Centraal-Europa – gevestigd in een voormalige Joodse school aan de Szent István tér 2 (zo-vr 9.00-13.00; toegang gratis) naast de synagoge. De schitterende Nieuwe Synagoge van het nabijgelegen Szeged, vaak beschreven als de mooiste ter wereld, bevat gedenkplaten met lijsten van slachtoffers. De synagoge ligt op de hoek van de Gutenberg utca en de Jósika utca en stelt de Oude Synagoge die erachter aan de Hajnóczy utca 12 ligt nogal in de schaduw. De Joodse begraafplaats ligt aan de Fónógyari út 9, ten noordwesten van het centrum.

Tata, op ruim 55 kilometer ten noordwesten van Boedapest, onthulde in 2004 een dramatisch nieuw monument voor 650 vermoorde Joden bij de voormalige synagoge (nu een museum) aan de Hősök tere. Het bestaat uit een rij geketende figuren die elk worden omsloten door een blok zwarte steen. Hiermee is aangetoond dat zelfs betrekkelijk kleine gemeenschappen doeltreffend zijn te gedenken.

10

Polen

Polen was het epicentrum van de Holocaust. Het land bevatte de grootste Joodse bevolking en was door de nazi's uitgekozen voor de moord op Joden uit het hele continent waardoor het de plaats werd van de belangrijkste vernietigingskampen.

Er is soms geopperd dat deze keus was ingegeven door een van nature bestaand Pools antisemitisme, alleen wordt hierbij voorbijgegaan aan de inderdaad complexe maar vaak glorieuze geschiedenis van het Poolse Jodendom. Joden trokken (vaak op uitnodiging van de plaatselijke heersers) voor het eerst in de middeleeuwen naar het oosten als gevolg van het antisemitisme in West-Europa. Over het algemeen werden ze door de opeenvolgende Poolse koningen beschermd tegen de vijandigheid van de kerk en groepen uit de rest van de bevolking. Tegen de tijd van het ontstaan van de formele unie van Polen met Litouwen, in 1569, bevond zich hier de grootste Joodse bevolking ter wereld. Bij de opdeling van Polen aan het eind van de achttiende eeuw ging de zuidelijke provincie Galicië naar het betrekkelijk tolerante Oostenrijk, maar het grootste deel van de Poolse Joden kwam onder de heerschappij van de Russische tsaren te staan, wier antisemitische politiek een massale emigratie op gang bracht. Desondanks behield het Poolse Jodendom een grote vitaliteit, dankzij ontwikkelingen die zeer uiteenlopend waren, zoals de verbreiding van het chassidisme en het ontstaan van nieuwe seculiere ideologieën als zionisme en socialisme. Het laatste werd vertegenwoordigd door de Bund, een specifiek Joodse socialistische partij die een belangrijke politieke factor werd in zowel het Russische Rijk als het Polen van het interbellum.

Polen

Het herstel van de Poolse onafhankelijkheid na de Eerste Wereldoorlog had wisselende gevolgen voor de Joden. Hun rechten werden samen met die van andere minderheden zogenaamd gegarandeerd door de vredesverdragen, en een actief cultureel en politiek leven kwam tot bloei. Het weer oplevend Pools nationalisme raakte echter steeds meer antisemitisch gekleurd, wat vooral na de dood van dictator Józef Piłsudski in 1935 tot uiting kwam in een beperking van Joodse economische activiteiten en het verbod op hoger onderwijs. De regering dacht zelfs serieus na over het krankzinnige voorstel om duizenden Joden naar Madagaskar te deporteren – sinds het eind van de negentiende eeuw een vreemde obsessie van antisemieten, die nog eens uit de kast gehaald zou worden door de nazi's.

Joden die in de westelijke provincies van het moderne Polen woonden, hadden als eersten te lijden onder de nazivervolging, omdat ze binnen de grenzen van het vooroorlogse Duitsland vielen. Toch waren hun ervaringen tot op dat moment niet te vergelijken met de vreselijke maatregelen waarmee de in september 1939 bezette gebieden te maken kregen. Voor Hitler en Himmler vertegenwoordigde Polen een schone lei waarop ze hun racistische fantasieën konden botvieren. Die hielden in dat de Joden en de Poolse intelligentsia op de een of andere manier geëlimineerd moesten worden en dat de overblijvende Polen de slaven zouden worden van Duitse kolonisten die zich uiteindelijk in het oosten zouden vestigen. Na de Poolse nederlaag, die binnen een maand was voltooid, werd het land feitelijk in drieën verdeeld. Volgens het Molotov-Ribbentroppact werd het oostelijke deel (met een Joodse bevolking van 1,23 miljoen zielen) overgenomen door de USSR en dat bleef op twee uitzonderingen na (het noordoosten van het huidige Polen rond Białystok en een kleine enclave in het zuidoosten) ook na de oorlog zo onder de Sovjet-heerschappij (zie hoofdstukken 11, 14 en 15). Het westelijke deel (rond de 600.000 Joden) werd rechtstreeks opgenomen in het Reich, grotendeels als deel van de *Warthegau*, een nieuw gecreëerde bestuurlijke eenheid onder leiding van Arthur Greiser, een fanatieke voorstander van germanisering. Het historische hart van Polen, met een Joodse bevolking van 1,5 miljoen zielen, vormde het zogenaamde *Generalgouvernement* waarover Hans Frank de

scepter zwaaide. In beide laatste gebieden werden de Joden meteen onderworpen aan willekeurig geweld. De nazi's stuurden echter ook al in dit
vroege stadium aan op een veel radicalere 'oplossing'. In de eerste maanden van de bezetting concentreerde de SS zich op het Nisko-Plan, een
project om Joden naar de regio Lublin te deporteren en daar een Joods
'reservaat' te stichten. Enkele duizenden werden vanuit het Reich op
transport gesteld, terwijl Greiser energiek Joden (en Polen) uit zijn domein verdreef. Het plan werd echter begin 1940 losgelaten vanwege de
logistieke ongeschiktheid en de bezorgdheid van Hans Frank die werd
gesteund door Göring. Franks onrust was zeker niet ingegeven door medeleven met de slachtoffers. Het tegendeel was eerder het geval, want hij
wilde niet dat zijn territorium een stortplaats werd voor raciaal 'ongewenste' elementen. Feitelijk had hij al in de herfst van 1939 anti-Joodse
maatregelen ingevoerd, waaronder de onteigening van rijkdommen en
ontroerend goed, de verplichting tot dwangarbeid en het gedwongen dragen van een Joods insigne, in dit geval een witte armband met een blauwe
ster (een soortgelijke politiek werd ook gevolgd in de *Warthegau*). Een
nog ergere nieuwigheid was de sinistere schepping van getto's, waarvan
de eerste in oktober 1939 in Piotrków Trybunalski kwam te liggen. In het
begin was er geen sprake van een consequent beleid – Krakau en Lublin
kregen pas in 1941 een getto en sommige andere steden zelfs nog later –
maar het was duidelijk de bedoeling van de nazi's om de Joodse bevolking, voorafgaand aan een toekomstige 'hervestiging' op een nader te
bepalen plaats, te concentreren op gemakkelijk te beheersen locaties. De
Duitsers overwogen in 1940 serieus Madagaskar voor dit doel, hoe on-
praktisch het plan ook was (de vooroorlogse Poolse regering had 40.000
kolonisten te veel gevonden). Intussen veroordeelden de onhygiënische en
armoedige omstandigheden in de getto's tienduizenden van de mensen die
erin opgesloten zaten, ter dood.

Nadat in de zomer van 1941 was besloten om de meeste Sovjet-Russische Joden (met inbegrip van degenen die in de voormalige oostelijke
gebieden van Polen woonden) te vermoorden, maakten de nazi's de Poolse Joden tot hun volgende doelwit. Het eerste vernietigingskamp werd in
december voor de gemeenschappen van de *Warthegau* in Chełmno geves-

tigd, terwijl de systematische vernietiging van degenen die in het *General-gouvernement* woonden, tijdens de *Aktion Reinhardt* (1942-1943) in drie kampen werd uitgevoerd. Intussen werd Auschwitz-Birkenau de belangrijkste plaats voor de moord op Joden uit de rest van Europa. Enkele honderdduizenden Poolse Joden werden aanvankelijk voor slavenarbeid in de getto's in leven gehouden, maar vanaf eind 1942 werd op bevel van Himmler begonnen met de verhuizing naar werkkampen. Deze latere deportaties kregen vooral in Warschau en Białystok steeds meer te maken met verzet van ondergrondse Joodse organisaties, hoewel de doeltreffendheid van de opstanden altijd beperkt zou blijven (wat hun leiders beseften) gezien de superieure militaire macht van de Duitsers. Het Joodse verzet werd ook ondermijnd door de tweeslachtige houding van de Poolse ondergrondse, waartoe ook het binnenlands leger (*Armia Krajowa*: AK) behoorde dat de steun had van de in Londen gevestigde regering in ballingschap. Hoewel het AK in sommige plaatsen (waaronder Warschau) voor wapens en schuilplaatsen zorgde, konden de eenheden in het conservatieve oosten van Polen voor de Joden even gevaarlijk zijn als de Duitsers. Toch betekende het Joodse verzet een schok voor de nazi's en dat gold zeker voor de opstanden in Treblinka en Sobibór, die voor Himmler aanleiding waren de eliminatie te bevelen van bijna alle Joden die nog in de kampen van het *Generalgouvernement* waren ondergebracht. Op 3 en 4 november 1943 werden ruim 40.000 mensen in de regio Lublin vermoord in een operatie die cynisch genoeg *Ernefest* (oogstfeest) was genoemd. De laatst overgebleven Joodse gemeenschap van enige omvang was het getto van Łódź. Maar ook dat werd in de zomer van 1944 vernietigd.

Naar schatting hebben slechts ongeveer 300.000 van de 3,3 miljoen Joden die voor de oorlog binnen de Poolse grenzen woonden, de Holocaust overleefd. Velen waren van plan om in het land te blijven, maar een aantal naoorlogse pogroms waren er de oorzaak van dat de meesten vertrokken. De meerderheid van het restant vertrok in 1968, toen de Zesdaagse Oorlog werd gevolgd door een openlijk antisemitische vervolging. Daardoor leven er tegenwoordig minder dan 10.000 Joden in Polen. Daar staat tegenover dat Polen binnen het communistische blok uniek was in het vestigen van opmerkelijke monumenten op locaties die verband hielden met de Holocaust. Sinds 1989 is er veel meer vooruitgang geboekt met een hernieuwde belangstelling voor het multi-etnische erfgoed van het land dat ook eerlijker wordt benaderd. Er zijn natuurlijk aanzienlijke varianten, maar Polen heeft een begin gemaakt met het volledig aanvaarden van het Joodse verleden en is ook op een gepaste wijze om de gemeenschap gaan treuren die zo lang een integraal onderdeel vormde van de eigen geschiedenis.

WARSCHAU

De Poolse hoofdstad was tegen de twintigste eeuw de grootste Joodse metropool van Europa. Hoewel er in de veertiende eeuw voor het eerst sprake was van een Joodse aanwezigheid in de stad, was het Joden tussen 1527 en 1768 verboden er te wonen. Warschau werd snel steeds belangrijker. Ook de Joodse bevolking groeide van nauwelijks tienduizend aan het begin van de negentiende eeuw tot meer dan 300.000 honderd jaar later, wat overigens grotendeels het gevolg was van migratie uit andere gebieden van het Russische Rijk. Tegen het begin van de twintigste eeuw telde de stad zo'n driehonderd synagogen en gebedshuizen. Warschau werd ook een belangrijk centrum van seculiere Joodse cultuur, met schrijvers als I.L. Peretz en Isaac Bashevis Singer. Het ging ook de kern vormen van de Bund. Alleen New York had een grotere Joodse bevolking en waarschijnlijk waren alleen in New York de diversiteit en vitaliteit van het Joodse leven groter.

Ook al begonnen de Duitsers op 8 september 1939 met hun aanval op de stad, toch duurde het nog drie weken voordat Warschau capituleerde. De Joodse bevolking kreeg meteen te maken met aanvallen en vernederingen van de kant van de bezetter. Net als in elke grote Poolse stad werd een *Judenrat* ingesteld. Aan het hoofd daarvan stond Adam Czerniaków, een geassimileerde Jood die eerder lid was geweest van de gemeenteraad en de Poolse senaat. Ook al zou Czerniaków later kritiek krijgen van veel bewoners van het getto – en niet in het minst vanwege zijn achtergrond en slechte beheersing van het Jiddisch – blijkt uit zijn dagboeken dat hij oprecht goed van vertrouwen was, maar te maken had met een onmogelijke situatie. Uit plichtsbesef weigerde hij in tegenstelling tot sommigen van zijn collega's in te gaan op aanbiedingen om in de eerste maanden van de bezetting te vluchten en hij zou een hoge prijs betalen voor zijn gevoel van verantwoordelijkheid.

De nazi's hadden in november 1939 al voor het eerst gesproken over het opzetten van een getto, maar spanningen binnen het bestuur hadden tot uitstel geleid. In oktober 1940 (op Jom Kipoer) werd het bevel einde-lijk uitgevaardigd en in november werd het getto afgegrendeld. Ofschoon de meeste Joden al in het gebied woonden, zorgde de vorming van het getto voor een enorme volksverhuizing waarbij tienduizenden Joden en Polen waren betrokken. Rond maart 1941 bevatte het getto 445.000 mensen, een enorme toename ten opzichte van de vooroorlogse bevolking van de stad door de vrijwillige en vaak gedwongen migratie van Joden uit de provincies en met name uit de *Warthegau*. Deze enorme overbevolking zou een constante factor worden in de geschiedenis van het getto met de onvermijdelijke gevolgen voor voedselvoorziening en ziektes. Het sterfte-cijfer bereikte in de zomer van 1941 het aantal van 5000 per maand en daalde daarna zelden onder de 4000. De daling van de bevolking bete-kende echter nauwelijks een verlichting, terwijl de Duitsers er ook voor zorgden dat er periodiek mensen uit het getto verdwenen. Daarmee is niet gezegd dat allen even erg te lijden hadden. Misschien meer dan in welke andere grote stad ook, ontstond in Warschau een 'getto-aristocratie' en dat waren dan vooral de smokkelaars die vaak de restaurants en cabarets bezochten die binnen het getto werden opgezet. Het feit dat die beston-den gaf de morele tweeslachtigheid van het gettoleven weer. Hoewel de smokkelaars in brede kring werden verafschuwd, niet in het minst omdat velen een crimineel verleden hadden, was smokkelen van levensbelang voor het getto.

Deportaties naar Treblinka begonnen op 23 juli 1942. Toen de Duit-sers eisten dat de *Judenrat* 6000 mensen per dag moest aanleveren, pleeg-de Czerniaków zelfmoord. Ofschoon de meeste slachtoffers met geweld naar de *Umschlagplatz* (het afgezette verzamelpunt vanwaar de treinen vertrokken) moesten worden gebracht, werden duizenden hongerende bewoners daarheen gelokt door de wijd en zijd bekend gemaakte belofte dat vrijwilligers brood en jam zouden krijgen. In de twee maanden van de *Aktion* deporteerden de Duitsers tussen de 254.000 en 270.000 mensen naar hun dood in Treblinka en misschien nog 10.000 naar andere kampen, terwijl er naar schatting 10.300 in het getto stierven. De meesten van de achtergebleven 60.000 Joden maakten zich weinig illusies over het lot dat hen wachtte, wat meehielp bij het ontstaan van de grootste en doeltreffendste Joodse ondergrondse beweging in Polen, de Joodse gevechtsorganisatie (Żydowska Organizacja Bojowa of ŻOB) die vanaf november onder commando stond van Mordechaj Anielewicz. De ŻOB was opgezet tijdens de deportaties van de zomer, maar was toen te zwak geweest om ze te voorkomen. De tijd erna werd echter benut voor organisatie en rekrutering, dus toen in januari een tweede golf razzia's begon, kon de ondergrondse verzet bieden, omdat men dacht dat de opheffing van het getto was begonnen. Toen de deportaties (die 6000 mensen omvatten) na minder dan een week stopten, werd dit beschouwd als een overwinning van de ondergrondse. De SS had feitelijk slechts een betrekkelijk kleinschalige *Aktion* voor ogen gehad, maar dit gevoel was belangrijk voor de toenemende steun voor de ŻOB, die ook meer vertrouwen kreeg. Dus toen op 19 april 1943 de uiteindelijke ontruiming begon, kregen de Duitsers te maken met een massaal en onverwacht verzet. Het was natuurlijk nooit erg waarschijnlijk dat de Duitsers verslagen zouden worden, maar de opstand trotseerde de nazi's een maand lang en bracht hun zware verliezen toe. De opstand heeft volgens velen vooral een symbolische en morele betekenis, omdat het de eerste grootschalige Joodse verzetsdaad was (die ook Joden elders bemoedigde). Minder bekend is dat dit feitelijk de eerste grootschalige verzetsdaad was van welke burgerbevolking dan ook in bezet Europa.

Ongeveer 7000 Joden die tijdens en na de opstand werden opgepakt, werden naar Treblinka gestuurd, de rest (meer dan 40.000) naar de kampen in de regio Lublin waar de meesten bij het *Erntefest* werden vermoord. Het grootste deel van het gebied van het getto werd volledig met de grond gelijkgemaakt (foto's van het gebied uit 1944-1945 konden ten onrechte worden aangezien voor Hiroshima). Hetzelfde lot onderging een groot deel van de rest van de stad na het neerslaan van de even hero-

Warschau: ulica Próżna (foto van de auteur)

ische maar tot mislukken gedoemde Opstand van Warschau in de zomer van 1944. Het moderne Warschau lijkt dan ook nauwelijks op de stad die hier ooit stond (er wonen hier tegenwoordig hooguit een paar duizend Joden), maar de herinnering aan de oorlog blijft er tastbaar, omdat die is uitgedrukt in monumenten in bijna elke straat en in historische stukjes stad die zo zeldzaam zijn dat ze des te kostbaarder worden.

Het getto

Het enorme gebied van het getto bevat weinig sporen van de geschiedenis. De indringendste daarvan is ulica Próżna, waarvan de rood bakstenen wooncomplexen tot de weinige voorbeelden behoren van nog bestaande oorspronkelijke gebouwen. De ramen van deze lang verwaarloosde complexen die nu worden gerestaureerd, zijn als mooie, tijdelijke tussenoplossing bedekt met grote vooroorlogse foto's van Warschause Joden. Ulica Próżna komt uit op plac Grzybowski, waarvan de noordzijde het hart van de moderne Joodse gemeenschap vormt, wat blijkt uit de koosjere restaurants en het Kamińska Joods theater op nummer 12-16. Enigszins verborgen aan een binnenplaats achter het laatste gebouw ligt de Nożyk Synagoge (ma-vr 9.00-19.00, zo 11.00-19.00; zł 6) aan de Twarda 6. Dat dit gebouw niet werd verwoest, dankte het aan het gebruik als pakhuis en stal door de Duitsers, hoewel de zware beschadigingen pas in de jaren zeventig werden gerestaureerd. Aan de zuidzijde van de plac Grzybowski heeft de kerk van Alle Heiligen op nummer 3-5 op de zijmuur een plaquette voor Poolse redders van Joden.

Naar het zuiden, aan de overkant van de Świętokrzyska, bevat het park voor het hoog oprijzende Stalinistische Cultuurpaleis vlak ten westen van de fontein een monument voor Janusz Korczak. Dit staat ongeveer op de plaats van Śliska 9, de laatste locatie van het Joodse weeshuis dat Korczak (echte naam: Henryk Goldszmit) oorspronkelijk voor de Eerste Wereldoorlog had opgezet. Als briljant pedagoog en schrijver van kinderboeken was Korczak – en is hij nog steeds – geliefd bij joodse en christelijke Polen voor zijn werk met zijn pupillen en zijn roman *Koning Matthijsje de Eerste*, vaak omschreven als de Poolse *Alice in Wonderland*. Zijn reputatie was zo groot dat de ondergrondse hem talloze malen aanbood om hem naar buiten te smokkelen, maar hij koos ervoor om tot het eind bij zijn kinderen te blijven. Een van de meest tragische taferelen uit de geschiedenis van het getto was de aanblik van Korczak die hen in augustus 1942 naar de *Umschlagplatz* begeleidde, vanwaar ze allemaal naar Treblinka werden gestuurd.

In een straat meer naar het westen toe was op Mariańska 1 (op de hoek met Pańska) een verpleegstersopleiding gevestigd die naar het getto was verplaatst. Een plaquette eert directeur Luba Blum die later van het Internationale Rode Kruis de Florence Nightingale Medaille toegekend kreeg. Verder lopend naar het westen kan men de naoorlogse Aleja Jana Pawła II oversteken bij de grote Rondo ONZ rotonde. Een paar straten naar het zuiden staan de voornaamste nog bestaande stukken van de get-

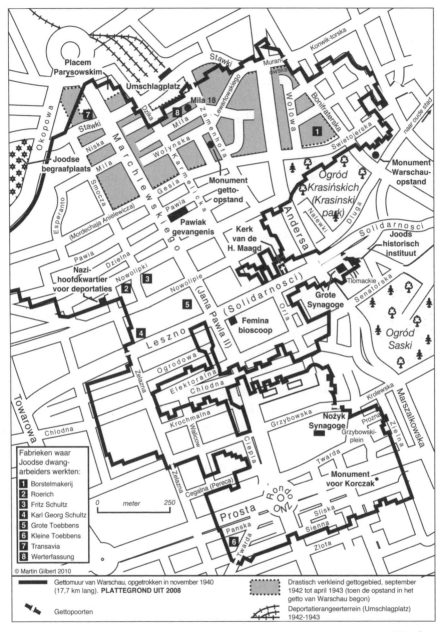

Placem
Parysowskim

Umschlagplatz

Stawki

Muranowska

Konwik-torska

Bonifraterska

Wolowa

Okopowa

Stawki

Dzika

Mila 18

Lewartowskiego

Zamenhofa

1

naar oude stad

Swietojerska

Joodse
begraafplaats

Niska

Mila

Marchlewskie

Smocza

Wolynska

Karmelicka

Gesia

Monument
Warschau-
opstand

Monument
getto-
opstand

Ogród
Krasińskich
(Krasinski
park)

Andersa

Nalewki

Dluga

Solidarnosci

Esperanto

(Mordechaja Anielewicza)

Pawia

Pawiak
gevangenis

Kerk
van de
H. Maagd

Joods
historisch
instituut

Pawia

Dzielna

Nazi-
hoofdkwartier
voor deportaties

Nowolipki

3

2

Nowolipie

5

Grote
Synagoge

Tlomackie

Senatorska

Ogród
Saski

4

Leszno

Zelazna

Jana Pawla II

(Solidarnosci)

Orla

Femina
bioscoop

Ogrodowa

Elektoralna

Chlodna

Krochmalna

Wallcow

Grzybowska

Nożyk
Synagoge

Grzybowski-
plein

Prozna

Krolewska

Zlelna

Marszalkowska

Towarowa

Chlodna

Zelazna

Ciepla

Twarda

Monument
voor Korczak

Fabrieken waar
Joodse dwang-
arbeiders werkten:

1 Borstelmakerij
2 Roerich
3 Fritz Schultz
4 Karl Georg Schultz
5 Grote Toebbens
6 Kleine Toebbens
7 Transavia
8 Werterfassung

© Martin Gilbert 2010

Cegalna (Pereca)

0   meter   250

Prosta

Panska

Rondo ONZ

6

Twarda

Sliska

Sienna

Zlota

| Gettomuur van Warschau, opgetrokken in november 1940 (17,7 km lang). **PLATTEGROND UIT 2008** | Drastisch verkleind gettogebied, september 1942 tot april 1943 (toen de opstand in het getto van Warschau begon) |
| Gettopoorten | Deportatierangeerterrein (Umschlagplatz) 1942-1943 |

Warschau

tomuur die zijn te bereiken via de ingang tot Złota 62. Een bord met de tekst '*Miejsce pamięci*' op de tweede binnenplaats geeft de weg aan (ook de oudere bewoners zijn vaak bereid de weg te wijzen). Rechts hiervan staat een hoek van de muur, waarop gedenkplaten en een kaart van het getto zijn aangebracht. Een rij stenen op de grond geeft aan hoe de muur verderliep naar een ander gedeelte links van de ingang. Van hier kan men de pijl volgen naar een derde fragment op de volgende binnenplaats. Het is mogelijk om hier naar buiten te gaan via de poort van Sienna 55, door op de bel te drukken. Dit geeft toegang tot de straat die als bijnaam 'de Champs-Élysées van het getto' had, vanwege de grote concentratie bewoners uit de middenklasse en niet te vergeten de nieuwe aristocratie van gettohandelaren en smokkelaars. Tegenwoordig is er nog maar weinig dat aan Parijs doet denken. Er staan voornamelijk flatgebouwen van na de oorlog, maar op nummer 60 ligt nog het voormalige kinderziekenhuis van Berson en Bauman. Hoewel het was gebouwd voor Joden, werden er alle kinderen, ongeacht etniciteit of religie, behandeld. Voordat hij zijn weeshuis opende, was Koczak hier een van de kinderartsen. Het kinderziekenhuis bleef tijdens het begin van de oorlog doorwerken, tot het in augustus 1942 werd gesloten toen dit gedeelte van het getto werd ontruimd. Aan de achterkant van het gebouw is een plaquette aangebracht voor directeur Anna Braude-Hellerowa, die tijdens de opstand van het getto in een bunker werd gedood, gelijk met enkele patiënten van haar.

Weer terug op Rondo ONZ lag het voormalige herenhuis van de Joodse koopman Leo Osnos, technisch gesproken Twarda 28, op de noordwesthoek. Door de bocht van het gebouw in noordelijke richting te volgen komt men op de Icchaka Lejba Pereca, die is genoemd naar de grote Jiddische schrijver die op nummer 1 woonde (nu een bouwplaats). De hoek omslaan naar Walicóv onthult meer fragmenten van het getto. De bakstenen gevel van nummer 9/11 maakte deel uit van de gettomuur. De ruïne op nummer 14 was de woning van Władysław Szlengel, een van de populairste dichters van het getto. Hij stierf strijdend tijdens de opstand. Een ander gedeelte van de muur staat op de noordwesthoek van de kruising Żelazna-Grzybowska, terwijl er nog twee gebouwen zijn blijven staan op de kruising van de Żelazna met de Krochmalna.

Vervolgens kruist de Żelazna de Chłodna, zonder meer de beroemdste straat van het getto. De eerste locatie van Korczaks weeshuis in het getto was het niet meer bestaande nummer 33 naar het westen, terwijl de oostkant van de kruising de plaats was van de beroemde brug die in 1942 werd gebouwd, toen het westelijke blok werd gesloopt en het getto in tweeën werd gedeeld. Dit wordt aangegeven door een 'virtuele brug' van twee metalen palen die door draden met elkaar zijn verbonden en die 's nachts worden verlicht. Het indrukwekkende witte gebouw op nummer 20 was het huis van Czerniaków en andere leden van de *Judenrat*. Een ander groot gebouw dat nog bestaat, is Ogrodowa 10/26, een straat naar het noorden. Tot de bewoners behoorde Józef Lewartowski, een communistische leider van de ondergrondse die in 1942 door de Gestapo werd vermoord. Op de muur is een gedenkplaat aangebracht. De evenwijdig hiermee lopende Aleja Solidarności is de veel breder gemaakte straat Leszno uit de oorlog, waarvan de cafés het hart vormden van het sociale en culturele leven van het getto. Het beroemdste café was de *Sztuka* (Kunst), waar Władysław Szpilman piano speelde en Szlengel zijn gedichten voorlas. Het enige spoor hiervan is nu de *Femina* bioscoop op nummer 115. De oorspronkelijke bioscoop met dezelfde naam op die plaats, werd omgebouwd tot een gettotheater. Een plaquette in de foyer herdenkt vermoorde acteurs en musici. Verder naar het oosten ligt aan de noordkant van de Aleja Solidarności de Kerk van de H. Maagd, waarvan pastoor Seweryn Popławski via de kelder Joodse kinderen naar buiten smokkelde.

Na de zuidoosthoek van de volgende kruising vindt men de Tłomackie, de locatie van de Grote Synagoge van Warschau. Deze werd voor diensten gebruikt tot het getto in maart 1942 werd verkleind, waarna het een pakhuis werd voor geplunderd meubilair. De Duitsers verwoestten de synagoge op 16 mei 1943, als symbool van de overwinning op de opstandelingen. Op die locatie staat nu een saai gebouw, hoewel er een gedenkplaat is aangebracht op de oostelijke muur tegenover het Joods Historisch Instituut aan de Tłomackie 3/5 (zo-vr 11.00-18.00, (zo vanaf 10.00); zł 10; www.jhi.pl). Het instituut dat op de plaats staat van de bibliotheek van de voormalige synagoge en het onderkomen van de Gemeenschap-

Warschau: Monument Gettohelden (foto van de auteur)

pelijke Hulpmaatschappij, doet dienst als museum en onderzoekscentrum, met als belangrijkste bezit het Ringelblum Archief. De historicus Emanuel Ringelblum stond aan het hoofd van een team dat een uitgebreide verzameling documenten over het gettoleven bijeenbracht, waaronder privédagboeken, kranten, publieke aankondigingen, advertenties, ooggetuigenverslagen, wetenschappelijke studies en nog heel veel meer. Het project met de codenaam *Oneg Shabbat* was gericht op het bewaren van deze gegevens voor toekomstige geschiedkundigen en is beslist de belangrijkste bron voor wetenschappers die het getto bestuderen. Het archief werd in 1943 aan de vooravond van de opstand opgeborgen in melkbussen en metalen dozen, en begraven. Enkele daarvan, maar niet alle, werden na de oorlog teruggevonden. De permanente tentoonstelling van het instituut op de begane grond maakt gebruik van Ringelblums werk om de geschiedenis van het getto te vertellen. Boven is een galerie met Joodse kunst.

De noordelijke straten van het getto werden bijzonder zwaar beschadigd tijdens de opstand en de nasleep daarvan, zodat er bijna niets van over is. Eén uitzondering zijn de paar nog bestaande restanten van de Pawiak gevangenis die nu dienst doen als museum en herdenkingsplaats op de hoek van de Aleja Jana Pawla II en de ulica Dzielna (trams 16, 17, 19 en 33, halte Nowolipki). Pawiak was de grootste gevangenis van Polen en werd door de tsaren gebouwd om politieke tegenstanders op te sluiten. Onder de nazi's vervulde hij dezelfde functie. Meer dan 100.000 mensen zaten hier tijdens de oorlog gevangen. Naar schatting 37.000 werden doodgeschoten en van de rest werden de meesten naar concentratiekampen gestuurd. Het complex werd na de Opstand van Warschau grotendeels verwoest, maar bij de ingang staat nog een gedeelte van de poort naast een bronzen afgietsel van een iepenboom die is bedekt met plaquettes. De oorspronkelijke boom overleefde op de een of andere manier de verwoestingen en werd daarbij een centrum van herdenkingen, maar later ging hij dood en vandaar het afgietsel uit 2004. De muren van de binnenplaats tellen meer gedenktekens. Het museum (wo-vr 9.30-17.00, za-zo 10.00-18.00; zł 8 (gratis op do); www.muzeum-niepodleglosci.pl/pawiak) omvat bewaard gebleven cellen. De goed opgezette permanente tentoonstelling gaat zowel over Pawiak als over de Duitse vervolging van Polen en Joden in bredere zin. Een bijzonder schokkend onderdeel is een statistische vergelijking die de Poolse ondergrondse had gemaakt over de voedselrantsoenen in het door Duitsland bezette Europa. Vanuit Pawiak kan men de hoge torenspits van de Sint-Augustinus-kerk aan de Nowolipki zien. Dit was het enige gebouw in de buurt dat bleef staan. Vlak ten zuiden van het westelijke einde van de Nowolipki was op de Żelazna 103 het SS-commando ondergebracht dat de razzia's van 1942-1943 organiseerde. In de kelder bevond zich een gevangenis van de Gestapo.

De Mordechaja Anielewicza, vanaf Pawiak een straat verder naar het noorden en genoemd naar de leider van de ŻOB, heette in de oorlog Gęsia. Plac Bohaterów Getta (Gettoheldenplein) bij de kruising met de Ludwika Zamenhofa, lag in de buurt die de kern van de opstand vormde en bevond zich dicht bij de locatie van de *Judenrat* en de gettogevangenis, die allebei aan de Gęsia lagen. Het belangrijkste monument van onmiskenbaar communistische oorsprong maar niettemin indrukwekkend, staat op de plaats waar de West-Duitse kanselier Willy Brandt in 1971 knielde in een overduidelijk gebaar van boetvaardigheid, een daad die in Duitsland in brede kring werd bekritiseerd. Een klein monument uit 1946, dat doet denken aan een deksel van een mangat aan de westelijke rand van het plein, wordt vaak over het hoofd gezien. Ook wordt het soms ten onrechte beschouwd als een gedenkteken van de Opstand van Warschau. Een steen in de buurt eert *Żegota*, een organisatie die de Poolse ondergrondse in december 1942 opzette om schuilplaatsen en hulp voor de Joden te verschaffen. Tegenover het plein ligt het grote, nieuwe museum van de geschiedenis van Poolse Joden dat in april 2013 op de zeventigste verjaardag van de opstand van het getto open ging. De permanente tentoonstelling zal naar verwachting in de herfst van 2014 opengaan (wo-ma 10.00-18.00; toegangsprijs later bekend gemaakt; www.jewishmuseum.org.pl). Het Gettoheldenplein telt nog vier monumenten, die het begin van het Pad van Herinnering markeren, een spoor van granieten blokken die naar de *Umschlagplatz* voeren waarbij elke steen een gebeurtenis, individu of groep herdenkt die verband hield met het getto.

De stenen op het plein zijn gewijd aan de slachtoffers van het getto, de opstand en Ringelblum. Het merendeel van de resterende stenen langs de Ludwika Zamenhofa gedenkt de leiders en activisten van de ŻOB. Een uitzondering daarop vormt de steen aan de rechterkant, die eer bewijst aan Szmul Zygielbojm, de vertegenwoordiger van de Bund in de Poolse regering in ballingschap die in mei 1943 in Londen zelfmoord pleegde uit protest tegen de in zijn ogen geallieerde onverschilligheid tegenover de Holocaust. Op de muur erachter staan spookachtige figuren en een citaat uit Zygielbojms laatste brief. Verderop is aan de linkerkant de plaats van Miła 18, de commandobunker van de ŻOB. Na een beleg van drie weken werd die op 8 mei 1943 omsingeld. De mensen in de bunker stierven in de strijd tegen de Duitsers of door hun eigen hand. De plaats wordt aangegeven door een hoop aarde (die aangeeft hoe hoog het puin lag na de verwoesting van het getto) waarop een gedenksteen staat; onder de hoop staan op een driehoekige steen de 51 bekende namen van de meer dan 100 mensen die in de bunker het leven lieten.

Op de hoek van Stanisława Dubois en Stawki eert een steen Korczak, terwijl de dramaturg en dichter Itzhak Katzenelson om de hoek aan de zuidzijde van de Stawki wordt herdacht. Na de opstand te hebben overleefd kregen Katzenelson en zijn zoon Zvi Hondurese paspoorten, wat tot gevolg had dat ze naar een kamp voor gevangenen uit geallieerde en neutrale landen in het Franse Vittel werden gebracht. Dit was echter niet voldoende om hen te redden: ze werden in 1944 naar Auschwitz gedeporteerd. Stawki 5/7 (nu een school) deed dienst als hoofdkwartier voor de SS-eenheid die toezicht hield op de *Umschlagplatz* en op de barakken voor de Litouwse en Letse hulptroepen die de mensen bewaakten die gedeporteerd moesten worden. Het *Umschlagplatz*-complex lag ertegenover. Het enige overblijfsel is Stawki 10 (6/8 in de oorlog) dat eerder dienst had gedaan als een school en een Joods ziekenhuis. Het werd in 1942 omgebouwd tot een detentieterrein waarop honderdduizenden mensen werden vastgehouden, voordat ze naar de wachtende veewagens werden gebracht – vlak achter het gebouw lagen perrons. Deze geschiedenis wordt herdacht met een plaquette, terwijl twee andere vertellen van de bevrijding van 50 Joodse gevangenen uit het gebouw door een AKeenheid tijdens de Opstand van Warschau van 1944. Links ligt het *Um-schlagplatz*-monument dat werd opgericht in 1988 en waarvan de muren zijn bedekt met 448 Joodse voornamen die de ruim 300.000 mensen moeten vertegenwoordigen die naar Treblinka en andere kampen werden gedeporteerd. Ten oosten hiervan herdenkt een van de verscheidene pla-quettes voor de Poolse ondergrondse aan de muur van de Sint-Johannes-kerk aan de Bonifraterska 12 drie AK-strijders die stierven, terwijl ze op 19 april 1943 een bres in de gettomuur aan het maken waren in een po-ging de opstand te helpen. De kerk is te bereiken door op halte Dzika bij de *Umschlagplatz* tram 35 naar halte Muranowska te nemen en dan langs een indrukwekkend monument te lopen voor Polen (onder wie ook Jo-den) die door Stalin naar de goelag werden gestuurd. Er staat trouwens een opmerkelijk monument voor de Opstand van Warschau op het Plac Krasiński, aan het zuidelijke einde van de ulica Bonifraterska.

De grote Joodse begraafplaats van Warschau aan de Okopowa 49/51 (ma-do 10.00-17.00, vr 9.00-13.00, zo 11.00-16.00; zł 8; trams 1, 22 en 27, halte Cmentarz Żydowski) werd aanvankelijk opgenomen in het get-to, maar er in december 1941 van losgemaakt, ofschoon er nog wel be-grafenissen plaatsvonden. Een aangrijpend monument voor de miljoen Joodse kinderen die door de nazi's zijn vermoord, staat rechts van de poort, dicht bij het beeld van Korczak en de wezen. Er zijn verder symbo-lische graven voor holocaustslachtoffers op perceel 9 achter perceel 10, waar Adam Czerniaków begraven ligt op een nogal onlogische plaats naast Ludwig Zamenhof (de grondlegger van het esperanto). Een bord buiten de poort verwijst naar ulica Edwarda Gibalskiego 21 dat is ge-bouwd op de plaats van de *Skra* sportclub waarvan het speelveld werd gebruikt als begraafplaats voor lijken die van de straten van het getto waren gehaald. Later was het tijdens de Opstand van Warschau een exe-cutieplaats. Links van het gebouw (waarin de administratie van de be-graafplaats is ondergebracht) staat een nogal abstract monument voor de Joden en Polen die hier begraven liggen. Het bestaat uit een trap die om-laag loopt naar een put waarin een zuil staat. Op de parkeerplaats van het administratiegebouw zijn een paar plaquettes te vinden die de plaats van massagraven aangeven (sommige van de slachtoffers werden na de oorlog herbegraven op de begraafplaats van de Opstand van Warschau – zie hieronder). Van de begraafplaats aan de overkant van de Okopowa herinnert een plaquette op de torenflat aan de Mordechaja Anielewicza 34 eraan dat dit de locatie was van het concentratiekamp Gęsiowka. Het kamp werd door de nazi's opgezet na de vernietiging van het getto en bevatte 5000 buitenlandse Joden die uit Auschwitz waren gehaald om het puin op te ruimen. De meesten werden op 29 juli 1944 geëvacueerd, maar ongeveer 400 bleven achter om het kamp te slopen. De plaquette belicht de redding van 348 van deze gevangenen door de AK tijdens de Opstand van Warschau. Veel van de bevrijde Joden sloten zich aan bij de Poolse strijdkrachten en sneuvelden daarna in de strijd.

Andere plaatsen

Op een korte tramrit van de Joodse Begraafplaats ligt aan de Grzybowska 79 (ingang aan de Przyokopowa) het grote museum over de Opstand van Warschau (Muzeum Powstania Warszawskiego; ma, wo, vr 8.00-18.00, do 8.00-20.00, za-zo 10.00-18.00; zł 14 (gratis op zo); www.1944.pl). Het werd geopend in 2004 bij gelegenheid van de viering van de zestigste verjaardag van de opstand. De multimedia expositie zal niet bij iedereen in de smaak vallen, maar de rebellie wordt zeer gedetailleerd in beeld gebracht.

De oorspronkelijke locatie van Korczaks weeshuis is één straat naar het noorden, aan de Jaktorowska 6. Het vervult vandaag de dag nog steeds dezelfde functie en is nu genoemd naar de stichter. In het gebouw is ook het Korczakianum ondergebracht, een documentatie- en onderzoekscentrum dat is gewijd aan het levend houden van de herinnering aan zijn werk. De tuin wordt gedomineerd door een buste van Korczak, terwijl er op het balkon een sculptuur staat in de buurt van twee plaquettes, de ene voor Korczak en de andere voor zijn mededirecteur Stefania Wilczynska die ook het lot van de kinderen deelde. Er is nog een gedenkteken meteen links van de poort voor de Poolse portier Piotr Zalewski van het weeshuis, die hier in augustus 1944 werd doodgeschoten. Hij moest achterblijven om voor het gebouw te zorgen, nadat hij in november 1940 was afgetuigd door de Gestapo, omdat hij Korczak en de wezen wilde vergezellen naar het getto, terwijl dat voor niet-Joden verboden was. In gelukkiger tijden werden de twee mannen elk jaar dronken op de naamdag van Zalewski en probeerden elkaar dan te overtroeven in vloeken.

Verder naar het westen liggen op de begraafplaats van de Opstand van Warschau (Cmentarz Powstańców Warszawy; trams 8, 10, 26 en 27 naar halte Sowińskiego) aan de Wolska 174/176 de stoffelijke resten van 6588 Joden die in het getto stierven en die na de oorlog van het *Skra*-veld aan de ulica Edwarda Gibalskiego hierheen werden overgebracht. Hun massagraf wordt gemarkeerd door een gedenksteen uit 1988 die de enige is met een gebogen in plaats van een vlakke bovenkant in de groep stenen achter de haag bij het grote monument.

Ten zuidwesten van het centrum is Grójecka 77 (in een steeg tussen 75 en 79) gebouwd op de locatie van een schuilplaats voor ongeveer veertig mensen die uit het getto waren ontsnapt. Onder hen was Emanuel Ringelblum. Zij werden verborgen door tuinman Mieczysław Wolski en zijn gezin. Ze werden in maart 1944 verraden en alle Joden werden samen met Wolski en zijn neef Janusz Wysocki geëxecuteerd. Er is nu een gedenkplaat (trams 1, 7, 9, 14, 25 en 35 naar Bitwy Warszawskiej 1920).

Een succesvollere reddingsactie wordt herdacht aan de Kopernika 4 in het centrum. Het is een flatgebouw, twee straten ten oosten van de Nowy Świat, waar met een plaquette Leon en Anna Joselzon, die de oorlog overleefden, hun speciaal gebouwde schuilplaats herdenken.

Ten zuiden van het centrum wedijverde het gebouw van het ministerie van Onderwijs aan de Aleja Szucha 25 met Pawiak als het meest gevreesde adres van Warschau in oorlogstijd, omdat hier het hoofdkwartier van de Gestapo was gevestigd. De cellen in de kelder waar Polen en Joden werden opgesloten en gemarteld, bleven aan het eind van de oorlog bewaard en vormen nu het ontnuchterende Museum van Strijd en Martelaarschap (wo-vr 9.30-17.00, za-zo 10.00-16.00; zł 8 (gratis op do); www.muzeum-niepodleglosci.pl/mauzoleum_szucha).

De wijk Praga, op de oostelijke oever van de Wisła, was een buurt met een behoorlijk grote Joodse bevolking. Hoewel naoorlogse flatgebouwen en moderne bouwwerken nogal storend zijn, heeft de buurt toch een interessante mengeling van secessionshuizen en bakstenen woningen behouden, waarvan sommige nog de zichtbare littekens dragen van de strijd die het Rode Leger in de zomer van 1944 om Praga voerde. Zichtbare herinneringen aan het Joodse verleden komen minder vaak voor, hoewel het voorname gebouw aan de Jagiellońska 28, waarin een school en een crèche waren ondergebracht, nog steeds de naamplaat heeft die het aanduidt als de Michał Bergsonschool (Bergson was de voorzitter van de gemeenschap toen de school in het tweede decennium van twintigste eeuw werd gebouwd). Om de hoek is de Księdza Ignacego Kłopotowskiego 31, een voormalige *mikwe* (waarin ook een school was ondergebracht) het enige dat is overgebleven van wat ooit een groot complex van de Joodse gemeenschap was. De Targowa die evenwijdig aan de Jagiellońska loopt, doet in het bijzonder denken aan het oude Warschau. Enkele van de binnenplaatsen verleenden onderdak aan gebedshuizen, maar die zijn gesloopt of nu niet meer toegankelijk.

De dierentuin van Warschau in het noorden van Praga vormde dankzij directeur dr. Jan Żabiński en zijn vrouw Antonina een schuilplaats voor Joden. De meeste kooien waren leeggehaald tijdens het bombardement van september 1939 en de Duitsers brachten nog meer dieren over naar Berlijn. De Żabiński's gebruikten de lege dierenonderkomens – en ook hun eigen villa op het terrein – als tijdelijke schuilplaatsen tot elders in de stad duurzamere schuilplaatsen konden worden gevonden. Naar schatting passeerden zo enkele honderden mensen de poorten van de dierentuin. Żabiński was actief lid van de Poolse ondergrondse en werd na de opstand van 1944 geïnterneerd in een krijgsgevangenenkamp, maar Antonina en hun jonge zoon Ryszard bleven mensen beschermen. Hun gezin werd in 1965 erkend als Rechtvaardigen onder de Volkeren.

Ten noordoosten van de dierentuin ligt de voormalige Joodse begraafplaats Bródno, aan de Świętego Wincentego, bij de rotonde Rondo Żaba (bussen 127, 162, 169, 326, 406, 500 en 527, halte Rondo Żaba). De muren werden gesloopt tijdens de oorlog en de stenen werden gebruikt voor bestrating (andere muren werden onder het communisme vernield). De begraafplaats is nu omgeven door een hek dat in de jaren tachtig op initiatief van particulieren werd aangebracht. Een klein aantal stenen staat nog tussen de bomen overeind, maar de meeste liggen op enorme stapels die doen denken aan de stedelijke ruïnes in de visie van Max Ernst en misschien is dat niet ver verwijderd van wat ze vertegenwoordigen.

TREBLINKA

Hoewel Treblinka slechts iets langer dan een jaar bestond, was dit het dodelijkste kamp van de *Aktion Reinhardt*. Het werd opgezet aan het eind van de lente van 1942 in voorbereiding op de geplande vernietiging van het Warschause Jodendom. De plaats was gekozen omdat die dicht bij een aftakking van de hoofdspoorlijn van Warschau naar Białystok lag. De dichte wouden die het kamp omgaven pasten ook bij de bedoelingen van de nazi's, net als het feit dat er in de buurt al een werkkamp voor politieke gevangenen (en Joden) was, dat bekendstond als Treblinka I. Deze gevangenen werden samen met Joden uit de omliggende gemeenten gedwongen het vernietigingskamp te bouwen dat bekend werd als Treblinka II. De eerste transporten kwamen op 23 juli 1942 aan en onder de slachtoffers bevonden zich de eersten van de honderdduizenden Joden uit Warschau. Zelfs naar de normen van vernietigingskampen was Treblinka in de eerste weken een plaats van opperste verschrikking. Commandant Irmfried Eberl, voormalig chef-arts in de T4-centra Brandenburg en Bernburg, die zijn carrière vooruit wilde helpen door van Treblinka het moorddadigste vernietigingskamp te maken, liet veel meer transporten komen dan dat de drie gaskamers aankonden. Duizenden mensen bleven opgesloten in de lange rijen veewagens buiten het kamp, en de SS nam zijn toevlucht tot het doodschieten van enorme aantallen mensen, terwijl rottende lijken in grote stapels lagen te wachten om in massagraven te worden gegooid. Eberl werd eind augustus ontslagen en opgevolgd door Franz Stangl die tot dan toe commandant van Sobibór was geweest. Er werd een nieuw blok met tien gaskamers gebouwd, terwijl in de loop van de winter van 1942-1943 een systeem van het verbranden van lijken werd ingevoerd. Na een bezoek van Himmler in maart 1943 werd ook besloten de lijken uit bestaande massagraven op te graven en te cremeren om bewijsmateriaal te vernietigen. Dit afschuwelijke werk werd net als in alle dodenkampen uitgevoerd door leden van het *Sonderkommando*. In dit stadium werd het vernietigingsproces al teruggeschroefd en na april 1943 kwamen er nog maar weinig transporten. De Joodse gevangenen die nog in het kamp zaten, beseften dat zij ook vermoord zouden worden zodra de crematies waren voltooid, dus maakten ze plannen om in opstand te komen. Op 2 augustus haalden ze wapens uit het arsenaal en staken het grootste deel van het kamp in brand (hoewel de gaskamers niet werden verwoest). Van de ongeveer 1000 gevangenen slaagden zo'n 200 erin te ontsnappen, hoewel slechts enkele tientallen de oorlog overleefden.

Geschiedkundigen nemen over het algemeen aan dat het dodencijfer minstens 780.000 en mogelijk meer dan 900.000 is geweest. De meeste slachtoffers kwamen uit Polen. Anderen kwamen uit Slowakije, Griekenland en Theresienstadt. Een paar gevangenen werden na de opstand en het stoppen van de transporten (het laatste – uit Białystok – kwam op 21

Treblinka (foto van de auteur)

augustus 1943 aan) in Treblinka gevangen gehouden om het kamp te ontmantelen. Toen dit was voltooid, werden ze in oktober 1943 naar Sobibór gedeporteerd en vermoord. Alle gebouwen werden gesloopt waarna er bomen werden aangeplant en een Oekraïense bewaker in een huisje werd geïnstalleerd om de indruk te wekken dat het een boerderij was, om zo ongewenst bezoek tegen te gaan. Nadat de bewaker was gevlucht, kwamen plaatselijke boeren in drommen naar de plaats om naar 'Joods goud' te graven. Ze vonden in ontbinding verkerende menselijke resten. De nazi's vernietigden het kamp zo doeltreffend dat er bijna niets van overbleef en het bleef verlaten liggen tot er in de jaren zestig een monument van werd gemaakt.

De informatiekiosk op de parkeerplaats verkoopt kaarten van de moderne locatie en kaartjes voor het museum (dag. 9.00-19.00; zł 2; www. muzeum-treblinka.pl) waarin de exposities ook een schaalmodel van het kamp omvatten en voorwerpen die ter plaatste werden gevonden, waaronder een geblakerd fragment van een Thora, prikkeldraad, lepels en scheermessen. In 2013 werd aangekondigd dat er een nieuw educatief centrum zal worden gebouwd. Dit is ontworpen door een Israëlische architectenfirma die wordt geleid door de dochter van Samuel Willenberg, de laatste overlevende van het kamp. Een pad rechts van de informatiekiosk voert naar het gebied van het dodenkamp, zonder meer de plaats van het mooiste communistische Holocaustmonument waarin Joodse begrafenistradities en symbolische voorstellingen van het kamp zijn verwerkt. Achter de poort met het opschrift 'Obóz zagłady' ('vernietigingskamp') duiden staande stenen de rand van het kamp aan, terwijl betonnen bielzen de route van de spoorlijn volgen waarover de treinen Treblinka eerder ingeduwd dan ingetrokken werden. De rails eindigen bij het perron waar de treinen werden uitgeladen. Eind 1942 gaf Stangl opdracht hier een namaak station te bouwen, compleet met fictieve dienstregelingen, borden en zelfs een kaartjesloket. Slachtoffers kregen zo de indruk dat ze waren aangekomen in een overstapplaats die Obermajdan heette. Van hieruit zouden ze dan na een bad worden doorgestuurd naar werkkampen verder naar het oosten. Het gebouw, dat feitelijk een opslagbarak was voor geplunderde voorwerpen, was gelegen op en rechts van het pad dat van het perron naar het grote monument voert. Op de stenen hier staan de landen waaruit de slachtoffers van Treblinka afkomstig waren. Het gebied links van het pad dat grotendeels tussen de bomen ligt, was de plaats van het 'ontvangstkamp', waar de slachtoffers werden uitgekleed en ontdaan van hun bezittingen en waar de vrouwen werden geschoren. Dan werden ze door de 'Schlauch' (buis) of 'Schleuse' (sluis), een 90 meter lang pad, omsloten door hoge prikkeldraadhekken, naar de afdeling 'dodenkamp' van het complex gejaagd. Het pad maakte dicht bij de gaskamer een scherpe bocht om de bestemming van de slachtoffers tot het laatste moment verborgen te houden. Het terrein van het 'dodenkamp' komt ruwweg overeen met de open ruimte waarop nu de gedenktekens staan. Het 'levende kamp' waarin de SS, Oekraïners en (in een apart gedeelte) de Joodse gevangenen waren ondergebracht, lag links van de open ruimte op een terrein waar nu bomen staan.

Het grote centrale stenen monument staat ongeveer op de plaats van de latere gaskamers. Aan de achterkant is de vorm van een menora in de stenen aangebracht. Een van de redenen waarom het monument van Treblinka zo'n indruk maakt, is dat het bijna uniek is onder de communistische bouwwerken, omdat wordt verwezen naar het Joods zijn van de slachtoffers. Het monument wordt omgeven door drie velden van ongeveer 17.000 ruw uitgehakte stenen die op een betonnen grondvlak staan. De aarde eronder bevat menselijke as. Op 216 van de grotere stenen staan de namen van de Joodse gemeenschappen gegrift die in Treblinka werden vernietigd, waarbij Warschau vooraan een prominente plaats inneemt. Deze groep stenen bedekt ruwweg het terrein van de eerste massagraven die haastig werden gegraven tijdens het chaotische tijdperk Eberl. Dicht bij het monument, aan de linkerkant van deze groep, staat de enige steen die is gewijd aan een individu: aan Korczak en de kinderen ('*dzieci*'). De groep stenen rechts van het monument strekt zich van de locatie van meer massagraven in oostelijke richting uit naar de plaats van de *Sonderkommando*-barakken. De grootste groep staat achter het monument op de plaats van de grootste verzameling massagraven. De brandstapels voor de lijken lagen in 1943 tussen deze groep en het monument op de plaats die nu symbolisch wordt aangegeven door een massa geblakerd materiaal.

De lijken werden verbrand op rails die oorspronkelijk een korte smal-spoorbaan hadden gevormd van de gaskamers naar de massagraven. De lijken moesten worden vervoerd op lorries die door leden van het *Sonder-kommando* werden geduwd.

Zo'n anderhalve kilometer ten zuiden van het vernietigingskamp ligt de plaats van het werkkamp Treblinka I. In het begin loopt de weg even-wijdig aan de vroegere spoorbaan die van het dodenkamp doorliep naar de steengroeven van Treblinka I. Vlak voor het kamp is een open ruimte links van de weg de plaats van een kleine nog bestaande SS-bunker, waar-achter men kan uitkijken over de grote overwoekerde grindkuil en links daarvan over de nog bestaande laad- en losplaats. De aankomst op de plaats van Treblinka I wordt gemarkeerd door een plattegrond van het kamp. Ook dit werd verwoest (in 1944) en op de open plekken in het bos zijn alleen nog een paar fundamenten te vinden, hoewel panelen de plaats van de verschillende gebouwen aangeven. Een paar honderd meter ver-derop langs de weg ligt de executieplaats van Treblinka I waarvan de massagraven nu worden geëerd met kruisen en een herdenkingsmuur.

De herdenkingsplaats ligt aan een zijweg van de 627 die tussen Małkinia Górna en Kosów-Lacki met borden is aangegeven en die zich dichter bij Poniatowo dan bij het dorp Treblinka bevindt. De smalle brug over de rivier de Bug vlak ten zuiden van Małkinia Górna waarover vroe-ger vrijwel al het verkeer naar het kamp ging, werd in 2008 gesloten, maar er ligt nu een nieuwe brug. Wie gebruik wil maken van openbaar vervoer, kan op het station van Małkinia Górna een taxi te nemen (de auto's staan te wachten op de aankomst van de treinen). Het is verstandig om de chauffeur te vragen bij het kamp te wachten voor de terugreis.

BIAŁYSTOK

Białystok, gelegen in het centrum van de Poolse regio met de grootste et-nische verscheidenheid, was een van de grote Joodse steden van het land, hoewel die ontwikkeling betrekkelijk laat begon. Tot de industriële revo-lutie was de plaats nauwelijks meer dan een dorp, maar daarna groeide de bevolking in de eeuw voor de Eerste Wereldoorlog van 1000 tot meer dan 60.000 zielen. Joden vormden in deze tijd meer dan twee derde van de stedelijke bevolking en hadden ruim 80% van de fabrieken in bezit, ofschoon de meerderheid van de bevolking bestond uit arme arbeiders die in die fabrieken werkten. Zelfs na het beleid in het interbellum om de stad echt Pools te maken, bleven de Joden in 1939 in de meerderheid.

De stad viel op 15 september 1939 in Duitse handen, maar overeenkomstig de bepalingen van het Molotov-Ribbentroppact, werd de plaats een week later aan Stalin overgedragen. Daarom werd Białystok pas in 1941 blootgesteld aan de alomvattende wreedheid van de Duitse politiek. Omdat de plaats dicht bij de grens met de USSR lag, werd die wel snel veroverd. Op 27 juni, de dag van de komst van de nazi's, verloren 2000 Joden het leven van wie de meesten levend verbrandden in de Grote Synagoge. *Einsatzgruppe B* voerde in begin juli meer massamoorden uit op duizenden prominente Joden. In augustus 1941 werden 50.000 Joden – degenen die er nog in de stad over waren samen met anderen die van omliggende plaatsen waren aangevoerd – opgesloten in een getto dat was gelegen in het noordelijk gedeelte van het centrum. In tegenstelling tot veel andere pas bezette steden was dit niet de inleiding tot een meteen daaropvolgende nieuwe golf van geweld, ook al werden 4500 ongeschoolde of zieke Joden in de herfst overgebracht naar het getto van Prużany (in het huidige Wit-Rusland) vanwaar de meesten in 1943 werden gedeporteerd naar Auschwitz. Daarna leek er een soort stabiele situatie te ontstaan in het getto waarvan de meeste bewoners werkten in de fabrieken die het grootste deel van het gebied in beslag namen. De omstandigheden waren uiteraard slecht, maar de *Judenrat* kon een uitgebreide maatschappelijke infrastructuur van gaarkeukens, ziekenhuizen en scholen in stand houden, terwijl de Duitsers het getto heel 1942 grotendeels met rust lieten. Hiermee hielden ze niet iedereen voor de gek en in de loop van datzelfde jaar werd in het getto een ondergrondse opgericht. Die was echter niet voorbereid op de eerste grote getto-*Aktion* die in februari 1943 plaatsvond. Ongeveer 10.000 mensen werden naar Treblinka gestuurd, terwijl nog eens 2000 in het getto zelf werden vermoord. Zelfs na deze gebeurtenis geloofde voorzitter Efraim Barasz van de *Judenrat* dat de overblijvende Joden gered konden worden door hard te werken, een geloof dat werd gestimuleerd door hogere figuren van het

Duitse bestuur. Deze veronderstelling was voor hem aanleiding om in de zomer van 1943 te breken met de ondergrondse die hij eerder had gesteund met geld en goederen. Barasz bleek het natuurlijk bij het verkeerde eind te hebben en die augustus werd de ontruiming van het getto uitgevoerd. De ondergrondse verzette zich vijf dagen tegen de Duitsers en moest het toen opgeven. Enkele honderden strijders stierven bij de gevechten of door zelfmoord. Van de gettobewoners werden 7600 rechtstreeks naar Treblinka gedeporteerd en de overige volwassenen gingen naar Majdanek waar ze na een volgende selectie als dwangarbeiders naar Poniatowa of Auschwitz werden gestuurd of meteen in de gaskamers van Majdanek verdwenen. Een transport van 1260 kinderen werd naar Theresienstadt gestuurd vanwaar ze in oktober naar Birkenau werden gedeporteerd (zie hoofdstuk 7). Slechts ongeveer 2000 personen, merendeels prominente figuren als Barasz, bleven in het getto van Białystok achter, maar ook zij werden begin september naar Majdanek gedeporteerd. Al degenen die naar de kampen rond Lublin waren gestuurd, werden bij het *Erntefest* vermoord, dus wordt aangenomen dat nog geen 500 Joden van Białystok de oorlog hebben overleefd. Tegenwoordig woont er nog nauwelijks een Jood in een stad die ooit de grootste van Polen was met een in meerderheid Joodse bevolking.

Veel van Białystok werd in de oorlog verwoest. Het merendeel van het getto dat ruwweg werd begrensd door de straten Lipowa, Henryka Sienkiewicza en Poleska is nu bebouwd met flatgebouwen, maar er zijn nog enkele resten te vinden, met name in het zuidelijke gedeelte van de ulica Ludwika Waryńskiego (Polna in oorlogstijd) die tussen de ulica Lipowa en de Aleja Józefa Piłsudskiego ligt. Aan een straat ten noorden van de laatst genoemde, tegenover Żabia 14, ligt een parkje op de plaats van de gettobegraafplaats (opgezet in 1941). Een centrale obelisk herdenkt de opstand van 1943. Daarachter staat een muur langs de Proletariacka met een monument voor de 3500 mensen die werden begraven. Hun lichamen en de grafstenen werden in de jaren zeventig door de communisten verwijderd. De Proletariacka naar het oosten volgen voert naar een kruising met de Czysta, een andere straat met bewaard gebleven gebouwen. Een van de poorten van het getto lag aan het noordelijk eind van de straat.

Naar het zuiden, langs de Czysta, komt de volgende straat in westelijke richting uit op de Bohaterów Getta, terwijl men aan het eind van de Żytnia in het oosten aan de overkant van de rivier de Biała een gettofabriek kan zien die bewaard is gebleven. In het gebied aan de andere kant van de rivier waren de meeste werkplaatsen gevestigd en daar was de opstand geconcentreerd. Dat deel van het getto heeft nu plaats moeten maken voor naoorlogse architectuur (een uitzondering is een geel herenhuis aan de Jurowiecka 26 dat naast het gebied lag waar in augustus 1943 de mensen werden verzameld die gedeporteerd zouden worden). Terug op de Czysta komt de volgende kruising rechts uit bij Ludwika Waryńskiego 24 dat het voormalige Cytron gebedshuis was en nu een kunstgalerie is. Een zeldzame plaquette maakt gewag van de geschiedenis ervan (dit gedeelte van de ulica Ludwika Waryńskiego loopt niet door naar het gedeelte ten zuiden van de Aleja Józefa Piłsudskiego).

Aan de andere kant van de Piłsudskiego lag aan de ulica Icchoka Malmeda (vroeger de Kupiecka) het hoofdkwartier van de *Judenrat*. Tijdens de *Aktion* van februari 1943 gooide een jongeman, Icchok Malmed, een fles zuur in het gezicht van een Duitser die verblind een collega doodschoot. Uit vergelding vermoordden de Duitsers 100 Joden en dreigden het hele getto te verwoesten tenzij Malmed zich overgaf, wat hij meteen deed. Hij werd in deze straat opgehangen. Er is een gedenkteken voor hem aan de muur van nummer 10. Een elegant, nog bestaand gebouw aan de Nowy Świat 9, verder naar het westen, ligt dicht bij de plaats waar de 100 Joden werden gedood. De ulica Ludwika Zamenhofa die evenwijdig aan de Malmeda loopt, is vernoemd naar de Joodse oprichter van het Esperantogenootschap die werd geboren op de plaats van het huidige nummer 26. Een muurschildering beeldt Zamenhof af die op een balkon staat uit te kijken. Onder hem staan de Joodse intellectuelen Jacob Shapiro en Abraham Zbar. Shapiro, de oprichter van het Esperantogenootschap, was een van de mensen die in juli 1941 buiten de stad werden doodgeschoten. In de buurt van het zuidelijk einde van de Malmeda staat een buste van Zamenhof in een parkje.

De Grote Synagoge van Białystok die in de nacht van 27 juni 1941 werd platgebrand terwijl er minstens 600 mensen binnen waren, stond ten zuiden van het getto tussen de Suraska en Legionowa. Er staat een opvallend monument – een verwrongen metalen geraamte (dat de brandende koepel voorstelt) op een door bestrating aangegeven davidster – verborgen op een binnenplaats die toegankelijk is via een pad naast Legionowa 14/16. Een herdenkingszuil bevat een afbeelding van de synagoge. Doorlopen over het terrein achter het gebouw van de BGŻ-bank en de aangrenzende parkeerplaats voert naar een bescheiden plaquette op de zijmuur van een gebouw zonder huisnummer op de hoek met de Suraska. Twee voormalige synagogen zijn nog deels bewaard gebleven. De gedeeltelijk herbouwde Piaskower Synagoge aan de Piękna 3 (een zijstraat van de Legionowa verder naar het westen) is het onderkomen van de Zamenhof Stichting, terwijl de ingrijpend verbouwde Szmuela Synagoge aan de Branickiego 3 ten oosten van het centrum een plaquette bevat die getuigt van het verleden ervan.

Het nog bestaande Joodse kerkhof aan de Wschodnia in het noordoosten (neem bus 9 of 100 naar de halte Raginisa aan de Wysockiego, loop dan terug en volg de tweede straat links een paar honderd meter) telt een aanzienlijk aantal stenen. Vele verkeren in slechte staat, maar er is tenminste sprake van enig onderhoud. Het opmerkelijkste gedenkteken is een groot zwart monument voor de slachtoffers van de pogrom in 1906. Enkele gettoslachtoffers liggen hier begraven, hoewel de verweerde grafstenen moeilijk te ontcijferen zijn.

Het bos van Pietrasze was de plaats van de massamoorden door *Einsatzgruppen* in juli 1941. Ongeveer 5000 Joden onder wie communisten, andere politieke leiders en intellectuelen werden samen met 100 Polen en een enkele Wit-Rus vermoord. De plaats is nu een herdenkingsbegraafplaats waarop de massagraven naast een obelisk in het midden liggen. Helaas raakt men door het grote aantal paden dat het bos doorkruist, gemakkelijk verdwaald. Volg de Aleja Tysiąclecia Państwa Polskiego in noordelijke richting de stad uit en steek de Generała Władysława Andersa over. Een paar honderd meter na de kruising, na de elektriciteitspalen en voor de spoorbrug, wijst een bordje naar een picknickplaats over een zandpad rechts. Verderop is het afgesloten met een balk. De parkeerplaats en het picknickterrein liggen rechts. In theorie zou men hier moeten parkeren, hoewel bandensporen aangeven dat veel bezoekers het hobbelige pad rond de balk volgen. Volg het zandpad ruim een kilometer wandelend of rijdend tot een opvallend Pools herdenkingsbord naar de begraafplaats wijst.

LUBLIN

Lublin was de bakermat van een van de oudste en beroemdste Joodse gemeenschappen van Polen en zonder meer de belangrijkste stad in de geschiedenis van de Holocaust. Een Joodse aanwezigheid werd voor het eerst gedocumenteerd in de veertiende eeuw en Lublin werd algauw een vermaard kenniscentrum dat de bijnaam 'Joods Oxford' of 'Pools Jeruzalem' kreeg. Het was ook een belangrijke basis van de Vierlandensynode: het bestuurslichaam van de Joodse gemeenschappen van het Pools-Litouwse Gemenebest. Net als het grootste deel van zuidelijk Polen werd de stad in de achttiende eeuw beïnvloed door de opkomst van het chassidisme. Het werd een van de voornaamste centra van de beweging buiten Oekraïne, terwijl de industrialisatie net als overal elders een belangrijke groei van de Joodse bevolking met zich meebracht. De reputatie van Lublin als een van de grote Joodse steden van oostelijk Europa werd gekenschetst door de opening in 1930 van wat men beschouwde als de grootste jesjiva (Talmoedschool) ter wereld.

De Duitsers namen Lublin op 18 september 1939 in. Het oorspronkelijke Molotov-Ribbentroppact had de stad aan de USSR toebedeeld, maar in de aangepaste versie werd het district Lublin uitgewisseld tegen Sovjetbeheersing van Litouwen. Dit bleek een noodlottige ontwikkeling, want in de daaropvolgende vier jaar werd de regio de hoeksteen van de naziplannen. Naast de ellende die de Joden in heel door Duitsland bezet Polen te verduren hadden, bracht de herfst van 1939 het Nisko-plan, het wilde en snode plan om de regio Lublin te veranderen in een 'reservaat' waar Joden uit het hele Reich en de rest van Polen naartoe zouden worden gedeporteerd. Begin 1940 werd het plan opgegeven, maar het idee dat het meest afgelegen gebied van het *Generalgouvernement* belangrijk kon zijn bij het 'oplossen' van de 'Joodse kwestie' zou weer met ontstellende gevolgen voor de dag worden gehaald. In deze context zou de komst van

Odilo Globocnik, die in november 1939 hoofd van de SS en politie van het district Lublin werd, van grote betekenis zijn.

In 1940 was er sprake van een escalatie van de vervolging toen duizenden Joden naar werkkampen in de stad en het omliggende gebied werden gestuurd. Meer dan 10.000 anderen werden begin 1941 verbannen naar kleinere gemeenschappen in afwachting van de vorming van het getto van Lublin waarin in maart officieel 34.000 mensen werden opgesloten (de illegale terugkeer van ballingen hield in dat het aantal waarschijnlijk dichter in de buurt van de 40.000 lag). Het getto bleef maar net een jaar bestaan, want meer dan twee derde van de bewoners werd van maart tot april 1942 gedeporteerd en de paar duizend overlevenden werden verhuisd naar een nieuw getto in Majdan Tatarski, ten zuidoosten van het centrum.

De gedeporteerden kwamen als de eerste officiële slachtoffers terecht in het nieuw opgezette vernietigingskamp Bełzec. Dit was een bevestiging van het feit dat Lublin als het hoofdkwartier van de *Aktion Reinhardt* onder commando van Globocnik de kern van de moordoperatie was geworden. Zelfs na het mislukken van het Nisko-plan was Globocnik de ambitie blijven koesteren om de regio een centrale rol in de Jodenpolitiek te geven. Hij vond ook dat het een geschikt gebied was voor Duitse kolonisatie, omdat hij te zijner tijd toezicht zou houden op de etnische zuivering van het gebied van Polen rond Zamość. Himmlers vertrouwen in hem als de man die deze politiek zou uitvoeren was niet alleen een gevolg van hun vriendschap en gemeenschappelijke antisemitische gevoelens, maar ook van het feit dat de *Reichsführer* de carrière van Globocnik had gered, nadat die vanwege corruptie in 1939 als *Gauleiter* van Wenen was ontslagen. Hij had zich daarmee verzekerd van de loyaliteit van Globocnik. Op een gegeven moment kreeg Globocnik in 1941 aldus de verantwoordelijkheid voor wat de grootste moordoperatie uit de menselijke geschiedenis zou worden. Hoewel de locaties die hij voor de drie kampen koos allemaal op enige afstand van Lublin lagen, vormde deze stad het bestuurlijke centrum van het programma. Naast het bouwen van de kampen, het selecteren van het personeel en het toezicht houden op hun onmenselijke activiteiten zette Globocnik in Lublin een groot bureaucra-

Lublin: Hoofdkwartier Aktion Reinhardt (Foto van de auteur)

tisch apparaat op voor het organiseren van de praktische zaken en het regelen van andere belangrijke functies van *Aktion Reinhardt*, zoals het op grote schaal plunderen van Joodse eigendommen. De laatste rekening die Himmler kreeg, bedroeg 178.745.960 Reichsmark, wat nu overeen zou komen met een kleine € 600 miljoen, hoewel hier natuurlijk niet de aanzienlijke bedragen zijn bijgeteld die door het personeel van de *Aktion Reinhardt* zelf werden gestolen. Vanuit Lublin was Globocnik ook verantwoordelijk voor het grote concentratiekamp Majdanek aan de rand van de stad, het kamp Trawniki waar de Oekraïense bewakers werden getraind en een reeks dwangarbeiderskampen. Pas eind 1943 stopte *Aktion Reinhardt* en daarmee ook het vermoorden van Joden in deze andere kampen. Globocnik en het merendeel van zijn belangrijkste medewerkers werden overgeplaatst naar zijn geboorteplaats Triëst, en daarmee kwam een eind aan de ongebruikelijk belangrijke rol van Lublin in de Holocaust (Globocnik pleegde in mei 1945 zelfmoord nadat hij in Oostenrijk gevangen was genomen door Britse troepen).

Tegen deze tijd waren er nog maar enkele honderden Joden in de stad in leven. Degenen die in april 1942 waren verhuisd naar het getto van Majdan Tatarski werden meteen doorgestuurd naar Majdanek of naar de dwangarbeiderskampen, of dat doorsturen gebeurde bij de definitieve opheffing van het getto in november van datzelfde jaar. In Majdanek vonden selecties plaats die slechts enkelen overleefden, tot november 1943, toen bijna alle Joden in de kampen in het district Lublin werden vermoord. De laatste paar honderd gevangenen werden in juli 1944 gedood. Men neemt aan dat minder dan 300 mensen van de bevolking van 40.000 zielen in 1939 de oorlog in schuilplaatsen of in de kampen overleefden. Misschien nog eens 1000 hadden het overleefd als partizaan, of levend in de USSR.

Lublin was de eerste Poolse stad van betekenis die werd bevrijd, dus werd het aanvankelijk een middelpunt van pogingen om het Joodse leven weer tot bloei te brengen. In oostelijk Polen was het naoorlogse antisemitisme echter bijzonder sterk en zelfs de Joden die in het land bleven, trokken vooral naar Warschau. Men neemt aan dat er tegenwoordig minder dan 100 Joden in de stad wonen. Hoewel er monumenten zijn, is de herdenking van de Holocaust en het Joodse verleden van Lublin minder in het oog springend dan in Warschau, Łódź of Kraków.

Het getto en omgeving

Het getto haalde een stuk uit de mooie Oude Stad van Lublin en strekte zich naar het noorden uit in de richting van de historische Joodse wijk rond het kasteel. Historisch was het Joden verboden zich in de Oude Stad te vestigen, maar tegen de twintigste eeuw was er toch een aantal individuen en instituten gevestigd. Een voorbeeld is Bramowa 6 ten noorden van de Krakaupoort waarin een afdeling van het ziekenhuis *Bikur Holim* was ondergebracht. De zuidelijke grens van het getto begon ten noorden van de Rynek en liep met een boog rond de noordzijde van de Rybna en

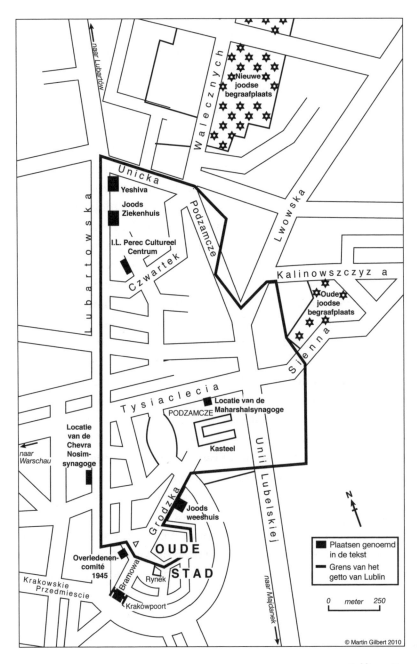

Lublin: getto

Noworybna. Aan de zuidzijde van de kruising van deze twee straten deed het pand Rybna 8, dat is gemarkeerd met een gedenkplaat, tot de verhuizing in 1949 naar Warschau dienst als het hoofdkwartier van het Centrale Comité van Joden in Polen. Hier kwamen de overlevenden bijeen en tekenden zij hun ervaringen op. De Noworybna komt uit op de Lubartowska die de westgrens van het getto vormde. Het nogal rommelige plein tussen de Lubartowska en de Świętoduska is het plac Ofiara Getta (Plein van de Gettoslachtoffers). Hier werd in 1962 het grote Holocaustmonument van Lublin opgericht, maar dat is nog niet zo lang geleden verplaatst. Heuvelafwaarts bood Lubartowska 10 onderdak aan de enige nog bestaande gebedskamer van de stad, maar ook die is verplaatst.

Ten noorden van de Rynek was Grodzka 11 de locatie van een Joods weeshuis, een tehuis voor ouderen en verscheidene kantoren van de gemeenschap. Op 24 maart 1942 werden de jonge wezen vermoord in het vliegveldkamp van Majdan Tatarski. Het gebouw bood tijdens het korte bestaan van het getto ook onderdak aan de *Judenrat*. Deze geschiedenis staat te lezen op twee gedenkplaten. Teatr NN, gevestigd in de Grodzkapoort is een bewonderenswaardige culturele organisatie die de herinnering aan het Joodse verleden van Lublin levend wil houden door middel van vindingrijke exposities (teatrnn.pl). Verlaat men de Oude Stad door de Grodzkapoort, dan voert een brug naar het kasteel dat door de Gestapo werd gebruikt als gevangenis (jun-aug: di-zo 10.00-17.00 (wo en zo tot 18.00); sep-mei: di-zo 9.00-16.00 (wo en zo tot 17.00); zł 10; www. muzeumlubelskie.pl). Een paar honderd Joden werden hier als dwangarbeiders gevangen gehouden. Zij werden enkele uren voor de bevrijding, op 21 en 22 juli 1944, als laatsten in de stad vermoord. Het is moeilijk om zich nu een voorstelling te maken van de wirwar van straten en huisjes rond het kasteel, maar een gedenkplaat op het plac Zamkowy aan de voet van de trappen toont een plattegrond van de oude Joodse wijk. Deze buurt werd door de communisten met de grond gelijkgemaakt voor de aanleg van de grote autoweg Aleja Tysiąclecia ten noorden van het kasteel. Deze loopt over de plaats waar de Grote Synagoge van Lublin uit 1567 stond en waarmee ook een complex was verbonden dat twee andere gebedshuizen bevatte en een van de grootste jesjiva's van Europa. De

Lublin: Nieuwe Joodse begraafplaats (foto van de auteur)

synagoge werd tijdens de deportaties naar Bełżec als verzamelpunt gebruikt en daarna in 1942 verwoest. Er is alleen een afbeelding van bewaard gebleven op een gedenkplaat die in een berm boven het pad aan de zuidzijde van de Aleja Tysiąclecia tegenover het busstation staat. Dit laatste is de nogal vreemde plaats van een weinig opvallend overblijfsel van het Joodse verleden van het gebied. In de buurt van de plaats waar de bussen de Ruska opdraaien was in een vierkant torenachtig bakstenen gebouwtje een put te vinden waar de hele gemeenschap van gebruikmaakte, want zelfs in de jaren dertig van de vorige eeuw hadden de meeste huizen van dit district nog geen stromend water of rioolaansluiting.

Ten westen van het busstation aan de Probostwo 4 stond een fabriek waarin 150 Joden buiten het getto slavenarbeid verrichtten. Enkele oorspronkelijke gebouwen aan de oostzijde van de Lubartowska (de grens van het getto) en aan de Czwartek, een zijstraat rechts verder naar het noorden, zijn nog bewaard gebleven. Vanaf de laatste straat linksaf was Skolna 16 (op enige afstand van de straat) het I.L. Perec Cultureel Centrum. Dit complex was genoemd naar de schrijver en zou op 1 september 1939 opengaan. Na de oorlog deed het aanvankelijk dienst als een ontmoetingscentrum voor holocaustslachtoffers en was er een Joodse basisschool in gevestigd. Lubartowska 81 is het voormalige Joodse ziekenhuis (het is tegenwoordig nog altijd een ziekenhuis). Personeel en patiënten werden op 27 maart 1942 vermoord. Ernaast, om de hoek aan de Unicka die het noordelijkste punt van het getto vormde, ligt de grote Lublin Jesjiva die was gebouwd in 1930 met de bedoeling er een mondiaal Joods kenniscentrum van te maken. Het werd in 1940 door de Duitsers gedwongen om te sluiten en de bezittingen, waaronder een beroemde bibliotheek, werden gestolen. Na de oorlog werd het gebouw gebruikt door de medische faculteit van de universiteit, maar het is teruggegeven aan de Joodse gemeenschap die er nu het hoofdkwartier in heeft gevestigd. De gemeenschap is het gebouw geleidelijk aan het restaureren, zoals blijkt uit de prachtige façade en het kan worden bezocht tegen een verplichte bijdrage (zł 12,50 of € 5). Men kan dan de schitterend gerenoveerde synagoge op de eerste verdieping bezichtigen en een kleine expositie over de geschiedenis van de jesjiva.

De nieuwe Joodse begraafplaats aan de oostkant van de Walecznych die in 1829 was geopend, lag net buiten het getto. De begraafplaats werd zwaar beschadigd door de nazi's die er ook gebruik van maakten als executieplaats voor bijvoorbeeld de ernstig zieke patiënten uit het ziekenhuis. De moderne muur bestaat uit verwrongen metaal in de vorm van menora's en betonnen stenen waarvan er vele plaquettes bevatten die holocaustslachtoffers gedenken. Op het terrein staat een aantal gedenktekens waaronder één voor een massagraf voor 190 Joden die in 1942 in Majdan Tatarski werden vermoord (in het achterste gedeelte na de poort achter het ongebruikelijke ceremoniegebouw). Een ander gedeelte van de begraafplaats ligt ten noorden van de Aleja Generała Władysława Andersa, maar dat is niet ommuurd en is feitelijk een park. Het monument in het midden is nauwelijks onderhouden. De overwoekerde en deels vervallen oude begraafplaats ligt ten zuidoosten hiervan aan de Kalinowszczyzna (bel 0602473118 voor toegang). Ook die werd gebruikt voor executies, van zowel Joden als Polen, en in 1944 voor artillerieposities. Op de hoek met de Floriańska staan twee monumenten voor de Polen die op 23 december 1939 op de begraafplaats werden gedood.

De SS-stad

Het moderne stadscentrum ten westen van de Oude Stad was het domein van de Duitsers. Hier stonden de gebouwen van waaruit de *Schreibtischtätern* (bureaumoordenaars) van Globocniks staf en de daarbij betrokken instituten de genocide voorbereidden en aanstuurden. Ondanks het belang van deze plaatsen voor de Holocaust zijn ze niet aangeduid. Wel bevat de buurt het verplaatste Holocaustmonument. Het is een grote zwarte sculptuur in de vorm van een *matsewa* (Joodse grafsteen) op de hoek van de Radziwiłłowska en Niecała ten noorden van het Europa Hotel (in oorlogstijd het centrum van Duitse propaganda-operaties) en het plac Litewski (omgedoopt tot Adolf Hitler Platz). Er was enige tijd sprake van een verplaatsing van het monument van het plac Ofiara Getta naar een geschiktere plaats, zoals de jesjiva, maar waarom het hier terecht is gekomen, is een raadsel. Om de hoek waren in het vervallen Niecała 3 Oekraïense SS-hulptroepen ondergebracht. Tijdens restauratiewerkzaamheden werd een menselijke schedel gevonden in het beton van het balkon boven de voordeur. Verderop in dezelfde straat was het lichtgroene gebouw op nummer 14 in een zijstraat links het hoofdkwartier van de Ostbahn (bekend als '*Gedob*'). Dit was waar de deportatietreinen naar de dodenkampen werden ingeroosterd naast het burgerlijke en militaire verkeer. Aan de overkant van 3 Maja was het statige gebouw aan de Chmielna 1 een SS-garnizoen. In de kelder lagen de schatten van de *Aktion Reinhardt* opgeslagen en werden geld en kostbaarheden gesorteerd. Achter het hoofdgebouw stond een bank waar Globocnik een gesprek met Franz Stangl had over de post van commandant van Sobibór. Achter het kleinere gebouw rechts stond een oven waarin een groep Joodse gevangenen goud smolt.

Het gebouw van de Kredyt Bank op de noordwestelijke hoek van de kruising tussen 3 Maja en Krakowskie Przedmieście was in oorlogstijd een filiaal van de Reichsbank. Het geld en goud dat met de *Aktion Reinhardt* was buitgemaakt, werd hier gedeponeerd en door een speciale koerier naar Berlijn gebracht. Het Grand Hotel ertegenover was in gebruik als het Deutsche Haus, het hoofdkwartier van het Duitse burgerlijke bestuur. Tijdens de T4-moorden op gehandicapten, kregen de families van Duitse Joodse slachtoffers overlijdensaktes die zogenaamd waren uitgegeven door het bureau van de burgerlijke stand in Chełm. De documenten waren in feite opgesteld in Berlijn en naar Lublin gebracht waar ze werden gepost op het grote hoofdpostkantoor aan de Krakowskie Przedmieście 50 vlak ten oosten van het kruispunt.

De volgende kruising naar het westen met de Ewangelicka naar rechts en de Fryderyka Chopina naar links voert naar het hart van de nazistad. Het grote gebouw aan de Fryderyka Chopina 27-29 was het hoofddepot voor geconfisqueerde Joodse goederen uit zowel de dodenkampen als uit Lublin zelf. Aan de evenwijdig ermee lopende Lipowa werd in 1939 een kamp voor Joodse dwangarbeiders opgezet. Duizenden passeerden de poorten voordat de laatste 2500 in november 1943 naar Majdanek werden gestuurd. Daarna werden niet-Joden in het kamp ondergebracht, tot de uiteindelijke ontruiming in juli 1944. Na de oorlog bleven enkele fragmenten over, maar die werden niet zo lang geleden gesloopt om plaats te

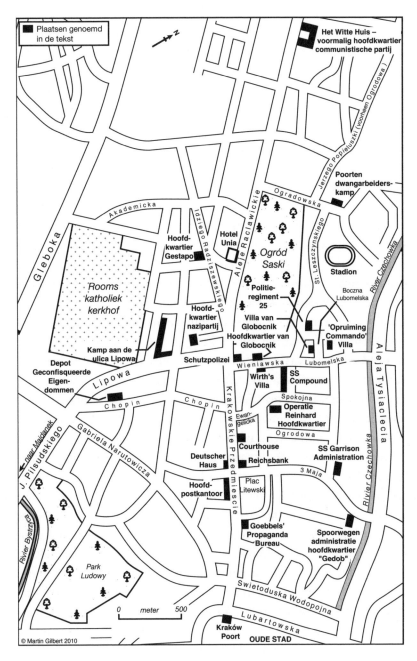

Lublin: centrum

maken voor de nieuwe Lublin Plaza bioscoop en een winkelcentrum. Er is echter een gedenkteken aan de zuidelijke muur vlak tegenover het kerkhof. Ten noorden van het Plaza voert de volgende splitsing links na de kruising met de Marii Skłodowskiej-Curie naar de Żwirki i Wigury. Het gebouw met de zuilen op nummer 1 was het hoofdkwartier van de nazipartij in Lublin. Een paar straten naar het westen, op de kruising van de Idziego Radziszewskiego en de Uniwersytecka, vormde het gebouw met de ronde façade en de klok vlak onder het dak het onderkomen van de Gestapo. Het is het enige Duitse gebouw met een gedenkteken. Aan de kant van de Uniwersytecka is een plaquette aangebracht boven de ingang van een klein museum (wo-za 9.00-16.00, zo 9.00-17.00; toegang gratis) in de voormalige cellen, waarvan één de bewaard gebleven graffiti bevat die zijn achtergelaten door gevangenen.

De belangrijkste plaatsen van het vernietigingsapparaat waren gelegen ten noorden van de Krakowskie Przedmieście. Na het inslaan van de Ewangelicka geeft een elegant gebouw aan de Spokojna 1 nu onderdak aan de rechtenfaculteit van de universiteit. Er is niets dat erop wijst dat dit het hoofdkwartier was van de *Aktion Reinhardt*, de plaats waar de dood van bijna twee miljoen mensen werd georganiseerd, omdat de huidige gemeente aanvragen voor het plaatsen van een gedenkplaat op het vrij recent gerestaureerde gebouw afwees. Aan de overkant van de straat ligt een groep vrijstaande gebouwen in een hoger gelegen gebied tussen Partyzancka en Jerzego de Tramecourta (vroeger de Czugaly). Deze vormden het ontspanningscentrum van de SS met een restaurant, een casino, een bar en een bordeel. Het indrukwekkende gebouw ernaast, aan de Spokojna, was het hoofdkwartier van Ernst Zorner, gouverneur van het district Lublin. Door het SS-gebied kan men naar de Wieniawska lopen, waar de kleine villa op nummer 7 in de tweede helft van 1942 het huis was van Christian Wirth die van Bełżec naar Lublin was gehaald om inspecteur van de kampen van *Aktion Reinhardt* te worden (later verhuisde hij naar een woning in het kamp bij het vliegveld). Samen met Globocnik was Wirth de belangrijkste figuur bij de vernietiging van de Poolse Joden. Hij was zelfs in vergelijking met zijn collega's een verbijsterend onaangename man die in drie van de T4-centra werkzaam was geweest voordat hij werd benoemd tot inspecteur van alle centra. Zijn nieuwe positie in Lublin gaf hem eenzelfde soort controle over de *Reinhardt*-kampen. Hij wordt dus algemeen beschouwd als de persoon die rechtstreeks verantwoordelijk was voor de dood van het grootste aantal mensen in de Holocaust. Nadat hij met het grootste deel van het personeel uit Lublin in 1943 was overgeplaatst naar Triëst (hoewel hij kort terugkeerde voor de massamoorden in november), werd hij in mei 1944 gedood door Joegoslavische partizanen en begraven met volledige militaire eer.

Aan de overkant van de straat vormde het grote blok aan de Wieniawska 6/8 het hoofdkwartier van Globocnik in zijn functie als hoofd van de SS en van de politie, wat iets anders was dan de leiding hebben over *Aktion Reinhardt*. Het gebouw op nummer 4 aan de andere kant van de steeg was het hoofdkwartier van de *Schutzpolizei*, de gewone geüniformeerde Duitse politie. Andere belangrijke gebouwen zijn te vinden aan de Boczna Lubomelskiej, een zijstraat links van de Lubomelska, de voortzetting van de Wieniawska in noordelijke richting. Het blok uit de jaren dertig op nummer 4/6 was de persoonlijke villa van Globocnik. Het huis dat achter bomen schuilgaat op nummer 3 aan de overkant, bood woonruimte aan zijn administratief personeel, en tijdens de ontruiming van het getto van Lublin in het voorjaar van 1942 aan de leiders van het 'Opruimcommando': Globocniks ploeg 'specialisten' die de deportaties organiseerde. De Boczna Lubomelskiej buigt dan naar links. Het grote, grijze gebouw op de hoek met de Stanisława Leszczyńskiego was de kazerne van politieregiment 125, de SS-lijfwacht van Globocnik.

Bij het volgen van de Leszczyńskiego heuvelop naar het westen komt men op de plaats van het dwangarbeiderskamp Sportsplatz in Wieniawa, een buitenwijk met voor de oorlog een overheersend Joodse bevolking. Na de verhuizing van de Joden naar het getto gaf Globocnik het gebied een recreatieve bestemming voor de SS en de rest van de Duitse bevolking. De Joodse begraafplaats van Wieniawa werd afgebroken en op die plaats werd in begin 1941 met Joodse arbeiders een sportstadion gebouwd. Het Sportsplatz-kamp werd in 1942 opgezet als een subkamp van Majdanek. De bewoners ervan werden te werk gesteld bij de bouw van het stadion of bij het sorteren van medicijnen en cosmetica die waren afgenomen van slachtoffers van dodenkampen. Van de gevangenen die naar de Sportsplatz werden gestuurd (waarschijnlijk een paar honderd), overleefde slechts één de ontruiming van het kamp, in november 1943. Terwijl het stadion aan de noordkant van de Stanisława Leszczyńskiego nog steeds in gebruik is, werden de kampgebouwen grotendeels gesloopt. De oorspronkelijke poort staat echter nog wel aan de Aleja Jana Długosza 12, aan het eind van de Leszczyńskiego rechtsaf. Vandaar is aan de andere kant van de Księcia Józefa Poniatowskiego een hangar zichtbaar waar goederen werden opgeslagen.

Vliegveldkamp en Majdan Tatarski

De meeste bezoekers die vanuit het centrum van Lublin op weg gaan naar Majdanek, beseffen niet dat ze de plaats van een ander kamp passeren. Het vooroorlogse vliegveld van Lublin werd in 1940 omgebouwd tot een werkkamp met een verscheidenheid aan werkplaatsen. Het kamp kreeg tijdens de *Aktion Reinhardt* een nieuwe betekenis toen de vliegveldhangars werden gebruikt voor het opslaan en sorteren van goederen die waren gestolen van de slachtoffers van de dodenkampen. Die verbinding werd eind 1942 nog sterker benadrukt door de benoeming van Wirth als commandant. Het kamp werd in november 1943 opgeheven toen de gevangenen naar Majdanek werden gebracht en bij het *Erntefest* werden vermoord.

Het kamp lag ten noorden van de huidige Droga Męczenników Majdanka (Chełmska in oorlogstijd) en ten oosten van de spoorlijnen. Vlak na de spoorbrug en dan de trap op ligt de villa van Wirth en zijn hoofdkwartier als inspecteur van de kampen van *Aktion Reinhardt* op nummer 2. Het ten opzichte van de straat schuin staande gebouw had zelfs een eigen restaurant dat werd beschouwd als het beste van Lublin. Himmler dineerde hier drie keer. Bizar genoeg werden de mannen die toezicht hielden op de vernietiging van het Poolse Jodendom bediend door mooie, jonge Joodse vrouwen. Loopt men om nummer 2 heen, dan komt men bij het grote gebouw op nummer 4 waarin de SS was ondergebracht. Vanhier voert een pad door de overwoekerde ruïnes van het kamp. Het vervallen gebouw links was een fabriek die teerpapier vervaardigde. Het pad buigt naar rechts, om uit te komen op de Wrońska. Op het rechte stuk voor deze kruising was het bakstenen gebouw aan de rechterkant een SS-mess met een kantine en een bar – de bijna vierkante voorgevel is zichtbaar achter de muur langs de Wrońska. Bijna ernaast stond op de binnenplaats achter de muur een gaskamer die aanvankelijk werd gebruikt voor het desinfecteren van kleding, maar later voor het vermoorden van gevangenen. Bij het volgen van de Wrońska in zuidelijke richting staat de laatste van de hangars die werden gebruikt voor het opslaan van de geroofde buit van *Aktion Reinhardt*, nog altijd aan de rechterkant van de straat. Het kamp strekte zich aan de oostzijde van de Wrońska feitelijk veel verder uit, maar in dat gebied staan nu moderne fabrieken.

Het Majdan Tatarski getto waarin de laatste overlevende Joden van Lublin in 1942 gedwongen moesten gaan wonen, lag maar iets ten noorden van het kamp. In het gebied staan nu naoorlogse huizen en flats. Majdan Tatarski, een zijstraat rechts aan het noordeinde van de Wrońska, was de hoofdstraat van het getto.

De locatie is gemakkelijk te bereiken door bus 7, 14, 16, 23, 28, 55, 153, 156, 158 of 502 naar de halte Park Bronowice aan de Droga Męczenników Majdanka te nemen. De spoorbrug ligt recht vooruit. Vlak daarachter ligt aan de overkant van de straat de trap naar de villa van Wirth.

MAJDANEK

Majdanek, nu omgeven door de naoorlogse buitenwijken van Lublin, was het grootste kamp in het *Generalgouvernement* en het eerste grote nazikamp dat werd bevrijd. De aanleg ervan begon in de herfst van 1941 onder leiding van Globocnik waardoor er een verbinding ontstond met *Aktion Reinhardt*. Tot het voorjaar van 1943 was het bestemd als krijgsgevangenenkamp (er zaten inderdaad duizenden soldaten van het Rode Leger gevangen) maar dit verhulde de ware aard die een weerspiegeling was van Himmlers demografische fantasieën. De gevangenen moesten een grote arbeidspool van slaven gaan vormen (plannen die in maart 1942 werden goedgekeurd, voorzagen in een kampbevolking van 250.000

mensen) die in Polen en de USSR SS-complexen zouden bouwen waaromheen zich uiteindelijk permanente Duitse gemeenschappen zouden ontwikkelen. Hoewel de militaire realiteit deze ambities nogal inperkte, was
Majdanek al een grote locatie voordat het officieel tot concentratiekamp
werd verklaard. Na de eerste transporten van Sovjet krijgsgevangenen
werden er vooral Joden en Polen naar het kamp gestuurd. De Joden waren over het algemeen vakbekwame arbeiders die tijdens *Aktion Reinhardt* minstens tijdelijk werden gespaard. Hun aantal nam in 1943 sterk
toe door de definitieve opheffing van de getto's. Majdanek verwerkte tevens geroofde Joodse eigendommen uit de dodenkampen.

Majdanek wordt vaak ook aangeduid als vernietigingskamp. Vanaf
eind 1942 stonden er inderdaad gaskamers, waarin een onbekend aantal
gevangenen werd vermoord. Soms gebeurde dit al direct na aankomst,
maar kennelijk vaker als ze te zwak waren om te werken (wat in veel
concentratiekampen het geval was). Waarschijnlijk had het kamp echter
meer gemeen met Janovska in L'viv of met het Kroatische kamp in Jasenovac dan met Birkenau of Treblinka, want de belangrijkste moord-
methoden lijken verhongering, te zwaar werk en executie te zijn geweest.
Dit zou een verwijzing moeten zijn naar de complexiteit en schaal van de
Holocaust (iets wat door de nogal overtrokken aandacht voor de gaskamers soms op de achtergrond raakt) en hieruit blijkt ook het heel simpele
feit dat de nazi's Joden vermoordden met alle middelen die ze maar konden vinden. Duizenden lieten het leven onder de erbarmelijke omstandigheden en anderen werden doodgeschoten. De grootste actie van dien aard
vond plaats bij het *Erntefest* op 3 november 1943, toen rond 18.000 Joden werden vermoord tijdens een van de grootste bloedbaden van de
Holocaust. Daarna bestond de bevolking van het kamp tot de bevrijding
in juli 1944 voornamelijk uit etnische Polen.

De USSR veroverde Majdanek voordat de Duitsers de kans hadden
gekregen het bewijsmateriaal te vernietigen, wat inhield dat deze verschrikkingen aan de hele wereld bekend werden (minder bekend was het
feit dat de NKVD daarna een gedeelte van het kamp overnam voor de internering van leden van de Poolse ondergrondse). In november 1944 werd
besloten om van een deel van het complex een museum te maken, waar-

door het als eerste Holocaustlocatie een monument werd. Een erfenis van het communisme was echter (net als bij Auschwitz) een verdraaiing van de geschiedenis van het kamp waarbij de USSR beweerde dat daar meer dan een miljoen mensen werden vermoord (grotendeels Polen en Russen), een aantal dat geen enkele serieuze geleerde ooit heeft geaccepteerd. Het exacte aantal gevangenen en slachtoffers is lang onzeker geweest, waarbij vaak is geopperd dat er ongeveer 300.000 doden zijn gevallen. Recente onderzoeken wijzen er echter op dat het totale aantal gevangenen rond de 120.000 heeft bedragen, waarvan driekwart Joods. Het tegenwoordig geaccepteerde dodencijfer dat nu in het kampmuseum wordt aangegeven, is 78.000 van wie 59.000 Joods – nog steeds een schrikbarend aantal. Bij dit aantal zijn geen andere kampen begrepen, zoals Poniatowa en Trawniki, die uiteindelijk werden opgenomen in het Majdanek-systeem.

Wat meteen opvalt over de locatie (dag. 9.00-18.00 (nov-mrt tot 16.00, barakken gesloten op ma); toegang gratis; www.majdanek.eu) is de enorme omvang, maar wat de moderne bezoeker ziet, is in feite slechts een gedeelte van het Majdanek-complex dat zich in oorlogstijd veel verder naar zowel het oosten als het westen uitstrekte. De ingang tot het kampterrein wordt aan de straat gemarkeerd door een enorme abstracte betonnen sculptuur uit de jaren zestig waarin sommigen een menora denken te zien, hoewel dat wel vergezocht is. Verder naar het oosten ligt langs de hoofdweg het bezoekerscentrum van het museum waarin een bioscoop is ondergebracht. Vanaf het monument voert een pad diagonaal door de SS-afdeling van het kamp waarvan weinig is overgebleven. Er staan een paar SS-vrouwenbarakken aan de rand van het gevangenenkamp, terwijl het witte doktershuis rechts van het pad ligt. Hierna gaat men door de poort die de ingang tot het gevangenenkamp markeert.

Het misschien wel weerzinwekkendste kenmerk van Majdanek is de aanwezigheid van gaskamers bijna direct naast de ingang, in een verbouwd badhuis rechts. Ze werden eind 1942 gebouwd en waren aanvankelijk blijkbaar alleen bedoeld voor desinfecteringsdoeleinden voordat een verandering van plannen leidde tot aanpassing ervan voor massamoord. Onvoldoende documentatie en te weinig overlevenden hebben tot gevolg dat de kennis over wat hier precies is gebeurd, beperkt blijft. Het is bijvoorbeeld niet met zekerheid bekend of twee (zoals zou blijken uit de opschriften) of drie van de kamers in het blok gaskamers waren of dat het eerste van de twee kamers werd gebruikt voor doden of alleen voor desinfectie. Hieruit blijkt de nog altijd heersende twijfel over de exacte aard van het vernietigingsproces in dit kamp, waarbij algemeen wordt aangenomen dat de gaskamers een aanvulling vormden op de massale executies met de kogel en door uithongering.

De houten barakken achter het badhuis werden gebruikt voor de opslag van goederen die lagen te wachten om naar Duitsland te worden verscheept. Enkele daarvan maken nu deel uit van de tentoonstellingen van het museum. Barak 43 tot 45 beslaan de geschiedenis van het kamp, terwijl barak 52 de enorme hoop schoenen bevat die bij de bevrijding werd ontdekt. Links van het pad liggen de grote 'Velden' (omheinde groepen barakken) waarin het kamp was verdeeld en waarvan alleen Veld III nu barakken bevat. Dit kwam deels door het slechte onderhoud door de eenheden van het Rode Leger die hier na de oorlog waren gelegerd, maar voornamelijk doordat de plaatselijke bevolking het hout weghaalde voor brandstof. De barakken in de andere velden werden in 1949 afgebroken en de resten daarvan werden gebruikt voor de volledige reconstructie van de barakken in Veld III die het beter hadden doorstaan. Op de andere velden werden bomen geplant, maar toen deze de locatie dreigden te verzwelgen, werden ze in de jaren zestig geveld. In het gebied tussen de Velden I en II lag de kampwasserij en het oude crematorium dat hier nog gespaard is gebleven en dat ook twee gaskamers bevatte. Een pad voerde naar Veld II waar een kleine schuur een betonnen beeld van een kasteel bevat, dat is gemaakt door gevangenen. Zoals in zoveel kampen was een dergelijke afleiding iets waarop de gevangenen zich konden concentreren om, hoe kort ook, even aan de werkelijkheid te ontsnappen. Hierin werden ze aangemoedigd door de oorspronkelijke commandant Karl Koch die zichzelf beschouwde als een man van cultuur. Hij werd in augustus 1942 gearresteerd op verdenking van corruptie. Het hoofdpad maakt aan het eind van de rij barakken een bocht naar Veld III. Vlak voor deze bocht zijn de fundamenten te zien van de SS-garage waarin een gasauto stond die blijkbaar van Bełżec was gebracht.

In Veld III zaten voornamelijk Poolse politiek gevangenen samen met enkele Joden uit Warschau en Białystok. Barak 14 en 15 zijn open; de herbouwde stapelbedden geven een indruk van de overvolle omstandigheden waarmee de gevangenen te maken hadden. Nogal verrassend is dat er geen extra aandacht wordt besteed aan barak 19. Dit was de 'dodenbarak' waarin zieke gevangenen gewoon werden gedumpt. Om de paar dagen kwam er een kar langs om de lijken weg te halen en ze naar het crematorium te brengen. Aan het oostelijk uiteinde van Veld III staat een andere betonnen sculptuur, bestaande uit een zuil met drie adelaars op de top. De SS gaf zelfs toestemming om dit monument op te richten, omdat werd aangenomen dat de adelaars Duitsland vertegenwoordigden, terwijl ze natuurlijk ook het symbool van Polen waren. Minder goed bekend is

Majdanek (foto van de auteur)

het feit dat gevangenen menselijke as onder de zuil begroeven als een aanvullende daad van symbolisch protest.

De route loopt dan verder naar het zuiden langs wat de oostelijke begrenzing van het kamp lijkt te zijn, maar wat in werkelijkheid was bedoeld als de centrale straat voor de uitbreiding die in 1944 gestalte moest krijgen. Het grootste gedeelte van het gebied naar het oosten wordt nu in beslag genomen door de onlogisch geplaatste katholieke begraafplaats. De weg voert naar een dreigend, overkoepeld mausoleum dat een grote berg as bevat die in 1947 is verzameld van de aarde in en rond het kamp en die in 1969 een plaats heeft gekregen in dit bouwwerk. Rechts daarvan ligt het nieuwe crematorium dat in de herfst van 1943 werd gebouwd, hoewel veel is hersteld nadat de vluchtende nazi's het in brand hadden gestoken. Sommige gidsen vertellen bezoekers dat er in dit gebouw gaskamers waren, maar daar zijn geen bewijzen voor (tegen de tijd dat het crematorium in bedrijf kwam, waren de meeste Joden van Majdanek al vermoord), ofschoon hier ongetwijfeld mensen werden geëxecuteerd. Een sarcofaag bevat beenderen en as. Achter het crematorium en mausoleum liggen de *Erntefest*-executiekuilen die in werkelijkheid de locatie van de grootste massamoord op de Joden uit het kamp waren, maar die door veel bezoekers over het hoofd worden gezien. Ernaast staat een eenvoudige steen die vrij kort geleden is aangepast met de erkenning dat de slachtoffers Joods waren.

Het kamp is vanuit het centrum van Lublin gemakkelijk te bereiken met bus 23, 28, 47, 153, 156, 158 of 502 (halte Pomnik-Majdanek).

PONIATOWA

Poniatowa was bij twee aparte gelegenheden een van de afschuwelijkste locaties van massamoord in bezet Polen. De plaats werd vlak voor de oorlog ontwikkeld als een fabriekscomplex voor de Poolse strijdkrachten, werd daarna een basis voor het Duitse leger en ten slotte in september 1941 een krijgsgevangenenkamp. In de loop van de daaropvolgende drie maanden werden bijna 24.000 soldaten van het Rode Leger geïnterneerd in de fabrieksgebouwen die daar totaal niet voor geschikt waren. Uithongering en tyfusepidemieën, dit nog gevoegd bij de extreme kou, zorgden in begin 1942 voor een nauwelijks te bevatten sterftecijfer van bijna 1000 doden per dag. Tegen het voorjaar waren nog maar ongeveer 500 Russen in leven.

De plaats werd in de zomer van 1942 overgedragen aan de SS en omgevormd tot een kamp voor Joodse dwangarbeiders. Het grootste contingent Joden kwam uit Warschau; het waren voornamelijk arbeiders van het bedrijf WC Toebbens (de grootste werkgever van het getto) die daar vanaf februari 1943 aankwamen, hoewel de meesten na de opstand gedwongen naar het kamp werden gebracht. Veteranen van de Warschause ondergrondse organiseerden ontsnappingen, maar hadden moeite met het opzetten van een bredere verzetsbeweging. Dit kwam deels door het schijnbaar gematigde regime. Ook al kreeg Gottlieb Hering (voorheen commandant van Bełżec) de leiding over Poniatowa op het moment van hun aankomst, de 10.000 Toebbens-Joden kenden betrekkelijk redelijke arbeidsomstandigheden en een behoorlijke voedselaanvoer, wat overeenkwam met het beleid om vakbekwame arbeiders de indruk te geven dat ze konden overleven. Zulke ideeën waren echter geen lang leven beschoren, want het kamp werd bij *Aktion Erntefest* op 4 november 1943 opgeheven toen rond de 14.000 gevangenen werden doodgeschoten. Leden van de ondergrondse die tegenstand probeerden te bieden, werden levend in hun barak verbrand. Van slechts twee personen is bekend dat ze het bloedbad hebben overleefd.

Het kamp werd weer industrieel gebruikt en na de oorlog uitgebreid, terwijl het dorp Poniatowa een communistische modelstad werd toen de beroepsbevolking groeide. Hoewel de Joodse barakken zijn verdwenen, is de locatie verder grotendeels intact gebleven. De gebouwen liggen rond de Przemysłowa (de voormalige hoofdstraat van het kamp) die een zijstraat is van de Fabryczna ten zuiden van de plaats. Een parkeerplaats tegenover de Przemysłowa is aangelegd op de plaats van een massagraf van *Erntefest*-slachtoffers. Een bordje ('*Miejsce pamięci narodowej*') wijst naar het enige monument binnen het vroegere kamp. Het gaat om een eenvoudige steen rechts langs de Przemysłowa op een paar meter van de kruising, waarop echter niet staat aangegeven dat de slachtoffers Joods waren. Verderop wordt een poort gevormd door de naoorlogse EDA-fabriek waardoor een weg naar rechts langs een grijs bakstenen gebouw voert dat de SS-kazerne was. Door het hek is een sportveldje te zien. Dit ligt op de plaats van het grootste *Erntefest* bloedbad en het grootste van de massagraven.

Loopt men verder over de Przemysłowa, dan lagen de Joodse barakken links van de weg. Het beige gebouw van één verdieping rechts deed dienst als de telefooncentrale van de SS. De eerste nog bestaande fabriek staat links, met een duidelijk geribbeld dak, en daarin zit nu Wentworth Tech. Na dit gebouw zijn delen van de laad- en losperrons voor de trein aan beide zijden van de straat te zien. Het stuk aan de rechterkant voert naar twee nu verlaten fabrieken. Verderop langs de Przemysłowa ligt een ander oud gebouw met een geribbeld dak, terwijl de straat links langs een bakstenen gebouw van één verdieping waarin Art Plast zit, naar meer vervallen werkplaatsen en pakhuizen aan de noord- en zuidkant leidt. Helemaal aan het eind van het kamp staat in de zuidoostelijke hoek de oorspronkelijke bakstenen energiecentrale die nog steeds in gebruik is.

Ergens achter de energiecentrale liggen de massagraven van de Sovjet-Russische krijgsgevangenen. De exacte plaats is niet bekend, maar er staat een monument uit het communistische tijdperk, een groot bouwsel in de vorm van een trapezium, in de zuidoosthoek van het kamp. Om die plek te bereiken verlaat men het kamp weer en loopt men naar rechts de Fabryczna af. Vlak achter het blauwe hek van het ziekenhuis loopt een met een bord aangegeven zandpad door het bos langs het oorspronkelijke hek van het kamp. Het monument staat na ongeveer een kilometer rechts van het pad op een open plek voor elektriciteitsmasten.

Er staat een ander monument in de plaats zelf op de noordwestpunt van de kruising tussen de Fabryczna die doorloopt in de Nałęczowska met de Modrzewiowa en de 11 Listopada. De laatste straat vormde de locatie van een kamp voor bevoorrechte gevangenen die werden ondergebracht in de voormalige kazerne van het Poolse leger die ernaast ligt. In het Centrum Kultury ten zuidoosten van de kruising waren de Oekraiense hulptroepen gelegerd.

Poniatowa ligt op ongeveer 30 kilometer ten westen van Lublin aan de 832. Sla naar het zuiden af de Fabryczna op (aangegeven door borden voor het ziekenhuis en de vele bedrijven die op de locatie zijn gevestigd) om bij het hoofdkamp te komen (het andere monument ligt ten noorden van dezelfde kruising). Als de weg een bocht naar links maakt, kan men naar het zuiden iets van het oorspronkelijke hek zien. Volg de weg verder naar de borden die verwijzen naar de Przemysłowa en het monument. Er rijden heel veel minibusjes vanuit Lublin (vertrekkend vanaf het kleine busterrein achter het hoofdbusstation) die het centrale Plac Konstytucji in Poniatowa als eindpunt hebben. Loop in zuidelijke richting over de Nałęczowska naar het gebogen monument. Het hoofdkamp ligt meer dan een kilometer verder naar het zuiden en is te bereiken door de Fabryczna te volgen na de kruising met de 832.

TRAWNIKI

Trawniki was een uniek kamp met een tweeledig doel waarvan de rol in de Holocaust van grote betekenis was. Toch is de naam buiten specialisten uit academische kringen en advocaten die zich toeleggen op oorlogsmisdaden nauwelijks bekend. Het werd oorspronkelijk opgezet in juli 1941 op het terrein van een gesloten suikerfabriek als een detentie-inrichting voor speciale categorieën Sovjet-Russische krijgsgevangenen waarbij het ging om degenen die bijzonder gevaarlijk werden geacht of die werden gezien als mogelijke collaborateurs. Daarna werd het in september een trainingscentrum voor SS-hulptroepen uit de gebiedsdelen van de USSR (voornamelijk Oekraïners). Ze werden aanvankelijk gerekruteerd uit gevangengenomen Sovjet-dienstplichtigen, maar later telden ze ook een aanzienlijk aantal vrijwilligers. De 'Trawniki's', die bij de Duitsers bekendstonden als *Hiwis* (van *Hilfswillige*, vrijwilliger), werden berucht vanwege hun rol als bewakers in de kampen van *Aktion Reinhardt*. Ze werden ook ingezet in kampen als Poniatowa en Janovska en gebruikt bij het opheffen van getto's in grote steden. Trawniki was dus belangrijk bij het leveren van de mankracht die de SS nodig had bij de uitvoering van de Holocaust.

Trawniki speelde ook een directere rol bij het moorden, omdat het in de lente van 1942 een doorgangskamp werd voor Joden uit het nabijgelegen Piaski (onder wie veel gedeporteerden uit het Reich) die Bełzec als

bestemming hadden. Enkele honderden Joden kwamen nooit in het dodenkamp aan, omdat ze stierven aan verstikking in de overvolle barak
waarin ze opgesloten zaten of werden gebruikt als 'training' voor de Oekraïners. Vanaf de zomer van 1942 werd een permanenter Joods onderkomen opgezet in de vorm van een dwangarbeiderskamp rond de indus-
trieterreinen naast het trainingskamp. Gevangenen werden aanvankelijk
aan het werk gezet bij het sorteren van kleding van degenen die waren
vermoord in de kampen van *Aktion Reinhardt*. In de volgende maanden
werden Joodse arbeiders als onderdeel van Himmlers beleid om ondernemingen uit de getto's weg te halen naar Trawniki overgeplaatst. Daarbij
ging het na het onderdrukken van de opstand in 1943 vooral om arbeiders van de Schultz bontfabriek uit het getto van Warschau. Daarna telde
de Joodse bevolking bijna 6000 personen en werden in de zomer nieuwe
barakken gebouwd om te laten blijken dat er sprake was van stabiliteit,
een indruk die in september verder werd versterkt door de komst van
Joden uit Minsk. Trawniki werd echter meegenomen bij het *Erntefest* en
men neemt aan dat op 3 november 1943 ongeveer 6000 gevangenen werden vermoord. De enkele overgebleven Joden werden in mei 1944 naar
Majdanek overgeplaatst, hoewel het trainingskamp tot de komst van het
Rode Leger in juli bleef functioneren. Men kan zich voorstellen wat het
lot van de Oekraïners was die door de Sovjets gevangen werden genomen, maar de meesten vluchtten naar het westen en deden zich aan de
Britten en Amerikanen voor als vluchtelingen voor het communisme.
Hun leven en carrière daarna blijft tot op de dag van vandaag een bron
van controverses.

Nog bestaande afdelingen van het kamp maken deel uit van het moderne dorp. De hoofdelementen zijn te bezoeken door de naamloze straten te volgen die rond de rand van het voormalige kamp lopen, waarbij
het station het gemakkelijkste oriëntatiepunt is. Staande op het voorplein
met het gezicht naar het dorp was het gebouw rechts de villa van Franz
Bartetzko, de ondercommandant van het kamp. Slaat men hier rechtsaf,
dan komt men op de straat die de grens van het kamp aangaf. Iets verderop tegenover de bushalte draait een zijweg scherp naar links. Het grote gebouw op de kruising tegenover de glasbakken was het huis van de

kampcommandant. De kelder bevatte cellen voor Oekraïners die een overtreding hadden begaan. Tijdens een verbouwing ontdekten bewoners niet zo lang geleden schedels die zestig jaar verborgen hadden gelegen. Bij het volgen van deze zijweg die evenwijdig aan de hoofdweg loopt, komt men bij de ingang van de suikerfabriek, nu het bedrijf Trawena. Afgezien van de opvallend hoge schoorsteen – het metalen origineel, een gemakkelijk baken voor Sovjet vliegtuigen, werd opgeblazen – stammen de gebouwen uit de oorlog. Er was een gaskamer aan de andere kant van de fabriek, hoewel de meeste gevangenen die in Trawniki werden vermoord de kogel kregen.

Na bij het commandogebouw weer op de hoofdstraat te zijn uitgekomen ligt er een parkeerplaats op de volgende hoek op de plaats van een massagraf dat vrij kort geleden nog open terrein was. Er staat wel een eenvoudig monument al is dat met 1939-1944 verkeerd gedateerd en is pas in een latere toevoeging aandacht besteed aan de Joodse slachtoffers van het *Erntefest*-bloedbad. Hier links afslaan voert langs het gebouw achter de parkeerplaats. Dit werd op een ander massagraf gebouwd en de bewoners weten nog dat er tijdens de bouw in het communistische tijdperk menselijke resten werden opgegraven. De volgende groep gebouwen die op enige afstand van de weg achter gras en bomen liggen, vormde de verblijven van de SS. Sla linksaf op de volgende kruising. Een gedeelte van de oorspronkelijke kampmuur strekt zich over een paar honderd meter aan de linkerkant van de weg uit. Hierna is er weinig bewaard gebleven, maar men kan over deze straat verder langs de fabriek lopen naar de volgende kruising links. Dit is de voormalige *Lagerstraße* die de scheiding vormde tussen het industriegebied en het Joodse kamp in het noordwesten. Dat laatste heeft nu plaatsgemaakt voor akkers en een paar moderne huizen. Volg de *Lagerstraße* terug naar het belangrijkste gedeelte van het dorp en sla aan het eind linksaf om terug te keren naar het station.

Trawniki wordt op de 12/E373 35 kilometer ten zuidoosten van Lublin met borden aangegeven, van waaruit regelmatig treinen en minibussen rijden (de laatste stoppen tegenover het commandogebouw).

SOBIBÓR

De bouw van het tweede *Aktion Reinhardt*-kamp begon in maart 1942 in een dicht bebost gebied in de buurt van de rivier de Bug. Na experimentele vergassingen van Joden uit nabijgelegen werkkampen in april begon Sobibór in mei officieel met het moorddadige werk onder commando van T4-veteraan Franz Stangl. In het eerste stadium van de operaties, van begin mei tot eind juli, werden tegen de 100.000 mensen vermoord. De meesten kwamen uit de regio Lublin, maar er waren ook grootschalige aankomsten uit het Reich. Toen was er een tijdelijke onderbreking, terwijl de spoorlijn werd gerepareerd, hoewel in augustus nog steeds meer dan 3000 Joden uit naburige gemeenschappen werden vermoord. De pauze werd gebruikt om de moordcapaciteit van het kamp te vergroten door de oorspronkelijke drie gaskamers te vervangen door een nieuw blok met zes kamers. In dezelfde periode werd Stangl overgeplaatst naar Treblinka en vervangen door Franz Reichleitner. Grootschalige transporten werden in oktober 1942 hervat en toen het aantal Joden in het *Generalgouvernement* afnam, gaf Himmler begin 1943 bevel dat Sobibór ook deportaties uit Frankrijk en Nederland moest opnemen om de druk op Birkenau te verlichten. Feitelijk was de laatste groep de enige waarvan enigszins exacte cijfers bekend zijn, omdat de Nederlandse bureaucratie zo efficiënt was: 34.313 werden van Westerbork en Vught naar Sobibór gebracht, achttien overleefden het. In tegenstelling tot de Poolse Joden die op de '*Himmelfahrtstrasse*' (weg naar de hemel) niet zelden verzet boden, gingen de westerlingen over het algemeen rustig naar de gaskamer, omdat ze geloof hechtten aan de welkomsttoespraak van de SS'er (vaak gekleed als arts om het effect te versterken) dat ze werden gebaad en geïsoleerd voordat ze in Oekraïne aan het werk werden gezet. Sommigen applaudisseerden zelfs. Het totale aantal slachtoffers van Sobibór bedroeg minstens 170.000.

De laatste grote transporten van de opgeheven getto's in de Sovjet-Unie, waaronder Vilnius en Minsk, kwamen in september 1943. Het kamp zou ongetwijfeld langer met het moorddadige werk zijn doorgegaan – in de herfst van 1943 werd gewerkt aan de bouw van een nieuwe munitieafdeling (Kamp IV) – als in oktober van dat jaar geen te-

Sobibór (foto van de auteur)

recht bejubelde opstand van Joodse gevangenen had plaatsgevonden. Ongeveer 200 zaten geïsoleerd van de andere gevangenen opgesloten in Kamp III (de vernietigingsafdeling) waar ze werden gedwongen de lijken uit de gaskamers te halen en te begraven. Enkele honderden anderen moesten dwangarbeid verrichten voor de SS in Kamp I in het zuiden. Tijdens de hele geschiedenis van Sobibór was er sprake van ontsnappingspogingen. Vijf gevangenen konden bijvoorbeeld op 25 december 1942 vluchten door gebruik te maken van de Duitse feestelijkheden. Elke vluchtpoging werd beantwoord met collectieve vergeldingsmaatregelen (dat wil zeggen de executie van andere gevangenen), maar de toestand was zo wanhopig dat dit zelfs niet altijd afschrok. Eind juli 1943 konden acht leden van een werkploeg in de bossen ontsnappen, nadat ze hun bewaker dronken hadden gevoerd en gedood. Hun succes had een belangrijk psychologisch effect op andere gevangenen en aan het eind van de zomer ontstond een georganiseerde ondergrondse in het kamp. Dit raakte in een stroomversnelling door de komst van voormalige Joodse soldaten van het Rode Leger uit Minsk. Onder hen was Alexander Pechersky, die de samenzwering verrijkte met doeltreffend leiderschap en ervaring. Tijdens de opstand op 14 oktober 1943 werden SS'ers individueel naar de barakken van Kamp I gelokt met de belofte van nieuwe kleren en dergelijke uit de werkplaatsen, waarna ze werden gedood. Met de buitgemaakte wapens braken ze uit het kamp. Twintig Duitsers en Oekraïners werden gedood en ongeveer 300 van de 700 gevangenen konden naar de bossen ontsnappen (veel anderen werden nog binnen het kamp doodgeschoten). De meesten verloren het leven bij de klopjacht die de SS organiseerde of in de mijnenvelden die rond het kamp lagen, maar meer dan vijftig slaagden erin te overleven, waarmee ze de omstandigheden op een opmerkelijke succesvolle manier hadden getart.

De rebellie zorgde ervoor dat de plannen van de SS om van Sobibór een standaard concentratiekamp te maken werden geschrapt. In plaats daarvan werd besloten het te sluiten. De moordinstallaties werden ontmanteld en op die plaats werden bomen aangeplant. In tegenstelling tot de twee andere *Reinhardt*-kampen werd Sobibór echter niet meteen volledig afgebroken. In het centrale gedeelte waren SS'ers ondergebracht die in 1944 waren betrokken bij het bouwen van luchtdoelstellingen. De barakken werden tijdens de naoorlogse bevolkingsuitwisseling en voor sloop in 1947 ook gebruikt voor Oekraïners uit de regio Lublin. De locatie werd vervolgens tot de jaren zestig, toen er eenvoudige monumenten werden opgericht, verwaarloosd. De bescheiden omvang van deze gedenktekens en de schijnbaar ongevaarlijke omgeving contrasteren nogal met Treblinka en Bełżec, maar Sobibór is als gevolg daarvan misschien wel veel aangrijpender.

De toegang tot de parkeerplaats wordt gemarkeerd door een muur met gedenkplaten in verschillende talen. Zowel de parkeerplaats als het kleine voetbalveld ten zuiden ervan ligt binnen het terrein van de Oekraïense barakken. Aan de andere kant van de weg is het lange perron naast het spoor van na de oorlog, hoewel een stuk van de spoorbaan die het kamp in liep, origineel is. Aan de andere kant van het spoor ligt het station van Sobibór uit de oorlogstijd, een gelig gebouwtje. Het enige oorspronkelijke gebouw aan de kampzijde van de weg is het huis van de commandant (naast het gele verkeersbord) dat om onduidelijke redenen de bijnaam 'De Vrolijke Vlo' had gekregen.

In het houten gebouw bij de parkeerplaats is het huidige kampmuseum gehuisvest (dag. 9.00-17.00 (nov-mrt tot 16.00); toegang gratis; www.sobibor-memorial.eu – het herdenkingsterrein is op elk moment gratis toegankelijk). De kleine tentoonstelling in het Pools gaat over de geschiedenis van *Aktion Reinhardt* en het kamp, waarbij ook aandacht wordt besteed aan de overlevenden en het lot van de daders. Verschillende plattegronden van Sobibór die door enkele personen uit deze groepen zijn gemaakt, geven aan met welke problemen geschiedkundigen te maken kregen bij hun pogingen om de exacte topografie van de dodenkampen vast te stellen. Archeologische werkzaamheden aangevuld met luchtfotografie hebben een nauwkeuriger interpretatie van de locatie mogelijk gemaakt, wat nu zichtbaar is in het museum en de monumenten. Een pad achter het museum voert langs het terrein van Kamp I, hoewel dit gebied nu is overwoekerd en dus moeilijk is te bekijken. Tijdens de opstand vluchtten de ontsnapten naar het zuiden het dichte bos en de omliggende moerassen in. Een originele wachttoren die naast het pad stond, stortte in 2003 in.

Vlak ten noorden van de parkeerplaats voert een verharde weg naar de monumenten. Na ongeveer 250 meter markeert een bocht naar links de ontstellend korte 'Himmelfahrtstrasse' die de slachtoffers namen. Waar ooit de zijkanten van het pad waren afgezet met een hoog prikkeldraadhek, liggen nu stenen met de namen van de vermoorde slachtoffers. Dit is het resultaat van een gezamenlijk herdenkingsproject van Poolse, Duitse en Nederlandse organisaties. Het pad loopt eerst door de locatie van Kamp II, waar binnenkomende gevangenen werden beroofd van hun kleding en bezittingen. Aanvankelijk moesten ze zich uitkleden op een plein in de open lucht, maar na een paar weken werd daar een speciale barak voor vrijgemaakt. Op hetzelfde plein stonden tafels met schrijfbehoeften. De nietsvermoedende Joden uit het Westen werden aangemoedigd geruststellende briefkaarten naar vrienden en familieleden te schrijven. In Nederland zijn veel van deze kaarten bewaard gebleven. Het pad buigt dan af naar het noorden. Op dit punt lag rechts een barak waar de vrouwen kaal werden geknipt. Het pad eindigt bij een nieuwe herdenkingssteen die op de plaats staat waar volgens hedendaagse inzichten de gaskamers lagen.

Rechts van de nieuwe steen staan twee monumenten uit de jaren zestig. Het gaat om een gemetseld stenen blok en een beangstigend beeld op de plaats waar men toen de gaskamers situeerde. Op het terrein erachter markeren blauwe vlaggen de plaatsen waar tijdens recente opgravingen stoffelijke resten werden gevonden. Het terrein wordt gedomineerd door een groot piramideachtig bouwwerk dat gewoonlijk wordt aangeduid als 'de asberg'. Deze aardhoop werd gevormd tijdens de bouw van het monument op een gedeelte van het terrein waarvan men dacht dat daar gecremeerde resten lagen, hoewel later onderzoek bleek aan te tonen dat dit slechts voor een gedeelte van de aardhoop gold. Het grote massagraf lijkt rechts te hebben gelegen en besloeg vrijwel de gehele lengte van de open plek.

Sobibór is van de dodenkampen het minst toegankelijk en ligt dicht bij de grens met Wit-Rusland en Oekraïne. De meeste bezoekers komen uit Lublin wat inhoudt dat weg 82 naar Włodawa moet worden genomen en dan moet worden afgeslagen naar Chełm, over de 812 in zuidelijke richting. Onderweg komt men langs het recreatieoord Okuninka aan het meer van Białe, waar SS'ers vakantie hielden met hun gezin. De afslag naar Sobibór wordt ongeveer 8 kilometer ten zuiden van Włodawa met borden aangegeven. De weg voert door de bossen naar het kamp dat op enige afstand ten zuidwesten van het dorp Sobibór lag. De locatie is eigenlijk niet met openbaar vervoer te bereiken, omdat de treindiensten in de jaren negentig zijn gestopt, hoewel het mogelijk is een bus naar Włodawa te nemen en vanaf daar verder te reizen met een taxi.

IZBICA

Izbica was een bijna geheel Joodse stad die tijdens *Aktion Reinhardt* een doorgangsgetto werd voor rond de 26.000 Joden. In het voorjaar van 1942 kwamen er meer dan 10.000 uit het Reich en uit Slowakije in afwachting van verdere deportatie naar Bełżec en Sobibór. De 4000 Joden van de stad werden in maart samen met 2500 gedeporteerden uit de *Warthegau* naar Bełżec gestuurd om plaats te maken, maar er was niettemin sprake van een enorme overbevolking, wat weer een massale sterfte tot gevolg had, door ziektes, uithongering en executies door de nazi's. Duizenden Poolse Joden werden ook in de herfst van 1942 verhuisd naar Izbica, waardoor de bevolkingsdichtheid op een dusdanige wijze toenam dat mensen op de straat moesten bivakkeren. Massale deportaties vonden in oktober en november plaats. Degenen die niet meer met deze transporten meekonden, werden op de Joodse begraafplaats doodgeschoten.

Het hoofdgebied van het doorgangskamp lag op een terrein tegenover het naoorlogse station, hoewel er niets is dat naar deze afschuwelijke geschiedenis verwijst. Er staat wel een passend gedenkteken op de begraafplaats dat beduidend verder langs de hoofdweg 17 ligt en dat wordt bereikt via een pad dat begint vanaf een binnenplaatsje op de hoek met de Fabryczna. De recente restauratie van de begraafplaats staat model voor de herdenking van de Holocaust en is een gezamenlijk initiatief van de Stichting voor het Behoud van Joods Erfgoed in Polen en de Duitse ambassade die nauw samenwerkten met het personeel en de kinderen van de plaatselijke school. Een nieuw monument herdenkt de Joodse gemeenschap van Izbica en borden verwijzen naar de massagraven die zelf worden gemarkeerd door monumenten. Het project bewerkstelligde ook de terugkeer van grafstenen die door de nazi's waren weggehaald. Sommige zijn nu gebruikt als deksteen voor de *ohel* van Mordechai Josef Leiner (1814-1878), de stichter van de Izhbitza-Radzin dynastie van chassidische rebbes. Onder de begraafplaats was het kleine huis aan de Fabryczna 5 voor de oorlog de woning van Tom Blatt, een overlevende van Sobibór. Na de opstand in het dodenkamp keerden hij en twee medevluchtelingen terug en zochten zij hun toevlucht bij een plaatselijke boer, die hen uiteindelijk verried. Blatt werd voor dood achtergelaten na in zijn kaak te zijn geschoten (de kogel zit er nog altijd in) en zijn metgezellen werden vermoord. De grafstenen die van de begraafplaats waren gestolen werden door de Duitsers gebruikt om er een gevangenis mee te bouwen naast het plaatselijke Gestapo hoofdkwartier. Dat laatste is nu het politiebureau van de plaats en staat op de Gminna 8 ten westen van de hoofdstraat.

Izbica ligt op 65 kilometer ten zuidoosten van Lublin 17/E372. Er rijden af en toe treinen vanuit Lublin en Zamość. Bussen rijden regelmatiger.

BEŁŻEC

Bełżec, het eerste *Aktion Reinhardt*-kamp, vormde het sjabloon voor alle volgende. Het is niet helemaal zeker wanneer precies de beslissing werd genomen om het kamp op te zetten – algemeen wordt aangenomen dat Himmler in oktober 1941 Globocnik de opdracht gaf – maar de bouw begon in november. De locatie sloot aan op de ligging van Bełżec aan de hoofdspoorlijn van Lublin naar L'viv (in tegenstelling tot Sobibór en Treblinka lag de plaats niet geïsoleerd). Het dorp was in 1940 ook de locatie van werkkampen voor Joden en Roma geweest (volgens sommige schattingen op dat moment het grootste complex met dergelijke kampen in het *Generalgouvernement*), maar die waren in oktober van dat jaar verlaten en hadden wat betreft locatie of personeel geen relatie met het dodenkamp. In plaats daarvan was Bełżec bepalend voor wat de belangrijkste kenmerken van *Aktion Reinhardt* zouden worden. De SS'ers waren T4-veteranen. De bekendsten onder hen waren Christian Wirth, die tot zijn promotie in augustus 1942 tot inspecteur van de *Aktion Reinhardt*-kampen kampcommandant was, en zijn vervanger Gottlieb Hering. Het betrekkelijk kleine aantal SS'ers werd ondersteund door Oekraïense 'Trawniki's' die als bewakers functioneerden, terwijl groepen geselecteerde Joodse gevangenen werden gedwongen te werken en steeds het gevaar liepen zelf te worden gedood. Hier ontstond ook de basisopzet van de dodenkampen – het laad- en losplatform, de uitkleedgebieden, de 'buis' naar de vernietigingsinstallaties in een aparte afdeling – hoewel later aanpassingen werden gedaan aan zowel Bełżec als de andere kampen.

Na de experimentele vergassingen van Joodse gevangenen in februari 1942, kwam het kamp half maart officieel in bedrijf met een eerste transport uit Lublin. In de eerste maand werden tienduizenden mensen ver-

Bełżec (foto van de auteur)

moord voordat er een tijdelijke onderbreking plaatsvond toen Wirth naar Berlijn ging waar hij orders kreeg om het kamp uit te breiden. Hoewel het moorden half mei werd hervat, werden de transporten na een maand weer gestopt om de nieuwe opdrachten van Wirth uit te voeren. De drie oorspronkelijke houten gaskamers werden vervangen door een groter bouwwerk met zes kamers waarin honderdduizenden vanaf juli 1942 het leven verloren. De laatste grote transporten vonden in december plaats, omdat er in zuidelijk en oostelijk Polen nog maar weinig Joden over waren om te doden. In dit stadium moest de beslissing worden genomen om de sporen van de misdaad te vernietigen door de lichamen die in het hele kamp in massagraven lagen weer op te graven en te cremeren, hoewel recent archeologisch bewijsmateriaal aantoont dat dit nooit werd voltooid. Het kamp werd ontmanteld en in het voorjaar van 1943 werden bomen aangeplant. De laatste Joodse gevangenen die dit werk hadden uitgevoerd, werden naar Sobibór gestuurd en in de zomer vermoord. Het totale aantal slachtoffers van Bełżec was minstens 434.500. Vanuit één gezichtspunt was dit het dodelijkste kamp, omdat van slechts twee gevangenen bekend is dat ze zijn ontsnapt en de oorlog hebben overleefd. Rudolf Reder slaagde erin om in november 1942 weg te glippen toen hij naar L'viv moest om blik op te halen en zijn bewaker in slaap viel, terwijl Chaim Hirszman uit de laatste trein ontsnapte die van het kamp naar Sobibór onderweg was. Hirszman werd in maart 1946 in Lublin vermoord, een dag nadat hij getuigenis had afgelegd over zijn ervaringen in Bełżec.

In de jaren zestig werd in Bełżec een herdenkingsplaats aangelegd die eerder leek op een nogal verwaarloosd park. Dit veranderde ingrijpend met de bouw van een nieuw museum en een monument in 2004 (apr-okt: dag. 9.00-18.00 (museum tot 17.00), nov-mrt: dag. 9.00-16.00; toegang gratis; www.belzec.eu) die de locatie totaal hebben veranderd. De ingang die wordt gemarkeerd door een citaat uit het boek Job ligt aan de andere kant van de spoorlijn op de plaats van het losplatform. Links van de poort vertegenwoordigt een stapel rails de zijlijn die tot in het kamp liep. De stukken rail werden feitelijk uit Treblinka gehaald, omdat er in Bełżec te weinig bruikbaar materiaal werd gevonden. Het uitstekende nieuwe museum rechts bevat voorwerpen die vrij kort geleden bij archeologische opgravingen in 1997-1999 rond de locatie werden ontdekt en die in belangrijke mate de kennis over het kamp hebben vergroot. Het is nu bijvoorbeeld duidelijk dat de grenzen zowel in het noordwesten als het zuidoosten buiten die van het herdenkingsterrein lagen. Tussen de voorwerpen die worden getoond is een van de pijpen die koolmonoxide in de gaskamers blies (gevonden in de jaren vijftig) en de plaat die nieuwe transporten begroette met instructies over ontkleden en het overdragen van kostbaarheden (meteen na de oorlog bij een inwoner gevonden). Tot de meer persoonlijke voorwerpen behoren sleutels, munten, schoenen en armbanden met een davidster. Het intrigerendst zijn genummerde betonnen schijven die in aanzienlijke aantallen bij de opgravingen werden gevonden. Eén theorie is dat ze aan de slachtoffers werden gegeven als ontvangstbewijs voor hun geld en documenten die bij een speciaal loket werden overgedragen – dit zou de illusie in stand hebben gehouden dat ze op het punt stonden een badhuis binnen te gaan.

Het terrein van het eigenlijke kamp is het monument geworden en bestaat uit een oplopend veld dat nu is bedekt met industriële slakken. De omtrek wordt aangegeven door verwrongen metaal en muren die zijn bedekt met namen van uitgeroeide gemeenschappen die alfabetisch zijn gerangschikt op datum van deportatie. De locatie is dus bedoeld om dienst te doen als een symbolische begraafplaats waarvan het ontwerp van ver doet denken aan een asveld. De 33 massagraven die tijdens het archeologisch onderzoek werden ontdekt, zijn bedekt met blauwgrijze slakken om ze te onderscheiden. De heuvel is doormidden gesneden met een pad als een scheur in de aarde die ongeveer de route naar de gaskamers aangeeft. Deze liep recht naar Bełżec. De scherpe bochten in de 'buizen' van Sobibór en Treblinka waren een reactie op een 'foutje' in het ontwerp waardoor de bestemming niet helemaal verborgen bleef voor de slachtoffers (hoewel het latere gebouw met de gaskamers achter een bosje lag). Het pad loopt tussen steeds hogere muren door die zorgen voor een enerverende akoestiek voordat het stopt bij een hoge stenen muur waarop Bijbelcitaten zijn gegraveerd. Op de muur ertegenover staan Joodse voornamen. Een trap aan elke kant voert terug naar het oppervlak van het kamp in de buurt van een van de grote massagraven (de grootste concentratie massagraven lag langs de noordwestelijke rand van het monument). Het is verbazingwekkend hoe hoog dit gedeelte van het kamp lag, zoals te zien is aan de steil dalende bomen erachter en het gezicht omlaag op het monument en het dorp. Dit hield uiteraard in dat iets van wat er in het kamp gebeurde zichtbaar was. Inderdaad beweren sommige inwoners dat ze van de bovenste verdiepingen van hun huizen de moorden hebben gadegeslagen. De algemene indruk van het monument is sterk, al zijn er critici, niet in het minst vanwege de paar nog resterende fragmenten van het kamp die zijn verwijderd (alleen de bomen aan de zuidoostzijde zijn blijven staan). Bovendien is de mogelijkheid van verder archeologisch onderzoek op de locatie nu uitgesloten.

Ten noordwesten van het kamp staat naast de hoge watertoren voor de deportatietreinen een bakstenen locomotiefloods waarin kleding van slachtoffers werden opgeslagen. Deze gebouwen kunnen worden bereikt door het zandpad te nemen dat aan de kant van het kamp evenwijdig aan de spoorlijn loopt, hoewel ze een verblijfplaats zijn geworden voor plaatselijke dronkenlappen. Bijna 400 meter van het monument over de hoofdweg naar het noordwesten staat een paar huizen met twee verdiepingen en een ongeveer driehoekige bovenverdieping die uit het dak naar voren springt. Het eerste huis met een pannendak, met aan de kant van de weg een enkel raam op de bovenverdieping, was het huis van Wirth en tevens zijn kantoor als commandant. In het volgende huis, met een golfplaten dak en aan de kant van de weg twee ramen op de bovenverdieping, woonde de rest van het SS-personeel. In tegenstelling tot Sobibór en Treblinka woonde de SS in Bełżec buiten het kamp.

Het dwangarbeiderskamp uit 1940 bestond uit een reeks locaties in het dorp en het omliggende gebied. Sporen van de hoofdlocatie zijn nog altijd te vinden en kunnen worden bereikt door de hoofdweg verder naar het noorden te volgen tot na de spoorwegovergang en de 865 linksaf richting Jarosław te nemen. Na iets meer dan een kilometer over deze weg wijst een bord met het opschrift 'Pomnik Przyrody' naar een zandpad links. Dit pad was feitelijk de route door het kamp waarbij Roma in het oosten (links) zaten en Joden in het westen. Een oude, deels gewitte barak staat op het terrein van de laatsten. In het bosje aan de overkant van het spoor achter het Roma-kamp ligt een massagraf. Weer op de 865 loopt iets verderop een zijweg naar rechts (naar het noorden) die langs een vijver loopt. Hermann Dolp, de commandant van het werkkamp die berucht was om zijn wreedheid en zijn corruptie, dwong Joodse gevangenen om in de vijver onder te duiken. Als ze weer bovenkwamen voordat hij daartoe toestemming had gegeven, schoot hij ze dood. Dolp zelf woonde in het huis op nummer 77, over de weg terug richting het centrum van het dorp.

Bełżec ligt aan de 17/E72 vlak ten noorden van de Oekraïense grens. De locatie van het kamp is ten zuiden van het dorp met borden aangegeven. De treinenloop is de laatste jaren steeds minder geworden en er rijdt tegenwoordig maar één trein per dag vanuit Zamość. In de zomer en op bepaalde andere tijden rijdt er ook een dagelijkse trein van en naar Warschau en Lublin die bizar genoeg Bełżec als eindstation heeft. Komt men uit Lublin, dan kan het gemakkelijker zijn om een bus naar Tomaszów Lubelski te nemen en daar op een aansluitende bus te stappen.

KRAKÓW

De oude hoofdstad Kraków (Krakau) van Polen werd door de Duitsers uitgekozen om voor het *Generalgouvernement* dezelfde functie te vervullen. Daardoor verkeerde een van de oudste en grootste Joodse gemeenschappen van het land in een bijzonder kwetsbare positie. Joden hadden zich voor het eerst in de dertiende eeuw in zowel de koningsstad als in Kazimierz in het zuiden van Krakau gevestigd, maar het opkomende christelijke antisemitisme liep ten slotte in 1495 uit op hun verbanning uit het eerste deel. Dit bevorderde echter de ontwikkeling van Kazimierz als een voornamelijk Joodse stad die grotendeels onder bescherming van de Poolse koningen een centrum van kennis en handel werd. De stad was tijdens het tijdperk van de Poolse Deling een betrekkelijk vriendelijke omgeving voor Joden, vooral toen Kraków na 1815 een semionafhankelijke Vrije Stad werd die drie decennia bestond. Daarna kwam de plaats onder Oostenrijks bestuur wat inhield dat de Joden in de jaren zestig van de negentiende eeuw gelijke rechten kregen, terwijl Kazimierz in die tijd ook officieel een deel van Kraków werd. De Joodse bevolking groeide snel tot ongeveer 60.000 in 1939.

De Duitsers trokken Kraków op 6 september binnen en het bestuursapparaat van Frank werd in oktober geïnstalleerd. Het feit dat de kern van de nazimacht in Polen zo dichtbij was, had onvermijdelijk rampzalige gevolgen. Afgezien van de maatregelen waaronder ze in het hele domein van Frank te lijden hadden (waaronder de aanstelling van een *Judenrat* in november), waren de Joden van Kraków de eersten in het *Generalgouvernement* die werden onderworpen aan grootschalige verplaatsingen, omdat de gouverneur van zijn hoofdstad het toonbeeld van het nieuwe Polen wilde maken. Deportaties naar omliggende steden en dorpen en naar de regio Lublin begonnen in mei 1940 en bleven doorgaan tot maart 1941, op welk tijdstip naar schatting 41.000 mensen uit de stad waren verbannen. Hierna moesten de ongeveer 15.000 resterende Joden gedwongen verhuizen naar een getto. In het licht van de verbanningen was het heel vreemd dat in oktober 1941 ongeveer 6000 Joden uit omliggende dorpen aan de bevolking ervan werden toegevoegd. Na maanden van pesterijen vond in eind mei en begin juni 1942 de eerste grote *Aktion* plaats waarbij 6000 mensen naar Bełżec werden gedeporteerd en enkele honderden in het getto werden vermoord. Na een vergelijkbare *Aktion* in oktober werd het getto uiteindelijk in maart 1943 opgeheven. De arbeiders werden verplaatst naar het nieuw opgezette Płaszów-kamp ten zuiden van de stad en de rest werd in vrachtwagens naar Auschwitz gebracht. Kraków was officieel *Judenfrei*.

Een paar duizend Joden uit de stad overleefden de oorlog, hoewel de moderne gemeenschap slechts enkele honderden telt. De val van het communisme en de daaropvolgende hernieuwing van de Poolse belangstelling voor het Joodse verleden – geholpen door de wereldwijde indruk die de film *Schindler's List* (van Steven Spielberg) maakte – heeft een soort ommekeer teweeggebracht. Kraków wedijvert nu met Praag als de belangrijkste bestemming met Joods erfgoed in Europa, omdat zowel Joden als niet-Joden worden aangetrokken tot de gerestaureerde synagogen en begraafplaatsen. Het is daarom enigszins verrassend dat er weinig prominente Holocaustmonumenten zijn, maar Kraków zorgt er tenminste wel voor dat sporen van de eigen Joodse geschiedenis bewaard blijven en zelfs extra aandacht krijgen.

Het getto

Het getto lag in het stadsdeel Podgórze op de zuidelijke oever van de Wisła. Hoewel hier veel Joden woonden, gold dat niet voor de meerderheid. De filmbeelden van de trieste stoet die over de rivier trok, vormen een van de iconische taferelen van de Holocaust. Een van de meest in het oog springende kenmerken van het getto was de heel kleine omvang die slechts een fractie bedroeg van de getto's in Warschau, Łódź of zelfs Białystok. Natuurlijk had het een veel kleinere bevolking als gevolg van de massale verbanningen, maar desondanks werden 15.000 mensen opgesloten in een gebied waarin eerder net iets meer dan 3000 hadden gewoond.

Het noordelijke getto lag op het plac Bohaterów Getta (trams 9, 13, 24 en 34 naar de halte met dezelfde naam) dat net als het plac Zgody het verzamelpunt was tijdens de deportaties. Het wordt nu gedomineerd door een monument uit 2005 dat bestaat uit 33 grote, gebeeldhouwde stoelen, terwijl andere, kleinere stoelen rond het plein zijn geplaatst. Ze moeten letterlijk en figuurlijk de meubels voorstellen die tijdens de deportaties naar buiten werden gesmeten. De beelden zijn indrukwekkend wanneer ze 's nachts worden verlicht, alleen zal de betekenis zonder enige voorkennis onduidelijk blijven. Aan het noordeinde van het plein was een gebouwtje – waarop de jaren 1941 en 1943 staan – bedoeld als een plek om kaarsen te branden, alleen maken plaatselijke dronkaards er duidelijk een ander soort gebruik van. Een concretere herinnering aan de geschiedenis van het plein is een gedenkplaat op de gevel van nummer 6 aan de westelijke kant van het plein die aangeeft waar het hoofdkantoor van de ŻOB, de getto-ondergrondse, was. In tegenstelling tot de Warschause organisatie met dezelfde naam, bezat het verzet niet de aantallen en steun om in het getto doeltreffend weerstand te bieden. In plaats daarvan vielen ze de Duitsers aan met overvallen op het 'Arische' deel van de stad. Op de zuidwesthoek van het plein ligt op nummer 18 de voormalige *Apteka pod Orłem* (Apotheek onder de adelaar). Eigenaar Tadeusz Pankiewicz

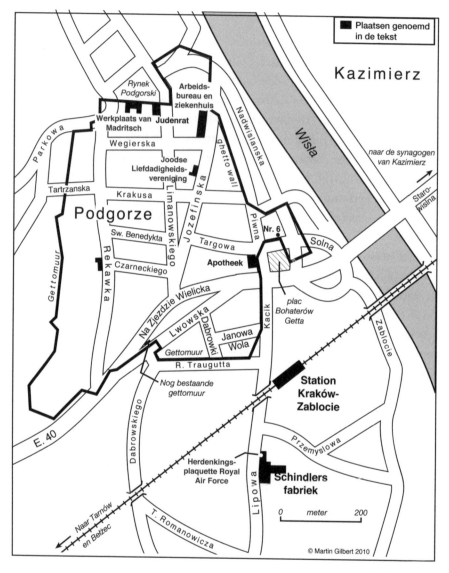

Kraków: ghetto

was de enige niet-Jood die in het getto woonde en zijn apotheek was ook de enige. Hij werd door Jad Wasjem beloond met de titel Rechtvaardige voor zijn inspanningen om de bevolking te helpen. Hij verborg bijvoorbeeld mensen die op de nominatie stonden om te worden gedeporteerd, smokkelde voedsel naar binnen en verstrekte natuurlijk medicijnen, vaak zonder er iets voor te rekenen. Zelfs schijnbaar alledaagse producten konden het verschil betekenen tussen leven en dood. In zijn memoires haalt Pankiewicz aan hoe mensen haarverf gebruikten om hun identiteit te verhullen. De apotheek is nu een klein museum (ma 10.00-14.00, di-zo 9.00-17.00; zł 10; www.mhk.pl) dat aandacht besteedt aan de geschiedenis van de Holocaust in Kraków.

Aan de Józefińska, één straat naar het zuiden, lagen veel van de belangrijkste gebouwen van het getto. In het nogal statige nummer 18 was de Joodse Liefdadigheidsvereniging gevestigd die noodzakelijke steun verschafte aan de bevolking, terwijl het zalmkleurige gebouw op nummer 14 een ziekenhuis was. Ernaast stond op 10/12 het weeshuis van het getto en het onder Duits bestuur staande Arbeidsbureau dat beschikte over het lot van de inwoners. De volgende straat naar het zuiden is de Bolesława Limanowskiego die uitkomt op de Rynek Podgórski die de westelijke grens van het getto vormde (de hoofdpoort van het getto stond op deze kruising). Het grote gebouw, dat zich tot om de hoek uitstrekt (Rynek Podgórski 1), was het hoofdkwartier van de *Judenrat*. Verderop langs het plein lag op nummer 3 een fabriek die eigendom was van de Weense industrieel Julius Madritsch. Hoewel hij minder bekend is dan zijn vriend Oskar Schindler, droeg ook Madritsch bij aan het redden van levens door zoveel mogelijk Joden aan te stellen in zijn werkplaatsen die waren bestempeld als bewapeningsfabrieken en die dus betrekkelijk beschermd waren. Op de zuidelijke grens van het getto was in Rękawka 26/30 (tegenover de Stefana Czarnieckiego) het ziekenhuis voor infectieziekten ondergebracht. De Rękawka verder naar het oosten volgend, voert deze naar een moderne school (Gymnasium 35) aan de Bolesława Limanowskiego 62. Een gedeelte van de vreemd esthetische gettomuur staat links op de speelplaats. Een ander bewaard gebleven stuk van de muur vindt men na een korte wandeling aan de Lwowska 25/29.

Ten noordoosten van de muur (de Romualda Traugutta volgen en dan rechtsaf onder de brug bij het station Zabłocie) is Lipowa 4 beter bekend als de *Emalia*-fabriek van Schindler. Tegen 1943 had hij bijna 1000 Joden in dienst, maar door de opheffing van het getto moesten zij verhuizen naar Płaszów vanwaar ze elke dag naar de fabriek moesten marcheren. Schindler, die zich heel goed bewust was van de gevaren van het kamp en vooral van zijn zogenaamde vriend Amon Goeth, liet ze overbrengen naar de betrekkelijke veiligheid van barakken die hij op eigen kosten aan de Lipowa liet neerzetten. Het was de sluiting van de fabriek (het bevel kwam in augustus 1944) die de aanleiding vormde voor de beroemde lijst. Nadat de meeste arbeiders naar Płaszów waren teruggebracht, vond Schindler een nieuw bedrijfspand in het Sudetenland en kon hij toestemming krijgen om veel arbeiders van hem (en Madritsch) daarheen te laten overkomen, waardoor zij niet naar de geplande bestemmingen Gross-Rosen en Auschwitz werden gestuurd. Enkele dagen nadat het bevel was gekomen om de fabriek te verlaten, stortte er vlakbij een Britse Lancaster bommenwerper neer. Een plaquette gedenkt de drie bemanningsleden die daarbij om het leven kwamen. Na decennia van onafgebroken industrieel gebruik, wat gepaard ging met voortsluipend verval, werd de fabriek omgebouwd tot een museum, waarvan de multimedia-expositie het verhaal van de stad onder de Duitse bezetting vertelt (ma 10.00-16.00 (nov-mrt tot 14.00), di-zo 10.00-20.00 (nov-mrt tot 18.00); zł 19; www.mhk.pl). In een groot deel van de rest van het complex is nu een museum van hedendaagse kunst ondergebracht.

Kazimierz

De plaatsing van het getto in Podgórze in plaats van in de traditionele Joodse wijk Kazimierz was het resultaat van de wens van Hans Frank om de historische stad ten noorden van de Wisła niet te laten 'bevuilen' door de aanwezigheid van Joden. Dit was nogal ironisch, omdat het juist diezelfde racistische logica was die Kazimierz Joods had gemaakt, toen de Joden vierenhalve eeuw eerder uit de koningsstad waren verbannen. Zelfs na de gelijkberechtiging bleef Kazimierz het centrum van de gemeenschap. De wijk overleefde de oorlog grotendeels ongeschonden, althans

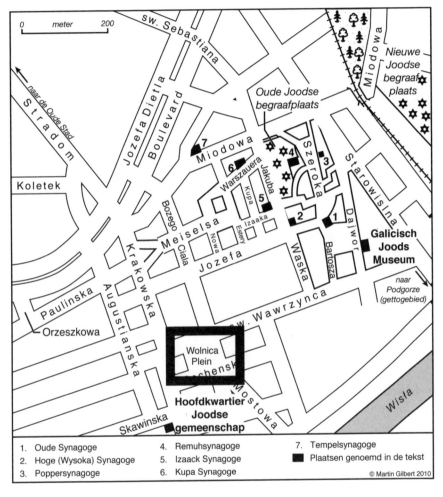

Kraków: Kazimierz

uiterlijk, waardoor het de best bewaard gebleven Joodse wijk in een grote stad in Centraal- en Oost-Europa is. Kazimierz werd onder het communisme verwaarloosd maar sinds 1989 is de wijk nieuw leven ingeblazen als een magneet voor de bohemiens van Kraków en ook als een toonbeeld van de Joodse cultuur die de stad tot aan de Holocaust zo had verrijkt. Het is nu een van de belangrijkste toeristische attracties van Polen. Dit is niet geheel naar ieders wens geweest, niet in het minst omdat het in wezen een Joodse wijk is waarin vrijwel geen Joden wonen. Desondanks is Kazimierz een van de weinige plaatsen in dit deel van Europa dat erin slaagt enig gevoel van het Joodse verleden op te roepen. Belangrijk daarbij is ook het jaarlijkse Festival van de Joodse Cultuur (www.jewishfestival.pl) in de zomer.

Het hart van de wijk wordt gevormd door de Szeroka, in naam een straat, maar feitelijk een plein waaromheen drie restaurants in 'Joodse stijl' en drie synagogen liggen. De Oude Synagoge aan de zuidkant van het plein op nummer 24 is het oudste van dergelijke gebouwen dat in Polen bewaard is gebleven. Het stamt uit de vijftiende eeuw en werd in de zestiende eeuw vernieuwd. Er is nu de judaïca afdeling van het stedelijk museum in ondergebracht (nov-mrt: ma 10.00-14.00, di-do 9.00-16.00, vr 10.00-17.00, za-zo 9.00-16.00; apr-okt: ma 10.00-14.00, di-zo 9.00-17.00; zł 9 (maandag gratis); www.mhk.pl). Een gedenksteen buiten herdenkt de dertig Polen die in oktober 1943 op die plaats werden gedood. De voormalige Poppersynagoge op nummer 16 is nu een kunstgalerie, terwijl aan de westzijde op nummer 40 de kleine Remuhsynagoge ligt (ma-vr 9.00-18.00; zł 5). De aangrenzende oude begraafplaats bevat een opvallende 'klaagmuur', een Holocaustmonument van het type dat populair is in Polen en dat is opgebouwd uit fragmenten van grafstenen die door de nazi's waren beschadigd. Een ander monument is te vinden aan de zuidzijde van de tuin (zelf omsloten door een hek waarvan de onderdelen de vorm van een menora hebben) boven aan de Szeroka.

Vanuit de noordoosthoek van het plein kan men langs een voormalige *mikwe* aan de Szeroka 6 over de Miodowa onder de spoorbrug door lopen naar de nieuwe begraafplaats die in 1800 werd geopend. Rechts van de ingang staat een ongebruikelijk Holocaustmonument, bestaande uit een gedrongen marmeren blok bedekt met plaquettes en fragmenten van grafstenen die zowel personen als de gemeenschap gedenken. Twee blokken naar het zuiden was het niet zo lang geleden gerenoveerde Przemyska 3 vroeger een Joods studentenhuis, wat blijkt uit de Poolse en Joodse tekst boven de ingang. De Duitsers maakten er een legerbordeel van. Na het oversteken van de Starowiślna is Dajwór 18 het Galicisch Joods Museum (dag. 10.00-18.00; zł 15; www.galiciajewishmuseum.org). Het in 2004 geopende museum vertelt de Joodse geschiedenis niet op de klassieke manier maar is veeleer een tentoonstelling van foto's van wijlen de Britse stichter Chris Schwartz met Joodse plaatsen en Holocaustlocaties in Pools Galicië als onderwerp.

Terug bij de Oude Synagoge loopt de Józefa ten westen van de Szeroka door het centrum van Kazimierz. Een voormalig gebedshuis op nummer 42 wordt gekenmerkt door davidsterren en Hebreeuwse teksten, terwijl nummer 38 een voormalige Wysoka (Hoge) Synagoge is, die zo werd genoemd omdat de gebedsruimte op de bovenverdieping lag. Dit kwam omdat het gebouw dicht bij de christelijke buurt van Kazimierz lag toen het in de zestiende eeuw werd gebouwd. Het werd in de oorlog zwaar beschadigd en in de jaren zestig als een restauratieproject gerenoveerd waarbij tegelijk het interieur werd veranderd. Sporen van de oorspronkelijke fresco's zijn nog op de muren te zien en in het gebouw worden nu tijdelijke exposities (dag. 9.00-18.00; zł 9) gehouden terwijl er binnen ook een uitstekende boekwinkel is. Fragmenten van muurversieringen zijn ook te vinden in de Isaak Synagoge (zo-vr 8.30-18.00 (vr tot 14.30; zł 7) aan de Kupa 18. Een andere gerestaureerde synagoge, de Kupa, ligt aan het eind van de straat aan de Jonatana Warszauera 8, hoewel de ingang aan de andere kant ligt (Miodowa 27; zo-vr 10.30-15.30; toegang gratis).

De Tempelsynagoge aan de Miodowa 24 heeft een prachtig gerestaureerd, verguld interieur (zo-vr 10.00-16.00; zł 5). De Podbrzezie om de hoek vormde een straat van scholen, waarvan twee een plaquette hebben: op nummer 6 (ter ere van Zygmunt Aleksandrowicz, stichter van de ambachtsschool voor Joodse wezen die in het gebouw was gehuisvest) en op de hoek met de Brzozowa (vroeger een Hebreeuwse middelbare school).

Er staat een voormalig gebedshuis op de binnenplaats van de Brzozowa 6 dat gewoonlijk te bereiken is via de voordeur (er hangt ook een gedenkplaat aan de buitenmuur). Vlak in de buurt was Józefa Dietla 64 de vestiging van het Joods Wezeninstituut, terwijl een reliëfplaquette op de gevel van de Berka Joselwicza 5 Mordechai Gebirtig eert, een vermaarde Jiddische dichter en tekstdichter die tijdens de getto-*Aktion* van juni 1942 werd vermoord.

Vanaf de Tempelsynagoge voert de Estery naar het plac Nowy, dat wordt gedomineerd door het ronde bouwwerk in het midden dat een ritueel slachthuis was. Estery 12 aan de oostzijde van het plein was een chassidisch gebedshuis. Een ander voormalig gebedshuis op Beera Meiselsa 17 aan de westzijde is nu een Joods Cultureel centrum waar exposities en toneelvoorstellingen worden gehouden (er is ook een antiekwinkel in de kelder). Beera Meiselsa 18 op de volgende hoek was ook een gebedshuis, net als Bocheńska 4 drie straten naar het zuiden. Bocheńska 7 was een Joods theater.

Het gebied ten westen van Krakowska was minder Joods, maar het hoekgebouw Krakowska 41/ Skawińska 2 was en is nog steeds het hoofdkwartier van de gemeenschap. Een plaquette aan de kant van de laatste straat bewijst eer aan de ŻOB en haar commandant Aharon Liebeskind (codenaam Dolek) die werd gedood bij het vuurgevecht dat ontstond na de overval op café *Cyganeria* (zie hierna). Skawińska 8 was een Joods ziekenhuis, terwijl Św. Stanisława 10 naar het noordwesten het Beth Jakob Seminarie was, waar meisjes uit orthodoxe gezinnen de Thora bestudeerden. Het wordt gemarkeerd door een grote gedenkplaat. Meteen na de inval werden in de school Joodse vluchtelingen opgevangen.

Andere plaatsen

Het kasteelcomplex van Wawel, de voormalige residentie van de Poolse koningen, was de zetel van Hans Frank en het *Generalgouvernement*. In het noorden lag bij de voet van de heuvel het appartementenblok aan de Floriana Straszewskiego 7 waar Schindler woonde.

Ten noorden van de Rynek was aan de Szpitalna 38 het café Cyganeria gevestigd, dat populair was bij officieren van de Wehrmacht en SS. Het werd op de avond van 22 december 1942 aangevallen door een ŻOB-eenheid waarbij zeven Duitsers werden gedood. De vergeldingsmaatregelen waren erg zwaar. Er is een gedenkplaat op de muur aangebracht waarop de verwijzing naar het communistische *Armia Ludowa* als medeplegers de afkomst verraadt (de datum erop is overigens verkeerd). Szpitalna 24 was een gebedshuis en is nu een orthodoxe kerk.

PŁASZÓW

Płaszów was een dwangarbeiderskamp, in 1942 opgezet in de zuidelijke buitenwijken van Kraków, op de plaats van twee Joodse begraafplaatsen die werden geruimd door arbeiders die uit het getto werden gehaald. Het kamp was oorspronkelijk bedoeld om maximaal 4000 voornamelijk Joodse gevangenen in onder te brengen, maar dat werden er snel meer met de komst van ongeveer 8000 Joden na het opheffen van het getto van Kraków in maart 1943. Een afzonderlijk gedeelte werd in juli van datzelfde jaar bestemd voor Joodse gevangenen en er zaten ook Roma in het kamp gevangen. Het Poolse aandeel nam na de opstand van Warschau in 1944 toe tot ongeveer 10.000, terwijl het aantal Joden groeide door transporten uit kleinere getto's en uit Hongarije. Op het hoogtepunt in 1944 bevatte Płaszów, dat intussen was aangemerkt als concentratiekamp, tegen de 25.000 gevangenen. De omstandigheden waren vreselijk en dat was met name het geval onder Amon Goeth (februari 1943 tot september 1944), de beruchtste commandant wiens bewind van lukrake afstraffingen en schietpartijen in beeld werd gebracht in *Schindler's List*. Daarnaast werden 1400 gevangenen in mei 1944 gedeporteerd naar Auschwitz en bij aankomst vergast. Er werd zelfs begonnen met de aanleg van gaskamers in Płaszów, maar door de nabije ligging van Auschwitz werd dat toch niet nodig geacht. Niettemin werd het kamp een plaats waar massaal Polen en Joden werden doodgeschoten. Overgebleven gevangenen werden geëvacueerd naar Auschwitz en in de winter van 1944/1945 naar het Reich. De laatste 180 gevangenen vertrokken op 14 januari 1945, één dag voor de bevrijding. Goeth werd geëxecuteerd, nadat hij in 1946 door een Pools gerechtshof ter dood was veroordeeld.

Er is vrijwel niets van het kamp overgebleven; het grootste gedeelte

Płaszów (foto van de auteur)

van het gebied is overwoekerd en erg moeilijk begaanbaar. Het wordt doorkruist door niet-bewegwijzerde paden waardoor het gemakkelijk is om te verdwalen. De hier geopperde routes houden in dat soms teruggekeerd moet worden, maar ze zijn hopelijk toch eenvoudig te volgen. De locatie wordt aan de oostzijde begrensd door de Jerozolimska en het vervolg daarvan, de Wiktora Heltmana, die door het vroegere SS-gebied van het kamp liep. Daarom was dit de straat die SS-Straße werd genoemd. Hoewel de meeste gebouwen zijn vervangen door naoorlogse flatgebouwen, kunnen twee dienstdoen als oriëntatiepunt. Goeths villa ligt aan de Wiktora Heltmana 22, terwijl heuvelafwaarts op de kruising van de Jerozolimska en de Abrahama (de laatste is in werkelijkheid niet meer dan een zandpad dat overgaat in een straat) het imposantere 'Grijze Huis' staat, waarin andere SS-officieren woonden en dat een martelkamer in de kelder had. Een bord ertegenover meldt bezoekers dat ze het terrein van het kamp betreden (waarmee het gedeelte van de gevangenen werd bedoeld) en maant hen respect te betonen. Abrahama volgt vanaf het Grijze Huis de route van de hoofdweg door het kamp. Rechts staat een monument uit 1984 voor 13 Polen die in september 1939 werden vermoord. Een verhard pad erachter voert naar een nieuwe gedenksteen in het Hebreeuws, en waarachter een grote puinhoop ligt, resten van de monumentale ceremoniehal van de nieuwe Joodse begraafplaats waarvan een deel in het kamp werd gebruikt als mortuarium. Het gebouw werd gedeeltelijk verwoest door de Duitsers en het restant werd na de oorlog gesloopt. Een paar fragmenten van graftombes zijn verder heuvelop bewaard gebleven. Deze kunnen worden bereikt door een pad te volgen dat vanaf het Hebreeuwse monument schuin de heuvel op loopt. Een route die een omweg maakt maar die misschien gemakkelijker te volgen is, bestaat uit terugkeren naar de Jerozolimska en naar het noorden lopen tot het punt waar de weg naar rechts buigt. Op precies dit punt begint links van de weg een pad naast een ander bord en een plaat met een plattegrond van het kamp (een merkwaardige plaats overigens voor het enige informatiebord in heel Płaszów). Door dit pad door het kreupelhout te volgen langs meer ruïnes van de ceremoniehal op een kleine open plek links en dan een paar honderd meter de heuvel op te lopen, bereikt men de kruising met het pad vanaf het Hebreeuwse monument. Sla rechtsaf en de fundamenten van de graftombes zullen weldra aan de linkerkant verschijnen. Er is slechts één grafsteen over (Chaim Jacob Abrahamer, overleden 25 mei 1932), ongeveer 65 meter na de kruising links van het pad.

De Abrahama loopt vanaf de Poolse en Hebreeuwse monumenten naar het westen door het midden van het kamp langs kalksteengroeven links en de plaats van de *Appellplatz* rechts. Het is mogelijk van hieruit het voornaamste herdenkingsgebied te bereiken, maar de kans om verdwaald te raken is veel kleiner als men terugkeert naar het Grijze Huis en dan heuvelop langs de villa van Goeth loopt. Bij Wiktora Heltmana 40B is een aangegeven en verharde afslag naar het herdenkingsgebied. Deze loopt langs een massagraf dat is gemarkeerd met een kruis, voordat Hujowa Gorka wordt bereikt, het restant van een oud Oostenrijks fort aan de westelijke rand van het kamp, waar massaexecuties plaatsvonden (ongeveer 8000 in totaal). De lijken werden in 1944 opgegraven en verbrand. De locatie wordt gedomineerd door een opvallend communistisch monument aan de rand van het fort. Bescheidener zijn de twee specifiek Joodse monumenten bij het naderen van de richel die zijn gewijd aan alle Poolse en Hongaarse Joden die in Płaszów gevangen hebben gezeten en voor de Hongaarse Joodse vrouwen die hier in 1944 vast werden gehouden voordat ze werden doorgestuurd naar Auschwitz.

De gemakkelijkste manier om bij het kamp te komen zonder verdwaald te raken is tram 3, 6, 9, 13, 23, 24 of 34 te nemen naar de halte Dworcowa. Sla rechtsaf de straat in die tussen de McDonald's en de Shell-pomp de heuvel op loopt en neem dan de trap tussen Wielicka 81 en 83. De villa van Goeth ligt enkele huizen naar links aan de overkant van de weg.

AUSCHWITZ-BIRKENAU

De onschuldige oorsprong van Auschwitz gaf geen aanleiding om te veronderstellen dat het terecht veroordeeld zou worden voor zo'n schanddaad. Kort voor de Eerste Wereldoorlog begonnen de Oostenrijkse autoriteiten barakken te bouwen aan de rand van de Silezische plaats Oświęcim als onderkomen voor seizoensarbeiders die naar Duitsland trokken. De bouw werd echter pas in 1918 voltooid, wat inhield dat het complex overging naar het pas onafhankelijk geworden Polen dat er een legerbasis van maakte (er woonden tijdelijk ook Poolse vluchtelingen uit gebieden die aan Tsjecho-Slowakije waren gegund). Op bevel van Himmler werd de locatie aan het eind van de lente van 1940 aangepast om te gebruiken als concentratiekamp met Rudolf Höss als commandant. Gedurende het eerste jaar van het bestaan van Auschwitz waren bijna alle bewoners Poolse politieke gevangenen, waartoe ook Joden behoorden. In die zin was er weinig verschil met de concentratiekampen in Duitsland (de regio Auschwitz lag tijdens de bezetting technisch gesproken binnen het Reich), hoewel het feit dat de gevangenen Polen waren, inhield dat hun behandeling nog afschuwelijker was.

Pas in 1941 begon Auschwitz een bijzonder karakter te krijgen en zelfs toen was het Jodenbeleid niet de voornaamste drijvende kracht. Na een inspectie in maart gaf Himmler opdracht tot uitbreiding van het bestaande kamp, en dat moest gepaard gaan met twee andere ontwikkelingen. Auschwitz zou dwangarbeiders leveren aan het bedrijf I.G. Farben om de bouw van een grote fabriek van synthetisch rubber (Buna) mogelijk te maken, terwijl een enorm nieuw kamp dat 100.000 mensen kon bevatten in het dorp Brzezinka (Birkenau in het Duits) zou worden opgezet. Deze laatste locatie, Auschwitz II, was bestemd voor Sovjet-Russische krijgsgevangenen uit het komende conflict. Feitelijk begon de aanleg van Birkenau pas in oktober toen de oorlog in het oosten al een eind was gevorderd. De bouw werd zelfs grotendeels uitgevoerd door 15.000 krijgsgevangenen die al in het hoofdkamp (nu Auschwitz I) waren ondergebracht. De meesten overleefden de winter niet. Het werk aan het Buna-complex begon eerder, in april 1941, en werd door de enorme omvang van het project nooit voltooid. De mensen die er werkten, werden vanaf eind 1942 in een ander kamp (Auschwitz III) ondergebracht in het verlaten dorp Monowice. In dit stadium was de hele Poolse bevolking van Oświęcim en het omliggende gebied dat was bestempeld als 'ontwikkelingszone' van het kamp, verdreven om plaats te maken voor de groei van het Auschwitz-imperium.

Het is niet helemaal duidelijk wanneer de beslissing werd genomen om

Auschwitz onderdeel te maken van de nazistische vernietigingsmachine, maar de eerste experimenten met Zyklon B werden in eerste instantie op Sovjet-Russische krijgsgevangenen aan het eind van de zomer van 1941 uitgevoerd. In de herfst werd in het hoofdkamp de eerste gaskamer aangelegd, voordat Chełmno of de kampen voor de *Aktion Reinhardt* waren opgezet. De rol van Auschwitz in de moord op de Poolse Joden was in dit stadium nog marginaal – ongeveer 300.000 werden naar Auschwitz gestuurd, maar voornamelijk in 1943-1944, toen de andere dodenkampen al waren gesloten of minder gingen draaien. Het was de verruiming van de Holocaust waarbij alle Europese Joden moesten worden vermoord, die Auschwitz vooral berucht zou maken en waardoor het die grootte en positie zou krijgen in het hart van het spoornetwerk van het continent. Op 15 februari 1942 werden Joden uit Bytom (toen Beuthen in Duitsland) het eerste transport dat werd vergast. Dit vond plaats in het hoofdkamp, maar de bouw van twee gaskamers in het bos bij Birkenau hield in dat daarna de meeste moorden daar plaatsvonden. Naast Joden uit het Reich werden ook Joden uit Slowakije, Frankrijk, België en Nederland in 1942 naar hun dood gedeporteerd. De lente van 1943 werd gekenmerkt door de bouw van vier grote crematoria die elk grotere gaskamers bevatten en die de bestaande moordinrichtingen vervingen. Dit maakte deel uit van een grotere uitbreiding van Auschwitz II die een weerspiegeling vormde van het tweeslachtige karakter van het kamp. In tegenstelling tot andere vernietigingskampen waar op een handvol na alle gedeporteerden bij aankomst werden vermoord, was Birkenau ook een dwangarbeiderskamp. Bij elk nieuw transport werden selecties uitgevoerd. De SS koos voor het kamp die personen uit van wie zij dacht dat ze nog geschikt waren om te werken, hoewel weinigen het daar langer dan zes maanden overleefden. Als gevolg daarvan was zowel de kampbevolking als het aantal vermoorde personen in 1943 groter toen Birkenau ook transporten kreeg uit Griekenland en Italië (die tot in 1944 doorgingen) naast die uit de eerder genoemde landen. De vreselijkste operatie uit de geschiedenis van het kamp was echter de vernietiging van de Joden uit Hongarije, toen eind voorjaar, begin zomer 1944 binnen twee maanden meer dan 400.000 mensen werden vermoord.

Plannen voor een nog grotere uitbreiding van het complex werden opgeschort als gevolg van de opmars van het Rode Leger in de zomer van 1944. Door deze ontwikkeling was ook Majdanek veroverd en de onthulling van de verschrikkingen die daar hadden plaatsgevonden had een eind gemaakt aan de reputatie die Duitsland internationaal nog genoot. Omdat ze een herhaling daarvan niet wilden, begon de SS bewijzen van hun misdaden weg te werken. In het besef dat hun dagen waren geteld, kwamen leden van het *Sonderkommando* in oktober 1944 in opstand, waarbij ze Crematorium IV in brand staken en in Crematorium II twee SS'ers doodden. Enkelen konden naar de bossen ontsnappen, maar slechts één van de opstandelingen bleef in leven. Hij stierf later in Ebensee. De resterende crematoria werden in november en december ontmanteld. De technische installaties werden naar Gross-Rosen overgebracht en de stenen bouwwerken werden opgeblazen. Tijdens de herfst was een begin gemaakt met het per spoor transporteren van gevangenen naar kampen als Gross-Rosen en Bergen-Belsen. Dit was slechts de inleiding op de afschuwelijke dodenmarsen waarbij de meesten van de 58.000 gevangenen die in januari 1945 naar het westen werden gedreven, om het leven kwamen. Toen het Rode Leger er op 27 januari 1945 (nu de Internationale Holocaust Herdenkingsdag) aankwam, werden 7650 gevangenen bevrijd die de SS door tijdgebrek niet had kunnen vermoorden. Door de haast waarmee de Duitsers vertrokken, bleef ook veel van het kampsysteem intact.

Net als Majdanek werd Auschwitz meteen na de oorlog door de Sovjets in gebruik genomen, maar in 1947 werd besloten er een museum van te maken. Bijna nergens is de herdenking van de Holocaust echter controversiëler geweest. Decennialang ging het daarbij deels om aantallen. Een Sovjet-Russisch onderzoek blies het aantal doden op – alsof dat opgeblazen moest worden – en kwam uit op een getal van vier miljoen mensen. Dit totaal werd overal prominent op de locatie getoond (sommige verwijzingen zijn pas de laatste vijf jaar verwijderd) en soms komt men het nog in artikelen tegen. Het echte aantal zal nooit bekend worden – al was het maar omdat de Gestapo in de zomer van 1944 veel gegevens vernietigde – maar waar de moderne museumautoriteiten van uitgaan en wat geschiedkundigen algemeen aanvaarden, komt uit op iets meer dan 1,1 miljoen:

ongeveer één miljoen Joden, 75.000 niet-Joodse Polen, 21.000 Sinti en Roma en 15.000 Sovjet-Russische krijgsgevangenen. Hoewel de eerste communistische onderzoekers in goed vertrouwen tot het totaal van vier miljoen kwamen (hun berekeningen waren gebaseerd op de capaciteit van de crematoria), paste het duidelijk in een politieke agenda. Er is nooit veel over getwijfeld dat tussen de één en anderhalf miljoen Joden in Auschwitz het leven verloren, dus impliceerde het communistische cijfer dat het merendeel van de slachtoffers Polen en Russen waren. Dit minimaliseerde het specifieke karakter van het Joodse leed en verschafte legitimiteit aan de communisten als de redders van de Slavische volkeren uit de handen van de fascistische slachters. Dit was ook de toon van de expositie in het museum. Voor de val van het communisme werd weinig aandacht besteed aan de Joodse ervaringen. Zelfs na 1989 was Auschwitz nog in staat om verdeeldheid te zaaien, aangezien het voor zowel Joden als Polen het ultieme symbool was van hun respectievelijke ellende in de oorlog. Deze tweedeling kwam tot uiting in een reeks ongelukkige controverses, daterend van het bezoek van paus Johannes Paulus II aan de plaats in 1979 waarbij katholieke nationalisten kruisen bij zowel het hoofdkamp als in Birkenau plaatsten. Deze geschillen zijn in recente jaren minder geworden, waardoor een in hogere mate eerlijke en passend respectvolle benadering van de tragedie van Auschwitz mogelijk werd.

Auschwitz – hoofdkamp

Toen het gedenkteken in 1947 in het leven werd geroepen, werd de beslissing genomen het te concentreren in het hoofdkamp dat nu het drukst bezochte museum van Polen is (dag. dec-feb 8.00-15.00, mrt & nov 8.00-16.00, apr & okt 8.00-17.00, mei & sep 8.00-18.00, jun-aug 8.00-19.00; toegang gratis; www.auschwitz.org.pl). De tentoonstellingen zijn zonder meer indrukwekkend en ontroerend, hoewel sommige bezoekers met gemengde gevoelens vertrekken. Dit komt grotendeels doordat het kamp een dermate grote toeristische attractie is dat er vaak nauwelijks plaats is voor overdenkingen. In een poging deze toestand te verbeteren werd in 2008 een systeem geïntroduceerd waarbij leden van rondgeleide groepen via een koptelefoon naar hun gids luisteren om zo het lawaai terug te dringen.

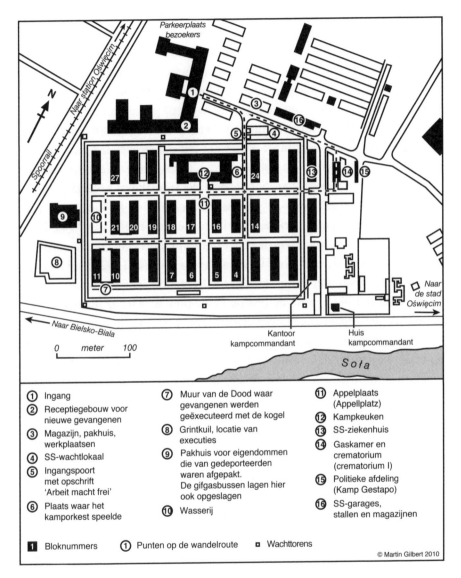

① Ingang	
② Receptiegebouw voor nieuwe gevangenen	
③ Magazijn, pakhuis, werkplaatsen	
④ SS-wachtlokaal	
⑤ Ingangspoort met opschrift 'Arbeit macht frei'	
⑥ Plaats waar het kamporkest speelde	

⑦ Muur van de Dood waar gevangenen werden geëxecuteerd met de kogel

⑧ Grintkuil, locatie van executies

⑨ Pakhuis voor eigendommen die van gedeporteerden waren afgepakt. De gifgasbussen lagen hier ook opgeslagen

⑩ Wasserij

⑪ Appelplaats (Appellplatz)

⑫ Kampkeuken

⑬ SS-ziekenhuis

⑭ Gaskamer en crematorium (crematorium I)

⑮ Politieke afdeling (Kamp Gestapo)

⑯ SS-garages, stallen en magazijnen

1 Bloknummers   ① Punten op de wandelroute   ▫ Wachttorens

© Martin Gilbert 2010

Auschwitz I

De communistische oorsprong van het museum was lange tijd een andere oorzaak van onbehagen. Samen met het opgeblazen getal van vier miljoen doden was het schadelijkste element het inrichten van exposities voor verschillende nationaliteiten die meestal uit het Oostblok kwamen en het degraderen van de Joden tot de status van een van de vele groepen die in Auschwitz hadden geleden. Gelukkig zijn deze oude exposities sinds het eind van de jaren negentig verwijderd en vervangen door vaak uitstekende nieuwe tentoonstellingen. Eén nalatenschap van het communistische museumconcept blijft echter het feit dat slechts een gedeelte van het kamp is opgenomen binnen het herdenkingsterrein. Wanneer men net als de meeste bezoekers van het station de Stanisławy Leszczyńskiej af loopt, ligt één straat voor de parkeerplaats links de SS-kazerne (nu in gebruik als woning en legerkazerne) die bij de uitbreiding van 1942-1944 werd gebouwd. Hierover wordt in het museum niets gemeld. De onopvallende ingang van de parkeerplaats was feitelijk vanaf 1942 de plaats van de hoofdpoort van het kamp, terwijl het bezoekerscentrum waarvan men vaak denkt dat het van na de oorlog is, de plek was waar nieuwe gevangenen werden opgevangen. Wanneer bezoekers dus dit gebouw uit komen, langs de nog bestaande SS-barakken (als zodanig aangegeven) lopen en bij de beruchte 'Arbeit macht frei'-poort komen, staan ze niet zoals de meesten veronderstellen, voor de ingang van het kamp. Eerlijk gezegd vervulde die deze rol in de vroege geschiedenis van Auschwitz, maar de uitbreiding in het tijdperk van de Holocaust maakte er een binnenafscheiding van, terwijl natuurlijk maar erg weinig Joden die naar Birkenau werden gestuurd, de poort ooit zagen.

De hoofdroute van de poort komt voorbij het punt waar het kamporkest speelde en een tempo aangaf voor de gevangenen die naar het werk gingen. Daarna komt de meest oostelijke groep barakken die het hoofdbestanddeel van de tentoonstelling vormen en die een overzicht moeten geven van de geschiedenis van het kamp. Begonnen wordt met Blok 4 (dat links een weinig opgemerkte plaquette heeft voor Oostenrijkse slachtoffers). Het thema van het blok (*Uitroeiing*) wijst zichzelf en is bijgewerkt om meer bekendheid te geven aan het feit dat de meesten van de degenen die werden vermoord, Jood waren. Het onderdeel dat op de meeste bezoekers de grootste indruk maakt, is dat van de massa's afgeschoren haar van vrouwelijke gevangenen in zaal 5. De bevrijding voorkwam dat dit werd toegevoegd aan de enorme hoeveelheden die al naar het Reich waren verscheept om gebruikt te worden in matrassen en kleding. Chemische analyse door de universiteit van Kraków bracht sporen blauwzuur, het belangrijkste element van Zyklon B, in het haar aan het licht. Blijkbaar werden bij de moord op de Hongaarse Joden de slachtoffers pas geschoren nadat ze waren gedood. Het thema krijgt een vervolg in Blok 5 waarvan de zalen net zulke enorme verzamelingen voorwerpen bevatten die waren gestolen van de doden. Daartoe behoren brillen, gebedssjaals, koffers, schoenen en zelfs protheses van ledematen.

Blok 6 gaat over het alledaagse leven en lijden van de kampbewoners waarbij veel aandacht wordt besteed aan de politieke gevangenen. De foto's tegen de muren zijn vooral van Polen – de Duitsers vonden het niet echt nodig om het merendeel van de Joden te fotograferen die in Birkenau aankwamen. De ervaringen van de politieke gevangenen zijn levendig afgebeeld in schetsen van Mieczysław Kościelnak in zaal 5. Blok 7 verschaft tastbaarder bewijsmateriaal over de leefomstandigheden met voorbeelden (soms reconstructies) van stapelbedden, toiletten en badkamers. Het opmerkelijkst is misschien wel het relatieve comfort van de cel van een *kapo*.

Blok 10 (gesloten) was het centrum van medische experimenten. Naast de afschuwelijke experimenten van Mengele met tweelingen, bood het blok ook onderdak aan Carl Clauberg die massale sterilisaties uitvoerde bij Joodse en Roma vrouwen, vaak door zuur te injecteren in hun baarmoeder. De 'Dodenplaats' tussen Blok 10 en 11 was de locatie van executies (vooral Polen), nu gemarkeerd door gedenktekens. Blok 11, het 'Dodenblok' waar gevangenen voorafgaand aan executie werden vastgehouden, biedt nu onderdak aan exposities die zijn gewijd aan hun lot. In de kelder van het gebouw werden in augustus en september 1941 de eerste dodelijke experimenten met Zyklon B uitgevoerd op 600 Sovjet-Russische krijgsgevangenen en 250 zieke gevangenen, merendeels Poolse Joden. De zalen boven gaan over het verzet in het kamp waaronder de opstand van het *Sonderkommando* in Birkenau.

De volgende rij blokken, waaraan veel bezoekers helaas voorbijlopen, is gewijd aan verschillende naties, net als Blok 27, een voormalig pakhuis voor kleding, aan het begin van de tegenovergelegen rij. Dit bevat een indrukwekkende nieuwe tentoonstelling (geopend in 2013) die werd ingericht door Jad Wasjem. Deze expositie biedt een overzicht van de Holocaust en sluit af met een boek waarin de miljoenen namen van slachtoffers zijn verzameld die het Israëlische museum heeft verzameld. Dit vormt een schril contrast met de tentoonstelling over Joodse slachtoffers uit het communistische tijdperk waarvoor het in de plaats is gekomen. Het is een patroon dat in de meeste blokken uit deze rij wordt herhaald. De oude tentoonstelling met de opzettelijk foutieve verwijzing naar 'slachtoffers van het fascisme' en de overdreven aandacht voor communistische gevangenen, was eigenlijk een schande, maar wat ervoor in de plaats is gekomen, is historisch verantwoord op zowel het punt van de belichte landen als het feit dat vooral aandacht wordt besteed aan het Joodse leed. Hoewel de afdeling over Italië op de benedenverdieping in Blok 21 (een voormalige ziekenhuisbarak) nogal teleurstellend is, blijkt die op de eerste verdieping over Nederland een prachtig gepresenteerd portret te zijn van het lot van de Nederlandse Joden. Op eenzelfde manier worden de Joden van Frankrijk en België (Blok 20 – ook een ziekhuisbarak), Hongarije (18) en Tsjechië en Slowakije (16) geëerd. De tentoonstelling over Oostenrijk in Blok 17 is eind 2013 gesloten om een soortgelijke transformatie te ondergaan. In het licht van de intellectuele integriteit die de veranderingen de locatie hebben verleend, is het verrassend dat er nog steeds een paar omissies zijn waarvan de Poolse Joden misschien het opmerkelijkst zijn. Blok 15 beslaat vooral een algemene geschiedenis van Polen in de Tweede Wereldoorlog met weinig gegevens over de Joodse of niet-Joodse Polen in Auschwitz. In Blok 14 werd op 27 januari 2013 (de 68e verjaardag van de bevrijding van het kamp) een nieuwe tentoonstelling over de USSR geopend, die een typisch niet-correcte communistische expositie verving. Een erg stuitende vergissing van het oorspronkelijke museum is gerectificeerd met de voortreffelijke *Vernietiging van Europese Roma* in Blok 13, opgezet door het Sinti en Roma Documentatiecentrum uit Heidelberg.

De route voert dan het voornaamste gevangenenverblijf uit en loopt langs het SS-ziekenhuis links naar de plaats van het Gestapo hoofdkwartier waarin nu de galg is ondergebracht waaraan Höss in 1947 werd opgehangen. Het huis waarin hij met zijn gezin woonde, is rechts achter het hek te zien. Ernaast ligt het eerste crematorium met gaskamer in het voormalige mortuarium dat eind 1941 werd verbouwd. Het crematorium is in belangrijke mate een reconstructie, omdat de Duitsers de oorspronkelijke ovens, schoorsteen en enkele van de muren hadden verwoest. In het originele museumconcept vertegenwoordigde dit het symbolische einde van de route en sommige bezoekers vertrekken nog steeds met de overtuiging dat 'hier de Holocaust plaatsvond'. Hoe verschrikkelijk het ook was wat hier gebeurde – en deze kleine gaskamer bleef tot halverwege 1943 in gebruik – dat gruwelijke etiket hoort bij een plaats 3 kilometer verderop. Voor zover het ooit tot één plaats zou kunnen behoren.

Afgezien van degenen die met een toerbus komen, arriveren bijna alle bezoekers via het station van Oświęcim. Vanaf hier rijden de bussen 2 en 3 naar het kamp (halte Muzeum). En dan zijn er ook nog altijd taxichauffeurs – die overigens behoorlijke prijzen rekenen.

Birkenau

Het vernietigingskamp Birkenau krijgt slechts een fractie van het aantal bezoekers van Auschwitz I, maar iedereen die de tocht maakt, vindt dit veel indrukwekkender (zelfde openingstijden als het hoofdkamp). Dat ligt niet alleen aan de afwezigheid van de drommen bezoekers of aan het feit dat we weten wat hier gebeurde. Alleen al de omvang en troosteloosheid van de plaats, grotendeels een woud van schoorstenen (de enige stenen elementen van de meeste barakken), zijn overweldigend. Er is één uitzondering: er zijn geen exposities. Er staat alleen hier en daar een informatiebord waarop vaak de beroemde foto's staan van het transport uit het Hongaarse Beregszász in mei 1944 die een SS'er om een onbekende reden heeft gemaakt. Bij aankomst is het de moeite waard om de toren van het poortgebouw te beklimmen om echt een indruk te krijgen van de grootte van Birkenau die een schril contrast vormt met de kleine kampen van de *Aktion Reinhardt* en schijnbaar meer lijkt te passen bij de gruwelijkheid van de misdaad.

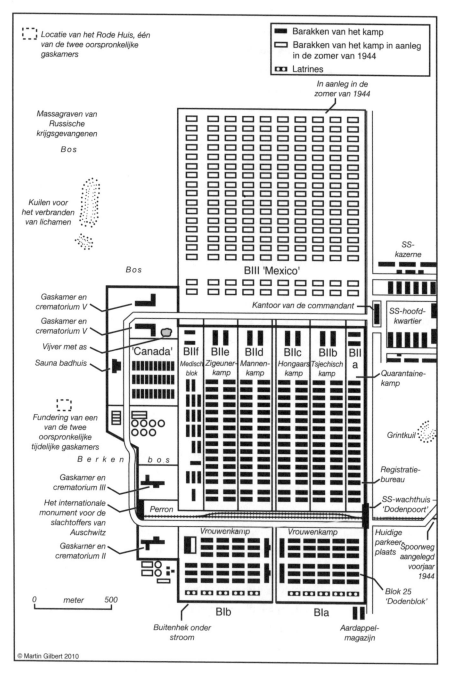

Locatie van het Rode Huis, één
van de twee oorspronkelijke
gaskamers

■ Barakken van het kamp
☐ Barakken van het kamp in aanleg
in de zomer van 1944
▥ Latrines

In aanleg in de
zomer van 1944

Massagraven van
Russische
krijgsgevangenen

Bos

Kuilen voor
het verbranden
van lichamen

Bos

BIII 'Mexico'

SS-
kazerne

Gaskamer en
crematorium V

Gaskamer en
crematorium V

Kantoor van de commandant

SS-hoofd-
kwartier

Vijver met as

Sauna badhuis

'Canada'

BIIf
Medisch
blok

BIIe
Zigeuner-
kamp

BIId
Mannen-
kamp

BIIc
Hongaars
kamp

BIIb
Tsjechisch
kamp

BII
a

Quarantaine-
kamp

Fundering van een
van de twee
oorspronkelijke
tijdelijke gaskamers

B e r k e n   b o s

Grintkuil

Gaskamer en
crematorium III

Registratie-
bureau

Het internationale
monument voor de
slachtoffers van
Auschwitz

Perron

SS-wachthuis –
'Dodenpoort'

Huidige
parkeer-
plaats

Spoorweg
aangelegd
voorjaar
1944

Gaskamer en
crematorium II

Vrouwenkamp

Vrouwenkamp

0   meter   500

Blok 25
'Dodenblok'

BIb

BIa

Buitenhek onder
stroom

Aardappel-
magazijn

© Martin Gilbert 2010

Birkenau

De spoorweg loopt door de poort naar het selectieperron waar het spoor zich splitst. Dit is het iconische beeld van de Holocaust, maar tijdens bijna de hele geschiedenis van het kamp werden Joden feitelijk een kilometer verder weg uit de trein gezet en lopend naar het kamp gedreven (dit eerdere losplatform werd in de jaren negentig gereconstrueerd en kan worden bereikt door terug te lopen over de toegangsweg naar Birkenau en het eerste pad rechts te nemen). Het spoor tot in het kamp werd begin 1944 aangelegd en was klaar voor de komst van de Hongaren. Het nieuwe platform werd toen de plaats van de afschuwelijkste taferelen waarbij de gedesoriënteerde Joden uit de treinen werden gehaald en aan de genade van Mengele bleken te zijn overgeleverd. Rechts van het spoor liggen de ruïnes van Birkenau II (BII), de grote uitbreiding van het kamp uit 1942-1943 waarin voornamelijk mannelijke gevangenen waren ondergebracht. De barakken in de rij die het dichtst bij de poort ligt (BIIa), zijn bewaard gebleven en verscheidene daarvan zijn open. Dit was de quarantainezone waar nieuwe gevangenen werden vastgehouden. De enige andere nog overeind staande barak van BII ligt op het volgende terrein (BIIb) dat in 1943-1944 het 'familiekamp' werd voor 10.000 Joden die uit Theresienstadt kwamen. De naam is ontleend aan het feit dat de mannen en vrouwen weliswaar in aparte barakken waren ondergebracht, maar vrij met elkaar mochten omgaan. Ze werden ook niet gedwongen om te werken en mochten contact onderhouden met familieleden die nog in Terezín waren. Dit alles was natuurlijk een list voor het geval dat het Rode Kruis zou besluiten Birkenau en het Tsjechische getto te inspecteren. Toen duidelijk werd dat dit niet zou gebeuren, werd iedereen in het familiekamp vermoord.

Tegenover het platform ligt de ingang van het oorspronkelijke kamp (BI) dat na de uitbreiding het vrouwenkamp werd. De meeste barakken aan de zuidzijde van elke sectie zijn intact, terwijl de waslokalen en toiletblokken in de zuidelijkste rij lagen. In de oostelijke sectie (BIa) staat een verweerd monument voor 'Franse patriotten' naast de resten van Blok 9. Blok 25 bij het hek was het 'dodenblok' waar uitgeputte of zieke vrouwelijke gevangenen die niet door de regelmatige selecties kwamen, werden vastgehouden voordat ze naar de gaskamers werden gebracht.

Birkenau (foto van de auteur)

Ernaast liggen de resten van Blok 31 waarin meer dan 200 Joodse kinderen zaten die Mengele in zijn 'experimenten' gebruikte. In sectie BIb zat in Blok 1 de strafcompagnie – de gevangenen die kampregels hadden overtreden en daarom het zwaarste werk moesten doen – in de tijd dat dit het mannenkamp was. In diezelfde tijd was Blok 6 de isolatiebarak voor zieke gevangenen voordat ze naar de gaskamer werden gestuurd. Wanneer die barak vol was, werden nieuwkomers op het terrein ervoor gedumpt.

Vanaf BIb voert een pad langs een van de twee grote rioleringsinstallaties van het kamp (ook daaruit bleek de groei van Birkenau) naar de dreigende ruïne van Crematorium II zoals de Duitsers dat in 1945 ongeveer achterlieten. Net als bij alle vier crematoria verschaft een informatiebord een gedetailleerde plattegrond van de vernietigingsinstallaties. Stenen met tekst in het Pools, Engels, Hebreeuws en Jiddisch markeren de vijver ernaast (een van de plaatsen waarin as werd gegooid) net als bij de andere crematoria. Crematorium III, een kopie van II, ligt aan de andere kant van het Internationale Monument voor de Slachtoffers van Auschwitz (vroeger voor de Slachtoffers van het fascisme), een voorbeeld van communistische abstractie. De panelen ervoor geven nu tenminste het juiste dodencijfer aan en erkennen dat de meeste slachtoffers Joods waren.

Achter de andere rioleringsinstallatie loopt het pad langs 'Canada' waar de bezittingen van de vermoorde en nieuwe gevangenen werden gesorteerd om naar Duitsland te worden gezonden (de bijnaam was ontleend aan het idee dat Canada een rijk land is). Een glazen kap over de ruïne van Blok 5 beschut een stapel messen, vorken en andere zaken. Ertegenover ligt de 'sauna' waar nieuwkomers die door de selectie kwamen, naartoe werden gebracht. Deze is nu verbouwd tot het enige tentoonstellingsgebouw van Birkenau. Er was sprake van enige onrust na de eerste aankondiging van het project, maar het resultaat is smaakvol en doeltreffend. Glazen vloertegels volgen het pad dat de gevangenen moesten volgen van de ontvangstkamer door de gang langs de ruimtes waar kleding met stoom werd gedesinfecteerd naar de ruimtes waar ze werden kaalgeschoren en gedoucht en waar ze dan (vaak uren) moesten wachten. De laatste ruimte waar ze hun kampkleding en klompen kregen, toont prachtige foto's van Joodse families uit voornamelijk de steden Będzin en Sosnowiec.

Achter de sauna voert een pad door het hek naar de locatie van een van de oorspronkelijke twee gaskamers van Birkenau die stamden uit 1942 (deze kan ook vanaf Crematorium III worden bereikt, als men na de rioleringsinstallatie door de bomen loopt en niet afslaat naar de sauna). Ofschoon deze in 1943 werden vervangen door de nieuwe crematoria, bleef het gebouw staan en werd het tijdens de Hongaarse deportaties weer in gebruik genomen. Alleen de fundamenten liggen nu nog tegenover die van de ontkleedbarakken. As werd begraven op het terrein erachter dat weer wordt gemarkeerd door gedenkstenen.

Het pad vanaf de voorzijde van de sauna voert naar Crematoria IV en V, die weer identiek zijn, maar die een ontwerp hadden dat verschilde van

II en III. Er is weinig over van IV dat zwaar beschadigd raakte bij de *Sonderkommando*-opstand en daarna werd ontmanteld. Bij V staan drie foto's van de openluchtcrematie van lijken, op precies deze plek die in augustus 1944 heimelijk waren genomen door een lid van het *Sonderkommando*. Tussen de berken achter de grote vijver bij IV (waarin as werd gegooid) tonen hartverscheurende foto's mensen van het Beregszász-transport die stonden te wachten, terwijl de gaskamers in gereedheid werden gebracht. De barakken van 'Canada' achter hen zijn duidelijk zichtbaar.

Vanaf hier kan men over de weg langs BII teruglopen naar het oostelijke gedeelte van het kamp. Aan de overkant van de sloot zijn hekpalen alles wat over is van 'Mexico' (BIII), een voorgenomen uitbreiding van Birkenau die de omvang daadwerkelijk zou hebben verdubbeld. De aanleg begon in de zomer van 1944, maar werd nooit voltooid als gevolg van de Sovjet-Russische opmars. Het voormalige commandogebouw ligt aan het eind van de weg met daarachter de voormalige SS-kazerne.

Er zijn andere elementen van Birkenau buiten het hoofdcomplex, hoewel die moeilijker zijn te bereiken en zelden worden bezocht. Het massagraf van Sovjet-Russische krijgsgevangenen die in 1941-1942 het leven verloren, wordt aangegeven door eenvoudige monumenten op een groot omheind terrein. In de bossen erachter werden de lijken van Joden op brandstapels gecremeerd nadat ze in de eerste gaskamer van Birkenau, het 'Rode Huis', waren vermoord. Dit nabijgelegen Rode Huis was een verbouwd boerenhuisje dat tot begin 1943 in gebruik was, waarna het volledig werd gesloopt – er zijn zelfs geen fundamenten van over. De plaats ervan is nu een veld dat vanaf het massagraf iets verder langs de weg naar het oosten ligt en dat drie gedenkstenen telt. De snelste manier om deze plaatsen vanuit het kamp te bereiken is door niet terug te keren naar de sauna, maar om door te lopen over het pad bij de andere tijdelijke gaskamer en het kampcomplex door de poort te verlaten. Sla rechtsaf en volg de weg langs het hek. Na een paar minuten loopt die langs een apart omheind veld – dit is het massagraf. Loop door naar het eind van het veld waar de gedenkstenen zichtbaar en toegankelijk zijn door een vrij moeilijk te openen poort naast de afgesloten hoofdpoort. Het Rode

Huis lag iets verderop langs de weg, aan de linkerkant. De plaats wordt aangegeven door een groot informatiebord. Vanhier kan men teruglopen naar de sauna of over de weg rond 'Mexico' doorlopen naar het commandogebouw.

Elk uur rijden er shuttlebussen tussen de twee kampen. Of men kan vanaf het hoofdkamp of het station een alomtegenwoordige taxi nemen.

Oświęcim

Tot de oorlog was Auschwitz/Oświęcim beter bekend onder de Jiddische naam Oshpitsin, het gevolg van het feit dat het grotendeels een Joodse stad was. Deze geschiedenis wordt belicht in het Centrum Żydowskie (Joods centrum Auschwitz; zo-vr 9.00-18.00 (nov-feb tot 17.00); toegang gratis; ajcf.org) aan het plac Ks. Jana Skarbka dat een museum en een educatief centrum bevat. Het plein, dat in 1941 bij razzia's werd gebruikt, is vernoemd naar de plaatselijke priester Jan Skarbek die werd beschouwd als een vriend van de Joodse gemeenschap en die zelf door de Gestapo gevangen werd genomen. In 1945 hielp hij bij de verzorging van de bevrijde gevangenen van Auschwitz in het plaatselijke Rode Kruisziekenhuis. Het centrum ligt naast de enige bewaard gebleven synagoge. Aan de overkant van de Generała Jarosława Dąbrowskiego heette de Berka Joselewicza voor de oorlog de ulica Żydowska (Jodenstraat). Hieraan staan nog enkele oude gebouwen. Op de locatie van de Grote Synagoge die in november 1939 door de nazi's werd verwoest, staat een informatiebord. Opgravingen in 2004 brachten rituele voorwerpen aan het licht die nu tentoon zijn gesteld in het Joods centrum. Beide plaatsen liggen even lopen vanaf de halte Miasto, waar verschillende bussen vanaf het station stoppen. Verderop aan de Generała Jarosława Dąbrowskiego ligt op de kruising met de Wysokie Brzegi de Joodse begraafplaats van de stad (halte Cmentarz, veel buslijnen).

Aanmerkelijk verder naar het oosten wordt een enorm gebied in beslag genomen door de chemische fabriek Synthos in Monowice. Hier lag de Bunafabriek van I.G. Farben met aanverwante installaties. Toegang is niet mogelijk, hoewel de grote fabrieksschoorstenen van veraf in de omtrek zichtbaar zijn. Auschwitz III, waar Primo Levi en Elie Wiesel gevangenzaten, lag in het oosten en besloeg het gebied dat nu ongeveer wordt omsloten door de Bartosza Głowackiego ten zuiden van de Fabryczna, maar daar is niets van over.

ŁÓDŹ

De derde stad van Polen was het thuis van de op twee na grootste Joodse gemeenschap en uiteindelijk bleek hier het langst bestaande en controversieelste van alle getto's te hebben gelegen die door de nazi's in het leven werden geroepen. Łódź was in wezen een product van de Industriële Revolutie waarbij de bevolking groeide van minder dan 3000 in de jaren 1820 tot 665.000 in 1939. De opkomst van het 'Poolse Manchester' werd grotendeels bevorderd door Joods kapitaal en Joodse arbeiders, met als gevolg dat de Joden aan de vooravond van de oorlog met ongeveer 223.000 zielen een derde van de bevolking uitmaakten.

De Duitsers namen de stad op 8 september 1939 in en na enige aanvankelijke aarzeling werd die in november opgenomen in de *Warthegau*. Zelfs al voor deze officiële inlijving bij het Reich was de Joodse bevolking onderworpen aan geweld en diefstal, maar de terreur werd na november heviger, met als meest directe uiting de verwoesting van synagogen. Op de langere termijn was het de bedoeling van het nazigezag om de Joden volledig uit de stad te verdrijven, en inderdaad vertrokken in de lente van 1940 ongeveer 60.000 mensen. Sommigen gingen uit eigen keus, maar de meesten werden onvrijwillig gedeporteerd naar het *Generalgouvernement* (net als tienduizenden Polen overeenkomstig Greisers doelstelling om het gebied snel te germaniseren). Het was in deze context dat een geheim memorandum in december 1939 de basis vormde van de instelling van een getto als opvangcentrum tijdens de deportaties die in oktober 1940 voltooid moesten zijn (ironisch genoeg zou Łódź als laatste en niet als eerste Poolse stad *Judenfrei* worden). Het openbare bevel voor de vorming van een 'Joodse wijk' werd in februari 1940 gegeven, waardoor tienduizenden mensen werden gedwongen naar een arbeiderswijk ten noorden van het centrum te verhuizen. Het gebied werd eind april afgegrendeld nadat er ongeveer 164.000 mensen in waren geperst en het heette vanaf toen officieel het Litzmannstadtgetto, omdat de stad een paar weken eerder was vernoemd naar een generaal uit de Eerste Wereldoorlog.

Hoewel het uiteindelijke bestuur natuurlijk bij de Duitsers berustte, werd een aanzienlijke hoeveelheid gezag – meer dan in andere getto's – overgedragen aan Mordechai Chaim Rumkowski, de controversieelste figuur van de Holocaust. 'Koning Chaim' – voormalig zakenman, weeshuisdirecteur en zionistisch activist – werd om redenen die niet erg duidelijk waren in oktober 1939 door de Duitsers gekozen als voorzitter van de Ältestenrat. Met uitzondering van Rumkowski werden alle leden een maand later gearresteerd (en de meesten vermoord). Hun vervangers waren uiteraard niet bereid om de Duitsers of de voorzitter te trotseren die zelfs al vóór de vorming van het getto officieel de Ouderling van de Joden werd. Voor zijn vijanden, die een aanzienlijk gedeelte van de gettobevolking vormden, was hij een Joodse quisling (collaborateur). Voor zijn verdedigers, onder wie veel overlevenden, redde hij Joodse levens, hoe omstreden zijn methoden misschien ook waren. Rumkowski's fundamentele filosofie – dat de Duitsers een productief getto niet zouden kunnen missen – verschilde niet veel van die van veel andere gettoleiders, terwijl hij erkenning verdient voor het uitgebreide systeem van maatschappelijke en economische regels dat ervoor zorgde dat er in Łódź geen sprake was van de extreme rijkdom en daarnaast de armoede die zo kenmerkend waren voor Warschau. Aanvechtbaarder was echter zijn toenemend autocratische stijl waarmee hij zich mengde in alle gebieden van het openbare leven en zelfs de Duitsers inzette tegen zijn vijanden. Toen linkse partijen in 1940-1941 stakingen organiseerden tegen zowel de vermindering van voedselrantsoenen als zijn leiderschap, riep Rumkowski de hulp in van de Duitse politie om samen met zijn Joodse politietroepen de onrust keihard te onderdrukken. Er zijn geen bewijzen dat hij opzettelijk bekende tegenstanders uitkoos om te worden gedeporteerd. Dit houdt verband met de meest omstreden zaak van allemaal: Rumkowski's medewerking aan de *Aktionen* van de nazi's. Hij geloofde dat de enige manier om het getto als geheel te redden bestond uit toegeven aan de Duitse eisen op korte termijn. Hij was dus bereid deportatielijsten op te stellen en toe te staan dat de Joodse politie werd ingezet bij razzia's. Hij schijnt gehoopt te hebben dat de rest van het getto met rust gelaten zou worden of minstens zou overleven tot de komst van het Rode Leger.

Hoewel vanaf december 1940 meer dan 7000 mannen naar dwangarbeidersprojecten waren gestuurd, was de eerste, echt belangrijke verplaatsing van mensen in het getto feitelijk naar binnen gericht, want in oktober 1941 begonnen transporten aan te komen die uiteindelijk bijna 20.000 Joden uit het Reich zouden aanvoeren. Te beginnen in december kwamen precies op de dag dat het vernietigingskamp Chełmno begon te functioneren nog eens 18.500 Joden uit de kleinere gemeenschappen in de *Warthegau*. De toevloed was de voorbode van het begin van de deportaties, waarbij de eerste slachtoffers 5000 Roma uit het Oostenrijkse Burgenland waren, die in november 1941 naar een speciaal geïsoleerd gedeelte van het getto waren gebracht en in januari 1942 naar Chełmno werden gestuurd. Ze werden meteen gevolgd door Joden in drie golven van transporten in januari, februari/maart en mei, waarbij de laatste bijna geheel bestond uit Joden uit het Reich. Rond half mei 1942 waren 57.064 Joden uit het getto in het dodenkamp vermoord. Het zou nog erger worden in september tijdens de *Gehsperre* (avondklok). Tijdens deze *Aktion* kwamen de Duitsers het getto binnen en kamden zij het uit op degenen die minder sterk waren om te werken. Ze hadden Rumkowski al verteld dat alle mensen ouder dan 65 en alle kinderen jonger dan 10 jaar gedeporteerd moesten worden. Toen deze oproep aan de ouders om hun kinderen over te dragen logischerwijs geen gehoor vond, voerden de Duitsers de selecties zelf uit. Volgens de officiële cijfers werden tijdens deze week 15.681 mensen naar Chełmno gestuurd, terwijl 600 in het getto werden doodgeschoten. De volgende periode leek Rumkowski enigszins gelijk te geven, want twintig maanden lang vonden er geen grote deportaties meer plaats, ook al werden in 1943 alle andere getto's in Polen verwoest. Het leek erop dat de tienduizenden Joden die betrokken waren bij de gettofabrieken voor de Duitsers te waardevol waren om kwijt te raken. Himmler had echter andere prioriteiten en in mei 1944 gaf hij bevel om het getto (waarin op dat moment ongeveer 77.000 mensen woonden) definitief te ontruimen. De transporten naar Chełmno – dat speciaal voor dat doel weer werd opgestart – werden eind juni hervat, maar het dodenkamp werd te inefficiënt geacht (in drie weken werden 7200 Joden vermoord). De resterende bijna 77.000 inwoners, onder wie Rumkowski, werden in plaats daarvan in augustus naar Auschwitz gestuurd. De meesten werden bij aankomst vergast, hoewel ongeveer 5000 het overleefden, meestal omdat ze voor werk naar andere kampen werden overgeplaatst. De enige andere overlevenden behoorden tot twee kleine groepen die in het getto waren achtergelaten. Ongeveer 600 van hen werden in oktober 1944 naar Duitsland gestuurd. Een groep van bijna 850 bleef achter in de stad en slaagde erin in leven te blijven tot de bevrijding in januari 1945.

In de periode meteen na de oorlog kwamen veel mensen die de Holocaust hadden overleefd, naar Łódź (38.000 tegen het eind van 1945), maar die trokken daarna bijna allemaal naar Warschau of naar het buitenland. Tegenwoordig wonen er nog slechts een paar honderd Joden in de stad. Het spreekt vanzelf dat onder het communisme vrijwel niets werd gedaan om het Joodse verleden van Łódź te belichten en daarna veranderde dat ook niet meteen. De zestigste verjaardag van de verwoesting van het getto in 2004 werd echter door de stad aangegrepen om de geschiedenis ervan op een fatsoenlijke wijze in het daglicht te stellen en waarbij het voortouw werd genomen door burgemeester Jerzy Kropiwnicki. Dit werd zo'n doorslaand succes dat er nu geen stad in Europa is die de Holocaust zo doeltreffend heeft herdacht.

Het getto

Net als het getto van Warschau nam dat van Łódź een enorm gebied van de stad in beslag. Anders dan in de hoofdstad is een groot aantal gebouwen bewaard gebleven – vooral rond de twee grote pleinen van het getto in het westen. Het Toeristenbureau van de stad geeft een voortreffelijke gratis folder uit, *The Trail of the Litzmannstadt Ghetto* (ook te lezen op www.yumpu.com/en/document/view/3812156/the-trail-of-the-litzmannstadt-ghetto-turystycznalodzpl) die een route volgt langs enkele van de markantere bouwwerken en die andere nader belicht. Op veel van deze gebouwen is een plaat met uitleg in het Pools, Engels, Jiddisch en Hebreeuws bevestigd.

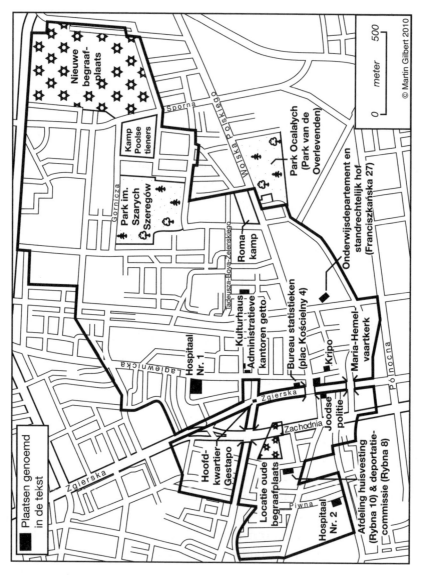

Łódź

© Martin Gilbert 2010

0   meter   500

Nieuwe begraaf-plaats

Kamp Poolse tieners

Sporna

Gornicza

Park im. Szarych Szeregów

Wolska Polskiego

Park Ocalałych (Park van de Overlevenden)

Roma kamp

Tadeusza-Boya-Żeleńskiego

Onderwijsdepartement en standrechtelijk hof (Franciszkańska 27)

Kulturhaus

Administratieve kantoren getto

Bureau statistieken (plac Kościelny 4)

Jagiewnicka

Hospitaal Nr. 1

Kripo

Maria-Hemel-vaartkerk

Pólnocna

Zgierska

Joodse politie

Zachodnia

Plaatsen genoemd in de tekst

Hoofd-kwartier-Gestapo

Locatie oude begraafplaats

Zgierska

Afdeling huisvesting (Rybna 10) & deportatie-commissie (Rybna 8)

Piwna

Hospitaal Nr. 2

Bałucki Rynek, vroeger de plaats van een belangrijke straatmarkt, werd het hart van zowel het Duitse als het Joodse gettobestuur. Het laatste was grotendeels geconcentreerd in houten keten midden op het plein. Dit gebied was afgeschermd van de rest van het getto en alleen toegankelijk met een pasje. De keten werden na het opheffen van het getto gesloopt en het plein staat nu weer vol met marktstalletjes. Eromheen staan nog wel belangrijke gebouwen, met name Łagiewnicka 25 aan de oostzijde, waarin verscheidene administratieve kantoren waren ondergebracht. In november 1942 werd er op bevel van de Duitsers een klok op het dak geplaatst om een standaardtijd voor het getto vast te stellen. Om de hoek was de Organizacji WiN (voorheen Dworksa) 1 ook de plaats van een aantal afdelingen waaronder het secretariaat van het presidium dat de opdrachten van Rumkowski voorbereidde en uitvoerde, en dat identiteitskaarten en voedselbonnen uitgaf. Een paar straten naar het oosten kruist de Organizacji WiN de Młynarska. Nummer 32 aan de noordzijde van de laatste straat was de locatie van de gaarkeuken van de gemeenschap, terwijl op nummer 25 aan de zuidkant vanaf november 1941 Joden uit Hamburg waren gehuisvest tot ze zes maanden later naar Chełmno werden gedeporteerd.

Ten noorden van Bałucki was Łagiewnicka 34/36 Hospitaal Nr. 1 tot de patiënten tijdens de *Gehsperre* werden gedeporteerd. Gedurende deze tijd deed het dienst als het voornaamste verzamelpunt in het oosten van het getto. Mordechai Chaim Rumkowski bewoonde hier vóór de deportaties een appartement. Na de sluiting van het ziekenhuis zaten er kleermakers in het gebouw en tijdens de laatste dagen van het getto werden de 600 Joden die waren aangewezen om in Duitsland te gaan werken in plaats van te worden gedeporteerd naar Auschwitz, hier ondergebracht. Het grote bouwwerk, een van de opmerkelijkste overblijfselen van het getto, is nu vervallen. Nummer 37 aan de overkant was de plaats van het kinderziekenhuis, terwijl Hospitaal Nr. 4 om de hoek aan de Tokarska 7 lag. De Ceglana die evenwijdig aan de Łagiewnicka loopt, is tegenwoordig in wezen de uitbreiding van de markt. Het gebouw van drie verdiepingen op nummer 7 was het voornaamste pakhuis voor de goederen van Joden uit provinciale getto's die in Chełmno waren vermoord.

Zgierska, aan de westzijde van Bałucki, was een grote hoofdstraat door de stad, die noord-zuid liep. Hoewel de huizen aan weerszijden dus binnen het getto vielen, gold dat niet voor de straat zelf. Hetzelfde was het geval bij de Bolesława Limanowskiego, die van het plein naar het westen loopt. Het getto werd dus in drie delen gesplitst die slechts door bruggen met elkaar waren verbonden. Op het verkeersknooppunt dat werd gevormd door deze drie kruisende straten, was Bolesława Limanowskiego 1 het hoofdkwartier van de Gestapo. Nu is het een apotheek. Er is een gedenkplaat uit 1984 voor de slachtoffers van het getto, de enige communistische erkenning van de Joden van Łódź. Wanneer vanaf hier de Zgierska naar het noorden wordt gevolgd, lag op nummer 56 een metaalfabriek, nummer 68 was een stomerij en in nummer 70 waren Joden uit Frankfurt gehuisvest (tot die vermoord werden, waarna dit de kledingafdeling van het getto werd). De enige brug die deze noordwestelijke sector met de rest van het getto verbond, lag op de plaats van de kruising met de naoorlogse Zachodnia. Verder naar het westen ligt nog een aantal opmerkelijke locaties. Op Ciesielska 7 was een speciale bank gevestigd die kostbaarheden als juwelen, buitenlandse valuta, bontjassen en zelfs kunst van bewoners opkocht, en die betaalde in het eigen geld van het getto (bekend als 'chaimki', zo genoemd naar de Ouderling). Er werden vooral erg veel zaken gedaan na aankomst van de transporten uit het Reich. Op die plaats staat nu een modern politiebureau, maar er is een plaquette. Op Urzędnicza 11 woonden Joden uit Berlijn. Het werd een borstelfabriek nadat die personen in mei 1942 waren gedeporteerd.

Een van de opmerkelijkste straten in het getto was de Rybna, die tegenover Ciesielska vanaf de Bolesława Limanowskiego naar het zuiden loopt. Vlak voor nummer 15 voert een steeg langs een basketbalveldje naar een met gras bedekt pleintje waarop een gedenksteen staat voor de oude Joodse begraafplaats die zich vanhier naar het oosten uitstrekte. Het verhaal dat op de plaquette staat, is maar al te bekend: de begraafplaats die gedeeltelijk werd beschadigd door de nazi's, werd geruimd door de communisten om plaats te maken voor de aanleg van de Zachodnia. Rybna 15 was achtereenvolgens een basisschool, het onderkomen voor Joden uit Düsseldorf en een schoenenfabriek. Aan de overkant van de straat werd nummer 10 de basis van de afdeling huisvesting, terwijl verscheidene belangrijke afdelingen, waaronder de afdelingen die gingen over voedselbonnen en ontheemde personen (die uit de provincies of het buitenland in het getto aankwamen), waren gevestigd op nummer 8. Erger was dat er vanaf mei 1942 de deportatiecommissie was gehuisvest die de lijsten met Joden uit het Reich opstelden die naar Chełmno gestuurd moesten worden. Zes straten naar het westen was aan de Gnieźnieńska 20/22 naast een apotheek de openbare aanklager en het gerechtshof van het getto gevestigd. Nummer 28 aan dezelfde straat was een tehuis voor bejaarden tot alle bewoners in september 1942 naar Chełmno werden gestuurd. Op de zuidwestelijke rand van het getto vormde Drewnowska 75, waarvan de statige gevel gedeeltelijk schuilgaat achter hoge muren, tot de *Gehsperre* Hospitaal Nr. 2, waarna het dienstdeed als het voornaamste verzamelpunt voor het westen van het getto. Later was het een kledingfabriek.

Een paar straten ten oosten van de Rybna (over de Lutomierska) was het plac Piastowski (in oorlogstijd plac Bazarowy) de plaats van openbare executies. Het eerste slachtoffer was Maks Hertz, uit Keulen, die op 21 februari 1942 werd opgehangen, omdat hij had geprobeerd te ontsnappen. Hij was op het station gepakt nadat zijn armband met davidster uit zijn zak was gevallen. De moderne appartementen aan de Lutomierska 13 staan op de plaats van het jeugdgerechtshof en de brandweer van het getto. Eén element van het complex is echter bewaard gebleven en is toegankelijk via de binnenplaats van nummer 15. Voor dit nog bestaande gebouw (Zachodnia 14) hield Rumkowski zijn openbare toespraken voor de menigte op het zogenaamde brandweerplein. Het beruchtst was zijn smartelijke 'Geef mij uw kinderen'-oproep tijdens de *Gehsperre* op 4 september 1942, waarbij hij ouders smeekte om hun kroost aan de Duitsers over te dragen, omdat daarmee volgens hem de rest van het getto gespaard zou blijven. Zelfs de officiële kroniekschrijvers maakten melding van de vijandige en wanhopige stemming van de menigte. Ondanks de weerstand van de ouders werden de deportaties uitgevoerd – door de Joodse en Duitse politie (de meesten van de 600 mensen die tijdens de *Gehsperre* in het getto werden gedood, waren degenen die hun kinderen probeerden te beschermen).

De Lutomierska loopt door naar het plac Kościelny, het andere be-langrijke plein van het getto. Dit wordt gedomineerd door de bakstenen Maria-Hemelvaartkerk die in 1942 werd gebruikt als pakhuis voor de eigendommen van Joden die in Chełmno waren vermoord. Later was er een werkplaats voor het sorteren van veren in ondergebracht. Het hoek-gebouw aan de Lutomierska 1 was het hoofdkwartier van de Ordedienst (Joodse politie) die in april 1940 door Rumkowski werd opgericht. Na verloop van tijd werd de politiemacht zo groot dat er verspreid over het getto vijf wijkbureaus kwamen. Bijna aan de overkant van de Lutomiers-ka staat op een grasveld een grote gedenksteen voor de Hamburgse Joden die naar Łódź werden gedeporteerd. Het gebouw naast het politiehoofd-kwartier aan de Zgierska 24 bevatte de kantoren voor prijsbeheersing en afvalverwerking. Dit was ook de locatie van een van de drie gettobruggen die aan de zuidzijde van het gebouw over de Zgierska lag en die aan de noordkant van het plein afdaalde naar de straat. De brug die uitkeek op de vrije stad in het zuiden, was een erg geliefde plaats voor zelfmoorden. Tegenover Zgierska 24 bood plac Kościelny 4 onderdak aan een aantal belangrijke instituten, waaronder het postkantoor van het getto, de rab-bijnenschool en het bureau voor statistiek. Het is echter het bekendst geworden als de plaats waar het personeel van de laatste instelling de *Gettokrant* samenstelde. Het initiatief voor deze kronieken werd geno-men door Rumkowski en van januari 1941 tot juli 1944 werd daarin het dagelijks leven opgetekend, van de terreur van de deportaties tot alle-daagse details als het weer – een uniek verslag over het bestaan van een gemeenschap die onder onvoorstelbare omstandigheden leefde. In de noordoosthoek van het plein was Łagiewnicka 1 voor de oorlog een bloeiende Joodse markt geweest die bekendstond als het Jojne Pilcerplein. In 1941 werd dit het voornaamste groentemagazijn van het getto en het bood ook onderdak aan een van de vele gaarkeukens – in dit geval voor artsen. Aan de kant van de Łagiewnicka liggen langs het gebouw nog altijd de kasseien en de tramrails uit de oorlog. Het stuk Wojska Pol-skiego (Brzezińska in oorlogstijd) ten oosten hiervan doet bijzonder aan vroeger denken. In nummer 10 was een drukkerij gevestigd die officiële bekendmakingen, rantsoeneringsbonnen en affiches voor culturele activi-

teiten produceerde. Het gebouw bevatte ook een melkkeuken voor baby's. Nummer 24 werd in de kronieken beschreven als het 'Eldorado voor
rokers', de plaats van het tabaksinstituut van het getto dat eind 1941 als
een monopolie door Rumkowski was opgezet. Terug op het plac Kościelny
was het bakstenen gebouw op Kościelny 8 (bekend als het 'Rode Huis')
de basis van de Kripo, de Duitse recherche. De agenten, normaal gesproken Duitsers uit Łódź, waren verantwoordelijk voor het bestrijden van
smokkelarij en het in beslag nemen van Joodse bezittingen. Uiteindelijk
werd de kelder van het gebouw een plaats van marteling en moord.

De laatste gettobrug lag ten zuiden van het plac Kościelny op de kruising van de Zgierska en de Podrzeczna. Ten oosten hiervan lag aan de
Wolborska de Oude Synagoge van Łódź die in november 1939 werd verwoest. In de buurt van deze locatie werd in het Park Staromiejski tegenover
Wolborska 7 in 1995 een standbeeld van Mozes opgericht door de Stichting voor de herdenking van de aanwezigheid van de Joden in Polen. In het
nabijgelegen Jakuba 10 waren Joden uit Wenen en Praag ondergebracht en
later was daar de kledingafdeling. Een werkkamp in dezelfde straat bood
in 1944 onderdak aan de laatste 600 overlevenden van het getto (al snel
vergezeld door 230 Joden die zich tevergeefs hadden verstopt). Deze mensen werden achtergehouden om de bezittingen van de gedeporteerden ge-
reed te maken voor transport naar Duitsland. Toen zij beseften dat ook zij
vermoord zouden worden – op de begraafplaats waren kuilen gegraven –
ontsnapten deze Joden in januari 1945 en konden ze een paar dagen later
de bevrijding meemaken. Aan het oosteinde kruist de Wolborska met de
Franciszkańska, de langste straat van het getto. Franciszkańska 13/15
bood achtereenvolgens onderdak aan een school, aan Praagse Joden en een
linnen- en kledingfabriek. Nummer 27, dat naast een kerk verborgen ligt
achter een hek, diende als hoofdkwartier van de Joodse politie en bevatte
het onderwijsdepartement. Dit was ook de plaats van het standrechtelijk
hof dat was ingesteld door Rumkowski en dat ernstige overtredingen be-
handelde zonder dat er advocaten bij aanwezig waren. Nummer 29 was
oorspronkelijk een lagere school voordat er nieuwkomers uit Praag in werden ondergebracht en daarna een kledingfabriek. Nummer 31A, voor de
oorlog een bioscoop, werd het onderdak voor Joden uit Hamburg en daar-

na een gebedshuis voor reformjoden. Het is nu een supermarkt. In nummer 30 ertegenover waren ook Hamburgse Joden ondergebracht.

De straten ten noorden en oosten van de kruising tussen de Franciszkańska en de Wojska Polskiego bevatten minder sporen van het getto, hoewel het lage, lange gebouw aan de Krawiecka 3 het *Kulturhaus* was, het hart van het actieve culturele leven van het getto. De voormalige bioscoop werd in maart 1941 officieel voor dit doel geopend en bracht theatervoorstellingen (waaronder kindervoorstellingen), concerten en de onvermijdelijke toespraken van Rumkowski. Met de komst van de Joden uit het Reich, kwamen ook beroemde artiesten mee, zoals de Praagse operazanger Rudolf Bandler. Zulke gebeurtenissen werden na de *Gehsperre* minder frequent en het gebouw werd veranderd in een dekenopslag. Andere belangrijke gebouwen in dit gebied, zoals de centrale gevangenis aan de Stefana Czarnieckiego 14 en het verzamelpunt op Szklana 7, bestaan niet meer. Dus is het aan te raden om van het kruispunt Franciszkańska/Wojska Polskiego een tram te nemen naar de halte Wojska Polskiego - Głowackiego, de oostelijke hoek van het 'zigeunerkamp' dat slechts kort heeft bestaan. Ongeveer 5000 Oostenrijkse Roma werden vanaf begin november 1941 vastgehouden in een enkel blok (begrensd door Wojciecha Bartosza Głowackiego, Wojska Polskiego, Obrońców Westerplatte en Starosikawska). Tijdens de paar weken van hun opsluiting stierven al 719 mensen voordat de rest op 16 januari 1942 naar Chełmno werd gestuurd – de eerste deportatie vanuit Łódź naar het dodenkamp. Er is een plaquette in het Pools, Engels en Romani aangebracht op een steen tegen de muur van Wojska Polskiego 84 die hen gedenkt. Na hun moord werd de woning op nummer 90 een werkplaats voor de fabricage van strooien schoenen voor Duitse troepen aan het oostfront – bijna 7000 mensen, van wie de helft kinderen, waren daar tewerkgesteld. Tegenover de tramhalte Głowackiego (buiten het terrein van het getto) ligt Park Ocalałych (Park van de Overlevenden), een ander uitvloeisel van de herdenkingen uit 2004, waarin overlevenden van het getto en hun familieleden bomen hebben geplant. Het park bevat ook een monument voor de Poolse Rechtvaardigen met bovenop een adelaar naast een tuin waarvan de hagen een davidster vormen.

Om de hoek van het Romakamp lag aan de Organizacji WiN 74 tot de periode van de *Gehsperre* een tehuis voor bejaarden. Daarna werd het een ziekenhuis voor besmettelijke ziekten. Onder degenen die er werden behandeld, waren de bewoners van een kamp voor Poolse tieners dat in december 1942 was opgezet in de buurt van de Joodse begraafplaats. In theorie was dit kamp bestemd voor jeugdige criminelen, maar veel van de bewoners waren de kinderen van mensen die waren vermoord of die waren opgesloten vanwege hun politieke activiteiten. In januari 1945 hadden meer dan 1500 personen in dit kamp gewoond. In tegenstelling tot de Joden werden zij door de communisten herdacht met een verontrustend beeld van een uitgemergeld kind dat uit een ronde steen is gehakt en dat bij de oostelijke ingang staat van het Park im. Szarych Szeregów, aan de Bracka. Het beeld wordt geflankeerd door gebogen, op graftombes lijkende stenen, die de namen van Poolse plaatsen dragen waar moorden zijn gepleegd. Het kamp zelf werd begrensd door de straten Bracka, Emilii Plater, Górnicza en Zagajnikowa. Het enige nog bestaande element is het administratiegebouw aan de Przemysłowa 34. Iets verder naar het noorden vormde Okopowa 119 de locatie van een Joods weeshuis dat ook een verzamelpunt was tijdens de deportaties.

De Bracka loopt ten zuiden van de Joodse begraafplaats door, maar het is een lange wandeling naar de ingang aan de Zmienna (de hoofdpoort op de hoek van de Bracka is gesloten). Een alternatief is tram 1 of 6 naar het eindpunt te nemen, verder de Strykowska op te lopen en op de kruising met de Inflancka het pad naar het zuidwesten te nemen. De ingang ligt achter een onopvallende deur met een davidster (zo-vr: apr-okt 9.00-17.00, nov-mrt 9.00-15.00; zł 6; www.jewishlodzcemetery.org). De grootste Joodse begraafplaats van Europa wordt dan betreden door een statige poort die van de oude begraafplaats afkomstig is. Vlak ervoor staat rechts van de poort een eenvoudig Holocaustmonument waarachter een veld met stenen voor slachtoffers ligt. Er is een plaquette voor Tsjechische Joden aan de poortmuur, terwijl er veel meer plaquettes voor individuele personen en families aan de andere kant zijn te vinden. De meeste graftombes zijn bescheiden, maar er zijn uitzonderingen en de grootste daaronder is het ongelooflijke mausoleum van de industrieel

Łódź: Monument station Radegast (foto van de auteur)

Izrael Poznański, op afdeling I. Een opmerkelijk contrast wordt geboden als men bij de poort links afslaat en doorloopt tot de grafstenen plaatsmaken voor een groene open vlakte. Dit is het gettoveld waar 43.527 mensen – degenen die bezweken aan ziekte of uithongering of die werden geëxecuteerd – begraven liggen. De meeste graven zijn niet gemarkeerd hoewel afdeling LV is schoongemaakt en elke persoon een bordje heeft gekregen van het Israëlische leger. Een paar andere individuen hebben moderne stenen, onder wie Wilhelm Caspari, een beroemde professor in de medicijnen uit Berlijn die in januari 1944 in het getto stierf (afdeling PIV op de kruising van aleja 6 en ulica 4). Zijn afdeling en PV ernaast bevatten veel anonieme graven, waaronder die van Roma die in de winter van 1941-1942 overleden.

Terwijl de begraafplaats getuigt van de tragedie van het gettoleven, is het opmerkelijkste gedenkteken ten noordwesten hiervan vlak buiten het getto te vinden. Het voormalige station Radegast (Radogoszcz in het Pools) was de plaats waar de Joden uit het Reich en de Roma uit Oostenrijk aankwamen en deze vormde het vertrekpunt voor de bijna 150.000 mensen die werden gedeporteerd naar Chełmno en Auschwitz. Nadat het lang was verwaarloosd, werd het tijdens de herdenking van 2004 veranderd in een monument dat in 2005 officieel werd geopend. Het eerste dat de bezoeker ziet, is de Hal van de Steden waar een schoorsteen bovenuit steekt die zowel symbool staat voor de fabrieken die Łódź groot maakten als voor de crematoria waarin zoveel van de burgers tot as werden verteerd. Binnen zijn de namen te vinden van de steden waar de slachtoffers van het getto vandaan kwamen. Op panelen staan de deportatielijsten. Elk van de jaren 1939 tot 1945 is in vette Duitse letters gegraveerd op de lange buitenmuur, een motief dat door het hele monument terugkomt. Erachter ligt het houten stationsgebouw waarin een tentoonstelling is ingericht over de Holocaust in de *Warthegau* (ma-di 9.00-17.00, wo-do 10.00-18.00, za-zo 10.00-16.00; toegang gratis; www.muzeumtradycji. pl). Links daarvan staan een locomotief en wagon van de Reichsbahn die door Duitsland zijn geschonken. Rechts bevat een gedachtenismuur verscheidene plaquettes waarvan die van de stad Wenen getuigt ven 'rouw en schaamte'. Achter het stationsgebouw staan zes grote *matsewot* (grafstenen) waarop de namen zijn gegraveerd van de twee dodenkampen en de zes concentratiekampen – Stutthof, Ravensbrück, Sachenhausen en Gross-Rosen – waarin degenen terechtkwamen die Auschwitz overleefden. Het monument ligt aan de aleja Pamięci Ofiar Litzmannstadt Getto, in het verlengde van de Zagajnikowa, aan de noordzijde van de Inflancka. Het is te lopen vanaf de begraafplaats, maar dit is wel meer dan een kilometer. De bushalte Inflancka op de Zagajnikowa ligt veel dichterbij en hier stopt bus 57, 81 en 87 die men kan nemen vanaf tramhalte Sporna of bushalte Górnicza (in de buurt van het tienerkamp).

Marysińska 100 (bus 57 naar halte Inflancka aan de Marysińska) was een Joods weeshuis. De kinderen werden verhuisd toen deze buurt begin 1941 aan het getto werd onttrokken, maar dat werd in het najaar teruggedraaid, waarna het gebouw onderdak verschafte aan een schoenenfabriek. Het is tegenwoordig weer een weeshuis.

Andere plaatsen

De diversiteit van het Joodse leven in Łódź blijkt uit de vervallen woningen en de prachtige herenhuizen in het centrum van de stad. Onder de laatste wekt het huis van Izrael Poznafiski (wiens mausoleum de begraafplaats domineert) op de hoek van Ogrodowa en Zachodnia het meest verbazing. Er is nu het stedelijk museum in gehuisvest. Het enorm uitgestrekte fabriekscomplex van Poznafiski is een van de best bewaard gebleven voorbeelden van industriële architectuur in Europa en ligt aan de Ogrodowa. Het is nu de locatie Manufaktura-complex voor kunst en cultuur, winkelen en vrije tijd.

Verscheidene overblijfselen van het Joodse verleden zijn te vinden rond de schitterende hoofdstraat Piotrkowska. Vlak ten oosten van het plac Wolności vormt Pomorska 18 het hoofdkwartier van de kleine moderne gemeenschap. In 1939 werd het voor de vorming van het getto door de Duitsers getransformeerd tot het Joodse Arbeidsbureau. Aan de evenwijdig daaraan lopende Rewolucji 1905 roku ligt de kleine nog bestaande vooroorlogse synagoge van Łódź verborgen op de tweede binnenplaats van nummer 28. Tijdens de oorlog werd die gebruikt als zoutpakhuis. Aan de straat staat boven de poort van nummer 19 nog een Jiddische tekst. Aan de andere kant van de Piotrkowska was Zachodnia 70 – nu een kantoorgebouw en parkeerplaats – de locatie van de Wilker Sjoel die in 1940 werd verwoest, maar pas nadat die was gebruikt voor scènes uit *Der Ewige Jude*, de beruchtste propagandafilm van de nazi's. Op de hoek van de volgende kruising was Więckowskiego 13 tot aan de vervolgingen van 1968 een naoorlogse Joodse school. Dit wordt aangegeven door een plaquette. Het vervallen Więckowskiego 32 was de vooroorlogse Joodse Volksbibliotheek.

Daar tussenin was Wólczańska 6 de plaats van een andere verwoeste synagoge. Weer op de Zachodnia komt men na het voormalige gemeenschapsbureau en een gebedshuis op 78 bij de plaats waar op de zuidoosthoek van de kruising tussen de Zielona en het verlengde van de Zachodnia, de Aleja Tadeusza Kościuszki, de Grote Synagoge stond tot die in 1939 werd verwoest. De taxistandplaats en kiosken hebben hier op de hoek gezelschap gekregen van een gedenksteen (met een gegraveerde beeltenis van de synagoge); bovendien hangt aan de muur erachter een enorme poster. Veel verder de Piotrkowska af ligt een elegant voormalig gebedshuis op een binnenplaats, die zowel via nummer 114 als 116 toegankelijk is.

De voormalige Radogoszcz-gevangenis ten noorden van het getto aan de Zgierska 147 (tram 4, 11, 11A en 46, halte plac Pamięci Narodowej) was een vooroorlogse fabriek die in 1940 werd verbouwd tot een gevangenenkamp voor Poolse mannen. Ongeveer de helft van de 40.000 Polen die hier gevangenzaten, verloor het leven. De restanten van het complex zijn veranderd in een mooi museum (di, wo, vr 9.00-17.00, do 10.00-18.00, za 10.00-16.00, zo 11.00-17.00; toegang gratis; www.muzeumtradycji.pl) dat aandacht besteedt aan de geschiedenis van Łódź in oorlogstijd. Na tentoonstellingen die de bezetting en de Duitse plannen met de stad tot onderwerp hebben – van het alledaagse (andere straatnaamborden) tot het dramatische (foto's van blonde Poolse kinderen die 'gegermaniseerd' moesten worden) – is er een afdeling die over het getto gaat, waarna de aandacht ten slotte naar de gevangenis zelf gaat. Er zijn vreselijke foto's van de nacht van 17 januari 1945 toen 1500 gevangenen werden verbrand of doorgeschoten. Slechts dertig van hen bleven in leven.

CHEŁMNO

Chełmno (Kulmhof in het Duits) was het eerste vernietigingskamp dat eind 1941 werd opgezet om de Joden van de *Warthegau* te vermoorden. Er is sprake van enige discussie onder geschiedkundigen over de vraag of dit het resultaat was van druk van de kant van plaatselijke nazi-autoriteiten of dat het was aangestuurd vanuit Berlijn, maar de aanleg die algauw werd gevolgd door het begin van de *Aktion Reinhardt* markeerde duidelijk een beslissende escalatie in de Duitse politiek. Afgezien daarvan verschilde Chełmno van de andere Poolse dodenkampen, omdat het niet op één locatie lag met onverplaatsbare gaskamers. In plaats daarvan werden slachtoffers in de eerste fase van de operaties van december 1941 tot april 1943 voornamelijk vastgehouden in een leegstaand landhuis (bekend als het paleis, of *Schloßlager*) in het dorp Chełmno nadat ze vanuit Koło (de dichtstbijzijnde plaats van enige omvang) waren aangevoerd. Ze werden dan door een gang de gasauto's in gedreven. Het doden vond gewoonlijk plaats terwijl de vrachtauto's stil stonden op het terrein van het paleis. De lijken werden vervolgens naar het *Waldlager* gereden, een kamp in het bos van Rzuchów ongeveer 5 kilometer naar het noorden, waar ze door een *Sonderkommando* van gevangenen werden begraven in grote massagraven. De moordoperatie begon met de Joden uit de regio Koło maar in 1942 vond er een uitbreiding plaats ten behoeve van het getto van Łódź. De transporten werden in de zomer tijdelijk gestaakt om de duizenden lichamen in de massagraven te kunnen opgraven en cremeren, maar pas in het voorjaar van 1943 werd er gestopt met het moorden. Het paleis werd opgeblazen, net als de mobiele crematoria in het bos. Vervolgens werd Chełmno in 1944 weer opgestart voor de uiteindelijke liquidatie van het getto van Łódź. Omdat het paleis was verwoest, werden de operaties grotendeels geconcentreerd in het *Waldlager* (hoewel slachtoffers 's nachts nog wel in het dorp werden vastgehouden). Nadat ze in vrachtwagens naar het bos waren gebracht, werden ze nieuw gebouwde barakken in geleid, die de indruk moesten wekken dat het om een werkkamp ging. Ze liepen dan achter elkaar via een omheinde doorgang met dezelfde vorm als de 'buizen' van de *Aktion Reinhardt*-kampen naar een helling, waarmee ze achter in de wachtende gasauto's terechtkwamen. Nieuwe, vaste crematoria ruimden de lijken op. Tien transporten brachten in juni en juli 1944 7200 Joden uit Łódź voordat de operatie werd omgeschakeld naar Birkenau. Het boskamp werd in september weer ontmanteld en een *Sonderkommando* van 47 of 48 Joodse gevangenen ruimde de achtergebleven lichamen op. Toen het Rode Leger in januari 1945 naderbij kwam, werden ze in groepen van vijf doodgeschoten. De wachtende mannen kwamen in opstand en doodden twee bewakers, waardoor twee gevangenen, Mordechaj Żurawski en Szymon Srebnik, konden ontsnappen. Samen met Michał Podchlebnik (die in 1942 ontsnapte) waren zij de enige gevangenen van Chełmno die de oorlog zouden overleven. Een eerste naoorlogs

Pools onderzoek leverde een getal van 350.000 vermoorde mensen op. Moderne schattingen komen uit op een minimum van 152.000.

Hoewel er in het begin van de jaren zestig een monument werd onthuld in het bos, werd nauwelijks aandacht besteed aan het dorp. Het terrein van het paleis werd overgenomen door een agrarische coöperatie (het Poolse equivalent van de collectieve boerderij) die de locatie aanzienlijke schade toebracht. In 1997 begon daar echter een archeologisch onderzoek; de hele locatie werd aangekocht door de Poolse regering en het volgende jaar overgedragen aan het Districtsmuseum Konin (dat de boslocatie beheert) waardoor het in de zomer opengesteld kan worden voor bezoekers (jun-sep: ma-vr 8.00-18.00; toegang gratis; www.muzeum.com.pl/en/chelmno.htm). Vlak ten noorden van de kerk geeft een bord de weg aan over een pad. In het gebouw aan de rechterkant van dit pad woonden de chauffeurs. Een zwerfkei rechts van de poort bevat gedenkplaten waarop in het Duits en Pools de geschiedenis van de plaats staat. Er zijn nog meer van dergelijke stenen die zijn opgericht door de Duits-joodse Vereniging van Hamburg. Deze stenen staan op belangrijke plaatsen die verband houden met het kamp. Recht vooruit is in een nog bestaand gebouw van de coöperatie dat bestaat uit één ruimte en waarin een museum is ondergebracht. Er zijn voorwerpen tentoongesteld die zijn gevonden bij de opgravingen bij het paleis en in het bos, waaronder alledaagse dingen als tandenborstels, kunstgebitten en geld. Daartoe behoort ook een haveloze kinderschoen. In 1998 vonden de onderzoekers menselijke resten die bij het paleis waren begraven. Men denkt dat die misschien van gevangenen waren die in 1943 samen met het gebouw werden opgeblazen en in 1944 werden herbegraven. Een kleine gedenksteen in het Pools en Jiddisch links van het museum die in 1957 door de Joodse gemeenschappen van Łódź en Włocławek werd opgericht, was vier decennia lang de enige vorm van herdenking op deze locatie. Rechts van het museum liggen opgegraven restanten van het paleis waaruit de indeling duidelijk wordt. Verder naar rechts ligt de graanschuur waarin in 1944-1945 het *Sonderkommando* zat opgesloten en waarachter twee opgravingsgroeves liggen die niet meer zijn dichtgegooid.

Tegenover het pad naar de plaats van het paleis bevindt zich een afslag van de hoofdweg met een verkeersbord waarop Umień staat aangegeven. In het grijze gebouw van één verdieping aan de rechterkant van deze weg zat de brandweer en het was de garage van het kamp. Terug op de hoofdstraat speelde de kerk een prominente rol in de geschiedenis van Chełmno. Hier werden de Joden uit Łódź in de zomer van 1944 geïnterneerd voordat ze naar het bos werden gereden, terwijl hier in 1942 de kleding en bagage van de slachtoffers werden opgeslagen, zoals buiten staat aangegeven op een andere herdenkingssteen. Verderop langs de straat liggen aan de zuidzijde twee huizen aan weerszijden van de bushalte. In het oostelijke grijze gebouw woonde de kampcommandant. Iets verder ligt aan de noordzijde (na de andere bushalte) op enige afstand van de weg een gebouw van twee verdiepingen dat het onderkomen voor SS'ers was.

Het *Waldlager* ligt op een korte auto- of busrit van het dorp. Een kleine gedenksteen op de parkeerplaats (naast een mast die daar onverschillig door de communisten is geplaatst) geeft het cijfer van 360.000 doden. Het museum aan de rechterkant (apr-sep: dag. 10.00-18.00, okt-mrt: dag. 8.00-14.00; toegang gratis; zelfde website als boven) vertelt het verhaal van het kamp en het getto van Łódź en exposeert een kleine keus van voorwerpen uit de getto's van de *Warthgau*. Het pad voert van de parkeerplaats langs het massagraf van Poolse gijzelaars die in september 1939 werden vermoord. Dit massagraf wordt aangegeven door een monument en een kruis. Een witte zuil aan de zijkant herdenkt Stanisław Kaszyński, secretaris van de gemeenteraad van het dorp Chełmno die in februari 1942 door de Duitsers werd doodgeschoten, omdat hij had geprobeerd informatie over het kamp door te geven aan de ondergrondse. Het grote en hoekige betonnen monument/mausoleum verderop dat wordt ondersteund door piramidevormige pijlers, doet erg aan de jaren zestig denken, maar is niettemin indrukwekkend. Links ervan ligt het Lapidarium, een verzameling grafstenen van de verwoeste Joodse begraafplaats van het nabijgelegen Turek die hier als eerbewijs aan hun voorouders in 1994 zijn geplaatst door Israëlische afstammelingen van inwoners van die stad. Sommigen vinden de aanwezigheid van vooroorlogse grafstenen in een dodenkamp nogal ongepast.

Een Hamburgse gedenksteen markeert het begin van een pad dat vanaf het hoofdmonument in zuidwestelijke richting loopt naar een symbolisch graf voor de kinderen van het Tsjechische dorp Lidice die in 1942 in Chełmno werden gedood. Dit ligt feitelijk in het gebied waar in december 1941 de eerste Joodse slachtoffers werden vermoord. Het eerste van vier grote massagraven ligt ten zuiden van het pad op een open plek in het bos. Bezoekers die bekend zijn met Chełmno uit de eerste scènes van Claude Lanzmanns documentaire *Shoah* zullen verrast zijn door de huidige trend om de velden niet te maaien waardoor de graven zijn bedekt met lang gras. Dit geldt ook voor het grotere veld, dat wordt bereikt over het hoofdpad dat langs een kleiner graf rechts loopt. De grote open plek bevat drie massagraven naast elkaar die worden aangegeven door eenvoudige gedenktekens, hoewel opgravingen hebben onthuld dat de grenzen ervan niet precies overeenkomen met de betonnen randen die in de jaren zestig zijn aangelegd. Na de graven loopt het 'pad van herdenking' door het veld. Rechts hebben opgravingen (die nog steeds aan de gang zijn) de plaatsen aan het licht gebracht van naar schatting vijf mobiele veldcrematoria die in 1942 werden gebruikt. De bedoeling van het pad is monumenten voor verschillende gemeenschappen op te richten – waarbij ook Łódź wordt geëerd – maar omdat dit afhangt van particulier initiatief, zal er in tegenstelling tot de alomvattende monumenten in Treblinka en Bełzec onvermijdelijk een selectie plaatsvinden. De nog aanwezige fundamenten van een van de twee vaste crematoria waarvan men aanneemt dat die in 1944 in bedrijf zijn geweest, liggen aan het eind van het pad. De herinneringsmuur erachter is voor plaquettes voor individuen en families.

Op het toppunt van de deportaties in de zomer van 1942 werd de fabriek in het dorp Zawadka ongeveer 15 kilometer naar het noorden gebruikt als nachtelijk detentiecentrum. Tegenwoordig is er geen spoor meer van de fabriek te vinden, maar een andere Hamburgse gedenksteen markeert de plaats van het station in Powiercie, waar de slachtoffers vanuit Koło over een smalspoorbaan naartoe werden gebracht om daarna de anderhalve kilometer naar de fabriek te moeten marcheren. Door in Powiercie de met een verkeersbord aangegeven westelijke afslag naar Zawadka te nemen, kan men de steen bereiken die een paar percelen ver aan de linker-

kant beschut door bomen achter een hek verborgen staat. Een andere gedenksteen staat in Koło voor het station waar de transporten aankwamen
en waarna de mensen werden doorgestuurd naar de fabriek of het paleis.
Het station ligt aan de Księdza Opałki in het noorden van de stad.

Alle belangrijke locaties – het dorp, het bos, Powiercie – liggen aan de
473 tussen Dąbie en Koło. Het boskamp is vanuit beide richtingen vlak
voor de parkeerplaats met borden aangegeven, terwijl de dorpskerk in
een bocht van de weg niet te missen is. Het is mogelijk de locaties te bereiken door de trein naar Koło te nemen en dan verder te reizen met de
bus. Eenvoudiger is het om meteen in Łódź een rechtstreekse bus te nemen aan het hoofdbusstation naast het station Fabryczna (waardoor men
zeker weet dat de bestemming Chełmno is en niet de plaats in de buurt
van Gdańsk). Lokale bussen die om de 60 tot 90 minuten tussen Dąbie en
Koło rijden, kunnen worden gebruikt om van de ene locatie naar de andere te reizen.

STUTTHOF

Oorspronkelijk werd Stutthof begin september 1939 opgezet als een
kamp voor Poolse burgergevangenen uit de regio Danzig/Gdańsk en dus
had het aanvankelijk een puur lokale functie. Het ontwikkelde zich echter tot een plaats die zeer belangrijk zou worden in de geschiedenis van de
Holocaust, Stutthof werd in januari 1942 aangewezen als concentratiekamp en bevatte in die tijd minder dan 4000 gevangenen. De nieuwe
status bracht een enorme expansie met zich mee met gevangenen uit de
USSR, Noorwegen en Denemarken. Ze werden te werk gesteld in tal van
verschillende fabrieken en moesten ook het bos rond het kamp kappen
voor een verdere uitbreiding. Omstandigheden op het gebied van discipline, rantsoenen en ziektes (in 1942 en 1944 heerste er een tyfusepidemie) worden algemeen beschouwd als hier behorend tot de ergste in het
nazisysteem, waardoor sommige historici aanvoeren dat Stutthof eigenlijk als dodenkamp aangemerkt zou moeten worden.

Voor 1944 waren er erg weinig Joodse gevangenen, maar dit veranderde dramatisch doordat Duitsland zich uit andere plaatsen moest te-
rugtrekken. Naar schatting kwamen 50.000 Joden in twee hoofdstromen

het kamp binnen: Litouwse en Letse Joden die aan het eind van de zomer van 1944 werden geëvacueerd uit Kaiserwald en de Estse kampen, en Hongaarse, Tsjechische en Griekse Joden, voornamelijk vrouwen, die richting het eind van het jaar vanuit Auschwitz kwamen. De voorzieningen waren totaal ongeschikt voor deze toestroom en duizenden stierven aan ziektes of in de gaskamer van het kamp. Nog meer mensen verloren het leven in de dodenmarsen die in januari 1945 begonnen. Afgesneden door de Sovjet-Russische opmars dwongen de Duitsers de overlevenden naar het kamp terug te keren om later in april over zee te worden geëvacueerd. Sommige groepen gevangenen werden gewoon meegenomen naar de Oostzee en daar vermoord. Aangenomen wordt dat in deze periode ongeveer 25.000 mensen (de helft van de bevolking van het hele Stutthof-netwerk op dat moment) het leven verloren. In het hele bestaan van het kamp zijn naar schatting 65.000 van de 110.000 gevangenen gestorven. Stutthof werd als het allerlaatste kamp op 9 mei 1945 bevrijd. Het Rode Leger ontdekte ongeveer 100 gevangenen die zich hadden verscholen.

Hoewel het grootste deel van het kamp werd verwoest, is een redelijk aantal elementen bewaard gebleven (dag. 8.00-18.00 (okt-apr tot 15.00); toegang gratis; stutthof.org). De korte toegangsweg loopt langs de villa van de commandant (nu een particuliere woning) en de hondenkennels van de SS aan de rechterkant. Het complex strekte zich ten slotte vanaf de toegangsweg anderhalve kilometer naar het westen uit, maar dat gebied is nu bebost. De toegang tot het kamp gaat over een pad naar rechts langs een voormalig bakstenen wachthuisje dat dienstdoet als informatiegebouw. De parkeerplaats ligt iets verderop aan de linkerkant. Het eerste belangrijke gebouw langs het pad naar het kamp is het grote commandogebouw, waarin nu de administratie van het museum, een bioscoop en een kunstverzameling is ondergebracht. Het blok van één verdieping rechts was de garage van de SS. De houten poort met aan weerszijden twee houten barakken ligt vlak achter het commandogebouw. De barak links bevat stapels schoenen, maar zoals uit de foto's blijkt, is dat slechts een fractie van de enorme berg die bij de bevrijding werd aangetroffen.

Het gebied achter de poort was het oorspronkelijke kamp en vervolgens na de uitbreiding van 1943 het vrouwenkamp. De eigenlijke ten-

toonstelling begint in Blok 8 rechts (na de fundamenten van de kampkeuken) dat in 1943 werd omgebouwd tot quarantaineblok. Getoond wordt
de geschiedenis van de locatie met plattegronden die de indrukwekkende
uitbreiding van Stutthof belichten. De barak ertegenover borduurt daarop voort door aandacht te besteden aan de gevangenen en hun ervaringen. In een serie ruimtes wordt een reconstructie geboden van de verschillende facetten van het kampleven – stapelbedden, een eetzaal, medische
apparatuur, een waslokaal – maar de persoonlijkste elementen zijn een
pilaar waarop nog de oorspronkelijke inscripties staan, en voorbeelden
van tekeningen en wenskaarten die de gevangenen voor elkaar maakten.

Het crematorium ligt aan het eind van het oorspronkelijke kamp naast
een kleine gaskamer die wordt gemarkeerd door een groot kruis en een
davidster. De gaskamer die aanvankelijk was gebouwd voor de desinfectie van kleding, werd vanaf juni 1944 gebruikt voor het vermoorden van
gevangenen die te ziek werden geacht om nog te kunnen werken. Het
crematorium bevat veel gedenktekens naast een voortzetting van de tentoonstelling die gaat over het uitroeiingsproces en de chaotische evacuatie
in 1944-1945. Er wordt ook aandacht besteed aan de naoorlogse rechts-
pleging of – zoals zo vaak – het ontbreken daarvan. Otto Knott die Zyklon B in de gaskamer deponeerde, werd in 1964 bij zijn rechtszaak in
West-Duitsland bijvoorbeeld niet schuldig geoordeeld. Achter het crematorium staan de galg en een trein op een stuk spoor dat doorliep tot in het
kamp.

Ten noorden hiervan staat een groot betonnen monument uit de communistische tijd waarvan de abstracte reliëfs menselijke figuren moeten
voorstellen. Het pad loopt dan evenwijdig aan het oude kamp terug naar
het westen. Rechts, achter het monument en enigszins verborgen door de
bomen en een prikkeldraadhek, liggen de grote werkplaatsen die het fabriekscomplex van Stutthof vormden. Verderop bevatte een groot veld
rechts het nieuwe kamp waar vanaf 1943 mannen gevangen zaten –
muurtjes geven het eind van elke barak aan. Links van het pad ligt de
groentetuin van het kamp waarvan de kas nog steeds intact is.

Het pad slaat bij de parkeerplaats rechtsaf langs de westelijke grens
van het nieuwe kamp. Links ligt de nieuwe keuken die in 1943-1944

werd aangelegd, maar die nooit is voltooid. Tijdens de massale nieuwe aankomsten uit Estland en Letland in de zomer van 1944 werd dit gebouw tijdelijk aangepast als onderkomen voor Joodse vrouwen. De plaats van het Joodse kamp ligt tussen de bomen achter het nieuwe kamp en wordt gemarkeerd door een enkele barakmuur, een davidster en een menora. Vanaf hier kan men door het bos de borden met het opschrift '*Stos*' volgen om op de locatie van de brandstapels te komen waarop lijken werden verbrand. De plaats wordt nu aangegeven door een kring van stenen.

Het kamp ligt ten westen van het dorp Sztutowo aan de 501. Om het met de auto te bereiken neemt men vanuit Gdańsk de 7/E77 en draait men bij Nowy Dwór Gdański de 502 op en daarna bij Stegna de 501. Er is een geregelde busdienst vanuit het hoofdbusstation van Gdańsk. De bushalte ligt vlak na de grote betonnen steen met de naam.

GROSS-ROSEN

Het gebied van het kamp Gross-Rosen in Neder-Silezië ligt tegenwoordig in Polen, maar tot 1945 lag het in Duitsland. Het maakte dus deel uit van het netwerk van concentratiekampen van het Reich nadat het in 1940 was opgezet als een satelliet van Sachsenhausen en in mei 1941 een onafhankelijk kamp was geworden. Van de eerste gevangenen werkte het merendeel in een aangrenzende granietgroeve, hoewel er in de loop van de tijd ook andere ondernemingen kwamen. Deze gevangenen waren voornamelijk Poolse en Duitse politieke tegenstanders, maar eind 1942 werden enkele honderden Joden voorafgaand aan hun deportatie naar Auschwitz naar het nog steeds vrij kleine kamp gestuurd. In het jaar erna verbleven er geen Joodse gevangenen maar tussen oktober 1943 en januari 1945 namen Gross-Rosen of de subkampen 57.000 Joden (voor bijna de helft vrouwen) op. Dit was een gevolg van de herplaatsing van vakbekwame Joodse arbeiders na de uiteindelijke liquidatie van de Poolse getto's en de grootschalige transporten van gevangenen tijdens de opheffing van Auschwitz. Gross-Rosen zelf werd in februari 1945 geëvacueerd. Ofschoon gevangenen per trein werden verplaatst, stierven toch nog velen door gebrek aan voedsel, terwijl de gevangenen van verscheidene satellietkampen moesten beginnen aan dodenmarsen. Naar schatting stierven ongeveer 40.000 van de 125.000 die Gross-Rosen en de subkampen waren binnengekomen.

Er is erg weinig van het kamp overgebleven (dag. 8.00-19.00 (okt-apr tot 16.00); toegang gratis (parkeren zł 3); www.gross-rosen.eu). Dit blijkt duidelijk op de parkeerplaats net binnen het SS-kamp, waar een kleine informatiekiosk naast de blootgelegde fundamenten van het wachthuis staat. De fundamenten van een SS-barak liggen aan de andere kant van de weg. Het enige belangrijke restant van het SS-kamp is de voormalige kantine (waarin keuken, eetzaal en casino waren ondergebracht) rechts, hoewel alleen het benedengedeelte origineel is. De bovenverdieping werd in de jaren zeventig van de vorige eeuw gereconstrueerd en bevat een kleine tentoonstelling over de geschiedenis van het kamp in het Pools. Vlak na dit gebouw liggen links van de weg de fundamenten van het SS-hospitaal.

Het nog bestaande granieten poortgebouw werd in 1944 door gevangenen gebouwd ter vervanging van het houten origineel. Een gedenkteken en een karretje van het type dat de gevangenen moesten duwen, staat bij de trap naar de enorme groeve waarvan de huidige omvang getuigt van het feit dat die nog lang na de oorlog in productie bleef. Na de poort liggen links de fundamenten van het receptiegebouw waar gevangenen na aankomst naartoe werden gebracht. Rechts ligt de *Appellplatz* met gereconstrueerde galg. Het voornaamste overgebleven gebouw is de bakstenen keuken achter het plein, hoewel dit ook alleen de benedenverdieping van het oorspronkelijke gebouw is. Tegenover de keuken staat een reconstructie van de klokkentoren van het kamp, omdat de oorspronkelijke toren uit 1944 in 2002 door een storm werd verwoest. Het andere belangrijke nog bestaande element is het badhuis aan de andere kant van de weg bij de bomen. Verder zijn alleen restanten overgebleven. Tot de voornaamste behoren heuvelopwaarts aan de rechterkant Blok 19 waarin de strafcompagnie was ondergebracht en Blok 22, de locatie van het dwangarbeiderskamp. In dit laatste kamp dat in december 1943 uit Wrocław was overgeplaatst, zaten buitenlandse dwangarbeiders die waren veroordeeld tot acht weken werkstraf voor het overtreden van de wet. Blokken

17 en 14 dichter bij de kampweg waren werkplaatsen van Siemens.

Achter deze rij barakken ligt het voornaamste herdenkingsgebied, gemarkeerd door een mausoleum met teruggevonden as. Een massagraf voor 81 gevangenen waarvan de stoffelijke resten op het terrein werden ontdekt, ligt ervoor naast de weg. De locatie van het executieterrein en crematorium (die door prikkeldraad van de rest van het kamp waren gescheiden) ligt achter het mausoleum. Er zijn veel gedenkplaten waaronder die voor Joden en Polen die na de onderdrukking van de twee opstanden in Warschau naar Gross-Rosen werden gebracht. De crematoriumoven staat open en bloot op de fundamenten, omdat het gebouw tijdens de terugtocht was verwoest. Deze vaste installatie werd in januari 1943 in gebruik genomen en verving een kleiner mobiel crematorium. Onderaan de trap erachter ligt de kuil waarin de as werd gestort.

Een monument voor de gevangenen in het achterste gedeelte van het kamp draagt nu bovenop een kruis dat is gewijd aan Władysław Błądziński, een priester die in Gross-Rosen stierf en later door paus Johannes Paulus II zalig werd verklaard. Vanaf hier zijn net de sporen te zien van het 'Auschwitz-kamp' dat eind 1944 werd gebouwd om de instroom van het dodenkamp op te vangen en waarvan erg weinig is overgebleven in het grotendeels beboste gebied achter het hek. Bij terugkeer langs de barakken aan de andere kant van de kampweg komt men bij Blok 9, dat als enige in het hoofdkamp hetzelfde ontwerp met twee verdiepingen had als de 'Auschwitz'-barakken. De benedenverdieping is bewaard gebleven en bevat een gereconstrueerde slaapzaal. De resten van de werkplaats van Blaupunkt waar gevangenen condensators produceerden, bevinden zich in de kelder van een van de ziekenhuisbarakken in de volgende rij gebouwen.

Het kamp ligt ongeveer 2 kilometer ten zuiden van Rogoźnica, een dorp aan de 374 tussen Jawor en Strzegom. Draai in het centrum van het dorp de ulica Gross-Rosen op (de verkeersborden Godzieszówek en Kostrza volgen). Er staat een gedenksteen voor de slachtoffers van het kamp bij de brandweerkazerne op nummer 15. Vanuit Legnice rijden op ongeregelde tijden bussen en treinen naar Rogoźnica. Bussen stoppen bij de afslag naar de ulica Gross-Rosen vanwaar het ongeveer 25 minuten lopen naar het kamp is. Het spoorwegstation (dat op de muur aan de spoorzijde een gedenkplaat heeft) ligt ten noorden van het dorp. Ga linksaf aan het eind van de onverharde toegangsweg en loop door tot de kerk, sla dan linksaf de 374 op, tot rechts de ulica Gross-Rosen zichtbaar is.

ANDERE LOCATIES

Omdat vrijwel elke plek in Polen kan worden beschouwd als holocaust-locatie, is de volgende lijst onvermijdelijk heel erg selectief. Bezoekers die belang stellen in andere specifieke plaatsten, wordt aangeraden gebruik te maken van het schitterende webportaal Virtual Sztetl (www.sztetl.org.pl) dat wordt onderhouden door het Museum van de geschiedenis van Pool-se Joden.

Jedwabne, ten noordoosten van Łomża aan de 668, was in juli 1941 de plaats van een pogrom waarbij delen van de lokale Poolse bevolking de meeste Joden van het dorp een schuur in dreven en die in brand sta-ken. De schuld voor het bloedbad werd bij de Duitsers gelegd maar de waarheid werd pas algemeen bekend door het boek *Buren* van Jan T. Gross (uitgave De Bezige Bij, 2002). Het oorspronkelijke communistische monument werd in 2001 vervangen, hoewel de nieuwe tekst alleen ver-klaart dat er Joden werden vermoord zonder aan te geven wie de daders waren. Dit was een gevolg van de emoties die het boek had opgeroepen. Het monument staat aan de rand van het dorp. Volg de weg die voor de kerk naar het oosten loopt, sla linksaf en dan rechtsaf over een onver-harde weg die naar de locatie voert.

Een prachtig gerenoveerde synagoge aan de Czerwonego Krzyża 7 in Włodawa is een Joods museum (di-zo 10.00-16.00, weekend alleen mei-okt; zł 10; www.muzeumwlodawa.pl). Chełm, pal ten zuiden van Włodawa en Sobibór, bezet een legendarische plaats in de Joodse folklore als de archetypische 'stad van dwazen'. Alleen een monument op de Jood-se begraafplaats aan de Starościńska gedenkt de gemeenschap (in de voormalige synagoge aan de Kopernika 8 zit een bar!). Er zijn echter ge-denktekens in het bos van Borek (of Borki) op een heuvel ten zuidoosten van de stad langs de Wojsławicka voor de meer dan 30.000 Russische en

Italiaanse krijgsgevangenen die werden geëxecuteerd in de zogenaamde Patelnia (braadpan). Joodse gevangenen werden in de winter van 1943-1944 uit Majdanek gehaald om de lijken te verbranden.

Een erg doeltreffend Holocaustmonument staat op de plaats van de voormalige Joodse begraafplaats in Kazimierz Dolny, ruim 55 kilometer ten westen van Lublin. Op een heuvel vormen fragmenten van grafstenen een 'klaagmuur', waarin een ruwe opening naar een donker bos voert waar nog een paar grafstenen staan. Dit monument ligt ten zuiden van de plaats aan de Czerniawy die een zijstraat is van de Nadrzeczna. De voormalige synagoge die nog niet zo lang geleden is teruggegeven aan de Joodse gemeenschap, staat aan de Mały Rynek achter het grote plein.

De meeste Joden uit Zamość (omgedoopt tot Himmlerstadt) werden in 1942-1943 in Bełżec gedood, terwijl meer dan 100.000 Polen uit de regio werden verdreven (ongeveer 10.000 werden gewoon vermoord) om plaats te maken voor etnische Duitsers. De Renaissance Synagoge aan de Ludwika Zamenhofa 9-11 moet een museum worden van de plaatselijke Joodse geschiedenis. Een monument bij de Oude Lublinpoort aan de Akademicka gedenkt de Poolse 'kinderen van Zamość' die het slachtoffer werden van de etnische zuivering van de nazi's – meer dan 30.000 kinderen werden bij hun ouders weggehaald. Het grote Holocaustmonument, dat is opgebouwd uit de resten van grafstenen, staat op het nog bestaande gedeelte van de Joodse begraafplaats aan het eind van de Prosta ten noordoosten van het centrum. Het voormalige fort Rotunda ten zuiden van het centrum bevat een museum dat is gewijd aan de duizenden Joden en Polen die daar werden vermoord en in het algemeen aan de nazigenocide in de regio. Er wordt ook aandacht besteed aan de Sovjetonderdrukking.

Tarnów wordt van alle Joodse gemeenschappen in het Poolse Galicië het indrukwekkendst herdacht. Een plaquette op de hoek van Rynek en Żydowska verwijst naar de eerste grote *Aktion* van juni 1942, terwijl verderop aan de Żydowska alleen de *bema* is overgebleven als een gedenkteken van de Oude Synagoge (verwoest in november 1939). Het nabijgelegen plac Bohaterów Getta voert naar het plac Więźniów Oświęcimia waar een monument de Joden en Polen gedenkt die in juni 1940 als eersten naar Auschwitz werden gestuurd. Ze werden 's nachts opgesloten in de Moorse *mikwe* op het plein. Op de hoek van Nowa en Waryńskiego hangt een plaquette voor de verwoeste Nieuwe Synagoge waarvan een bewaard gebleven zuil is verwerkt in een Holocaustmonument op de begraafplaats aan de Słoneczna in het noorden. Het Etnografisch Museum van Tarnów aan de Krakowska 10 (di 9.00-17.00, wo-vr 9.00-15.00, za-zo 10.00-14.00; zł 8; www.muzeum.tarnow.pl) heeft exposities die zich richten op de geschiedenis van de Roma in Polen. Op de dorpsbegraafplaats van Szczurowa (ten noordwesten van Tarnów op de kruising van de 768 en de 964) werden in de zomer van 1943 93 Roma vermoord. Plaatselijke inwoners richtten in 1956 een monument op dat nu het middelpunt vormt van de jaarlijkse Herdenkingskaravaan die vanuit Tarnów vertrekt en die na andere moordlocaties te hebben aangedaan eindigt in het dorp.

Ongeveer 20.000 Joden uit Kielce werden in Treblinka vermoord. Dit wordt herdacht met een monument op de voormalige Joodse begraafplaats (zelf overigens ook de plaats van executies) ten zuidwesten van het centrum aan de Janusza Kusocińskiego (zijstraat van de Pakosz). Dit is niet zo lang geleden aangevuld met een monument voor het getto, een menora die uit de stoep oprijst aan de Aleja IX Wieków Kielc. Kielce is echter het beruchtst als de plaats van de ergste naoorlogse pogrom in juli 1946 waarbij 42 overlevenden van de Holocaust werden vermoord. Dit wordt herdacht door een nogal abstract monument uit 2006 tegenover de menora op de kruising van de Aleja IX Wieków Kielc met de Piotrkowska en een plaquette om de hoek aan de Planty 7/9, het Joodse toevluchtsoord dat het voornaamste doel van de aanval was. Een verbouwde voormalige synagoge die nu een archiefgebouw is, staat op een verkeerseiland verderop in de Aleja IX Wieków Kielc (bij de kruising met de Warszawska). Erachter staat een monument voor de Poolse Rechtvaardigen en een ander voor slachtoffers van de Holocaust.

Fort VII in Poznań (enkele kilometers ten westen van het centrum aan de Polska) was in oktober 1939 de plaats van de eerste experimenten van de nazi's met gas, toen ongeveer 400 psychiatrische patiënten werden vermoord. Het complex dat later dienst deed als een gevangenis en werkkamp van de Gestapo, is nu een museum (di-zo 9.00-17.00 (okt-mrt tot 16.00); toegang gratis; www.muzeumniepodleglosci.poznan.pl).

Wrocław had als Breslau voor de oorlog de op twee na grootste Joodse bevolking van Duitsland. De indrukwekkende Nieuwe Synagoge die in de *Kristallnacht* werd verwoest, wordt herdacht aan de Łąkowa 8 aan de zuidwestelijke rand van het centrum. De gespaard gebleven Witte Ooievaar Synagoge ligt redelijk dichtbij, aan de Pawła Włodkowica 7. De gerestaureerde begraafplaats ligt verder naar het zuiden aan de Ślężna 37/39. Het is veelzeggend voor de effecten van de Holocaust dat de huidige Joodse gemeenschap van Wrocław, die uit misschien 1000 mensen bestaat, de op één na grootste van Polen is.

11

Litouwen

Verhoudingsgewijs leed Litouwen in de Holocaust de zwaarste verliezen van alle naties. Misschien wel 95% van een van de bekendste Joodse gemeenschappen van Europa werd uitgeroeid. De tragedie was des te triester door de snelheid waarmee het gebeurde, en door de identiteit van de moordenaars van wie velen Litouwers waren.

Joden waren voor het eerst in de veertiende eeuw in belangrijke aantallen naar Litouwen gekomen. Dat was tijdens de grote migratie van de Asjkenazim naar het oosten. De groeiende banden van Litouwen met Polen die in 1569 werden geformaliseerd in de Unie van Lublin, maakten het tot een bolwerk van Joodse cultuur, terwijl zowel Joden als Polen zich in de belangrijke plaatsen vestigden. Niettemin ontwikkelden de Litouwse Joden – bekend als Litwaks – een identiteit en cultuur die hen onderscheidden van de Poolse Joden, wat tot uiting kwam in een apart Jiddisch dialect en, heel stereotiep, een intellectuelere en strenge toewijding aan de geboden van het orthodoxe jodendom. Vilnius en Kaunas werden twee van de grootste steden van de diaspora, maar de wereld van de Litwaks was voornamelijk die van de *sjtetls*, de stadjes in het hele land waarin de Joden vaak de meerderheid van de bevolking vormden. Na de Poolse delingen kwam Litouwen meer dan een eeuw onder de heerschappij van de tsaren te staan, die met hun tirannieke politiek een grootschalige emigratie op gang brachten. Niettemin bleef het Litouwse Jodendom in deze periode de eigen reputatie versterken met de stichting van beroemde jesjiva's (Talmoedscholen) en een toenemende betrokkenheid bij de nieuwe bewegingen van zionisme en socialisme.

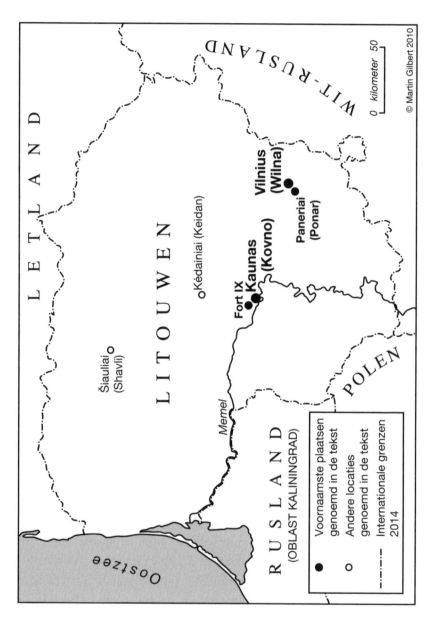

© Martin Gilbert 2010

Litouwen

De Litouwse onafhankelijkheid na de Eerste Wereldoorlog hield de belofte van burgerlijke gelijkheid in, maar de nationalistische dictator Antanas Smetona die in 1926 de macht greep, gaf de voorkeur aan de belangen van etnische Litouwers. Afgezien daarvan probeerde Smetona een pro-Joods beeld in het leven te roepen en bleef de gemeenschap een zekere mate van autonomie houden, terwijl Joodse scholen staatssteun ontvingen. Een grotere directe invloed op het Joodse leven had de Poolse verovering van Vilnius en het achterland in 1920. Het sluiten van de grens daarna verdeelde de Litwaks, tot de USSR tussenbeide kwam. Het Molotov-Ribbentroppact had Litouwen aanvankelijk binnen de Duitse invloedsfeer geplaatst, maar na Stalins concessies op het gebied van Polen werd het overgeplaatst naar de Sovjetzone. Vilnius werd dus in september 1939 veroverd tijdens de bezetting van oostelijk Polen door het Rode Leger. Stalin gaf de stad eind oktober terug aan Litouwen in ruil voor een Sovjet-Russische militaire aanwezigheid, waarmee hij de stad dus als lokaas gebruikte om de annexatie van het hele land halverwege 1940 gemakkelijker te maken. De communistische overheersing leek de Joden aanvankelijk enige voordelen op te leveren, waaronder het ogenschijnlijk ontbreken van discriminatie en het vooruitzicht van bescherming tegen nazi-agressie – een bijzonder belangrijke factor voor de duizenden vluchtelingen uit het door Duitsland bezette Polen. Als gevolg daarvan verwelkomde een minderheid van voornamelijk jongere Joden de invasie. Voor de meerderheid bracht het stalinisme echter de nationalisatie van bedrijven, afbraak van instituten van de gemeenschap en in juni 1941 de arrestatie van ongeveer 7000 Joden. Niettemin beweerden extreem nationalistische Litouwse organisaties, aangemoedigd door groepen die naar Berlijn waren uitgeweken en daar financiële steun ontvingen, dat de Joden verantwoordelijk waren voor de communistische machtsovername, terwijl die juist onevenredig werden getroffen door de Sovjetterreur.

Dit was het klimaat toen Litouwen eind juni 1941 binnen enkele dagen na de inval van de USSR in nazihanden viel. In veel steden kreeg de Joodse bevolking al voor de komst van de Duitsers te maken met pogroms. Dit kwaadaardige antisemitisme werd versterkt doordat de Litouwers de invallers vrijwel algemeen als bevrijders beschouwden die het land zijn onafhankelijkheid zouden teruggeven, hoewel de nazi's dat absoluut niet van plan waren. De systematische vernietiging begon met de komst van *Einsatzgruppe A* die in juli 1941 startte met de campagne van massamoorden. De eerste slachtoffers waren standaard mannen, maar het moorden escaleerde al snel waarbij hele gemeenschappen werden uitgeroeid. De Litouwse Joden waren dus de eersten in Europa die werden onderworpen aan de nazipolitiek van totale uitroeiing. Naar schatting waren eind 1941 nog slechts 40.000 van de 220.000 Joden die ten tijde van de inval in Litouwen woonden, in leven. De omvang van de vernietiging werd vergroot door de hulp van Litouwse nationalisten waaruit bataljons hulppolitie werden geformeerd die de executies vaak ook uitvoerden (zo effectief dat ze later naar Wit-Rusland en Polen werden gestuurd om Joden te vermoorden). De overblijvende Joden werden in getto's en werkkampen geconcentreerd, wat het begin markeerde van een periode van betrekkelijke rust die duurde tot 1943 toen de getto's werden geliquideerd of veranderden in concentratiekampen. De opmars van het Rode Leger zorgde voor de uiteindelijke vernietiging van die concentratiekampen in de zomer van 1944. Al met al werden 200.000 Litouwse Joden vermoord. Een belangrijk deel van de paar duizend overlevenden bestond uit jonge mensen die door de verzetsgroepen in de twee grootste getto's naar buiten waren gesmokkeld om zich aan te sluiten bij de partizanen.

Veel overlevenden wilden na de oorlog niet in Litouwen blijven wonen, wat samen met de emigratie die sinds de periode Gorbatsjov op gang kwam, tot gevolg heeft dat er nu nog slechts 4000 Joden in het land over zijn, van wie de meesten in de hoofdstad wonen. Onder het communisme werd een aantal monumenten opgericht, maar die lagen vaak op afgelegen plekken en gaven niet aan wie de slachtoffers waren geweest. Sinds de onafhankelijkheid is de toestand aanzienlijk verbeterd, hoewel de herdenking minder zichtbaar is dan in Polen.

VILNIUS

Als het 'Jeruzalem van Litouwen' – een aanduiding die het gevolg was van de reputatie van de stad als het belangrijkste centrum van de orthodox-joodse leer in Europa – nam de hoofdstad een iconische positie in binnen de Joodse wereld. Joden werden voor het eerst in 1326 uitgenodigd zich hier te vestigen en in de volgende eeuwen groeide de gemeenschap gestaag. Het was echter in de achttiende eeuw dat Vilnius in de hele diaspora een eenzame hoogte bereikte, toen Wilna Gaon internationale roem verwierf als leraar en geleerde. Deze reputatie werd in de decennia na zijn dood verder versterkt (tegen 1900 waren er ruim honderd synagogen en gebedshuizen), terwijl door de industrialisatie de bevolking groeide. De eerste tsaristische volkstelling in 1897 leverde op dat er 63.831 Joden in de stad Vilnius woonden, die daarmee de grootste etnische groep vormden. Ook wereldse stromingen deden zich gelden, want in 1897 werd in Vilnius de Bund opgericht, terwijl de stad ook een belangrijk zionistisch centrum werd dat in 1903 Herzl hartstochtelijk welkom heette.

Vilnius: Žemaitijos gatve (foto van Elizabeth Burns)

De stad was vanaf 1918 het middelpunt van het akelige geschil tussen Polen en Litouwen. Als Vilnius was het de historische Litouwse hoofdstad, maar de meeste niet-Joodse inwoners waren Polen die de stad Wilno noemden. De ruzie werd in 1920 beslecht door de superieure Poolse strijdkrachten, maar er bleef een gevoel van bitterheid bestaan dat een doeltreffende samenwerking tussen Polen en Litouwen in het interbellum verhinderde en dat in 1939-1940 door Stalin werd uitgebuit. De bezetting door de Sovjet-Unie viel samen met een enorme toename van de Joodse bevolking, omdat de vooroorlogse gemeenschap van rond de 58.000 zielen eind 1939 een toestroom van duizenden vluchtelingen uit het door Duitsland bezette Polen te verwerken kreeg. Emigratie, communistische terreur (5000 of meer Joden werden in juni 1941 gedeporteerd) en de vlucht naar het binnenland van de USSR hadden tot gevolg dat er ongeveer 57.000 Joden in Vilnius waren toen de Duitsers daar arriveerden.

De stad viel op 26 juni 1941 en *Einsatzgruppe B* kwam daar snel achteraan. De schietpartijen begonnen op 4 juli en er werd een executieplaats ingericht in het bos van Paneriai (Ponar in het Jiddisch) ten zuidwesten van de stad. In een tijdsbestek van slechts zestien dagen werden 5000 Joden vermoord, terwijl bij een volgende *Aktion* in het begin van september nog eens 8000 werden gedood. Dit was de inleiding op de instelling van twee getto's in het hart van de stad op 6 september 1941. In het grotere getto, dat was bestemd voor arbeiders met een pasje, werden 29.000 mensen opgesloten, in het andere 11.000. Het echte doel van de opdeling kwam in oktober 1941 aan het licht toen de inwoners van het kleinere getto in Ponar werden vermoord tijdens een reeks *Aktionen* die begonnen op Jom Kippoer. Dit getto bestond nog geen twee maanden. Gedurende heel deze tijd werden ook Joden uit het grote getto gedood.

Het grote getto werd daarna achttien maanden lang betrekkelijk met rust gelaten met een legale bevolking van 12.000 en misschien wel 8000 die er clandestien woonden. De dominante figuur was Jacob Gens, na Rumkowski in Łódź zonder meer de meest omstreden gettoleider. Gens, die oorspronkelijk het hoofd van de Joodse politie was, werd in juli 1942 tot voorzitter van de *Judenrat* benoemd. Net als Rumkowski had Gens een autoritaire stijl die hem samen met zijn bereidheid om mee te werken aan de selecties onvermijdelijk vijanden bezorgde. Heel berucht is een *Aktion* die de gettopolitie van Vilnius zelf in oktober 1942 uitvoerde in het plaatsje Oshmyany (nu Ašmiany in Wit-Rusland), hoewel ze er daarbij wel in slaagden de Duitse eis van 1500 Joden terug te brengen tot 406 oudere mensen. Voor zijn aanhangers boden Gens' bereidheid tot samenwerking en zijn filosofie van 'werk voor leven' de enige hoop op overleven, ook al bleken die hem uiteindelijk geen succes op te leveren. Een van de gebieden waarop Gens' bemoeienis over het algemeen iets positiever wordt beoordeeld is zijn steun aan de opmerkelijke pogingen van de gettobewoners om iets van een openbaar leven in stand te houden, met een ziekenhuis, weeshuis, bejaardenhuis, scholen, een bibliotheek en drie synagogen. Het opvallendst was de voortzetting van culturele activiteiten van met name het gettotheater dat toneelstukken en concerten programmeerde. Deze poging om het leven normaal te laten doorgaan is door sommigen beschouwd als geestelijk verzet. Een directere vorm van verzet kwam van de FPO (Verenigde Partizanenorganisaties) die in 1942 werd opgericht door communisten en zionisten. Sommige leden konden in 1943 ontsnappen en sloten zich aan bij de Sovjetpartizanen in de bossen. De pogingen van de FPO om het getto met propaganda wakker te schudden hadden echter weinig succes en werden grotendeels tegengewerkt door Gens. Bovendien geloofden de meeste inwoners nog altijd dat ze zichzelf konden redden door arbeid te verrichten. Pas op 1 september 1943 kwam het in het getto tot openlijk gewapend verzet, toen strijders van de FPO slaags raakten met de nazi's. De opstand ging echter uit als een nachtkaars.

In dit stadium was de beslissing om het getto te liquideren al genomen. De Joden die nog in staat werden geacht om te werken, werden naar dwangarbeiderskampen, voornamelijk Klooga en Kaiserwald, in Estland en Letland gestuurd. De rest werd naar Ponar of Sobibór gebracht. Na zes eeuwen kwam met de uiteindelijke liquidatie van het getto een definitief einde aan een van de grootste beschavingen van de diaspora. Toen het Rode Leger in juli 1944 Vilnius bereikte, hielden zich nog maar 200 Joden schuil in de stad. Van de bevolking uit 1941 overleefden tussen de 2000 en 3000 mensen de oorlog. Zelfs na de terugkeer van vluchtelingen uit Centraal-Azië was de gemeenschap nog slechts een schim van wat zij ooit was geweest.

Na de oorlog vertrokken de meeste overlevenden naar voornamelijk de VS en Israël. Volgens de volkstelling uit 2001 wonen er slechts 2700 Joden in het moderne Vilnius (0,5% van de bevolking) en dit zijn grotendeels overlevenden uit andere delen van Litouwen en hun afstammelingen. Om het nog erger te maken verwoestten de communisten veel van het Joodse erfgoed in de stad. De toestand is sinds 1991 verbeterd, waarbij in de voormalige getto's overal gedenkplaten zijn verschenen. Maar ondanks het groeiende aantal Joodse bezoekers, lijken betrekkelijk weinig Litouwers daar belang in te stellen. Misschien is dit een weerslag van het feit dat de huidige bevolking vrijwel geen band heeft met de Joden en Polen die gedurende ongeveer een half millennium in Vilnius de toon zetten.

De getto's

De paar straten waaruit het kleine getto bestond, lagen in het hart van het Joodse Vilnius rond de Grote Synagoge aan de Joodse Straat (Żydowska – *Yidishe gas* voor de inwoners) die nu bekendstaat onder het Litouwse equivalent Żydų gatvė. De synagoge die oorspronkelijk uit de zestiende eeuw stamde en die in de zeventiende werd herbouwd, was een enorm bouwwerk waarin 3000 mensen een plaats konden vinden. Tot het complex behoorden ook kleinere gebedshuizen en de vermaarde Strashun bibliotheek met een van de belangrijkste verzamelingen judaïca ter wereld. De gebouwen werden tijdens de oorlog zwaar maar niet onherstelbaar beschadigd. Niettemin werd het hele complex in de jaren vijftig door de communisten gesloopt. Op die plaats verrees een onaantrekkelijk gebouw waarin een kleuterschool was ondergebracht, maar dit begint nu ook tekenen van verval te vertonen. In 2005 werd ertegenover een groot informatiebord geplaatst waarop de geschiedenis van de synagoge en de wijk staat beschreven. Aan de kant van de kleuterschool is aan de muur van Żydų 3 een gedenkplaat uit 1997 bevestigd die is gewijd aan Wilna Gaon ter gelegenheid van zijn 200e sterfdag. Deze geeft ruwweg de plaats van zijn gebedshuis aan dat was gelegen op de binnenplaats van de synagoge. Hij wordt ook herdacht door een niet erg flatteuze buste.

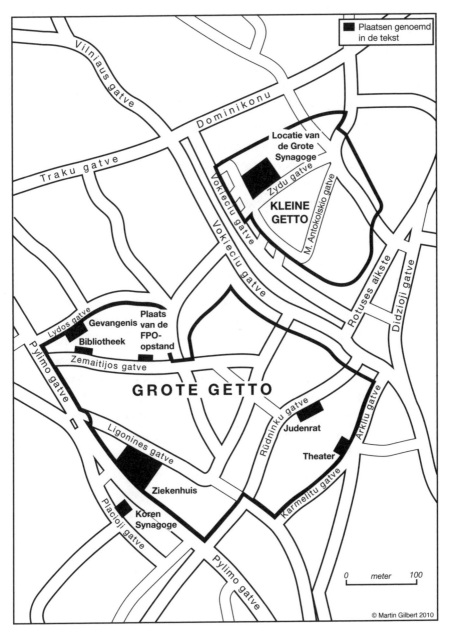

Vilnius

Vrijwel het hele gebied van het kleine getto ten oosten van de Grote Synagoge is bewaard gebleven, met inbegrip van de Žydų die een elegante bocht naar de kruising van de hoofdstraten maakt. De meeste van de gebouwen zijn sinds 1991 gerestaureerd en bieden nu onderdak aan restaurants en duurdere boetieks. De Žydų kruist de Stiklių gatvė (Szklanna in de tijd van het getto) en gaat verder als de Gaono gatvė. De Oostenrijkse ambassade (Gaono 6) draagt een gedenkplaat die verklaart dat het gebouw voor 1941 tachtig jaar lang een gebedshuis was. Aan de overkant van de straat geven twee muurplaten op nummer 5 de plaats van de gettopoort aan. De grootste plaat bevat een kaart van de twee getto's, de andere geeft een korte uitleg over de geschiedenis van het kleine getto.

Alvorens terug te keren in de richting van het grote getto, is het de moeite waard om de Gaono verder af te lopen tot die overgaat in de Universiteto gatvė. De universiteit op nummer 7 biedt onderdak aan het Jiddische Instituut van Vilnius dat ieder jaar zomercursussen geeft. Bij de ingang tot het Jiddische Instituut hangt op de binnenplaats links van de poort een gedenkplaat voor de Litouwse Rechtvaardige Ona Šimaitė. Als bibliothecaresse van de universiteit bracht zij regelmatig een bezoek aan het grote getto onder het voorwendsel dat ze boeken moest terughalen van voormalige studenten. Ze maakte dan van de gelegenheid gebruik om voedsel en andere voorraden naar binnen te smokkelen en om Jiddische en Hebreeuwse boeken van onschatbare waarde naar buiten te smokkelen om te voorkomen dat die in handen van de nazi's vielen. Ze werd in 1944 gepakt en naar Dachau gestuurd, maar ze overleefde de oorlog en stierf in 1970 in Frankrijk.

Terugkerend over de Gaono richting kruising brengt linksaf slaan naar het zuidelijke gedeelte van de Stiklių gatvė, gevolgd door meteen rechts afslaan, de bezoeker op de M. Antokolskio gatvė, die is vernoemd naar de Joodse beeldhouwer Mark Antokolski die in 1840 in deze straat werd geboren. Voor en tijdens de oorlog was dit het noordelijke gedeelte van de Jatkowa (Slagersstraat), de langste straat van de Joodse wijk die helemaal doorliep in wat het grote getto zou worden. Een boog tussen de gebouwen is het enige nog bestaande voorbeeld van verscheidene bogen die ooit in de Jatkowa konden worden gevonden. Deze wordt nu gebruikt om reclame te maken voor het aangrenzende restaurant. De bogen vervulden al in de negentiende eeuw een vergelijkbare rol. Alleen een kort gedeelte van de straat is nog bewaard gebleven die dan uitkomt op een grasveld dat de scheiding vormt tussen de M. Antokolskio gatvė en de plaats van de Grote Synagoge. Tot de oorlog was dit gebied een wirwar van steegjes en onderling verbonden binnenplaatsen waar veel van de armste Joden woonden. Deze vergane wereld waarover Chaim Grade in zijn boeken mooi vertelt, strekte zich uit tot achter de communistische flatgebouwen in het westen.

De getto's werden van elkaar gescheiden door de Niemiecka, nu Vokiečių gatvė, die allebei 'Duitse Straat' betekenen. Dit was de grote vooroorlogse hoofdstraat van de Joodse wijk met talloze winkels, kantoren en kiosken die kranten verkochten in een verbijsterende hoeveelheid talen. Het is nu een brede straat, een dubbelbaans weg met in het midden gras en een wandelpad; alleen de westzijde, waar tegenwoordig vooral cafés en restaurants liggen, is origineel. De overkant van de Niemiecka lag feitelijk op de westrand van het wandelpad. Een kleine herinnering aan het verleden is een stukje met kasseien op het wandelpad op de plaats waar de kruising van de Jatkowa/Antokolskio met de Niemiecka/Vokiečių lag. Oversteken naar het westelijke gedeelte van de laatste voert naar het zuidelijke stuk van de Jatkowa die nog steeds bekendstaat als de Slagersstraat, maar dan in de Litouwse vorm: Mėsinių gatvė. Deze is ook bestraat met kasseien, onderdeel van een poging van het stadsbestuur om sporen van het Joodse verleden in stand te houden en te restaureren. Op de eerste kruising ligt een parkeerplaatsje met een onopvallende gedenksteen voor de 'martelaren en strijders' van het getto van Vilnius.

Achter de volgende kruising ligt het met gras begroeide Geto aukų aikštė (Plein van de Gettoslachtoffers) op de plaats van gebouwen die na de oorlog werden gesloopt. Op de hoek Mėsinių/Dysnos staat het nog niet zo lang geleden opgerichte standbeeld voor dokter Tsemakh Shabad, een arts en leider van de gemeenschap van voor de oorlog die naast andere prestaties tijdens de Eerste Wereldoorlog gratis gaarkeukens opzette, actief was bij de stichting van het YIVO (Jiddisch Wetenschappelijk Instituut) en die in de gemeenteraad van Vilnius en het Poolse parlement werd gekozen. Shabad stierf in 1935, maar het monument is zowel aan hem als aan de verdwenen Joodse gemeenschap gewijd.

Aan de oostkant van het plein was aan de Rūdninkų gatvė 8 (een vooroorlogse Joodse school) het hoofdkwartier van de *Judenrat* gevestigd. Een plaquette gedenkt een *Aktion* op 3 november 1941 toen op de binnenplaats 1200 mensen werden geselecteerd voor Ponar. De enige poort van het getto lag verderop aan de straat bij nummer 18 en die is net als bij het kleine getto aangegeven door een tweetal gedenkplaten. Een van de meest dramatische voorvallen in de geschiedenis van het getto vond in deze straat op 15 juli 1943 plaats. Na de arrestatie van vooraanstaande communisten in de stad hadden de Duitsers informatie gekregen over de communistische activist Yitzhak Witenberg en zij eisten dat hij werd overgedragen. Ze wisten niet dat hij ook de leider van de FPO was. De Joodse politie arresteerde Witenberg, met assistentie van Litouwers, tijdens een vergadering in de *Judenrat* tussen Gens en de FPO, en begon hem naar de poort te slepen. Een groep FPO-strijders overviel de groep en bevrijdde Witenberg. De Duitsers lieten echter weten dat er represailles tegen het hele getto zouden worden genomen, als hij niet werd overgegeven. De leiding van de FPO en uiteindelijk ook Witenberg zelf kwamen overeen dat hij zou worden overgedragen. Op 16 juli werd hij overgeleverd aan de Gestapo – de volgende ochtend werd hij dood in zijn cel aangetroffen, omdat hij de cyanide had ingenomen die hij van Gens had gekregen.

Vanaf januari 1942 was het theater van het getto gevestigd aan de Arklių gatvė 5 – feitelijk hetzelfde complex waarin de *Judenrat* was gevestigd (thans is hier het poppentheater van Vilnius te vinden). De beslissing die Gens een maand eerder had genomen om het theater te stichten, was controversieel, omdat critici aanvoerden: 'Je maakt geen theater op een begraafplaats.' Het succes van de eerste voorstellingen echter legde de meeste tegenstanders het zwijgen op en algemeen vond men dat de culturele activiteit meehielp om het moreel hoog te houden. Er hangt een gedenkplaat aan de buitenmuur van het theater. Op de binnenplaats die werd gedeeld met de *Judenrat* staat nog een monument, een golvende metalen sculptuur die bekend is als de *Vlam van Hoop*. Het monument is gewijd aan de vermoorde Joden van Litouwen. Helaas is de toegang nogal moeilijk. Wandel de Arklių gatvė af, volg de bocht naar de Karmelitų gatvė en loop door de poort met het opschrift '*Teatro Kolonos kavinė*'. Ga door de houten deur in de hoek rechts aan de overkant (diagonaal vanaf de ingang) die toegang geeft tot een andere, kleinere binnenplaats. Steek deze over naar de houten deur met glas waar de conciërge de bezoekers door de gang brengt om het monument te bekijken. Iets verder heeft Karmelitų gatvė 5 trouwens een plaquette voor de Jiddische dichter Moshe Kalbach die hier vroeger heeft gewoond.

Vlak ten zuiden van de Rūdninkų gatvė ligt buiten de grens van het getto aan de overkant van de Pylimo gatvė de Gėlių gatvė, die meer sporen van de beschaving van voor de Holocaust herbergt. Op de binnenplaats van nummer 3 ligt tegenover de toegangspoort een voormalig gebedshuis. De oorspronkelijke raambogen van de vrouwengalerij liggen op de bovenverdieping van het nu vervallen woongebouw. De voormalige Zavel Synagoge ligt aan de Gėlių gatvė 6 en is er nog erger aan toe. De enige nog gebruikte tempel is de Koorsynagoge aan de Pylimo gatvė 39 (ma-vr 8.00-14.00 & 19.30-20.00, za 10.00-14.00, zo 8.45-14.00 & 19.30-20.00). De synagoge werd in 1903 gebouwd en had de reputatie de *sjoel* te zijn van de intellectuelen en de middenklassen. Zoals de naam echter al aangeeft, kwamen velen hierheen om te luisteren naar de befaamde voorzangers. Tegenover de synagoge werd Pylimo gatvė 38 in 1941 het gettoziekenhuis, een rol die het gebouw al sinds 1794 voor de armste Joden had vervuld. In de oorlog lag de ingang aan de Szpitalna (nu Ligoninės gatvė). De binnenplaats is nu toegankelijk vanaf de Pylimo gatvė, hoewel er geen spoor van het verleden is te ontdekken.

Weer terug op het Geto aukų aikštė voert de Šiaulių gatvė van het eind van de Mėsinių gatvė naar een kruising met de Žemaitijos gatvė, de straat in de voormalige Joodse wijk die misschien wel de meeste emoties oproept. Voor de oorlog was dit de Strashuna, genoemd naar de Joodse geleerde en bibliofiel Mattityahu Strashun wiens verzameling boeken de basis vormde van de bibliotheek die naast de Grote Synagoge lag. Het moderne gebouw op nummer 8A staat op de plaats van Strashuna 12, het toneel van de gedoemde opstand van de FPO in september 1943 die wordt herdacht met een plaquette. Aan de zuidzijde hebben nummer 7 en 9 opschriften van Jiddische winkels die werden ontdekt en bewaard tijdens restauratiewerkzaamheden. Nummer 4, de vooroorlogse bibliotheek van de Vereniging ter Verbreiding van Verlichting, deed dienst als de gettobibliotheek onder de auspiciën van de dagboekschrijver en Bundist Herman Kruk. De bibliotheek vervulde net als het theater een belangrijke rol bij het in stand houden van het culturele leven in het getto en in iets meer dan een jaar werden 100.000 boeken uitgeleend. De eerste vergaderingen van de FPO vonden hier plaats, en op 31 december 1941 las de schrijver en latere partizaan Abba Kovner een manifest voor waarin hij de Joden van Vilnius opriep 'zich niet als schapen naar de slachtbank te laten leiden'. Franz Murer, de sadistische tweede man van het nazibestuur, zat regelmatig op een bank voor dit gebouw voorbijkomende jonge vrouwen te treiteren. Op de binnenplaats ervan ziet men de gevangenis van het getto die met een nummer 3 op de muur is aangeduid. Een open ruimte tegenover de bibliotheek is een parkeerplaats voor bewoners. Op de blinde muur aan de westzijde staat een afdruk van een Ma een David, een spookachtige herinnering aan het verleden van de plaats. Žemaitijos 2 op de hoek met de Pylimo gatvė heeft een kleine plaquette in het Litouws die aangeeft wat de naam van de straat vroeger is geweest en die eer bewijst aan Strashun. Toen het getto op 6 september 1941 werd gevormd, was het aantal mensen dat naar binnen stroomde groter dan verwacht en in de loop van de middag ontstonden grote menigten. De nazi's dreven 2000 mensen in plaats daarvan de evenwijdig daaraan lopende Lydos gatvė in, vanwaar ze 's avonds naar de Lukiszkigevangenis werden afgevoerd. De meesten werden op 10 en 11 september in Ponar geëxecuteerd. Een gedenkplaat op Lydos gatvė 3 herinnert aan deze gebeurtenis. Feitelijk is dit de buitenmuur van de gettogevangenis.

De straten ten noorden van de Lydos gatvė lagen buiten het getto, maar zijn nog steeds doordrongen van het Joodse Vilnius en dat is nergens zo duidelijk als in een groep sfeervolle en onderling verbonden binnenplaatsen tussen Prančiskonų gatvė en Vokiečių gatvė die toegankelijk zijn via een vervallen poort aan de eerste straat.

Het Joods Museum en omgeving

Het Wilna Gaon Joods Staatsmuseum is gevestigd in drie gebouwen ten noorden en westen van het grote getto. Eigenlijk is dit het derde Joodse museum in de geschiedenis van de stad. Het zal geen verbazing wekken dat het eerste (gesticht in 1913) werd verwoest door de nazi's, terwijl het tweede (uit 1944) al na vijf jaar door Stalin werd gesloten. Het zou nog veertig jaar duren voordat in de nadagen van het Sovjettijdperk toestemming werd gegeven voor het huidige instituut.

Het gebouw dat het dichtst bij het getto ligt is ook het nieuwste – het indrukwekkende Tolerantiecentrum (ma 11.00-19.00, di-do 10.00-18.00, vr & zo 10.00-16.00; Lt 5 voor het hele museum; www.jmuseum.lt) dat in 2001 werd geopend in een gebouw dat voor de oorlog een Joods theater was geweest aan de Naugarduko gatvė 10. De permanente tentoonstelling op de bovenverdieping belicht de geschiedenis van de Litwaks met een keur aan rituele objecten en kunstwerken waaronder een reproductie van een schilderij van Chagall van de Grote Synagoge. Er zijn ook voorbeelden van gettokunst, waaronder de opmerkelijke schilderijen van Samuel Bak – thans een internationaal erkend kunstenaar – die zijn eerste expositie in het getto had toen hij negen jaar oud was. Andere verdiepingen bieden tijdelijke tentoonstellingen, terwijl het auditorium regelmatig wordt gebruikt voor conferenties en culturele evenementen. Vlak om de hoek ligt aan de Aguonų gatvė 5 een andere voormalige Joodse school. Op de speelplaats staat een klein voormalig gebedshuis.

Het vroegere Tarbut Gymnasium aan de Pylimo gatvė 4 maakte jarenlang deel uit van het museum. Hierin is nog steeds het hoofdkwartier van de nationale en stedelijke Joodse gemeenschap ondergebracht. Een plaquette op de binnenplaats van het nabijgelegen Benedictijner nonnenklooster aan de Šv. Ignoto gatvė 5 herdenkt de priester Juozas Stakauskas, leraar Vladas Žemaitis en non Marija Mikulska die 12 Joden in het archief van het nonnenklooster verborgen en verzorgden. Het gebouw op de hoek van de Šv. Ignoto en Benediktinių gatvė dat is aangeduid met een plaquette, was de plaats waar Theodor Herzl bij zijn bezoek in 1903 een ontmoeting had met de leiders van de Joodse gemeenschap.

De andere tak van het museum is het Groene Huis (ma-vr 9.00-17.00 (vr tot 16.00), zo 10.00-16.00; aanbellen), een houten gebouwtje op een heuveltje aan de Paménkalnio gatvé 12 (ten westen van het eind van de Pylimo gatvé). De titel van de tentoonstelling, *Catastrofe*, spreekt voor zich. De meeste beschrijvingen zijn in het Litouws en Russisch, maar bij de ingang is een Engels informatieboekje te krijgen dat bij vertrek weer moet worden ingeleverd. De exposities geven een duidelijk inzicht in de ontwikkeling van de Holocaust in Vilnius en Litouwen. Buiten het gebouw staat een nogal abstract monument ter ere van de Japanse diplomaat Chiune Sugihara (zie Kaunas) en om de hoek staat een ander monument voor zijn Nederlandse medewerker Jan Zwartendijk.

Andere plaatsen

Ten westen van het getto lag op de kruising van de T. Ševčenkos gatvé met de Švitrigailos gatvé de 'Kailis' bontfabriek. Dit was een werkkamp met ongeveer 1000 Joodse arbeiders op het terrein van een vooroorlogse radiofabriek. Het kamp overleefde de opheffing van het getto, maar niet twee *Aktionen* in 1944. Op 27 maart kregen gezinnen te horen met hun kinderen naar een nabijgelegen kamp te gaan voor een injectie tegen tyfus. Ze werden door de Duitsers gegrepen en naar Polen gestuurd. Toen het Rode Leger in juli 1944 naderbij kwam, werden de overgebleven gevangenen naar Ponar gebracht. De fabriek ligt op de zuidwesthoek van de kruising op T. Ševčenkos gatvé 16. De gebouwen uit de tijd van de oorlog zijn het best zichtbaar vanaf de binnenplaats waarvan de toegang iets verderop in de straat ligt. De Joodse gevangenen waren ondergebracht in twee gebouwen, waarvan het ene het bakstenen gebouw op de noordoosthoek (T. Ševčenkos 15/ Švitrigailos 14) was. Het andere is gesloopt. De plaats is niet ver lopen van het Tolerantiecentrum en kan ook worden bereikt door bus 2, 6 of 73, of trolleybus 10, 13 of 17 te nemen naar halte T. Ševčenkos.

Het nabijgelegen A. Vivulskio gatvé 18 was de locatie van het hoofdkwartier van het YIVO (Jiddisch Wetenschappelijk Instituut), het mondiale centrum voor de studie van de Jiddische taal, geschiedenis en cultuur. Als een soort achtergebleven gebied in het oostelijke grensgebied van Polen raakte Wilno tijdens het interbellum nogal in verval, maar de keuze om in deze stad en niet in New York of Warschau (in die tijd de steden met de grootste Joodse gemeenschappen ter wereld) in 1925 de basis te leggen van het YIVO, gaf aan dat het prestige ervan nog altijd groot was. Het instituut vergaarde een enorm archief van Jiddische boeken, tijdschriften en onderzoeken. Tijdens de bezetting werd veel van het materiaal weggehaald als afvalpapier, maar een groep Joodse intellectuelen, onder wie Herman Kruk en de dichter Abraham Sutzkever, werd aangesteld om de verzameling door te nemen en belangrijke documenten veilig te stellen ten behoeve van de vertegenwoordigers van Alfred Rosenberg, de nazi-ideoloog en minister van het Oosten. De agenten van Rosenberg kamden de grote Joodse bibliotheken van Europa uit op zoek naar voorwerpen voor zijn verzameling in Frankfurt die zogenaamd de basis moest vormen van een instituut voor de studie van 'een uitgestorven ras'. In feite smokkelden de Joden belangrijke artikelen naar buiten die dan werden verborgen of die Ona Šimaitė buiten het getto bracht. De naar Frankfurt gestuurde documenten werden na de oorlog ontdekt en naar de nieuwe basis van het YIVO in New York overgebracht. Op de plaats van het instituut staat nu een saai modern flatgebouw.

Ten noorden hiervan ligt opzij van de Gedimino prospektas, die de eigenlijke hoofdstraat van Vilnius is, een grimmig gebouw aan de Aukų gatvė 2 dat het onderkomen is van het Museum van Genocideslachtoffers (wo-zo 10.00-18.00 (zo tot 17.00; Lt 6; www.genocid.lt/muziejus). Dit was van 1940 tot 1941 en van 1944 tot 1991 het hoofdkwartier van de NKVD/KGB en werd in de tussenliggende jaren uiteraard gebruikt door de Gestapo. In tegenstelling tot de indruk die de naam wekt, richt het museum zich alleen op de Sovjetterreur. Desondanks blijft het een ontnuchterende plaats om te bezoeken en dat geldt zeker voor de bewaard gebleven gevangeniscellen. Er zijn ook tijdelijk exposities over ander voorbeelden van genocide, waaronder de Holocaust.

Aan de overkant van de Gedimino prospektas en achter de Lukiškių aikštė ligt nog steeds de Lukiszki gevangenis (Lukiškės in het Litouws) aan de Lukiškių skersgatvis, opzij van de Lukiškių gatvė. De gevangenis functioneerde vaak als wachtkamer voor Ponar en dat was zeker het geval in de eerste maanden van de bezetting toen bendes Litouwse 'kidnappers' de stad afschuimden op zoek naar Joden. Veel van degenen die hier gevangen werden gezet, haalden Ponar niet eens, omdat ze in hun cel stierven door uithongering of mishandeling.

Aan de overkant van de rivier (via de voetgangersbrug aan het eind van de J.Tumo-Vaižganto gatvė) en aan de ander kant van de Upės gatvė staat een ander monument voor Sugihara – nogal onlogisch naast een casino – op een grasveld in een park. Het monument, inclusief de kersen- bomen eromheen, werd geschonken door zijn alma mater, de universiteit van Waseda.

Een paar kilometer langs de oever van de Neris richting het oosten ligt aan de Olimpiečių gatvė de locatie van de eerste Joodse begraafplaats van Vilnius waarvan de oorsprong misschien dateert van de vijftiende eeuw en die in 1830 werd gesloten. Zoals zo vaak in de USSR werd de begraaf- plaats geruimd door de communisten en niet door de nazi's. Op die plaats ligt nu het betonnen sportpaleis, maar in de buurt van de straat staat een eenvoudig monument. De dichtstbijzijnde bushalte is Žvejų (bus 33) van- waar de Olimpiečių gatvė naar het oosten loopt. De andere oude Joodse begraafplaats van de stad die in de negentiende eeuw werd geopend, lag heuvelop in de oostelijke buitenwijk Užupis, maar ook die werd door de communisten geruimd – de stenen werden gebruikt in bouwprojecten. Een opvallend monument uit 2004, opgericht met financiële steun van de Amerikaanse Commission for the Preservation of America's Heritage Abroad, bestaat uit teruggevonden *matsewot* die zijn gerangschikt in de vorm van een oplopende muur en een symbolische poortstijl. Er zijn wei- nig resten van stenen op de heuvel erachter. Het monument staat aan de oostzijde van de Olandų gatvė, technisch gesproken op nummer 22. De plaats is te bereiken door bus 27, 34, 37 of 44 te nemen naar halte Krivių. Vanuit de Oude Stad kan men er ook te voet komen via de wijk Užupis over de Užupio gatvė en Krivių gatvė, hoewel deze wandeling veel pret- tiger is als men heuvelaf terugkeert. Užupis zelf, nu het thuis van de bo- hemiens van Vilnius, was ooit een buurt waar veel Joden woonden, al is daar tegenwoordig weinig van terug te vinden.

Kort voor het opheffen van het getto werden ongeveer 1250 mensen verhuisd om te werken in de Duitse militaire garage (*Heereskraftfahr-*

park) die het HKP werkkamp werd. Dit kamp lag ten zuiden van Užupis, in flatgebouwen die voor arme Joden waren gebouwd door de alomtegenwoordige Oostenrijkse Joodse ondernemer en filantroop Baron Hirsch. Hoewel het kamp in juli 1944 werd opgeheven, slaagden ongeveer 250 gevangenen erin te overleven, omdat het hoofd van de garage, Majoor Karl Plagge, hen waarschuwde voor de komende *Aktion* waardoor ze tijd kregen om een schuilplaats te vinden. De flats waarin de gevangenen waren ondergebracht staan nog altijd aan de Subačiaus gatvė 47 en 49 (bus 4, 4A, 10, 13, 34 en 74 naar halte Subačiaus). Plaquettes aan de muur van nummer 47 geven uitleg over de geschiedenis. Ook staan een symbolische grafsteen en een groot monument tussen de gebouwen.

De enige nog bestaande Joodse begraafplaats ligt in de noordelijke buitenwijk Šeškinė aan de Sudervės kelias 28 (bussen 43 en 46 naar halte Buivydiškių). Het land werd voor de oorlog door de gemeenschap gekocht, wat inhield dat de eerste mensen die daar ter aarde werden besteld, in het getto waren overleden. De eerste steen aan de linkerkant is een symbolisch graf voor Witenberg en FPO boodschapper Sonia Madejsker die door de Gestapo werd vermoord. Erachter staan nog meer monumenten voor andere leiders van de organisatie. Iets verderop staat links een monument voor de slachtoffers van het getto ('*Geto Aukos*') naast de graven van gevangenen die werden vermoord tijdens de liquidatie in september 1943. In de voorste hoek van deze groep geeft de beeltenis van een boek op een graf aan dat het om een monument voor gettoleraren gaat. Erachter ligt het Wilna Gaon mausoleum, dat is overgeplaatst van de oorspronkelijke Joodse begraafplaats.

PANERIAI

Voor de burgers van Vilnius was het bos van Paneriai voor de oorlog een geliefde plaats om er de vrije tijd in door te brengen. Het bos lag op een aangename plek, bij een belangrijk spoorwegknooppunt. De locatie was gevorderd tijdens de Sovjetbezetting en er werden zes grote kuilen gegraven voor de opslag van brandstof. Deze kuilen, de ligging in de buurt van de stad en de transportverbindingen, maakten Paneriai tot een voor de hand liggende keus voor een van de grootste moordoperaties in de USSR.

Om nieuwsgierige ogen uit de buurt te houden werd het bos omgeven met prikkeldraad en borden die waarschuwden voor de ernstige gevolgen.

De executies begonnen iets meer dan een week nadat de Duitsers Vilnius hadden bezet en bereikten een hoogtepunt in de loop van 1941 toen slachtoffers met duizenden tegelijk werden aangevoerd, soms te voet, soms per trein en soms per vrachtwagen. De eerste geruchten over wat daar plaatsvond, bereikten de Joodse leiders in Vilnius al op 10 juli, maar zoals op veel andere plaatsen wilde men er geen geloof aan hechten. Zelfs nadat zes gewonde vrouwen op 3-4 september de kuilen waren ontvlucht, beseften de meeste Joden in de nieuw opgezette getto's pas wat er gebeurde – toen het te laat was. De massale *Aktionen* in de volgende twee maanden begonnen wel een eind te maken aan alle illusies, maar het feit dat de eerste leiders van de FPO op 31 december een manifest uitgaven dat de Joden opriep om tot het besef te komen dat 'alle wegen naar Ponar leiden', geeft aan dat er nog steeds mensen waren die geen benul hadden van de waarheid, terwijl de meeste Joden van Vilnius al dood waren. Tegen eind 1941 waren namelijk al minstens 33.500 personen vermoord. Het moorden bleef doorgaan tijdens de hele bezetting en omvatte Joden uit Vilnius en andere gemeenschappen in Litouwen en Wit-Rusland. Het beruchtste voorbeeld uit het laatste land stamt uit april 1943, toen treinen met mensen uit kleine Wit-Russische getto's die zogenaamd naar Kaunas gingen, naar het bos werden gestuurd. Onder de meer dan 4000 doden waren enkele honderden uit het getto van Vilnius die waren aangetrokken door Duitse mededelingen die hen uitnodigden zich bij familie in Kaunas te voegen. Paneriai werd ook gebruikt voor de moord op Sovjet-Russische krijgsgevangenen, Poolse intellectuelen, verzetsstrijders en andere vijanden van de nazi's. Naar schatting werden daar tussen de 70.000 en 100.000 mensen gedood. Met een kenmerkend gruwelijk postscriptum probeerden de Duitsers tussen september 1943 en april 1944 de bewijzen van hun misdaden te verhullen door een ploeg van tachtig Joden en Russische krijgsgevangenen te dwingen de lijken van 68.000 mensen op te graven en te verbranden. De ongelukkige gevangenen zaten aan elkaar geketend in een kuil, maar probeerden toch te ontsnappen door een tunnel te graven. Hoewel de meesten weer werden gepakt en vermoord, konden elf op 15 april 1944 vluchten en zich bij de partizanen voegen.

Joodse overlevenden hebben kort na de oorlog een monument met Jiddische inscriptie op de locatie opgericht. Tijdens het hoogtepunt echter van Stalins antisemitische campagne in 1952 werd dat weggehaald. De kleine gemeenschap bracht vervolgens tijdens de opleving van het Joodse burgerleven onder de regering Chroesjtsjov geld bijeen voor een nieuw monument, maar dat werd slechts beloond met een saai granieten bouwsel met teksten erop in het Litouws en Russisch die aandacht besteedden aan de moorden en die zelfs melding maakten van 'plaatselijke medeplichtigen' maar nalieten te melden wie de slachtoffers waren. In 1990 werd daar een centrale steen aan toegevoegd die onder de aandacht bracht dat 70.000 Joodse mannen, vrouwen en kinderen werden vermoord. Dit monument is nog steeds het eerste dat bezoekers op de locatie tegenkomen. Het staat op de parkeerplaats die feitelijk de plek is waar de doodsbange menigten in rijen moesten wachten voordat ze moesten doorlopen naar de kuilen beneden. Een pad rechts van de parkeerplaats voert naar een monument voor de Polen die in Paneriai werden gedood. Dat bestaat uit een kruis naast de spoorlijn. Aan de andere kant van het spoor herdenkt een kei de ondergrondse Litouwse drukkers die op 23 augustus 1941 werden geëxecuteerd.

Het hoofdpad voert van de parkeerplaats het bos in langs drie nieuwere monumenten links, waarvan er twee zijn gewijd aan Litouwers en het derde, een betrekkelijk bescheiden steen, aan de 7514 soldaten van het Rode Leger die in 1941 werden vermoord. De rust in het bos wordt regelmatig verstoord door het ratelende geluid van passerende treinen wat de sfeer extra spookachtig maakt, net als de regelmatig opduikende plaatselijke bewoners die tussen de bomen doorlopen op zoek naar wilde aardbeien. Het voornaamste herdenkingsgebied ligt aan de voet van de heuvel met daartegenover een dependance van het Wilna Gaon Museum waarin persoonlijke voorwerpen worden tentoongesteld die ter plaatse zijn gevonden. Helaas houdt men zich vaak niet aan de aangegeven openingstijden (ma-do 10.00-18.00, zo 10.00-16.00). Ertegenover staat het speciale Joodse monument dat in 1991 is opgericht. Op de grote steen staat onderaan een menora gegraveerd met beelden van mensen die door het getto naar het bos worden geleid. Erachter staan meer Joodse gedenktekens, waaronder een steen voor de gevangenen van de Kailis en de HKP-kampen. Een hoge obelisk die in de jaren tachtig werd opgericht, moest lijken op het oorspronkelijke Jiddische monument, maar was voorspelbaar nog steeds gewijd aan de 'slachtoffers van het fascisme'.

Paden lopen naar de grote kuilen die in de Sovjettijd landschappelijk werden verfraaid en die plaquettes kregen. Er liggen twee kuilen achter het museum. De linker bevat de lichamen van bijna 3000 officieren van het Rode Leger, het andere werd door de Duitsers gebruikt om waardevolle dingen in op te slaan die van de slachtoffers waren gestolen en die vervolgens aan plaatselijke bewoners werden verkocht. Het hoofdpad vanaf het voornaamste monument in de richting van de klok volgen voert naar twee ertegenover gelegen kuilen. De uitgegraven kuil links was de plaats waar de lijkverbranders gevangenzaten, terwijl die aan de rechterkant de belangrijkste executieplaats was voor de Joden uit Vilnius die in 1941 werden vermoord. Aan de achterkant van het complex liggen nog twee kuilen, waarvan er één enorm groot is. Deze werden in 1942-1943 gebruikt voor de executies.

Paneriai ligt op een korte treinreis van Vilnius. Er rijden veel treinen, hoewel het de moeite waard is om voor het vertrek de tijden van de terugreis te controleren, omdat er in de middag lang geen trein kan rijden. Loop het station aan de rechterkant uit en volg de weg die evenwijdig aan het spoor het bos in loopt. Het is een wandeling van ongeveer tien minuten.

KAUNAS

De naam Kowno/Kaunas was bijna even bekend als die van Wilna/Vilnius. Er zijn gegevens van een Joodse aanwezigheid uit de vijftiende eeuw, maar vier eeuwen lang bleef die aanwezigheid grotendeels beperkt tot de voorstad Slobodka die van de eigenlijke stad wordt gescheiden door de rivier de Neris. Joden die zich in het centrum vestigden, werden onderworpen aan periodieke verbanningen, totdat halverwege de negentiende eeuw de woonbeperkingen uiteindelijk werden opgeheven. Daarna bloeide het Joodse leven, met als beroemdste symbool de Slobodka jesjiva die in de jaren zestig van de negentiende eeuw werd gesticht. Net als Vilnius werd de stad een belangrijk centrum van zowel de religieuze als wereldlijke cultuur met veertig synagogen, een vermaard schoolsysteem en een sterke zionistische beweging. Hoewel de tsaristische regering bevel gaf tot massale verbanningen tijdens de Eerste Wereldoorlog, droeg de positie van Kaunas als hoofdstad van het onafhankelijke Litouwen in het interbellum bij aan verdere groei. Men neemt aan dat de Joodse bevolking in 1939 tegen de 40.000 liep. Die had zich ook al lang verbreid tot buiten de grenzen van Slobodka.

De eerste klap kwam met de bezetting door de Sovjet-Unie in 1940 toen Kaunas bijzonder hard werd getroffen als de plaats waar nationale instituten zetelden die bijna allemaal werden afgeschaft. Honderden Joden werden op 14 juni 1941 opgepakt bij massale arrestaties. Onder hen bevonden zich de leiders en intelligentsia van de gemeenschap uit het tijdperk van de onafhankelijkheid. Dit weerhield plaatselijke nationalisten er niet van om Joden de schuld te geven voor het kwaad van het communisme, waardoor een ontvankelijk klimaat werd geschapen voor de Duitsers die de stad op 24 juni 1941 innamen. Kaunas zou zelfs een slechte naam krijgen door de vreselijke pogroms die nog voor de komst van de Duitsers door de stad raasden. Bendes van de burgerwacht vermoordden honderden personen in Slobodka. Tegelijk werden 60 Joden meegenomen naar de Lietūkis-garage in het centrum van de stad en daar doodgeknuppeld terwijl Duitse soldaten toekeken. *Einsatzgruppe* A arriveerde begin juli en startte een moordcampagne die systematischer was opgezet, want naar schatting werden in juni en juli 1941 10.000 Joden vermoord door Duitsers en Litouwers. De voornaamste moordlocatie was een reeks forten rond de stad die vanaf het eind van de negentiende eeuw door het tsaristische regime waren aangelegd. Acht waren in Kaunas zelf gebouwd en verscheidene werden door de Duitsers gebruikt. Het was echter Fort IX buiten de stad dat uiteindelijk de belangrijkste moordlocatie werd.

In juli 1941 werd een bevel uitgevaardigd waarbij Joden één maand de tijd kregen om te verhuizen naar een getto in Slobodka of liever naar twee aangrenzende getto's die werden gescheiden door prikkeldraadhekken.

Op 15 augustus gingen ze op slot en ze bevatten toen bijna 30.000 mensen. Het kleine getto werd op 4 oktober verwoest en de bewoners werden naar Fort IX gestuurd. Op 29 oktober ondergingen bijna 10.000 Joden uit het grote getto bij de *Große Aktion* hetzelfde lot. Het was gedurende enige tijd de laatste van de grote *Aktionen*, waardoor ongeveer 17.500 Joden in leven bleven. Het gebied van het getto zelf werd in 1942 en 1943 echter kleiner gemaakt wat uiteraard een negatieve uitwerking had op de al bestaande overbevolking en het leed. Vanaf eind 1941 werden Joden van het Reich naar Kaunas getransporteerd, maar zij werden gewoonlijk rechtstreeks naar Fort IX gestuurd.

Gettobewoners werden ingezet bij dwangarbeid in de hele stad. Daarnaast vestigde de *Ältestenrat* werkplaatsen in Slobodka die uiteindelijk werk verschaften aan bijna 6500 mensen. De raad van Kaunas verschilde in een aantal opzichten van de *Judenrat* van Vilnius, deels een gevolg van het feit dat de meeste leden via een verkiezing waren gekozen door de gemeenschap. De voorzitter, dokter Elhanan Elkes, was een populaire en gerespecteerde arts die heel anders was dan de irritante Gens. Net als in Vilnius ondersteunde de *Judenrat* het culturele leven en de maatschappelijke bijstand door zelfs clandestien voor scholing en godsdienstige plechtigheden te zorgen nadat het in 1942 door de Duitsers was verboden. Opvallender was de actieve steun voor ondergrondse bewegingen die in 1943 samen opgingen in de Algemene Joodse gevechtsorganisatie. Een belangrijk deel van de Joodse politie was hiervan lid. De raad streefde daarmee een tweeledig doel na, dat bestond uit proberen redding te bewerkstellingen door arbeid (zoals in zoveel andere getto's), terwijl ook heimelijk het verzet werd aangemoedigd. In de loop van de tijd slaagden ongeveer 300 leden van de ondergrondse erin te ontsnappen en zich bij de partizanen te voegen.

Anders dan in Vilnius werd het getto van Kaunas in de herfst van 1943 ook niet verwoest, maar veranderd in een concentratiekamp dat bekendstond onder de Duitse naam Kauen. Dit hield in dat de SS de directe leiding overnam. Meer dan 3500 Joden werden naar locaties buiten de stad gestuurd, terwijl eind oktober nog eens 2700 werden gedeporteerd: de volwassenen naar Estland, de kinderen en ouderen naar Auschwitz. Bij een grote *Aktion* in maart 1944 werden 1800 mensen vermoord. Toen in juli 1944 het Rode Leger naderde, werd het getto, dat veel kleiner was geworden dan de grenzen van 1941, geëvacueerd en werden de meesten van de overgebleven gevangenen naar Dachau of Stutthof gestuurd. Velen probeerden zich te verbergen in ondergrondse bunkers, maar zij werden door Duitse granaten en brandbommen naar buiten gedwongen. Ongeveer 2000 mensen stierven in het daaropvolgende bloedbad en vrijwel het hele gebied van het getto werd platgebrand. Toen de Sovjets op 1 augustus 1944 arriveerden, waren nog slechts ongeveer 90 Joden in leven, in bunkers en nog een paar honderd bij de partizanen in de bossen. Verder kwamen nog eens 2000 levend uit de concentratiekampen. Als gevolg van emigratie is de moderne gemeenschap nog maar enkele honderden personen groot, terwijl de overblijfselen van de Joodse geschiedenis van de stad over het algemeen minder opvallend zijn dan in Vilnius.

Het getto van Slobodka

Slobodka, nu bekend als Vilijampolė, wordt vanuit de Oude Stad bereikt over de brug van dezelfde naam die toegang geeft tot de Jurbarko gatvė. Deze straat was oorspronkelijk aangewezen als deel van het kleine getto, maar werd op 15 augustus 1941, de dag waarop de getto's werden afgesloten, samen met de Raudondvario plentas en de Tilžes gatvė, verder naar het westen ontruimd. De Jurbarko gatvė was het middelpunt van de Litouwse pogrom in juni 1941. Het privéhuis op nummer 16 naast bushalte Jurbarko was de plaats van een van de vreselijkste voorvallen: rabbijn Zalman Osovsky werd vastgebonden op zijn stoel, zijn hoofd werd op een opengeslagen Gemara gelegd en toen afgezaagd.

Het grote getto strekte zich van de Veliuonos gatvė (de straat meteen ten noorden van Jurbarko gatvė) 2 kilometer naar het noorden uit. De verwoesting ervan in 1944 houdt in dat het gebied grotendeels naoorlogse gebouwen telt, hoewel er voornamelijk in de straten rond de Jurbarko gatvė, Veliuonos gatvė en het zuideinde van Linkuvos gatvė nog enkele oorspronkelijke houten bouwwerken bewaard zijn gebleven. Op de kruising van de laatste straat met de Kriščiukaičio gatvė markeert een onopvallende gedenksteen de locatie van een van de poorten. Er is verder weinig dat verwijst naar de geschiedenis van het gebied. Het kleine getto lag in de straten ten westen van het zuidelijkste gedeelte van de Panerių gatvė. De enige zichtbare herinnering aan het bestaan ervan is een gedenkplaat voor Goštautų gatvė 4, die verwijst naar de plaats van het ziekenhuis dat op 4 oktober 1941 werd platgebrand, met patiënten en personeel er nog in.

De ontroerendste herinnering aan de Joodse aanwezigheid in Slobodka is buiten het gebied van het getto te vinden op de voormalige begraafplaats. Na jarenlang overwoekerd en nauwelijks toegankelijk te zijn geweest, is de plaats nu schoongemaakt en op de Tilžes gatvė, vlak na de kruising met de Kėdainių gatvė, met een bord aangegeven ('*Senosios žydų kapinės*'). Het is nu een grasveld dat geleidelijk omhoog loopt met een gedenksteen die aangeeft dat dit de voormalige Joodse begraafplaats is. De enige andere staande steen links achteraan op het veld is gewijd aan de slachtoffers van de junipogrom van wie velen hier werden begraven. Op sommige gedeelten kan men nog net de oorspronkelijke graven onder het gras onderscheiden.

Andere plaatsen

Bezoekers die op zoek zijn naar tastbare sporen van Joods Kowno zullen die eerder vinden in de buurt van de Oude Stad, hoewel die vaak nog behoorlijk goed verborgen liggen. De enige synagoge die nog wordt gebruikt, is de Koren Synagoge, ten oosten van de Oude Stad aan de E. Ožeškienės gatvė 13. In theorie is die alleen open voor diensten (zo-vr 17.45-18.30, za 10.00-12.00) maar het is de moeite waard om aan te bellen – vreemdelingen krijgen gewoonlijk de kans het mooie interieur te bewonderen. In de tuin erachter staat een beeldhouwwerk dat de kinderen gedenkt die in de Holocaust werden vermoord. Van de synagoge is het een korte wandeling in zuidwestelijke richting naar een paar overblijfselen van het vooroorlogse burgerlijke en religieuze leven. J. Gruodžio gatvė 25, op de hoek met de Smalininkų gatvė, het hoge bakstenen gebouw met een groot opschrift in het Russisch en een bijna helemaal vervaagde Jiddische tekst, was ooit een Joods weeshuis. Bij de volgende kruising op de Smalininkų gatvė was D. Poškos gatvė een tehuis voor Joodse ouden van dagen. In de buurt is Puodžių gatvė 1 een deels herbouwde voormalige synagoge die nu een onderhoudsgarage herbergt. Een andere vroegere synagoge ligt twee straten naar het westen aan de L. Zamenhofo gatvė 7.

Een klein monument, dat verborgen op een binnenplaats (nu onderdeel van een school) aan Miško gatvė meteen ten oosten van het Europa Royale Hotel staat, markeert de plaats van de Lietūkis-garage waar Litouwse nationalisten tientallen Joodse mannen doodknuppelden tijdens de pogrom van 27 juni 1941. Die vreselijke gebeurtenissen, die zijn vastgelegd in een beroemde serie verontrustende foto's, trok een menigte kijkers onder wie Duitse soldaten.

Een welvarende buurt op de heuvel ten oosten van de Nieuwe Stad vormde de diplomatieke wijk van Kaunas tijdens de periode als hoofdstad. Onder degenen die hier woonden was de Japanse consul Chiune Sugihara. Toen de USSR Litouwen bezette, werden de meeste diplomaten teruggetrokken, maar Sugihara en Jan Zwartendijk, de vertegenwoordiger van de Nederlandse regering in ballingschap, bleven nog ruim een maand. Ze waren in staat om in deze periode Poolse Joden te helpen die naar Litouwen waren gevlucht en die uit Europa weg probeerden te komen. Er werd een plan gesmeed waarbij Zwartendijk papieren verstrekte voor een doorreis naar de Nederlandse kolonie Curaçao. De Sovjetautoriteiten wilden echter alleen mensen doorgang verlenen die een geldig visum hadden voor de eerstvolgende bestemming. Dus gaf Sugihara op eigen initiatief en in weerwil van orders uit Tokio handgeschreven Japanse transitvisa uit, zelfs aan Joden die geen Nederlandse pas hadden. Men neemt aan dat minstens 6000 mensen hiervan hebben geprofiteerd. Getuigen herinneren zich dat Sugihara nog visa aan het schrijven was en die uit het treinraampje gooide toen hij in september 1940 vertrok. Niet alle Joden overleefden het – sommigen slaagden er niet in Litouwen voor juni 1941 te verlaten – maar duizenden konden in oostelijke richting naar Japan reizen. De meesten belandden ten slotte in Shanghai, waar de Japanners weigerden tegemoet te komen aan het verzoek van hun bondgenoot om hen over te dragen of te doden. Na andere diplomatieke posten werd Sugihara in 1947 gevraagd om ontslag te nemen. Het ministerie van

Buitenlandse zaken beweerde later dat dit het gevolg was van kosten be-
sparende maatregelen, maar zijn familie heeft altijd volgehouden dat hij
werd gestraft voor zijn optreden in Kaunas. Het huis dat hij huurde aan
de Vaižganto gatvė 30 is nu het Sugihara Huis museum (ma-vr 10.00-
17.00 (nov-apr: 11.00-15.00) za-zo 11.00-16.00 (alleen mei-okt); vrijwillige bijdrage; www.sugiharahouse.lt). Het is niet bereikbaar met openbaar vervoer, maar men kan er komen vanaf de Bažnyčios gatvė, de
zijstraat van de Vytauto prospektas waar het hoofdbusstation ligt. Aan
het eind van de straat loopt een trap naar de E. Fryko gatvė die evenwijdig aan de Vaižganto gatvė loopt.

Een andere voormalige Joodse begraafplaats ligt ten noorden van het
Sugihara Huis aan de Radvilėnų plentas dicht bij de dierentuin van Kaunas. Er ligt nog een aanzienlijk aantal grafstenen en bij de ingang is een
nieuw monument geplaatst, maar op enige afstand van de ingang is de
begraafplaats overwoekerd en is het een hangplek geworden voor plaatselijke jongeren. Een bezoek kan waarschijnlijk het best in de ochtend
plaatsvinden. De gemakkelijkste manier om er te komen is bus 2, 10, 20,
21 of 37 te nemen tot de halte Zoo en dan de Radvilėnų plentas een paar
honderd meter naar het noorden af te lopen.

Ongeveer anderhalve kilometer ten noordwesten van de begraafplaats
was Fort VII de plaats van de moord op 3000 Joden door de Litouwse
hulptroepen van de SS in de eerste week van juli 1941. Het fort dat vroeger militair terrein was, werd in 2011 voor het publiek geopend (wo-zo
10.00-18.00; Lt 6; www.septintasfortas.lt). De tentoonstelling is hoofdzakelijk gericht op de militaire geschiedenis van de plaats, maar er zijn
rondleidingen met een gids waarin wel aandacht wordt besteed aan de rol
in de Holocaust. Het fort staat aan het eind van Archyvo gatvė, direct ten
noorden van de bushalte met dezelfde naam, aan de Tvirtovės alėja (bus
17, 27, 36 en 41 en trolleybus 8 en 9). De Forten I, IV en VI werden ook
gebruikt als moordlocatie, maar zijn ontoegankelijk. Buiten Fort VI ten
noordoosten van het treinstation aan het eind van de K. Baršausko gatvė
staat een verbluffend monument in de vorm van een veld van kruisen
waarmee de Litouwers worden herdacht die door de geheime politie van
de Sovjet-Unie werden vermoord. Het Toeristenbureau van Kaunas (visit.

kaunas.lt) biedt tours aan waarbij enkele van de forten worden bezocht, maar daarbij wordt alleen aandacht besteed aan de tsaristische militaire geschiedenis.

De moderne Joodse begraafplaats van Kaunas ligt ten zuiden van de rivier de Nemunas, verborgen tussen een legerkazerne en een beboste heuvel bij de H. ir O. Minkovskių gatvė. Aan één kant staat een gedenksteen voor degenen die werden gedood bij de verwoesting van het getto in juli 1944. De plaats is te bereiken met bus 35 naar halte Elevatorius. Kijk uit naar het grote fabriekscomplex aan de rechterkant. Vlak daarachter ligt de witte legerkazerne. Loop na het uitstappen naar de ingang van de kazerne en volg de weg door een poort aan het eind. Het kerkhof ligt recht vooruit, aan de overkant van het spoor.

FORT IX

Hoewel de meeste forten van Kaunas werden gebruikt als moordlocaties, is Fort IX (vlak buiten de stadsgrenzen) het beruchtst. Het werd gebouwd tussen 1902 en 1913 en zou als het enige van een geplande serie van twaalf nieuwe forten worden voltooid. De modernere verdedigingsmogelijkheden en grotere afstand tot de stad maakte het tot een locatie met veel gebruiksmogelijkheden, een gegeven dat de opeenvolgende heersers over Litouwen niet was ontgaan, ook al was de oorspronkelijke bestaansreden na de Russische nederlaag in de Eerste Wereldoorlog verdwenen. Daarom werd er in 1924 een gevangenis van gemaakt, een rol die gehandhaafd bleef tijdens de Sovjetbezetting van 1940-1941, toen verscheidene duizenden mensen daar werden opgesloten voordat ze naar de goelag werden gedeporteerd. Het zal geen verbazing wekken dat de nazi's op dezelfde manier gebruikmaakten van het fort. In de eerste dagen van de bezetting zaten er voornamelijk communisten gevangen – van wie de meesten werden doodgeschoten. De executies vonden aanvankelijk plaats op de binnenplaats van het fort, maar 600 Sovjet-Russische krijgsgevangenen moesten in juli 1941 beginnen met het graven van grote kuilen. De grote *Aktionen* tegen de Kowno-Joden vonden op 4 en 29 oktober 1941 in het fort plaats. Bij de laatste gelegenheid werden volgens Duitse gegevens 9200 personen vermoord, bijna de helft van hen waren kinderen.

Het doden van buitenlandse Joden begon in november, en tot de slachtoffers zouden uiteindelijk Joden uit het Reich, uit Polen en uit Frankrijk behoren. Naar schatting hebben daar minstens 50.000 mensen het leven verloren, van wie meer dan 30.000 Joods waren. De Duitsers begonnen in de herfst van 1943 bewijsmateriaal te vernietigen waarvoor een ploeg van 72 Joden en Sovjet-Russische krijgsgevangenen werd ingezet. Opmerkelijk genoeg konden zij bijna allemaal op Kerstmis 1943 ontsnappen door gebruik te maken van het feit dat de bewakers dronken waren.

In de periode meteen na de oorlog was er sprake van een monument bij Fort IX, omdat het met deprimerende voorspelbaarheid werd overgenomen door de veiligheidstroepen van de Sovjet-Unie. Later werd het een basis voor bedrijfsleiders van collectieve boerderijen. Pas onder Chroesjtsjov werd de plaats een museum, met vier cellen waarin een tentoonstelling aandacht besteedt aan de nazigruwelen, maar natuurlijk zonder iets te zeggen over de identiteit van de slachtoffers. Een veel ambitieuzere ontwikkeling kwam in 1984 met de opening van een speciaal gebouwd museum, een kil betonnen gebouw voor het fort (apr-okt: ma, wo-zo 10.00-18.00, nov-mrt: wo-zo 10.00-16.00; Lt 6; www.9fortomuziejus. lt/). De tentoonstelling is sinds de onafhankelijkheid helemaal opnieuw ingericht om zowel de nazi- als de Sovjetonderdrukking onder de aandacht te brengen. Het thema van parallelle dictatorschappen wordt behandeld met exposities over Stutthof en Norilsk, een van de beruchtste kampen in Stalins slavenrijk. Het leed van Litouwen als natie staat nadrukkelijk in het middelpunt – de afdeling over Stutthof gaat in op het lot van enkele tientallen nationalistische intellectuelen die daar in 1943 naartoe werden gestuurd – maar enig wantrouwen dat hieruit zou kunnen ontstaan, moet worden afgezet tegen het feit dat het specifieke Joodse leed wordt behandeld in het fort zelf, dat over een pad achter het museum wordt bereikt.

Alvorens het eigenlijke fort te betreden, komen bezoekers langs zeven bronzen muursculpturen die taferelen uit de Holocaust uitbeelden en die zijn gecreëerd door de Litouwse kunstenaar Arbit Blatas (kunstwerken van hem worden ook gevonden in Parijs en Venetië). Er zijn ook cipressen aangeplant ter ere van Sugihara. Een pop van een bewaker in de hoek van

Fort IX (foto van Elizabeth Burns)

de wachttoren is een twijfelachtige toevoeging, maar het interieur van het fort is zonder meer somber. De voornaamste tentoonstelling is onderge-bracht in aangepaste cellen, waarvan de meest dramatische rechts van de ingang ligt. Op de muren zijn gekraste boodschappen bewaard gebleven van Joden die met konvooi 73 vanuit Drancy naar Kaunas waren ge-stuurd. Dit was het enige Franse transport dat niet Polen als bestemming had gehad. Ongeveer een derde van de groep van 878 personen werd doorgestuurd naar Tallinn, maar de meesten vonden de dood in Fort IX. Namen en datums staan nog steeds op de muren, samen met de trieste boodschap: 'Nous sommes 900 français' [Wij zijn 900 Fransen]. De op-merkelijke Eve Line Blum-Cherchevsky, wier vader tot de slachtoffers be-hoorde, heeft jaren besteed aan onderzoek naar de geschiedenis van het

konvooi en stelde op eigen kosten een meerdelig boek samen met de namen en biografieën van de gedeporteerden (www.convoi73.org). Andere
cellen behandelen de geschiedenis van het getto van Kowno en van de
partizanen, de concentratiekampen, Sugihara en Zwartendijk, de massamoorden in Litouwen en het lot van 1000 Joden uit München die in november 1941 naar het fort werden gedeporteerd en daar werden vermoord.

Het buitenterrein wordt gedomineerd door een kolossale groep sculp-
turen die bij de herontwikkeling van 1984 werd geplaatst en is gewijd
aan 'slachtoffers van het fascisme'. Ondanks de grootte beseft men pas op
korte afstand dat de reusachtige, naar voren hellende vormen mensen
moeten voorstellen. Het pad naar de monumenten loopt langs een muur
waar executies plaatsvonden en de lange gracht waarin lijken werden
verbrand. In de buurt staat een serie sobere gedenktekens gewijd aan
Joodse slachtoffers. Daartoe behoren ook speciale stenen voor konvooi
73 en de Joden uit München. De laatste steen, die van de gemeenteraad
van München is, heeft een tekst die begint met de woorden 'In verdriet en
schaamte – en verbijsterd door de stilte van de omstanders'.

Fort IX ligt ten noordwesten van Kaunas naast de kruising van de
hoofdwegen A1 en A5 en wordt met borden aangegeven. Bus 23 en 35
maken de rit vanuit het centrum en Slobodka naar de halte 9-ojo forto
muziejus aan de Vandžiogalos gatvė, maar dan moet men over de weg
onder de A1 door teruglopen en dan een nogal gevaarlijke ren maken
over het gras en de afrit in zuidelijke richting van de A1 naar de A5. De
parkeerplaats is een korte wandeling heuvelop.

ANDERE LOCATIES

Veel locaties die verband houden met de Holocaust hebben een gedenkteken in de een of andere vorm, hoewel dat vaak een weinig indrukwekkend Sovjetmonument is. Het voortvarende Baltic Mass Graves Project,
georganiseerd door het Britse Holocaust Educational Trust en de Litouwse regering, heeft stenen op de locaties opgericht en gestandaardiseerde
verkeersborden geplaatst, maar het is in het algemeen noodzakelijk om
ongeveer te weten waar men moet zoeken als men op weg is naar een

specifieke locatie. Ook stedelijke restanten van het Joodse leven zijn vaak goed verborgen. Het beste advies is om waar mogelijk contact op te nemen met de dichtstbijzijnde Joodse gemeenschap. Details van de nog bestaande Joodse gemeenschappen zijn te vinden op www.lzb.lt.

De belangrijkste Joodse gemeenschap na die van Vilnius en Kaunas was die van Šiauliai (Shavli). Deze gemeenschap wordt echter slecht herdacht, hoewel er een monument is voor een van de twee getto's van de stad aan de Trakų gatvė. Net als in Kaunas werd het getto in 1943 officieel een concentratiekamp en het bleef in deze hoedanigheid tot 1944 bestaan toen de overlevenden werden overgebracht naar kampen in het Reich. De meeste Joden van Šiauliai waren toen echter al lang vermoord, in hoofdzaak in het bos van Kužiai ten westen van de stad. Dit is te bereiken door vanuit Šiauliai de A11 te nemen en in het dorp Kužiai naar het noorden te draaien richting Verbūnai (Gruzdžių gatvė).

De actiefste vorm van herdenken buiten de twee grote steden is te vinden in Kėdainiai (Keidan), ongeveer 40 kilometer ten noorden van Kaunas, dat in 1941 een Joodse bevolking had die ongeveer 3000 zielen telde. Een van twee aangrenzende voormalige synagogen aan het oude marktplein (Senoji rinka 12) biedt nu onderdak aan het Multicultureel Centrum van het Museum van Kėdainiai (di-za 10.00-17.00; Lt 4; www.kedainiumuziejus.lt) dat een expositie bevat over de plaatselijke Joodse geschiedenis en de Holocaust. Het personeel van het museum kan assisteren bij het vinden van andere plaatselijke locaties. Dat zijn dan met name de twee voormalige Joodse begraafplaatsen ten westen van de stad (aan de Lakštingalų gatvė en vlak om de hoek aan de A. Kanapinsko gatvė) en het monument in het bos achter het katholieke kerkhof aan het eind van de Dotnuvos (vanaf de Joodse begraafplaatsen aan de overkant van de Smilgakreek) waar op 28 augustus 1941 2000 Joden werden vermoord.

12

Letland

Het lot van de Letse Joden was vergelijkbaar met dat van de Joden in Litouwen en eind 1941 waren de meesten vermoord. Daarnaast vonden duizenden Joden uit het Reich de dood in de wouden rond Riga.

Joden hadden vanaf de zestiende eeuw in Letland gewoond, maar vergeleken met Litouwen in betrekkelijk kleine aantallen. De gemeenschap werd in de negentiende eeuw behoorlijk groter en bereikte in het begin van de twintigste eeuw even de 200.000 zielen, maar een groot deel van deze bevolking woonde er slechts tijdelijk. Emigratie en verbanning door het tsaristische regime tijdens de Eerste Wereldoorlog zorgden ervoor dat er in 1935 bij de volkstelling 93.479 Joden leefden. De onafhankelijkheid van Letland had hen in de jaren twintig aanvankelijk gelijke rechten gegeven, maar dat werd minder na de opkomst van het nationalistische dictatorschap van Kārlis Ulmanis in 1934. In het bijzonder werden ze net als andere minderheden, waaronder Russen en de vrij grote bevolkingsgroep etnische Duitsers van Letland, in hun economische vrijheid en onderwijskeuze beknot. Desondanks vermeed het regime Ulmanis over het algemeen geweld en onderdrukte het net zo goed de opkomst van fascistische bewegingen als van linkse partijen.

Door het uitbreken van de oorlog kwam Letland net als Litouwen binnen de invloedsfeer van de Sovjet-Unie en het was geen verrassing dat Stalin het land in juni 1940 bezette. Hoewel sommige Joden de communisten ongetwijfeld verwelkomden – als het mindere kwaad in vergelijking met het nazisme – deed de meerderheid dat niet en net als in Litou-

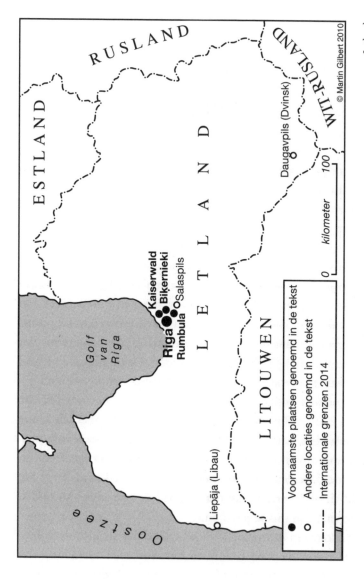

RUSLAND

ESTLAND

WIT-RUSLAND

© Martin Gilbert 2010

Letland

Daugavpils (Dvinsk)

100

kilometer

0

LETLAND

Kaiserwald
Biķernieki
Rumbula ○ Salaspils
Riga

Golf
van
Riga

LITOUWEN

Liepāja (Libau)

Oostzee

● Voornaamste plaatsen genoemd in de tekst
○ Andere locaties genoemd in de tekst
┈┈ Internationale grenzen 2014

wen werden zij op een onevenredige manier het doelwit van de NKVD-terreur. In het jaar van de Sovjetbezetting werden ongeveer 5000 Joden gearresteerd, het grootste aantal bij massale razzia's slechts enkele dagen voor de Duitse inval. Desondanks bleef natuurlijk ook in Letland extreem rechts de Joden verantwoordelijk houden voor de tegenslagen van het land waarmee een vruchtbare voedingsbodem werd geschapen waarop de Duitsers konden oogsten.

Omdat de plaatselijke nationalisten vooral in Riga pogroms uitvoerden, begon het antisemitische geweld al voordat de nazi's het hele land op 10 juli 1941 onder controle kregen. Op den duur werden de fanatieksten onder deze relschoppers door de Duitsers georganiseerd in hulpeenheden waarvan het Arājs Commando dat naast *Einsatzgruppe A* werkte, het beruchtst was. Net als in Litouwen begonnen de moordploegen voornamelijk met Joodse mannen, maar vanaf het eind van de zomer werden hele gemeenschappen hun doelwit. Bijna de helft van de 70.000 tot 75.000 Joden die bij het begin van de bezetting in Letland leefden, was vermoord tegen de tijd dat in oktober 1941 het getto van Riga werd gevormd. De vernietigingssnelheid werd toen opgevoerd, zodat tegen het eind van het jaar nog slechts enkele duizenden Joden in leven waren: misschien 4000 in Riga en minder dan 1000 in zowel Daugavpils als Liepāja. Het grotendeels lege getto van Riga werd toen gebruikt om de duizenden Joden te huisvesten die vanaf eind november vanuit het Reich werden aangevoerd. Zij werden ook vermoord, voornamelijk in de eerste helft van 1942 met als gevolg dat bij het begin van 1943 in heel Letland nog maar 5000 Joden in leven waren. Het concentratiekamp Kaiserwald werd dat jaar opgezet voor dit restant. Die laatste Joden werden vervolgens bij de nadering van het Rode Leger in de zomer van 1944 naar Stutthof geëvacueerd. Na de daaropvolgende dodenmarsen en bloedbaden leefden er aan het eind van de oorlog nog ongeveer 3000 Letse Joden. Daarnaast vermoordden de nazi's en hun plaatselijke handlangers ongeveer de helft van de vooroorlogse Letse Roma-bevolking van 4000 zielen.

Het Joodse leven in Letland of minstens in Riga kon zich tot op zekere hoogte herstellen door de terugkeer van duizenden ballingen die voor de komst van de Duitsers waren gevlucht en door de latere immigratie uit andere delen van de USSR. Deze gemeenschap kon in de jaren zestig een opmerkelijke deeloverwinning behalen, toen de activisten ervan de communisten overhaalden een monument met een Jiddische tekst op te richten op de plaats van de Rumbulamoord, maar herdenking van de Holocaust werd verder door de communistische partij beperkt. Deze situatie is sinds de onafhankelijkheid drastisch veranderd en op de meeste van de belangrijke locaties zijn enkele zeer aangrijpende monumenten opgericht. Hoewel er twijfels zijn geweest over de bereidheid van Letland om het verleden en dan vooral de netelige kwestie van collaboratie onder ogen te zien, is dit ongetwijfeld de voormalige Sovjetrepubliek die het meest heeft gedaan om de erfenis van de Holocaust onder de aandacht te brengen.

RIGA

Bijna de helft van de Letse Joden – rond de 43.000 ten tijde van de volkstelling van 1935 – woonde in de hoofdstad. In de zeventiende eeuw ontstond er voor het eerst een gemeenschap, maar die werd in 1742 verdreven. De Joden keerden tegen het eind van de achttiende eeuw terug en ondanks de ligging van Riga buiten de tsaristische Tsjerta (het gebied waartoe Joodse vestiging werd beperkt) ontwikkelde de stad zich gedurende de volgende decennia tot een Joods centrum van enige betekenis. Riga kreeg natuurlijk meer bekendheid tijdens de periode van het interbellum en dat niet alleen door de status als hoofdstad van het onafhankelijke Letland, maar ook door de rol als een belangrijk toevluchtsoord voor emigranten uit de Sovjet-Unie.

Riga viel op 1 juli 1941 voor Hitlers troepen en de Joden werden meteen onderworpen aan afschuwelijke gewelddadigheden – van eerst en vooral de plaatselijke inwoners, niet van de nazi's. De stad had een grote en goed ingeburgerde Duitse bevolking, maar het initiatief kwam in dit geval grotendeels van Letse nationalisten (in het bijzonder van leden van het fascistische Pērkonkrusts ofwel Donderkruis, de Letse benaming voor de swastika) die vanaf de eerste dag van de bezetting grote aantallen Joodse mannen oppakten en aftuigden, een patroon dat de hele maand juli voortduurde. Duizenden werden geëxecuteerd in het bos van Biķernieki, aan de rand van de stad, terwijl alle synagogen van Riga op één na in brand werden gestoken, veel op de nacht van de 4e juli. Deze ellende ging in de loop van de zomer en het begin van de herfst vergezeld van de bekende litanie van naziwetten. Daarnaast kwam in augustus de mededeling dat er een getto gevormd moest worden. Op 23 oktober kwam het bevel van de Duitsers dat alle Joden binnen twee dagen in het getto moesten zijn. Tegen de tijd dat het op 25 oktober werd afgegrendeld, zouden er 29.602 mensen hebben gewoond van wie ruim de helft volwassen vrouwen. Het feit dat het getto slechts ongeveer 8000 volwassen mannen telde, geeft aan hoeveel invloed de moorden van juli hadden gehad. Joden met een werkvergunning (ongeveer 4000) werden op 19 november van de anderen gescheiden als inleiding op de vernietiging van de laatsten. De Duitsers ontruimden de hele westelijke helft van het getto op 29-30 november toen 10.000 mensen naar het bos van Rumbula in het zuiden werden gemarcheerd en daar werden vermoord. De 15.000 (of meer) zonder werkvergunning die waren achtergebleven, ondergingen op 8-9 december hetzelfde lot.

De overlevenden bleven achter in het 'kleine getto', het hoekje waarin ze op 19 november waren opgesloten. Een deel van het 'grote getto' werd bewoond door gedeporteerden uit het Reich. Het eerste transport was rechtstreeks doorgestuurd naar Rumbula, maar de meesten die daarna aankwamen, werden naar de stad gestuurd tot er meer dan 20.000 woonden. Hoewel de Joden van Riga uiteindelijk toch zouden zijn vermoord, neemt men algemeen aan dat het tijdpad was ingegeven door de beslissing om Duitse Joden naar de stad te deporteren. De twee getto's werden door een hek gescheiden en hadden elk hun eigen instituten tot ze in november 1942 werden samengevoegd. Tegen deze tijd waren grote aantallen mensen overleden, als gevolg van uithongering, ziekte, uitputting of de periodieke *Aktionen* waaraan het getto nog steeds door de Duitsers werd onderworpen – de meeste Joden uit het Reich werden in 1942 en 1943 in de bossen vermoord. In de loop van 1943 werd de bevolking van het getto geleidelijk overgebracht naar het nieuwe concentratiekamp Kaiserwald dat een basis werd voor arbeidsprojecten in de hele stad. Het getto werd ten slotte aan het eind van dat jaar vernietigd. Na een selectie in november werden de Joden die in staat werden geacht te werken naar Kaiserwald gestuurd. De ruim 2000 anderen werden naar Auschwitz-Birkenau gedeporteerd.

De opheffing van het getto en later van Kaiserwald hield in dat er in de stad nog maar ongeveer 150 Joden in leven waren tegen de tijd dat het Rode Leger daar in oktober 1944 aankwam. Nog eens een paar honderd waren in staat de kampen en dodenmarsen te overleven. Opmerkelijk was echter dat het Jodendom van Riga na de oorlog een soort opleving kende, zodat de bevolking van de jaren vijftig tot en met de jaren zeventig van de twintigste eeuw een omvang kende van ongeveer 30.000 zielen, niet erg veel minder dan in 1941. Dit was deels het gevolg van de terugkeer van Letse Joden uit de verder naar het oosten gelegen delen van de Sovjet-Unie – degenen die in 1941 waren gevlucht en onder Chroesjtsjov af en toe overlevenden van de goelag. Maar voornamelijk kwam dit door de Sovjetpolitiek uit de jaren vijftig waarbij de herbevolking van Letland werd aangemoedigd door de migratie van burgers, Joden inbegrepen, uit andere republieken. Daardoor werd Riga een van de toonaangevende Joodse centra in de USSR dat zelfs uitsteeg boven historisch belangrijkere steden als Vilnius en L'viv. Vervolgens is de bevolking gedaald door emigratie, maar Riga blijft een van de weinige steden uit de voormalige Sovjet-Unie waarvan men kan zeggen dat er nog een Joodse aanwezigheid van betekenis en omvang is.

Het getto en de omgeving

Het getto lag ten zuidoosten van het centrum in de buitenwijk Moskatchka, een gebied dat traditioneel werd bewoond door arme Joden en Russen. Het blijft ook tegenwoordig een nogal vervallen wijk, waar nog steeds talloze Russen wonen. Veel gebouwen zijn naoorlogs, vooral aan de noordrand waar het kleine getto lag, maar er zijn ook nog steeds veel vooroorlogse panden – vergane secessionshuizen en vervallen houten arbeiderswoningen – aan met name de centrale Ludzas iela en in de straten ten zuiden daarvan.

De oorspronkelijke gettopoort uit 1941 lag op de kruising van de Lāčplēša iela en de Firsa Sadovņikova iela. Op de zuidelijke hoek van de kruising was Lāčplēša iela 141, een indrukwekkend gebouw met rondom een tuin, de eerste seculiere Joodse school van Riga uit 1887. In de herfst van 1941 werd dit het hoofdkwartier van de eerste door de nazi's benoemde Raad van Ouderen voor het getto onder voorzitterschap van Michael Elyashov. De raad bleef slechts kort in functie en probeerde tevergeefs de omstandigheden in het getto te verbeteren, maar zelfs de meesten van de eigen leden werden in november en december in Rumbula vermoord.

De hoofdstraat die door het getto liep, begon als de Firsa Sadovņikova iela voordat hij afboog en de Ludzas iela werd, stond bij de Duitsers – nazi's zowel als Joden – bekend als de Leipziger Straße. Het hele gebied van de Lāčplēša iela in het westen tot de Ludzas iela tussen de Daugavpils iela en Mazā Kalna iela werd op 29 en 30 november schoongeveegd en daarna maakte het geen deel meer uit van het getto. Het vervallen, crème-kleurige gebouw Ludzas iela 25 lag net op de scheiding. Voor de oorlog was het een gynaecologische kliniek geweest die door de Raad van Ouderen in 1941 was veranderd in het gettohospitaal. Vervolgens werd het gevorderd als medisch centrum voor de SS nadat patiënten en personeel in Rumbula waren vermoord. Ten oosten hiervan vormde de Ludzas iela de grens tussen het kleine getto voor Letse Joden in het noorden en het Duitse getto in het zuiden. Ludzas iela 41-43 (nu een school) in de buurt van de kruising met de Mazā Kalna iela was een tehuis voor arme Joden dat in de negentiende eeuw was gesticht om onderdak te verschaffen aan wezen en gehandicapten. Bij een pogrom tijdens de Russische Revolutie van 1905 stormde een bende relschoppers naar binnen; twee bewoners werden gedood en tien raakten gewond. Wat op 30 november 1941 volgde was veel erger, want kinderen die te ziek waren om naar Rumbula te worden gebracht werden aan bajonetten geregen en met geweerkolven doodgeknuppeld.

Aan de 'Duitse' kant van de Ludzas iela was het grote huis op nummer 56 vlak na de kruising met de Mazā Kalna iela het voornaamste bestuurscentrum binnen het getto. Daarin waren de nazi-instellingen – het gettocommando en de politie – ondergebracht naast de Ältestenrat van de Duitse Joden en de Joodse politie. De volgende kruising met de Līksnas iela was de plaats van de poorten tussen de twee getto's. De meeste gebouwen in dit gebied zijn modern, maar links afslaan op de volgende kruising met de Viļānu iela voert naar het ooit voorname gebouw op nummer 14, dat het grote badhuis en het ontluizingscentrum van het kleine getto was. Het zuidelijke gedeelte van de Viļānu iela, aan de andere kant van de Ludzas iela, voert naar een parkje met bomen (aan de andere kant van de Virsaišu iela) dat de locatie van de Joodse begraafplaats was. De slachtoffers van de gettobloedbaden werden hier begraven, net als degenen die op 30 november 1941 te zwak waren om naar Rumbula te worden gebracht. Alle 40 Joodse politiemensen van het getto werden hier op 31 oktober 1942 begraven. Zij waren doodgeschoten nadat de Duitsers de eerste groep van zogenaamde partizanen hadden gevangengenomen die erin was geslaagd uit het getto te ontsnappen. Daarbij kwamen ze tot de ontdekking dat de meeste politiemensen lid waren van de ondergrondse die begon te ontstaan.

Het park, dat is heringericht door de communisten, laat afgezien van een eenvoudige steen met een grote davidster in het zuidoosten bij de kruising van de Ebreju iela met de Līksnas iela, niets zien van deze geschiedenis. Gezien het veelvuldig voorkomen van Holocaustmonumenten in Letland is het nogal opmerkelijk dat er geen andere gedenktekens zijn binnen het terrein van het getto zelf.

Van het begraafplaatspark kan men over de Ebreju iela naar de Maskavas iela lopen en dan terugkeren naar het westen. Hoewel deze straat slechts voor een gedeelte in het getto lag, doet hij het meest denken aan het leven van voor de oorlog. De begrenzing van het getto kan worden gevolgd door van de Maskavas iela de Jersikas iela in te slaan. Opzij van de laatste straat was het grote gebouw aan de Mazā Kalna iela 2 het onderkomen van voornamelijk Weense Joden en oudere Berlijners. De eerste grote selectie van Duitse Joden, de zogenaamde *Dünamünde Aktion*, vond op 5 februari 1942 buiten dit gebouw plaats. De SS-officier die de selectie uitvoerde, Gerhard Maywald, vertelde degenen die waren uitgekozen om uitgeroeid te worden, dat ze moesten gaan werken in een conservenfabriek voor vis in een dorp dat Dünamünde heette en dat aan de monding van de rivier de Daugava lag. Bij zijn proces in 1977 beweerde Maywald dat dit verhaal werd verzonnen om de slachtoffers rustig te houden. Meer dan 1000 Berlijnse Joden en ongeveer 400 Weense werden uitgekozen – en zij geloofden blijkbaar Maywalds verzinsel toen ze naar hun dood werden gestuurd in het bos van Biķernieki.

Terug op de Maskavas iela zijn er nog twee sporen van vooroorlogs Joods leven. Het voormalige *Bikur Holim* ziekenhuis dat in 1924 werd geopend, ligt op nummer 122-128. Een plaquette gedenkt hoofd chirurgie professor Vladimir Mintz die in februari 1945 in Buchenwald om het leven kwam. Maskavas iela 57, dicht bij de kruising met de Lāčplēša iela, was de locatie van de Oudnieuwe Synagoge die in de nacht van 4 juli 1941 werd platgebrand. Het gebouw werd door de communisten herbouwd met appartementen en is nu Joods eigendom.

Riga's voornaamste Holocaustmonument staat feitelijk buiten het gebied van het getto, een korte wandeling ten westen van de kruising tussen de Gogoļa iela en de Dzirnavu iela. Dit was de locatie van de Grote Koren Synagoge die in de drie jaar tussen 1868 en 1871 werd gebouwd, maar die op 4 juli 1941 in een paar uur werd verwoest. De Letse nationalistische milities hadden de hele dag op straat Joden opgepakt en hen naar de synagoge gedreven waar ze zich bij 300 vluchtelingen uit Litouwen voegden die beschutting hadden gezocht in de kelder. Allen werden levend verbrand in de synagoge. Na de oorlog maakten de communisten de restanten van de synagoge met de grond gelijk en legden zij rond die plek een park aan. De kelder met de geblakerde botten er nog in werd een vuilstortplaats. Pas in 1988 werd de plaats fatsoenlijk opgeruimd en kwam er een monument in de vorm van een andere grote steen, met een davidster. In wat er over is van de kelder is een plaquette aangebracht die is gewijd aan alle Joden die in Letland zijn omgebracht. Ernaast staat het nieuwste monument van Riga, een omvallende muur die overeind wordt gehouden door zeven zuilen met lijsten namen van Letten die Joodse levens hebben gered. De derde en laatste zuil bevat een gegraveerde beeltenis van Jānis Lipke, een vroegere dokwerker die zijn positie als aannemer bij de Duitsers gebruikte om 40 tot 50 Joden uit het getto te smokkelen naar schuilplaatsen op het platteland.

Het monument en het getto zijn bereikbaar met trolleybus 15 en bussen 18 en 18a die de Gogoļa iela afrijden, vlak na het monument stoppen en verder rijden door het getto, over de Firsa Sadovṇikova iela en de Ludzas iela, waarop een aantal haltes liggen. Ze rijden terug over de Kalna iela, de noordelijke begrenzing van de getto's. Trams 3, 7 en 9 volgen de zuidelijke rand en ratelen over de Maskavas iela.

Andere plaatsen

Ten zuidwesten van het Holocaustmonument ligt het Riga Getto en Lets Holocaust museum dat op 21 september 2010 de deuren opende (zo-vr 9.00-18.00; vrijwillige bijdrage; www.rgm.lv). Het museum is nog volop in ontwikkeling en de aandacht gaat op dit moment vooral uit naar een openluchttentoonstelling waarin een lijst met namen is opgenomen van de meer dan 70.000 Letse Joden die in het Holocaust het leven lieten. In de loop der tijd zullen er ook exposities worden ingericht in het ernaast gelegen huis, dat van de oorspronkelijke plaats aan de Mazā Kalna iela in het getto hierheen is verplaatst en is herbouwd. Het museum ligt aan een binnenplaats tussen de Maskavas iela en de Krasta iela (de hoofdstraat langs de rivier de Daugava). De toegang ligt net ten westen van de kruising van de Krasta iela met de Turgeṇeva iela.

De enige nog bestaande synagoge van Riga ligt ten zuiden van de Oude Stad aan de Peitavas iela 6-8. De synagoge ontkwam aan verwoesting, omdat men bang was dat het vuur zou overslaan op naburige gebouwen in de smalle straten. De Duitsers gebruikten het gebouw daarna als pakhuis. Aan de nabijgelegen Peldu iela 15 lag het huis van Anna Alma Pole, bij wie zeven Joden ondergedoken zaten. Ze werden op 25 augustus 1944 ontdekt door de politie. Zij moest de SS te hulp roepen, omdat de gewapende Joden terugvochten. Sommige Joden werden ter plekke gedood, de anderen werden samen met Pole in de gevangenis doodgeschoten. Er is een gedenkplaat.

Het Museum van de bezetting van Letland (mei-sep: dag. 11.00-18.00, okt-apr: di-zo 11.00-17.00; toegang gratis; okupacijasmuzejs.lv/en) bevindt zich in een lelijk en tegelijk opvallend gebouw waarin vroeger een museum gewijd aan de pro-bolsjewistische Letse karabiniers was ondergebracht; dit gebouw ligt een straat naar het noorden toe, aan de Strēlnieku laukums. De tentoonstelling beslaat de Letse geschiedenis van

1940 tot 1991. De aandacht is onvermijdelijk vooral gericht op de Sovjetperiode, maar de nazibezetting en de Holocaust worden niet vergeten. Plaatselijke betrokkenheid bij de laatste wordt misschien afgezwakt, maar het museum probeert ernstig het dubbele ongeluk aan de orde te stellen waarmee zoveel mensen in Oost- en Centraal-Europa te maken kregen.

Een vooroorlogs Joods theater aan de Skolas iela 6 ten noordoosten van het centrum is nu het hoofdkwartier van de Joodse gemeenschap. Op de bovenverdieping is het Lets Joods Museum (zo-do 12.00-17.00; vrijwillige bijdrage; www.jewishmuseum.lv) gevestigd. De tentoonstelling is vrij klein (drie ruimtes) en heeft duidelijk een beperkt budget, maar in de derde ruimte voldoet het doeltreffend aan de taak de Holocaust in beeld te brengen. Er is een koosjer café in de kelder van het gebouw.

De goed onderhouden Joodse begraafplaats ligt 8 kilometer ten noordoosten van het centrum aan de Lizuma iela 4. De begraafplaats werd geopend in de jaren twintig en beschadigd door de Duitsers, hoewel er nog enkele graven van voor de oorlog zijn te vinden. Links van de ingang zijn gedenkstenen geplaatst voor Joden uit verscheidene Duitse steden. Verderop staat rechts een monument voor Jānis Lipke dat in 1990 is betaald door de Joodse gemeenschap. Bij enkele graven van slachtoffers van de Holocaust staan de namen van andere familieleden op de achterkant van de steen. De datum van overlijden is steeds 1941. De begraafplaats kan worden bereikt door trolleybus 4 te nemen tot het eindpunt. Loop terug in de richting waar de bus vandaan kwam, steek de drukke weg over en ga op de eerste kruising rechts de Lizuma iela in. Volg deze straat over het spoor, waarna rechts de muur van de begraafplaats zichtbaar wordt. Neem niet de eerste weg rechts met de pijl 4A, maar blijf rechtdoor de muur volgen tot na de lichte bocht de ingang zichtbaar wordt.

KAISERWALD

Concentratiekamp Kaiserwald werd in maart 1943 gevestigd in Mežaparks, een dorp aan de rand van Riga. De eerste gevangenen waren Duitse criminelen, maar algauw werd dit kamp samen met de Estse kampen het voornaamste interneringscentrum voor de nog levende Joden uit de Baltische staten. De laatste mensen uit het getto van Riga werden vanaf juni 1943 hierheen overgebracht en kregen in november van datzelfde jaar gezelschap van andere Letse Joden en vrouwen uit het getto van Vilnius. Ook werd een aantal Joden uit Hongarije en Polen in 1944 naar dit kamp gestuurd. Tegen maart 1944 telde de bevolking van Kaiserwald 11.878 personen van wie 95 niet-Joods. De gevangenen werden in Kaiserwald zelf en in een aantal subkampen als dwangarbeiders gebruikt, voornamelijk voor Duitse bedrijven in de regio Riga en met name voor het elektrobedrijf AEG. Andere gevangenen werden gebruikt voor het ruimen van mijnen in de frontlinie. De nadering van het Rode Leger was in augustus en september 1944 aanleiding voor de evacuatie van de gevangenen naar Stutthof, alleen niet voordat de Duitsers eerst al degenen hadden vermoord die niet geschikt werden geacht om te werken, die ooit waren veroordeeld voor een overtreding van de kampregels of die gewoon buiten de leeftijdsgroep 18-30 jaar vielen. Kaiserwald was leeg toen de Russen het op 13 oktober bevrijdden.

Mežaparks is allang opgeslokt door Riga en op de plaats van het kamp staan nu woningen, een kenmerkend voorbeeld van het verzuim van de Sovjetautoriteiten om fatsoenlijk de plaatsen te herdenken die verband hielden met Joods leed. Feitelijk werd pas in 2005 een monument voor Kaiserwald opgericht. Helaas is het minder indrukwekkend dan de andere moderne monumenten in het gebied van Riga: een stalen torentje in een driehoekige kuil ondersteunt los gerangschikte stukken geribd glas, alsof de kunstenaar de opdracht had gekregen iets te scheppen uit gevonden materiaal. Slechts een korte tekst aan de onderkant verklaart de context.

Het monument staat aan de Tilta iela, tussen de spoorlijn in het westen en de Viestura prospekts in het oosten. Het kamp werd begrensd door deze straten. Het kan worden bereikt door trolleybus 3 naar het eindpunt te nemen en dan nog ongeveer 250 meter verder te lopen over de Tilta iela tot na de spoorwegovergang. Wie een taxi neemt moet niet vragen naar 'Kaiserwald' of 'Mežaparks', omdat vrijwel niemand zich bewust is van het bestaan van het monument. Ze zullen de namen in verband brengen met het bos en het strand een paar kilometer verder naar het oosten.

Vraag in plaats daarvan naar de Russisch-orthodoxe kerk op de hoek van de Tilta iela en de Viestura prospekts die naast het monument ligt.

BIĶERNIEKI

Het bos van Biķernieki was de voornaamste moordlocatie voor de Joden van het Reich die naar Riga waren gestuurd. De duistere geschiedenis dateert van bijna het eerste ogenblik van de bezetting toen het de voornaamste locatie was voor het doodschieten van Joodse mannen die in juli 1941 waren gevangengenomen door Letse fascisten. Hoewel de massamoorden aan het eind van dat jaar in Rumbula plaatsvonden, werd hier in 1942 weer begonnen met doden. Algemeen wordt aangenomen dat tussen 1941 en 1944 40.000 Joden in Biķernieki werden doodgeschoten. Het bos werd ook gebruikt voor de moord op politieke gevangenen en Sovjet-Russische krijgsgevangenen, wat het totale aantal slachtoffers naar schatting op 46.500 brengt.

De plaats werd na de oorlog grotendeels verwaarloosd, hoewel de communisten in 1962 een herdenking toestonden in een weinig succesvolle poging de aandacht af te leiden van de Joodse druk om Rumbula te gedenken (zie volgende onderdeel), want het feit dat in Biķernieki ook niet-Joodse slachtoffers waren gevallen, maakte het iets acceptabeler voor de orthodoxe Sovjetbureaucratie. In het bos werden massagraven aangegeven, maar er was geen andere identificatie van slachtoffers dan een plaquette voor leden van de Komsomol (communistische jongerenorganisatie) die door de nazi's waren vermoord. Dit veranderde in 2001 met de oprichting van het zonder meer indrukwekkendste monument in de voormalige USSR dat grotendeels werd betaald door Duitse steden die samenwerkten met de gemeenteraad van Riga. De ingang ervan wordt gemarkeerd door twee zwarte gedenkstenen en een hoekige galerij. Het hoofdonderdeel is een afgedekte, altaarachtige zwartmarmeren kubus met citaten uit het boek Job en eromheen liggen velden met rotsblokken die de indruk wekken van menigten figuren. Op plaquettes bij de rotsblokken staan de namen van voornamelijk Duitse steden waaruit de slachtoffers kwamen. Paden voeren naar de massagraven in het bos die worden aangegeven door met gras bedekte verhogingen en stenen. Er ligt

Biķernieki (foto van Elizabeth Burns)

nog een andere groep massagraven aan de westelijke rand van het bos (loop van het herdenkingsgebied 630 meter over de hoofdweg terug en dan nog eens 700 meter naar het noorden over een pad door het bos – er staat een kaart op een gedenksteen aan het begin van het pad).

De herdenkingsplaats ligt aan de Biķernieku iela, een lange straat door de oostelijke buitenwijken van Riga. Het gedeelte waar het om gaat, is een stuk bosweg van ongeveer anderhalve kilometer tussen de Lielvārdes iela in het westen en de Stigu iela (oude naam Strautu iela) in het oosten. Het monument ligt ongeveer halverwege aan de zuidzijde van de bosweg. Bussen 15 en 16 stoppen bij de ingang, maar zijn niet praktisch als men uit het centrum komt (hoewel 15 ten slotte doorrijdt naar Rumbula). Het is misschien gemakkelijker om trolleybus 14 of 18 te nemen die aan beide uiteinden van het bos stoppen. Dan is het ongeveer 10 minuten lopen. De gemakkelijkste manier om zeker te zijn van de juiste locatie is tot na het bos in de bus blijven zitten waarbij het monument wordt gepasseerd. Vanaf die halte (bij saaie communistische flatgebouwen) kan men teruglopen. Daarna kan men vanaf het monument naar het westen en de andere massagraven lopen om vervolgens bij de halte na de kruising van de Biķernieku iela en de Lielvārdes iela weer de bus naar het centrum te nemen.

RUMBULA

De locatie die werd gekozen voor de vernietiging van de Joden van Riga was een bos, een paar kilometer ten zuiden van de stad. Minstens 25.000 mensen werden op 30 november en 8-9 december 1941 in Rumbula vermoord door *Einsatzgruppe A* en Letse hulptroepen. De slachtoffers die uitgeput waren door de mars vanuit de stad werden gedwongen zich in de vrieskou uit te kleden en in speciaal gegraven kuilen bovenop de lichamen te gaan liggen van de mensen die al waren doodgeschoten. Men neemt aan dat slechts drie mensen van de duizenden die naar het bos waren gestuurd, levend terugkwamen. Daarnaast werden honderden Joodse mannen in de zomer van 1944 op deze plaats vermoord tijdens de geleidelijke liquidatie van Kaiserwald. Bij de nadering van het Rode Leger trad in Rumbula *Aktion 1005* in werking waarbij verschillende grafkuilen werden geopend om de lijken te verbranden.

Het Sovjetleger verscheen op tijd om totale verwoesting van de locatie te voorkomen, maar de Sovjetleiders toonden vervolgens weinig belangstelling voor het onderhoud ervan. Rumbula werd bewust door de autoriteiten genegeerd als een pijnlijk symbool van uitsluitend Joods leed. Zelfs erover publiceren werd verboden. Deze systematische verwaarlozing was voor een groep jonge Joden uit Riga aanleiding om vanaf 1961 te beginnen met het opruimen van de plaats. Ze richtten hun eigen gedenktekens op die vervolgens weer door de staat werden verwijderd. De communisten gaven echter in 1964 gedeeltelijk toe en keurden de plaatsing van een klein monument goed, ook al moest daarbij het partijdogma worden gevolgd waardoor het de bijnaam 'het Arische compromis' kreeg. Een gepaster monument werd in 2002 onthuld. Een reusachtige sculptuur van verwrongen metaal die verwijst naar het symbool van de gebroken tak op Joodse grafstenen, steekt uit boven de hoofdweg om de afslag aan te geven. De oprukkende industrie, een andere tactloze erfenis van het communisme, heeft het bos van Rumbula grotendeels verwoest, maar het beboste heuveltje waar de moorden plaatsvonden is er nog. Het centrale herdenkingsgebied omgeven door massagraven bestaat uit een grote menora (weer gevormd uit verwrongen metaal) binnen een kring van puntige keien die zijn gerangschikt in de vorm van een davidster. Op de keien zijn de namen van slachtoffers gegraveerd, terwijl op de bestrating eromheen de straatnamen van het getto van Riga staan. Ernaast ligt het eenvoudige Arische compromismonument (gewijd aan de slachtoffers van het fascisme in het Lets, Russisch en Jiddisch) dat er nogal door wordt overschaduwd. Toch getuigt alleen al het bestaan ervan – in een tijd dat veel andere moordlocaties in de USSR, zoals Babi Jar, geen gedenktekens kregen – van de toewijding en moed van de Joodse activisten. Een pad loopt rond de linkerkant van de heuvel naar meer massagraven waarvan sommige pal naast het spoor liggen. Een trap voert omlaag naar het talud opzij van de treinrails.

Rumbula is gemakkelijk vanuit Riga te bereiken. Met de auto neemt men de hoofdweg A6/E22 vanuit de stad in zuidelijke richting. Het monument ligt ruim 11 kilometer ten zuiden van het centrum en de sculptuur van de gebroken tak aan de linkerkant van de weg is onmogelijk te missen. Hiermee wordt de route gevolgd die de Joden van Riga in 1941 te voet aflegden. Het meest rechtstreekse openbaar vervoersmiddel is de plaatselijke trein naar de halte Rumbula. Stap uit op het primitieve perron en loop langs het spoor terug in de richting van Riga. Na ongeveer 200 meter ziet men links een trap. Dit is de toegang tot de achterzijde van de herdenkingslocatie. Onderweg naar Rumbula passeert de trein het station Šķirotava waar normaal gesproken de Joden uit het Reich aankwamen. Het eerste transport uit Berlijn arriveerde op 30 november 1941. De 942 passagiers werden meteen naar Rumbula doorgestuurd. Naar schatting werden in 1941-1942 ongeveer 2000 oudere of verzwakte gedeporteerden in de buurt van Šķirotava doodgeschoten en begraven in kuilen waarover de Duitsers een nieuwe spoorlijn aanlegden.

Rumbula (Foto van Elizabeth Burns)

ANDERE LOCATIES

Het 'werk- en opvoedingskamp' Salaspils werd in begin 1942 aangelegd door 1500 Duitse Joden van wie meer dan twee derde bij de aanleg om het leven kwam. Er zijn aanwijzingen dat dit aanvankelijk was bedoeld voor Joden uit het Reich, maar het werd in plaats daarvan een kamp voor merendeels Letse politieke gevangenen, deserteurs en dwangarbeiders die op transport naar het Reich wachtten (in de buurt lag ook een apart krijgsgevangenenkamp). Schattingen van het aantal gevangenen lopen uiteen van 6000 tot 20.000 (kinderen inbegrepen). Enkele duizenden kwamen te overlijden. Kort na het dispuut over Rumbula werd om redenen die gemakkelijk te begrijpen zijn, besloten om van deze locatie de belangrijkste herdenkingsplaats te maken van de naziterreur in Letland.

Om dit te rechtvaardigen blies de Sovjetpropaganda rond de jaren tachtig het dodencijfer op tot 100.000. De herdenkingsplaats is uitzonderlijk: een open plek in het bos die wordt gedomineerd door grote betonnen beelden met namen als 'Het Rode Front' en 'Solidariteit'. De locatie ligt ten noorden van de plaats Salapils en circa 6 kilometer ten zuidoosten van Rumbula, aan de A6/E22. Het dichtstbijzijnde treinstation op ongeveer anderhalve kilometer van de locatie is Dārziņi, de eerstvolgende halte na Rumbula.

Daugavpils (Dvinsk) had voor de oorlog een Joodse bevolking van meer dan 11.000 zielen die grotendeels in de zomer van 1941 werd vermoord. De overlevenden moesten korte tijd een getto bewonen in het kleine fort (nu een gevangenis) aan de zuidwestzijde van de rivier de Daugava, tegenover de citadel. Het belangrijkste nog bestaande spoor van Joods leven is de synagoge aan de Cietokšņa iela 38 die nog niet zo lang geleden is gerestaureerd met financiële hulp van de kinderen van de beroemdste zoon van Dvinsk, de schilder Mark Rothko. De belangrijkste moordlocatie was het bos van Poguļanka. Dit wordt aangegeven met een monument naast de P67 die in noordelijke richting de stad verlaat (de plaats ligt rechts van de weg even nadat de Daugavas iela wegdraait van de rivier en de Rīgas šoseja wordt). De gemakkelijkste manier om de locatie te vinden is te informeren bij de plaatselijke Joodse gemeenschap (www.dvinsker.lv).

Liepāja (Libau) had in juni 1941 een Joodse bevolking van rond 6500 zielen. Tegen de tijd dat een jaar later een getto werd ingericht, waren er nog 832 in leven (de meesten van hen werden in 1943 naar Kaiserwald gestuurd). Massamoorden hadden rond de stad plaatsgevonden, maar het schandaligste bloedbad had zich tussen 15 en 17 december 1941 voltrokken in de duinen van Šķēde. Daar moesten 2749 mensen (voornamelijk vrouwen en kinderen) zich in het ijskoude winterweer uitkleden waarna ze door de Duitsers en hun Letse hulptroepen werden vermoord. Bezoekers van welk Holocaustmuseum dan ook zullen de beruchte foto's hebben gezien van de naakte vrouwen die stonden te wachten op hun executie. Na de oorlog richtten de Sovjets een obelisk op die in 2005 werd aangevuld met een verbazingwekkend nieuw monument in de vorm van een groep onderling verbonden gebogen muren die een menora vormen. De monumenten liggen dicht bij de waterbehandelingsinstallatie, opzij van de Viestura iela, een aantal kilometer ten noorden van de stad. Een andere moordlocatie was de visverwerkingsfabriek op de hoek van de Roņu iela met de Zvejnieku aleja, bij het Olimpija stadion. Vlak bij de Lielā iela, in het centrum, markeert een plaquette aan de Tirgoņu iela 22 het huis van Robert en Johanna Seduls die 11 Joden redden door hen twee jaar in hun kelder te verborgen te houden. Een gedenkmuur op het Joodse gedeelte van het Līvas kerkhof aan de Cenkones iela in het zuiden somt de namen op van 6423 Joden uit Liepāja die door Hitler en Stalin werden vermoord.

13

Estland

Vergeleken met de Baltische buurstaten had Estland een kleine Joodse bevolking. Toch was het land voorbestemd om een belangrijke rol in de Holocaust te spelen als de vestigingsplaats van een netwerk van beruchte concentratiekampen die bijzonder belangrijk zouden zijn voor het lot van de Litouwse Joden. Pas in de negentiende eeuw vestigden zich Joden in Estland en rond 1930 telde de bevolking minder dan 5000 mensen. Joden werden onevenredig vervolgd na de bezetting door de Sovjets in 1940, want onder de 10.000 Esten die iets meer dan een week voor de komst van de Duitsers werden gearresteerd om naar de goelag te worden gestuurd, bevonden zich 500 Joden. Het merendeel van de resterende Joden kon naar Rusland vluchten, zodat er nog slechts ongeveer 1000 over waren toen de Duitsers arriveerden. Vrijwel iedereen van deze laatste groep werd vermoord. In januari 1942 rapporteerde *Einsatzgruppe A* dat in Estland 936 Joden waren gedood en dat het land nu '*Judenfrei*' was.

Vanaf de herfst van 1942 werden echter duizenden Joden naar Estland gestuurd die in 1943 en 1944 vooral uit de getto's van Litouwen kwamen. Het hoofdkamp was officieel Vaivara, in het oosten van het land, maar dat deed hoofdzakelijk dienst als doorgangskamp waarin de meeste gevangenen een korte tijd doorbrachten voordat ze werden doorgestuurd naar grotere kampen, waarvan Klooga bij Tallinn het bekendst was. Gevangenen werden gebruikt voor dwangarbeid, voornamelijk voor militaire doeleinden, wat onvermijdelijk zijn tol eiste van mensen die al maanden of jaren in getto's of andere kampen hadden doorgebracht.

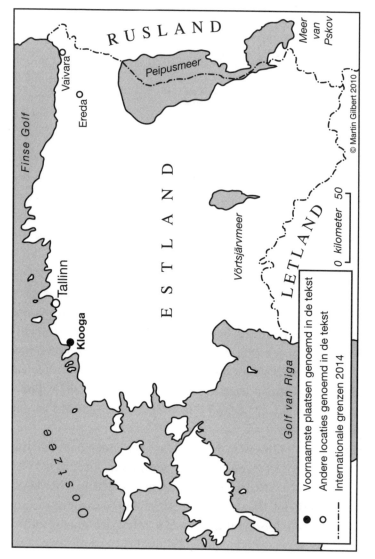

Toen het Rode Leger in de zomer van 1944 dichterbij kwam, werden velen per schip over de Oostzee naar Stutthof gebracht. Degenen die achterbleven werden vermoord.

Zelfs naar Sovjetnormen werd er na de oorlog weinig gedaan aan herdenken van de Holocaust, een patroon dat grotendeels werd herhaald in het tijdperk na de onafhankelijkheidsverklaring toen de aandacht vooral was gericht op de communistische tirannie. De Estse regering is nu in samenwerking met de Amerikaanse Commission for the Preservation of America's Heritage Abroad en de Britse Holocaust Educational Trust gedenktekens aan het plaatsen op 22 locaties die kampen en massagraven vertegenwoordigen. De eerste vijf gedenktekens werden in 2005 opgericht en het project loopt door.

KLOOGA

Klooga is het bekendst van de Estse kampen: door de omvang en de vreselijke gebeurtenissen die daar in september 1944 plaatsvonden. Het kamp werd in de zomer van 1943 opgezet en de meeste bewoners waren overlevenden van het getto van Vilnius die in augustus en september van dat jaar naar Vaivara waren gestuurd. Ze werden ondergebracht in aparte kampen voor mannen en vrouwen, elk met een groot gebouw van twee verdiepingen voor de gevangenen (ongeveer 100 Sovjet-Russische krijgsgevangenen zaten ook in het mannenkamp). De mannen werkten in cement- en steenfabrieken of in zagerijen onder onvermijdelijk de meest slopende omstandigheden (300 mannen moesten van de fabriek naar het spoorwegstation rennen met elk een zak cement van 50 kg op hun rug), terwijl vrouwen in steengroeven rond het kamp zwoegden. De voedselrantsoenen waren schraal en er was geen avondmaaltijd. Gevangenen die erin waren geslaagd een beetje voedsel overdag te verbergen, konden het slachtoffer worden van een SS-bewaker die de bijnaam 'Zes benen' had, omdat hij een grote hond bij zich had die was getraind hen aan te vallen. Degenen die andere kleine overtredingen tegen de kampregels begingen, werden onderworpen aan lijfstraffen tijdens het appèl. De ongelukkige slachtoffers werden vastgebonden op een gebogen bank en werden geslagen met een berkenroede en bizar genoeg ook met een stierenpenis die

Klooga (Foto van Elizabeth Burns)

was versterkt met staal. Het te zware werk en het gebrek aan voedsel en water leidden onvermijdelijk tot ernstige ziekten die werden behandeld door de 'gezondheidsofficier' van het kamp, dokter Franz von Bodman, die vergif toediende aan de degenen die volgens hem niet te genezen waren. Medische verzorging was in Klooga niet beschikbaar.

Aangezien er in het kamp veel overlevenden zaten uit de ondergrondse van Vilnius, was er een verzetsbeweging die aan wapens kon komen, maar door de snelle wisseling van gevangenen was het erg moeilijk om tot een efficiënte organisatie te komen, terwijl de wetenschap dat de Sovjets eraan kwamen, velen ertoe bracht hun tijd af te wachten. De gevangenen werden dus volledig verrast toen op 19 september 1944 na de militaire nederlaag van Duitsland in Estland werd begonnen met de liquidatie van het kamp. Omsingeld door de SS werden ze in groepen naar het bos gebracht en doodgeschoten. Het feit dat de eerste groep bestond uit 300 van de gezondste mannen die werden geroepen om brandhout te dragen, wekte een vals gevoel van veiligheid. Het hout bleek te worden gebruikt om de lichamen op te stapelen tot brandstapels die meteen in brand konden worden gestoken om bewijsmateriaal te vernietigen. Toen het Rode Leger op 28 september arriveerde, vonden ze drie nog smeulende vuren en een vierde dat de Duitsers niet op tijd hadden kunnen aansteken. Ongeveer 2500 mensen werden in Klooga afgeslacht, 2400 Joden en 100 Russische soldaten. Slechts 82 slaagden erin te overleven door zich in het kamp te verschuilen of het bos in te rennen.

Ondanks hun haast om weg te komen was de SS in staat het kamp grotendeels te vernietigen, zodat de locatie nu bijna helemaal bos is. Het kamp wordt wel herdacht met drie monumenten. Komend vanaf de spoorlijn staat het nieuwe monument – een diagonale steen van zwart marmer met teksten in het Hebreeuws, Ests en Engels – links op enige afstand van het pad. Iets meer dan 100 meter verder over het pad ligt weer links een verhoogde aarden wal met een rand van beton. Dit is het massagraf van de slachtoffers dat wordt gemarkeerd door een Sovjetmonument uit 1951 en dat voorspelbaar is gewijd aan 'slachtoffers van het fascisme'. Er zijn echter nieuwe gedenkplaten aan toegevoegd die zeer duidelijk uitleggen dat hier ongeveer 2000 Joden begraven liggen die op

19 september 1944 door de nazi's werden vermoord. Een paar meter verder ligt rechts van het pad een grote weide met een specifiek Joods monument dat in 1994 werd opgericht. Dit eert niet alleen de slachtoffers van Klooga maar alle Joden die in Estland werden vermoord.

De eenvoudigste manier om in Klooga te komen is de trein vanaf het centraal station Tallinn te nemen naar halte Klooga Aedlinn (niet Klooga). Steek het spoor over naar het bos in het noorden. Volg de bocht naar rechts het zandpad op dat dan bijna meteen linksaf buigt naar het noorden. Na 5 minuten lopen is het nieuwe monument aan de linkerkant zichtbaar. Met de auto neemt men weg 8 van Tallinn naar Paldiski. Meteen nadat de weg bij het dorp Klooga over het spoor is gegaan, wijst een bord naar de monumenten. Omdat men nu van het noorden komt, is de route omgekeerd aan wat hierboven staat. Na ongeveer 2 kilometer over de bosweg is dus als eerste het Joodse monument links op een open plek zichtbaar.

ANDERE LOCATIES

De gevangenis Patarei van Tallinn, ten noorden van het spoorwegstation aan de Kalaranna, vormde in 1941 de locatie van de executie van 207 Estse Joodse mannen en in 1944 ook van Franse Joden. De laatsten maakten deel uit van konvooi 73 uit Drancy dat naar Kaunas werd gestuurd en waarvan sommigen in Fort IX '*Nous sommes 900 français*' op de muur krasten. Een gedeelte van de voormalige gevangenis (die pas in 2002 werd gesloten) is geopend als een nogal macabere toeristische attractie (www.patarei.org) maar de aandacht gaat vooral uit naar de rol ervan onder de KGB. De toon is niet overal even somber. Er zijn gedenkplaten aan de zuidoostelijke muur voor de Estse en Franse Joden en er is ook nog een gedenkteken voor de slachtoffers van het communisme, maar deze zijn niet toegankelijk. Volg de Kalaranna vanaf de hoofdingang naar het oosten tot deze naar links draait en een met keien bestrate inrit wordt. Vooruit liggen twee poorten en een wachttoren. De gedenktekens zijn door de poorten te zien. In Tallinn is ook de indrukwekkende Nieuwe Synagoge (2007) van de kleine Joodse gemeenschap een bezoek waard. Het gebouw met een opvallende glazen gevel ligt aan de Karu 16, ten oosten van de Oude Stad.

Er zijn weinig overblijfselen van de concentratiekampen die nu veelal beboste gebieden zijn. Het speciale project om de Holocaust zichtbaarder te maken moet hierin verandering gaan brengen, maar het kan nog enige tijd duren voordat ze allemaal herdacht worden. Vaivara wordt aangegeven door een grote zwerfkei en een van de nieuwe monumenten. Het dorp ligt bij Sillamäe in de buurt van de E20, richting Rusland. Wanneer men van de E20 naar het zuiden rijdt, liggen de monumenten kort na de spoorwegovergang links bij een groepje bomen.

Het enige andere kamp met een gedenkteken van betekenis is Ereda, ook in het oosten van het land. Er staat een nogal interessant Sovjetbouwwerk uit de jaren 1960. Ervoor is een van de nieuwe gedenktekens geplaatst. De monumenten worden bereikt over een bospad ten westen van de weg van Kohtla-Järve naar Ereda, vlak na het dorp Sompa. Men kan ook de E20 bij Jõhvi verlaten en door Sompa naar het westen rijden.

14

Wit-Rusland

Wit-Rusland bezat een van de grootste Joodse bevolkingen van Europa en het was de bestemming van tienduizenden gedeporteerden uit het Reich. Anders dan in de rest van het continent was hier ook sprake van een van de opmerkelijkste voorbeelden van langdurig en wijdverbreid Joods verzet tegen de nazi's.

De gebieden van het moderne Wit-Rusland maakten in de dertiende eeuw deel uit van Litouwen waardoor belangrijke Joodse gemeenschappen ontstonden. Na de deling van het Pools-Litouwse gemenebest aan het eind van de achttiende eeuw kwam het hele land onder Russisch bestuur. In de daaropvolgende eeuw werd de Joodse bevolking meer dan tien keer zo groot en zij kwam bij de volkstelling van 1897 boven de 700.000 uit. Bijna alle grote steden, waaronder Minsk, hadden een overwegend Joodse bevolking, terwijl de meeste kleine steden vrijwel geheel Joods waren. De wereld van deze *sjtetls* wordt het duidelijkst opgeroepen in de schilderijen van Marc Chagall (Movsja Zacharovitsj Sjagal) die in 1887 in de buurt van Vitebsk werd geboren. De Joden van Wit-Rusland werden door anderen en gewoonlijk ook door zichzelf beschouwd als Litwaks (Litouwse Joden), omdat ze ook dat Jiddische dialect spraken en net als hun buren religieus orthodox waren (wat tot uiting kwam in de beroemde jesjiva's, met name in Volozhin en Mir), hoewel het chassidisme in het zuiden en oosten bressen had geslagen.

De afwezigheid van een specifiek Wit-Russische Joodse identiteit was symptomatisch voor de onzekerheid over de mate waarop Wit-Rusland bestond als een afzonderlijke eenheid. Er was immers sprake van een

Wit-Rusland

historische wedijver tussen Rusland en Polen om dit gebied in bezit te krijgen en die kwam na de Eerste Wereldoorlog weer bovendrijven toen het westelijke gebied werd ingelijfd door Polen en het oostelijke door de Sovjet-Unie. Het leven in de eerste regio ging voort zoals vroeger, al kreeg men vanaf circa 1935 te maken met een groeiend antisemitisme in de Poolse politiek. In de Sovjet-Russische zone waren de veranderingen ingrijpender. In theorie hadden Joden gelijke burgerrechten en tot het begin van de jaren dertig een zekere mate van autonomie. Het religieuze leven werd daarna echter aangepakt – bijna alle synagogen en jesjiva's werden gesloten – en Joodse zaken werden net als alle andere genationaliseerd. Meer in het algemeen versnelde de vlugge industrialisatie de Russische en Wit-Russische invloed in de steden, een proces dat in de laatste jaren van het tsarisme was begonnen. Hoewel het stalinisme nog niet expliciet antisemitisch was geworden, werden vele duizenden Joden vanaf het midden van de jaren dertig het slachtoffer van de Grote Zuivering. Met soortgelijke ontwikkelingen kreeg ook westelijk Wit-Rusland te maken toen het in september 1939 werd geannexeerd onder de bepalingen van het Molotov-Ribbentroppact. Desondanks werd de stalinistische overheersing door velen verwelkomd, omdat ze het als een garantie van veiligheid tegen Hitler beschouwden.

Deze veronderstelling zou in juni 1941 blijken te berusten op een tragische vergissing. Omdat het op de route lag van de voornaamste Duitse opmars richting Moskou, viel het grootste deel van Wit-Rusland tegen het eind van de maand. Aan de vooravond van de inval woonden meer dan een miljoen Joden in het land met bijna twee derde in de voormalige Poolse provincies. Massamoorden door *Einsatzgruppen* begonnen in juli. Het aanvankelijke tempo van de executies lag lager dan in Litouwen, althans in het westen van het land, maar moordgolven aan het eind van dat jaar en vanaf de daaropvolgende lente hadden tot gevolg dat de meeste Wit-Russische Joden tegen het eind van 1942 niet meer leefden. De bloedbaden vonden over het algemeen plaats in bossen en op velden buiten stedelijke centra, maar eind 1941 werd in Maly Trostenets bij Minsk een vernietigingskamp opgezet. Dit kamp speelde ook een belangrijke rol bij de moord op 55.000 of meer Joden uit het Reich die vanaf november

1941 naar Wit-Rusland werden gestuurd. Een klein aantal getto's, waaronder dat van Minsk, bleef tot in 1943 bestaan, echter in de herfst van dat jaar werden ook die vernietigd. Schattingen van het dodencijfer variëren, en dat is zeker ook een gevolg van het feit dat de meeste slachtoffers in de westelijke provincies woonden en dus vaak bij de cijfers voor Polen worden geteld, maar in de gebieden van het moderne Wit-Rusland werden minstens 800.000 Joden vermoord.

Dit getal zou hoger zijn uitgevallen als de Joden niet zelf verzet hadden geboden. In veel getto's, en in dat van Minsk in het bijzonder, ontstonden ondergrondse groepen die vooral wilden ontsnappen naar partizaneneenheden in de wouden die een aanzienlijk deel van Wit-Rusland bedekken. De opmerkelijkste van deze eenheden werd geleid door de gebroeders Bielski, in de regio Navahroedak. Deze speciale Joodse partizanengroep nam niet alleen potentiële strijders op, maar alle Joden die erin slaagden de wouden te bereiken – kinderen, ouden van dagen, zieken – en zij beschermde hen gedurende de rest van de bezetting. In totaal bleven tot de bevrijding in 1944 ruim 1200 mensen in leven in het familiekamp van de Bielski's, een aanzienlijk percentage van de minstens 25.000 Joden die in de wouden onderdoken. Deze inspanningen hadden in combinatie met de terugkeer van ballingen uit andere republieken tot gevolg dat Wit-Rusland gedurende een groot deel van de naoorlogse periode een Joodse bevolking bleef houden van meer dan 100.000 zielen. De moderne gemeenschap telt waarschijnlijk minder dan 50.000 personen.

Hoewel vlak na de oorlog in Minsk een speciaal Joods monument werd opgericht, was de herdenking van de Holocaust aan dezelfde beperkingen onderworpen als in de rest van de USSR. Wat het land ontmoedigend uniek maakt, is dat die beperking zelfs tegenwoordig nog steeds algemeen het geval is. Enkele expliciet Joodse monumenten werden opgericht in de korte opleving van liberalisme in het begin van de jaren negentig, maar sinds president Loekasjenko aan de macht kwam, is er minder vooruitgang geboekt. De regering is ook doorgegaan met de politiek van het vernielen van historisch Joods eigendom om plaats te maken voor overheidsprojecten. Als gevolg daarvan zijn zelfs naar de normen van de vroegere USSR Holocaustmonumenten en locaties die verband houden met het Joodse erfgoed buiten Minsk in het algemeen verwaar-loosd en moeilijk te vinden.

Hoewel voor de meeste burgers Russisch de eerste taal is, zijn alle straatnaamborden en de meeste kaarten in het Wit-Russisch. Daarom is ook die taal in dit hoofdstuk gebruikt voor plaatsnamen. Enige uitzonde-ring is Maly Trostenets, aangezien vrijwel alle historici deze Russische naam gebruiken.

MINSK

Het getto van Minsk was het grootste van de Sovjet-Unie. Waarschijnlijk wekt dit geen verbazing, aangezien dit ooit de grootste stad ter wereld was met een in meerderheid Joodse bevolking. Een Joodse aanwezigheid werd voor het eerst gedocumenteerd in de vijftiende eeuw, maar pas in de negentiende eeuw nam die heel snel toe. Bij de eerste tsaristische volkstel-ling van 1897 telde de Joodse gemeenschap 47.560 mensen (52% van de bevolking). Dat aantal bleef groeien, maar de Joden vormden niet meer de meerderheid door de demografische veranderingen die volgden op de Russische Revolutie. Die laatste had ook een directere invloed op het Joodse leven, omdat aan het eind van de jaren twintig op één na alle sy-nagogen werden gesloten (deze enig overgebleven synagoge werd aan het eind van de jaren zestig gesloopt), hoewel bepaalde vormen van culturele autonomie, zoals Jiddische scholen en theaters, werden toegestaan. Aan het eind van de jaren dertig groeide de Joodse bevolking snel: schattingen voor juni 1941 lopen uiteen van 80.000 tot 90.000. Dit was deels terug te voeren op de snelle verstedelijking onder Stalin (de totale bevolking van de stad liep tegen de 300.000), maar het kwam eind 1939 voorname-lijk door de stroom vluchtelingen uit Polen.

Minsk viel op 28 juni 1941 voor de Duitsers. Het moorden begon bijna meteen en het bevel voor het instellen van een getto werd op 20 juli 1941 uitgevaardigd, eerder dan in de meeste andere Sovjetsteden. In te-genstelling tot andere plaatsen werd het getto niet afgesloten met een muur maar met prikkeldraad, waarachter ongeveer 100.000 mensen za-ten opgesloten. Grote *Aktionen* in augustus leidden tot de moord op 5000 Joden. In deze periode bracht Himmler in eigen persoon een bezoek aan de stad en hij was zichtbaar geschokt nadat hij getuige was geweest van een massale schietpartij. Hierna werd door de SS meer haast gemaakt met het zoeken naar een gemakkelijkere moordmethode. Bij verdere *Aktionen* in november werden 19.000 mensen gedood om plaats te maken voor Joden uit het Reich die zich vestigden in het oostelijke deel van het getto. Veel van de nieuwkomers – bijgenaamd 'Hamburgers' naar de oorsprong van het eerste transport – werden zelf rechtstreeks naar Maly Trostenets gestuurd, maar enkele duizenden werden ondergebracht in Minsk en (deels vrijwillig) van de rest van het getto gescheiden. In april en juli 1942 vonden er weer meer massamoorden plaats, waarbij de meeste Joden uit het Reich zich onder ongeveer 30.000 mensen bevonden die in de laatste maand werden vermoord. Een onophoudelijke campagne in 1943 om het aantal terug te brengen zorgde ervoor dat er in de zomer nog maar nauwelijks 8000 mensen in leven waren. In de herfst maakten transporten naar Sobibór en Maly Trostenets definitief een eind aan het getto.

De nazi's waren echter niet in staat het Jodendom van Minsk volledig uit te schakelen door de inspanningen van de getto-ondergrondse die eerder dan in vrijwel alle andere steden al in augustus 1941 werd opgericht. Het verzet liet 10.000 mensen naar de wouden ontsnappen, hoewel veel van hen er niet in slaagden de oorlog te overleven. De ondergrondse werd geholpen door de *Judenrat* die voor geld, kleding, schuilplaatsen en vervalste papieren zorgde. Feitelijk was de *Judenrat* van Minsk betrekkelijk ongewoon, omdat die over het algemeen het vertrouwen genoot van de inwoners. De leden die schijnbaar bijna lukraak waren gekozen, kregen sympathie voor hun niet echt benijdenswaardige taken. Dit gold met name voor de eerste voorzitter Ilya Mushkin (naar men aanneemt alleen uitgekozen omdat hij Duits sprak) die een actief aanhanger was van het verzet en die algemeen werd beschouwd als een goede man die zijn best deed onder onmogelijke omstandigheden. Hij werd in februari 1942 opgehangen.

De Joodse gemeenschap bloeide na de oorlog weer enigszins op met een bevolking van ruim 50.000. Dit was deels het gevolg van een migratie uit kleinere steden en andere republieken. De huidige gemeenschap telt minder dan de helft van dat aantal, maar is sinds de ineenstorting van het communisme weer een beetje aan het groeien, ondanks de problemen die de staat af en toe veroorzaakt. Minsk zelf werd bijna volledig in een stalinistische stijl herbouwd na de enorme schade die de oorlog had aangericht, maar enkele restanten van het Joodse verleden zijn bewaard gebleven.

Het getto

Ofschoon veel van de materiële onderdelen van het getto de oorlog hadden overleefd (ironisch genoeg was het een van de weinige gebieden van Minsk waarvoor dit gold), is er nu weinig van over en is de wijk al sinds lang overgenomen door betonnen torenflats. Een goed voorbeeld is Jubiliejnaja ploshcha (Jubileumplein – de oostelijke uitgang van metrostation Frunzienskaja) dat in het hart van het getto lag. De enige verwijzing naar het verleden is een kleine gedenksteen op de hoek met de Raka skaja vulica (tegenover het gebouw van de Wit-Russische Potas Maatschappij).

Een veel indrukwekkender monument is te vinden door de vulica Miel'nikajte (in de oorlog Ratomskaya) ten noorden van het Jubileumplein naar de kruising met Zaslaúskaja vulica af te lopen waar de *Yama* (kuil) de plaats was van het afschuwelijkste bloedbad in de geschiedenis van dit getto. Op 2 maart 1942 (Poerim) werden hier 5000 mensen vermoord, onder wie de kinderen uit het weeshuis dat aan de Špaliernaja vulica stond. De kinderen werden in de kuil gegooid en levend begraven terwijl de Duitse bestuurder Wilhelm Kube snoepjes naar hen gooide. Toen de operatie was afgerond, ging de Duitse groep waarvan ook Eichmann deel uitmaakte, naar het Jubileumplein waar een lunch klaarstond. Later die dag werden veel arbeiders die thuiskwamen van het werk uitgekozen en doodgeschoten om het aantal vol te maken. Ongebruikelijk voor de USSR werd dit bijna meteen na de oorlog een herdenkingsplaats. Nog ongebruikelijker was de plaatsing van een obelisk in de diepe kuil die niet alleen een Jiddische tekst bevatte, maar ook vermeldde dat de slachtoffers Joden waren. In de jaren negentig is dit aangevuld met een opmerkelijke en aangrijpende groep gebeeldhouwde figuren die naast de trap in de kuil afdalen. Plaquettes op een gestileerde menora geven de

Minsk: Yama monument (foto van de auteur)

namen van mensen die het project hebben gesteund. Aan de zijkant ligt de *Aleja Pravednikaú Susvetu* (Laan van de Rechtvaardigen), een rijtje bomen dat is aangeplant om de Wit-Russen te eren die Joodse levens hadden gered.

Een ander belangrijk monument is te vinden op de voormalige Joodse begraafplaats die de zuidelijke begrenzing van het getto vormde en die ook het toneel was van massamoorden. Nogal voorspelbaar was dat de communisten de begraafplaats ruimden en een gedeelte ervan in een park veranderden. Het door Duitsland betaalde monument dat begin jaren negentig werd opgericht, staat net binnen het park aan het eind van de Suchaja vulica (ten zuiden van het Jubileumplein). Drie stenen herdenken de vermoorde Joden uit Bremen, Hamburg en Düsseldorf. Los gerangschikt ernaast liggen teruggevonden grafstenen uit de oorspronkelijke begraafplaats.

Het enige gedeelte van het getto dat nog bewaard is gebleven, ligt rond de Rakaŭskaja vulica (Rakovskaya in het Russisch, Ostrovskaya in de oorlog) die van het Jubileumplein naar het oosten loopt. De robuuste negentiende-eeuwse gebouwen vallen in het bijzonder op bij de kruising met de vulica Vyzvaliennia en met de Viciebskaja vulica. Dit was het gebied van het getto dat in november 1941 werd leeggehaald om plaats te maken voor de Duitse Joden. Het gelige gebouw op de noordwestelijke hoek aan de Rakaŭskaja vulica 24 is nu een school en was ooit de Zalcman Synagoge, hoewel deze al in de jaren twintig niet meer als zodanig in gebruik was. Het bakstenen gebouw op de noordoosthoek gaf onderdak aan een verscheidenheid van Joodse instituten en stond bekend om de opmerkelijke deur aan de kant van de Rakaŭskaja vulica, waarvan het snijwerk van het houten kozijn een grote *mezoeza* bevatte. Dit werd in de jaren negentig een soort toeristische attractie voor Joodse bezoekers aan Minsk, maar de huidige eigenaar liet die verwijderen – een gedeelte is te zien in het Joods Museum. Het Rokavskiy Brovar restaurant aan de Viciebskaja vulica 10 is gevestigd in een voormalige jesjiva, terwijl iets ten oosten van het kruispunt Rakaŭskaja vulica 19 een Joods trouwhuis was.

Andere plaatsen

Vanaf het gebied van het getto ligt aan de overkant van de rivier de Svislač de wijk Troitskoye Predmestie (Drievuldigheidswijk), een blok gerestaureerde negentiende-eeuwse gebouwen. Daar maakt ook de voormalige Kitayevskaya Synagoge aan de vulica Maksima Bahdanoviča 9A deel van uit waarin nu het Huis van de Natuur is gevestigd. Om van daaruit bij het getto te komen volgt men de vulica Niamiha (de oostgrens van het getto) naar het noorden en steekt men de brug over. De wijk is de groep huizen links van de weg meteen ten noorden van de brug. De synagoge ligt aan een binnenplaats die bereikbaar is via een steeg tussen nummer 9 en 11.

De enige, nu nog dienstdoende synagoge is de negentiende-eeuwse Hoofdsynagoge aan de vulica Daŭmana 13B (tram 5 naar de eerste halte op de vulica Daŭmana). Het hart van de moderne gemeenschap is echter de Joodse Campus van Minsk (www.meod.by) gelegen in een moderne groep gebouwen aan de vulica Viery Charužaj 28, ten noordoosten van de synagoge, en een betrekkelijk korte wandeling naar het westen vanaf de halte voor bussen 29, 38, 44 en 59 en trolleybussen 12 en 22 aan de vulica Maksima Bahdanoviča. Hierin is het Wit-Russische Museum voor Joodse Geschiedenis en Cultuur gevestigd (vrijwillige bijdrage) dat slechts een enkele ruimte in beslag neemt, maar beschikt over interessante stukken. Het museum krijgt betrekkelijk weinig bezoekers en schijnt geen vaste openingsuren te hanteren, dus is het waarschijnlijk verstandig om van tevoren een bezoek te regelen (jewish_museum@mail.ru), hoewel een westerling die gewoon komt opdagen, waarschijnlijk wel wordt toegelaten.

Voor een totaal andere benadering van de Wit-Russische geschiedenis kan men een bezoek brengen aan het Staatsmuseum van de Geschiedenis van de Grote Patriottische Oorlog (di-zo 10.00-17.00; BYR 5000; metrostation Kastryčnickaja) gevestigd in een saai betonnen gebouw aan het Kastryčnickaja plošča (beter bekend onder de Russische naam Oktyabrskaya ploshchad, oftewel Oktoberplein). De uitgebreide tentoonstelling heeft geen toelichting in andere talen, maar de foto's en voorwerpen hebben meestal geen nadere uitleg nodig. Er is een kleine afdeling over de vervolging van de Joden, terwijl Maly Trostenets wordt vertegenwoordigd door een diorama en een collectie voorwerpen die ter plaatse zijn verzameld, waaronder een pot gevuld met aarde en botten.

Aan de vulica Valadarskaha 5, verder naar het zuiden en opzij van het stalinistische pronkstuk praspiekt Niezaliežnasci, ligt het Maxim Gorky Theater, dat ooit de Koren Synagoge was en dat algemeen werd beschouwd als de mooiste van Minsk. Na de revolutie werd er een arbeidersclub van gemaakt en daarna een bioscoop voordat het in 1930 het Joodse Theater werd. De oorlogsschade was aanleiding voor de bouw van de huidige neoklassieke gevel, maar het bleef tot 1948 functioneren als een specifiek Joods instituut met voorstellingen in het Jiddisch. In feite zou het theater zelf ongewild een rol spelen bij het opkomend antisemitisme van eind jaren veertig. Solomon Mikhoels, de legendarische directeur/acteur en voorzitter van het Joodse antifascistische comité, werd in januari 1948 in Minsk vermoord, nadat hij uit Moskou was gekomen om een voorstelling bij te wonen. Kort daarna werd het een Russisch theater en werd het vernoemd naar Gorky.

Uit deze gebeurtenissen bleek de expliciet anti-Joodse politiek die Stalin in zijn laatste jaren volgde, een politiek die onvermijdelijk gevolgen had voor de herdenking van de oorlog en de Holocaust. Een duidelijk voorbeeld is te vinden aan de Kastryčnickaja vulica (een korte wandeling van metrostation Pieršamajskaja). Een muurplaquette bij de ingang van de gistfabriek op nummer 16 herdenkt drie communistische partizanen die hier in oktober 1941 werden geëxecuteerd. Dit is een van de bekendste voorvallen uit de bezetting en krijgt ook volop aandacht in het Museum van de Grote Patriottische Oorlog. Net als op de plaquette worden de martelaren steeds aangeduid met Kiril Trus, Volodia Shcherbatsevich en een 'onbekende vrouw' – ook al kent heel Minsk de naam van de vrouw: Masha Bruskina, een zeventienjarige Jodin die als verpleegster werkte en die gewonde soldaten van het Rode Leger uit het hospitaal hielp ontsnappen. Ondanks onweerlegbaar bewijs van haar identiteit en campagnes van de plaatselijke Joodse gemeenschap, hebben de autoriteiten al zes decennia volgehouden dat ze onbekend blijft.

In het uiterste noordwesten ligt een herdenkingspark met massagraven op de plaats van het krijgsgevangenenkamp Masiukoúščyna waarin 80.000 soldaten van het Rode Leger hebben gezeten. Het ligt op de hoek van de vulica Cimirazieva en de Naračanskaja vulica (bus 60, 73, 130, 555 en 576 naar 2-ja Haradskaja Dzicjačaja Bal'nica). Šyrokaja was een nog beruchter kamp, aan de straat met dezelfde naam in het noorden van Minsk. Er hebben tienduizenden Joden en krijgsgevangenen opgesloten gezeten; niemand van hen heeft het overleefd.

MALY TROSTENETS

Van alle vernietigingskampen van de nazi's is het minst bekend over Maly Trostenets (Maly Trascianiec in het Wit-Russisch). De voormalige collectieve boerderij Karl Marx werd aanvankelijk in de herfst van 1941 verbouwd tot werkkamp, maar al gauw werd het een dodenkamp, ook al is het exacte tijdstip niet helemaal duidelijk. Joden uit het Reich werden daar vanaf mei 1942 naartoe gebracht om te worden vermoord, maar de moorden in de buurt van Maly Trostenets begonnen al in november 1941 toen de meeste mensen van het transport uit Hamburg werden doodge- schoten. Net als bij andere vernietigingskampen werden de slachtoffers per trein aangevoerd. Nadat een klein aantal was uitgekozen om een *Son- derkommando* te vormen, werd de rest rechtstreeks de dood in gejaagd. Net als in Chełmno werden gasauto's gebruikt en geen vaste moordap- paratuur, hoewel de kogel ook een belangrijke moordmethode bleef. Het doodschieten vond voornamelijk plaats in het bos van Blagovshchina, een paar kilometer naar het oosten, tot in de herfst van 1943 het Shash- kovabos vlak naast het kamp een nieuwe moordlocatie werd. Het kamp zelf was het centrum voor de vergassingsoperaties (die schijnen te zijn begonnen in juni 1942) en voor het sorteren van de eigendommen van de slachtoffers. De doden werden door leden van het *Sonderkommando* (die zelf ook regelmatig werden geselecteerd om te worden gedood) begraven in kuilen.

Er zijn geen exacte gegevens bekend over het aantal en de identiteit van de slachtoffers van Maly Trostenets, omdat er verscheidene moordlo- caties in de buurt van Minsk waren en er nauwelijks ooggetuigen waren die de oorlog hadden overleefd. Het is duidelijk dat hier voornamelijk in 1942 tienduizenden Joden uit het Reich werden vermoord, terwijl de meeste slachtoffers van de latere *Aktionen* in het getto van Minsk (van juli 1942 tot oktober 1943) onderweg in gasauto's werden gedood. Tot de slachtoffers behoorden ook partizanen en krijgsgevangenen. Officiële schattingen van na de oorlog kwamen uit op een aantal van boven de 200.000, nadat in 1944 en 1945 de bossen van Blagovshchina en Shash- kova waren onderzocht. Het echte dodencijfer zal echter nooit bekend worden, omdat de Duitsers vanaf oktober 1943 bij *Aktion 1005* opera- ties alle bewijzen grotendeels vernietigden. De 100 Joden die weigerden het bevel op te volgen om de lichamen op te graven en te verbranden, werden zelf vergast. In Blagovshchina werden misschien 100.000 lijken verbrand, terwijl een executiekuil in Shashkova werd veranderd in een primitief crematorium waarin nog eens duizenden lichamen werden ver- nietigd. Op 28 juni 1944 werden de overgebleven gevangenen tijdens een Sovjet-Russische luchtaanval de barakken in gedreven die vervolgens door de Duitsers in brand werden gestoken. De rest van het kamp werd op 30 juni platgebrand met inbegrip van een schuur (die eerder in 1941 dienst had gedaan als tijdelijke barak) waarin de lichamen lagen van enkele honderden gevangenen die uit de kampen en gevangenissen van Minsk waren aangevoerd en daar waren doodgeschoten voordat de Duitsers zich terugtrokken. Toen het Rode Leger op 4 juli 1944 in Minsk aankwam, waren de branden nog niet uitgedoofd. Slechts ongeveer 20 Joden hadden naar de bomen kunnen ontsnappen waartussen ze zich tot dat moment hadden verscholen. Hun beloning was dat ze tot 1946 naar de goelag werden gestuurd.

Slechts fragmenten van het kamp doorstonden de brand. De Sovjetautoriteiten lieten de plaats verkommeren, met als gevolg dat het nu een groot grasveld is, zonder enige verwijzing naar het afschuwelijke verleden. Er zijn wel twee enigszins verscholen monumenten aan beide uiteinden van het voormalige kamp aanwezig. De prominentste staat aan de rand van het Shashkovabos bij de plaats van het geïmproviseerde crematorium. Een eenvoudige steen gewijd aan 'Sovjetburgers' staat achter een metalen hek. Ernaast ligt een kleine parkeerplaats waarop een informatiebord verwijst naar de 206.000 slachtoffers die hier de dood zouden hebben gevonden. Een pad vanaf de linkerkant van de parkeerplaats loopt langs de rand van het bos en komt uit op het grasveld. Door het pad te volgen komt men langs enkele stenen resten van gebouwen. Het pad komt ten slotte uit bij een T-kruising met een ander pad. Rechts afslaan naar het houten huisje (nummer 58) voert naar nog een paar ruïnes, hoewel die waarschijnlijk niet van het kamp zijn. Links afslaan bij het huisje voert naar een pad dat zich bijna meteen splitst. De linkerkant vormt een populierenlaan waarvan de bomen werden aangeplant door de gevangenen. Deze laan strekt zich met een paar moderne onderbrekingen uit tot de hoofdweg. Tussen de twee paden staat tussen de bomen achter een blauw hekje het andere monument. Dat gedenkt de gevangenen die in juni 1944 werden gedood in de schuur (die hier in de buurt stond).

Om het monument van Shashkova te bereiken neemt men bus 9 vanaf het metrostation Mahŭlioŭskaja. De bus verlaat de stad, rijdt onder de buitenring door over de Mogilev snelweg. Na ongeveer tweeënhalve kilometer slaat hij rechtsaf de vulica Sialickaha op, rijdt langs communistische torenflats rechts en een grasveld links (de plaats van het kamp). De weg buigt naar links bij een fabriek. De halte Sasnovaja ligt nog 400 meter verder op korte afstand lopen van de parkeerplaats van het monument. Om terug te keren loopt men weer naar deze bushalte of men loopt vanaf het schuurmonument door over de populierenlaan. Wanneer deze uitkomt bij het dorpskerkhof, kan men de paden naar de vulica Sialickaha volgen en naar de halte Maly Trascianiec lopen waar men bus 9, 21 of 93 kan terugnemen naar Mahŭlioŭskaja.

Een monument dat dichter bij Minsk in Bolshoy Trostenets (Vyaliki Trastsyanets) ligt, is een andere executielocatie. Dit was het belangrijkste Sovjetmonument, een grote obelisk waarop natuurlijk niet vermeld staat dat er Joden werden vermoord, maar in plaats daarvan verwijst naar 'vreedzame burgers, partizanen en krijgsgevangenen'. Een kleiner gedenkteken eert de soldaten van het Rode Leger. Er loopt een weg naar de monumenten vanaf de halte Vyaliki Trastsyanets voor bussen van Maly Trostenets richting Minsk aan de noordzijde van de hoofdweg. Een andere mogelijkheid is om dezelfde route te lopen (ongeveer anderhalve kilometer). Loop daarvoor over de vulica Sialickaha naar het noorden, sla bij de snelweg linksaf en loop door tot de bushalte, waar men de onderdoorgang naar de noordzijde kan nemen.

Er staat ook nog een kleiner monument bij het bos van Blagovshchina, hoewel het moeilijk is om daar zonder eigen vervoer te komen. Het wordt bereikt via de afslag naar Sosny na de enorme berg van de vuilstort aan de noordkant van de snelweg, op ongeveer anderhalve kilometer van de afslag naar Maly Trostenets. Het monument ligt een paar honderd meter verderop langs deze weg.

ANDERE LOCATIES

Locaties die specifiek verband houden met de Holocaust hebben over het algemeen weinig gedenktekens en gewoonlijk zijn het dan onopvallende stenen op zelden bezochte plaatsen. De opmerkelijkste uitzondering daarop is Navahrudak (Novogroedok). Ruim 10.000 Joden uit de stad en het omliggende gebied werden vermoord. Dat gebeurde grotendeels tijdens vier *Aktionen* tussen december 1941 en mei 1943. De regio vormde echter ook de basis van de Bielski-partizanen, en honderden Joden vluchtten uit het getto naar de bossen. Het meest opvallende was dat de minder dan 250 overgebleven Joden erin slaagden te ontsnappen uit het werkkamp waarin ze in september 1943 werden geïnterneerd. Ze deden dat door een tunnel die ze de voorafgaande maanden hadden gegraven. Ofschoon velen tijdens de vlucht werden neergeschoten, konden ongeveer 100 Joden de partizanen bereiken. Een van de ontsnapten, Jack Kagan, die nu in Londen woont, betaalde in de jaren negentig voor het oprichten van monumenten op de plaatsen van de bloedbaden. Hij heeft sindsdien zijn niet onaanzienlijke energie gestoken in het in stand houden van de herinnering aan het Joodse verleden (zie www.novogrudek.co.uk). Hij heeft hierbij hulp gekregen van Tamara Vershitskaya, curator van het Museum van Geschiedenis en Regionale Studies van de stad die een permanente expositie heeft ingericht, gewijd aan het Joodse verleden van Navahrudak, de Holocaust en de Joodse partizanen. In juli 2007 werd een ander monument, waartoe ook de uitgegraven toegang tot de tunnel behoorde, opgericht op de plaats van het voormalige werkkamp (op het terrein van het gerechtsgebouw ten oosten van het centrum aan de Minskaja vulica). De verschillende gedenkplaatsen liggen nogal verspreid over de stad, dus kan men beter eerst het museum bezoeken om aanwijzingen te krijgen. Het museum ligt bij het ploshcha Lienina, in het centrum, aan de Hrodnenskaja vulica 2, bij de Sint-Nikolaaskerk.

Hrodna (Grodno) had 25.000 Joden van wie de meesten in 1942-1943 werden gedeporteerd naar Treblinka en Auschwitz. Er staat een monument uit 1991 (een metalen boog waarin een menora is verwerkt naast een muurplaat met een afbeelding van Joden die uit het getto worden geleid) bij de ingang van een van de twee getto's aan de Zamkovaja vlakbij het ploshcha Savietskaya. De Grote Synagoge om de hoek aan de Vialikaja Traetskaja 59A werd in 1992 aan de Joodse gemeenschap teruggegeven, maar raakte eind 2013 bij een (ongelukkige) brand zwaar beschadigd.

Voor de meeste plaatsen buiten Minsk is het verstandig een gids te huren, omdat de Holocaustmonumenten en resten van de Joodse cultuur vaak verborgen liggen en zelden met borden of op kaarten worden aangegeven. De Joodse Campus van Minsk (www.meod.by) kan gidsen aanbevelen, terwijl twee organisaties die Joods gerelateerde rondreizen aanbieden de in Minsk gevestigde Jewish Heritage Research Group (www. jhrgbelarus.org) en het staatsreisbureau Belintourist (www.belintourist. by) zijn.

15

Oekraïne

Afgezien van Polen gingen in de Holocaust nergens meer Joodse levens verloren dan in Oekraïne. Ook al waren de Duitsers de voornaamste boosdoeners, er werd daarbij ook een belangrijke rol gespeeld door de Oekraïners en Roemenen. De laatsten deden dat bij het waarschijnlijk duisterste aspect van de Holocaust.

Joden hadden al sinds de middeleeuwen in de gebieden gewoond die Oekraïne zouden gaan vormen. Vanaf de veertiende eeuw – toen het grootste deel van Oekraïne onder de heerschappij van Polen en Litouwen viel – werd het echter een van de belangrijkste centra van het Europese Jodendom, hoewel het leven er vaak wel onzeker was. De Poolse overheersing was erg ongeliefd en het idee dat Joden Poolse agenten waren, versterkte het traditionele antisemitisme. Het beruchtst is de massamoord op tienduizenden Joden en Polen tijdens de opstand onder leiding van Bogdan Chmelnitski (Bohdan Chmielnicki in het Pools) halverwege de zeventiende eeuw. In de nasleep daarvan kwam het oosten van het land onder Russisch bestuur, terwijl het Pools-Litouwse gemenebest langzaam in verval raakte. Er is soms geopperd dat de opkomst van mystieke vormen van het jodendom – waaronder het in Oekraïne ontstane chassidisme het meest op de voorgrond trad – een reactie was op dit tijdperk van vernietiging. Na de Poolse deling viel het grootste deel van Oekraïne onder Rusland, maar het westen (waar de meeste Joden woonden) werd merendeels als de provincie Oost-Galicië ingelijfd bij het Keizerrijk Oostenrijk. Hoewel antisemitisme tot 1917 een belangrijk kenmerk bleef van het tsarisme, verleenden de relatief liberalere Habsburgers in de jaren

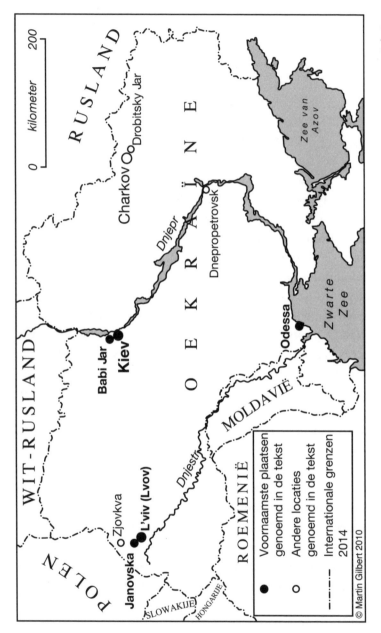

1860 hun Joden gelijke rechten. De grotere autonomie voor Galicië maakte het ook tot een centrum van Pools nationalisme, terwijl het tegelijk de ontwikkeling van een Oekraïens equivalent aanmoedigde. Deze rivaliserende ideologieën zouden ook bijdragen aan de tegenslagen waarmee de Oekraïense Joden tijdens en na de Eerste Wereldoorlog te maken kregen. Eenheden Kozakken uit het leger van de tsaar voerden de eerste pogroms uit, maar het ergste zou nog komen. Tijdens de Russische burgeroorlog en de daarmee verband houdende conflicten vochten rivaliserende Russische, Poolse, Oekraïense en Roemeense legers om het bezit van Oekraïne en bijna allemaal slachtten ze Joden af, waarbij vooral de strijdmacht van de kortstondige Oekraïense regering van Symon Petljoera berucht was. Toen een Oekraïense Joodse anarchist, Sholom Schwartzbard, Petljoera in 1926 in Parijs vermoordde, werd hij door een jury vrijgesproken.

De bolsjewieken herstelden uiteindelijk de Russische heerschappij in het grootste deel van het land en de Joden kregen hun deel van het ontstellende leed dat het communisme in Oekraïne veroorzaakte. De voormalige Oostenrijkse provincies werden voornamelijk verdeeld tussen Polen en Roemenië die allebei de Oekraïense rechten beperkten, al gingen ze daarbij niet zo ver als Stalin. Dit zou tot een schijnbaar paradoxaal resultaat leiden, want westelijk Oekraïne – dat de honger en terreur van Sovjet-Oekraïne bespaard bleef – werd de bakermat van de agressiefste nationalisten, juist omdat er een gevoel van wrok heerste dat gepaard ging met de betrekkelijke vrijheid om daar uiting aan te geven. Hoewel de Polen werden beschouwd als de voornaamste vijand, was er ook een steeds fellere beweging die de Joden (zelf ook onderworpen aan een even groot verlies van rechten) als Poolse bondgenoten zag. Dit was echter niets vergeleken bij de woede die werd gewekt door Stalins annexatie van westelijk Oekraïne. Deze annexatie was overeengekomen bij het sluiten van het Molotov-Ribbentroppact en het was voor het eerst dat het gebied onder Russisch gezag kwam. Hoewel sommige Joden de inval aanvankelijk verwelkomden (een minderheid op grond van ideologische overwegingen, de meesten omdat ze praktisch redeneerden dat Hitler nog erger was dan Stalin), was er weinig grond voor de zienswijze die in nationalistische kringen werd gepropageerd dat ze collaborateurs waren. Feitelijk waren de golven van terreur die in 1940 en 1941 westelijk Oekraïne overspoelden, voornamelijk gericht tegen Polen en Joden, terwijl de Oekraïense cultuur en belangen steeds meer werden bevorderd in een poging de meerderheid aan Russische kant te krijgen. Niettemin bleef het sentiment in Oekraïne overwegend anticommunistisch en werd de aandacht steeds meer gericht op de Joden als de zondebok. Uiteraard werd dit aangemoedigd door in Berlijn wonende ballingen.

De Duitsers werden dus vrij algemeen binnengehaald als bevrijders. Dit zou op een vergissing blijken te berusten, want toen radicale nationalisten een onafhankelijk Oekraïne uitriepen, werd hun leider Stepan Bandera gevangengezet. Niettemin werkten volgelingen van Bandera, waaronder het *Nachtigall Battalion* (een door Duitsland getrainde eenheid die de inval begeleidde) in de zomer van 1941 mee aan de afschuwelijke massamoorden op Joden en Polen in het westen van Oekraïne. Sommige nationalisten gingen nog verder en meldden zich vrijwillig aan voor de hulptroepen van de SS, met als gevolg dat bijna elk groot vernietigingskamp Oekraïners als bewakers had. Een dergelijke medeplichtigheid was in Centraal- en Oost-Oekraïne veel minder gebruikelijk, maar dit was de eerste regio van het land die te maken kreeg met de politiek om alle Joden uit te roeien. Vanaf september 1941 vermoordde *Einsatzgruppe C* hele Joodse gemeenschappen in steden als Kiev en Charkov. Het proces strekte zich algauw uit tot de zuidelijke Oekraïne, waar *Einsatzgruppe D* vaak de tweede viool speelde naast de Roemenen. De deelname van Roemenië aan de inval in de USSR was door Hitler beloond met de heerschappij over Transnistrië, een regio die Odessa en het achterland tussen de rivieren Dnjestr en Boeg omvatte. Meer dan 100.000 Joden uit Bessarabië (het moderne Moldova) en Boekovina (in het interbellum de Roemeense Oekraïne) werden gedeporteerd naar gammele werkkampen en getto's in noordelijk Transnistrië. De meesten stierven in de winter van 1941/1942, eerst door uithongering en tyfus en daarna door Roemeense massamoorden. Hetzelfde ongelukkige lot was tienduizenden Joden uit Odessa beschoren die begin 1942 naar het noorden werden gestuurd. In dit stadium waren bijna de enige overlevende Joden – afgezien van de enkele honderdduizenden die in de zomer van 1941 uit Oost-Oekraïne hadden kunnen vluchten – de Joden uit het westen. Het voormalige Oost-Galicië was de locatie van de eerste massamoorden geweest, maar de inlijving bij het *Generalgouvernement* hield in dat de Joden ervan het lot deelden van de Poolse Joden en niet dat van de Joden uit de USSR. Deportaties naar Bełżec begonnen in de lente van 1942, terwijl degenen die niet naar vernietigingskampen werden gestuurd, voor het grootste deel werden vermoord in het concentratiekamp Janovska bij L'viv. Deze slachtoffers worden vaak bij het dodencijfer van Polen geteld. Zij maken echter ook deel uit van de waarschijnlijk meer dan 1,5 miljoen Oekraïense Joden die werden vermoord door de nazi's en hun handlangers. Tegenwoordig wonen er iets meer dan 100.000 Joden in Oekraïne.

Naoorlogse herdenkingen werden beperkt door de Sovjetideologie en verder bemoeilijkt door bewijzen van Oekraïense collaboratie die niet pasten in het communistische verhaal over de oorlog, behalve als het werd gebruikt om Bandera en zijn opstandelingen in diskrediet te brengen, die tot de jaren vijftig in westelijk Oekraïne een guerrilla voerden. De toestand is sinds 1991 verbeterd, maar nog steeds ongunstig in vergelijking met Polen of zelfs Litouwen. Er zijn wel duidelijke regionale verschillen, terwijl *Yahad-In Unum*, een organisatie voor onderling begrip tussen katholieken en joden onder leiding van de Franse priester Patrick Desbois, bezig is met een project om elk massagraf in Oekraïne te lokaliseren (www.yahadinunum.org).

KIEV

De geschiedenis van de Holocaust in de Oekraïense hoofdstad was wreed en kort. Hoewel Joden zich zeker al in de negende eeuw in Kiev hadden gevestigd, was het hun voor het grootste deel van de tsaristische periode verboden om daar te wonen. Pas in de jaren zestig van de negentiende eeuw mochten rijke Joden in bepaalde buurten wonen, hoewel anderen illegaal naar de stad kwamen. Na 1917 nam de bevolking enorm toe, tot ongeveer 160.000 op het tijdstip van de Duitse inval. Er wordt aangenomen dat ongeveer 100.000 van hen in staat waren naar het oosten te vluchten voor de komst van de Duitsers op 19 september 1941, maar er was geen ontsnapping mogelijk voor de achterblijvers, voornamelijk vrouwen, kinderen en ouderen. Op 24 september verwoestte een serie bommen die door NKVD-agenten waren gelegd, een groot deel van het centrum van de stad. De Duitsers gebruikten dit als excuus voor totale vernietiging. Binnen een week was meer dan de helft van de Joden die nog in de stad woonden, vermoord in Babi Jar (Babyn Jar in het Oekraïens) aan de rand van de stad (zie volgende paragraaf). De meeste anderen werden in de loop van de volgende maanden vermoord. Verbazingwekkend genoeg betekende deze catastrofe niet het einde van de Joden in Kiev, omdat de terugkeer van vluchtelingen en de migratie van overlevenden uit andere delen van Oekraïne tot gevolg hadden dat er rond 1950 bijna 200.000 Joden in de stad woonden. Hoewel dat nu minder dan de helft is, blijft Kiev het moderne centrum van Joods leven in het land.

Afgezien van Babi Jar zijn er geen Holocaustmonumenten, maar een aantal locaties die verband houden met het vooroorlogse Joodse culturele leven bestaat nog wel. Het historische centrum van het Joodse leven was Podil, de laaggelegen commerciële wijk ten noorden van het centrum, boven op de heuvel. De Podil Synagoge die nog steeds in gebruik is, ligt aan de Shchekavytska vulitsya 29 (metrostation Kontraktova Ploshcha). Op de evenwijdig lopende Yaroslavska vulitsya was nummer 55 een *mikwe* en nummer 40 een dagverblijf voor meisjes. De twee gebouwen op nummer 22 waren gebedshuizen. Iets zuidelijker werd de school aan de Kostiantynivska vulitsya 37A in 1910 gesticht als een basisschool voor Joodse jongens. De Andriivskyi uzviz, de sfeervolste straat van Kiev, verbindt Podil met de bovenstad. Het aantrekkelijke Eén Straat Museum op nummer 2B (di-zo, 12.00-18.00; UAH 30; onestreet.kiev.ua) slaagt erin veel te vertellen over het Joodse Kiev dankzij de fantastische verhalen over de inwoners van de straat.

Een ander belangrijk en opmerkelijk gebied ligt geconcentreerd rond de gerestaureerde Centrale Synagoge aan de Shota Rustaveli vulitsya 13 (metrostation Palats Sportu). De bioscoop op nummer 19 was vroeger ook een synagoge. Aan de overkant van de kruising voor de Centrale Synagoge staat aan de Rognidynska vulitsya een standbeeld van de grote Jiddische romancier Sholem Aleichem. Er bevindt zich ook een gebeeldhouwde plaquette op de Saksagansky vulitsya 27, een korte wandeling naar het zuiden, waar de schrijver ooit heeft gewoond. Een soortgelijke plaquette gedenkt het geboortehuis van Golda Meir, aan de Baseyna vulitsya 5A naar het noorden. Hier begint de Khreshchatyk vulitsya, de hoofdstraat van Kiev (waarvan de verwoesting het begin van de massamoorden inluidde) die naar het noorden loopt. Evenwijdig daarmee loopt de Volodymyrska vulitsya (metrostation Zoloti Verota) die is verbonden met twee personen wier namen direct horen bij de Holocaust: op nummer 47 werkte Janusz Korczak, in de Eerste Wereldoorlog, terwijl 40/2 ooit het huis was van de prominente Sovjetjournalist Ilya Ehrenburg. Ehrenburg stelde met medeschrijver Vasily Grossman *Chornaya Kniga (Het Zwartboek)* samen, de eerste gedetailleerde poging om de Holocaust in de USSR te documenteren. In verlegenheid gebracht door de aandacht voor het Joodse leed en door het bewijsmateriaal over Oekraïense, Litouwse en Letse collaboratie, weigerden de autoriteiten het boek te publiceren. Volodymrska vulitsya 15 was de rechtbank waar de zaak Beilis, het beruchtste voorbeeld van tsaristisch antisemitisme, in 1913 werd behandeld. Verder naar het westen lag aan de Zhilanska vulitsya 97A de voormalige Galitsky Synagoge – in 1930 door de communisten gesloten om gebruikt te worden als fabriekskantine – die nu een Joods onderwijscentrum is.

Het Museum van de Grote Patriottische oorlog van Kiev (di-zo 10.00-17.00; UAH 15; www.warmuseum.kiev.ua) is gelegen onder het hoog oprijzende standbeeld van *Rodyna Mat* (Moeder van de Natie) aan de Sichnevoho Povstannya vulitsya 44 ten zuiden van het centrum (bus 20). Hoewel het museum uit het tijdperk Brezjnev Babi Jar aan de orde stelt, is er voorspelbaar weinig aandacht voor de Holocaust.

BABI JAR

Babi Jar (Grootmoeders Ravijn) aan de rand van Kiev was de plaats van het schandelijkste bloedbad van de Holocaust. Na de bomexplosies in Kiev hingen de nazi's aanplakbiljetten op met het bevel voor alle Joden om zich op 29 september 1941 te verzamelen bij de Joodse begraafplaats. De Duitsers waren ervan uitgegaan dat slechts ongeveer 6000 mensen zouden verschijnen, maar het werkelijke aantal was meer dan vijf keer zo groot, omdat de slachtoffers dachten dat ze zouden worden overgebracht naar werkkampen. Ze werden in groepen naar het grote ravijn gebracht en doodgeschoten door troepen van *Einsatzgruppe C*. Volgens de Duitse cijfers werden in twee dagen 33.771 mensen vermoord. In de volgende maanden werden nog eens duizenden – Joden, maar ook soldaten van het Rode Leger, Russische en Oekraïense burgers en Roma – op dezelfde manier gedood. Naar schatting kan het uiteindelijke dodencijfer in Babi Jar wel 100.000 zijn geweest. In de zomer van 1943 werden de lijken opgegraven en gecremeerd door gevangenen van het nabijgelegen concentratiekamp Syrets (waarvan geen spoor is overgebleven). Vijftien leden van dit *Sonderkommando* konden op 29 september 1943 ontsnappen.

Na de oorlog was Babi Jar het symbool bij uitstek van de nalatigheid van de USSR om de Holocaust te herdenken. Een groot deel van het ravijn werd op natuurlijke wijze opgevuld toen de aanleg van een dam in de buurt in 1961 een aardverschuiving veroorzaakte waarbij honderden mensen om het leven kwamen (hoewel de communistische autoriteiten dat nooit hebben toegegeven). Datzelfde jaar schreef Jevgeni Jevtoesjenko het gedicht *Babi Jar* – met als openingszin 'Geen monument staat boven Babi Jar' – dat in ondergrondse kringen een grote verspreiding kende. Deze woorden werden een jaar later door Sjostakovitsj in zijn 13e symfonie op muziek gezet. Beide werken bleven lang verboden, maar de partij werd er zo door in verlegenheid gebracht, dat uiteindelijk het besluit werd genomen een monument op te richten dat in 1976 werd onthuld. Alleen werd daarop geen melding gemaakt van de vermoorde Joden. Sinds 1991 is er een aantal gepastere monumenten verschenen op de locatie die nu in wezen een groot park is. Het eerste dat de meeste bezoekers zien is een verontrustend standbeeld van kapot speelgoed bij de noordelijke (rechter) uitgang naar het metrostation Dorohozhychi. Het beeld is gewijd aan de kinderen die in Babi Jar slachtoffer werden. Het voornaamste Joodse monument werd opgericht in 1991 en kan worden bereikt door het pad ten noorden hiervan te nemen, na ongeveer 400 meter naar rechts te gaan en verder de heuvel op te lopen. Er is echter een gemakkelijkere route. Volg vanaf het station de Melnykova vulitsya in

Babi Jar (foto van Elizabeth Burns)

oostelijke richting langs de gigantische tv-toren tot men bij nummer 44 (links) komt – dit was het administratiegebouw van de Joodse begraafplaats. Sla na dit gebouw linksaf een verhard pad op dat rechtstreeks naar het monument loopt, een menora met reliëfs van menselijke gedaanten. Een orthodox kruis er vlakbij herdenkt twee priesters die in november 1941 werden vermoord. Achter de menora ligt het voornaamste nog bestaande stuk van het ravijn, wat min of meer de plaats is waar het bloedbad van september plaatsvond. Het is mogelijk om in het ravijn af te dalen door het pad te nemen dat links van de menora afbuigt. Door het rechte pad rechts van de menora te nemen (en niet het gebogen pad dat naar het kruis loopt) vindt men een restant van de Joodse begraafplaats waar het pad zich na ongeveer 100 meter in tweeën splitst.

Door terug te keren naar het metrostation en de onderdoorgang naar de zuidzijde van de Melnykova vulitsya te nemen, bereikt men het park met het Sovjetmonument. De kenmerkende gespierde gedaanten daarvan staan op een betonnen uitsteeksel. Naast het pad ernaartoe staat een kruis dat is gewijd aan 621 Oekraïense nationalisten die in Babi Jar werden gedood, terwijl een klein monument de hoeksteen zou moeten zijn van een gepland Joods erfgoedcentrum – de steen werd in 2001 gelegd en sindsdien is er niets gebeurd. Er is nog een ander gedenkteken in de zuidoostelijke hoek van het park voor de Oekraïense dwangarbeiders die naar Duitsland werden gestuurd. Een monument voor de slachtoffers van het kamp Syrets staat aan de rand van een ander park aan de zuidwesthoek van de kruising van de Dorohozhytska vulitsya met de Shamryla vulitsya.

L'VIV

De vele namen waaronder L'viv bekend is geweest (Lwów voor Polen, Lemberg voor Duitsers en Oostenrijkers, Lvov voor Russen en Joden) getuigen van het multi-etnische verleden. De stad werd gesticht in de dertiende eeuw en werd een eeuw later veroverd door de Polen. Ze nodigden Joden uit om zich hier te vestigen en gaven L'viv daarbij het karakter dat de geschiedenis van de stad tot de oorlog zou vormen: een grotendeels Poolse en Joodse plaats, omgeven door een voornamelijk Oekraïens platteland. De gemeenschap kende grotendeels voorspoed tot de deling van Polen, toen de Joden in hun rechten werden beperkt. Toch was het Oostenrijkse bewind prettiger dan het Russische en de volledige burgerlijke gelijkheid in de jaren 1860 was aanleiding voor een verdere groei van de Joodse bevolking. L'viv werd ook een centrum voor zowel het Poolse als het net opkomende Oekraïense nationalisme. Het eerste fatale gevolg van deze ontwikkelingen kon worden waargenomen aan het eind van de Eerste Wereldoorlog, toen de stad verschillende keren in andere handen overging, waarbij alle partijen zich schuldig maakten aan pogroms.

Het Lwów van het interbellum was de woonplaats van de op twee na grootste Joodse bevolking van Polen die in 1939 ongeveer 110.000 mensen telde. Zowel echter Joden als Oekraïners hadden te maken met de overheidspolitiek om de plaats echt Pools te maken, wat vooral tot uiting kwam in de toegankelijkheid van hoger onderwijs. In deze context werd de stad steeds meer een brandpunt van Oekraïens nationalistisch activisme dat voornamelijk steunde op het platteland (minder dan 20% van de stedelijke bevolking was Oekraïens). Dit was de situatie toen het Rode Leger op 22 september 1939 L'viv binnentrok. Net als elders waren de Joden en vooral de Polen het voornaamste doelwit van Sovjetterreur, maar het nieuwe regime ontmoette een bijna algemene vijandigheid van de Oekraïners. Sommige Joden hadden de USSR daarentegen verwelkomd als het minste van twee kwaden, terwijl de gemeenschap enorm in omvang was toegenomen door een stroom vluchtelingen uit West-Polen. Zelfs na de massa-arrestaties en verdere migratie woonden er in 1941 nog ongeveer 160.000 Joden in L'viv.

De Duitsers (vergezeld door het *Nachtigall Battalion*) trokken de stad op 30 juni 1941 binnen. De gevolgen waren meteen voelbaar, want in de eerste vier dagen van de bezetting werden 4000 Joden gedood bij de 'Gevangenis *Aktion*' die zo werd aangeduid vanwege de gruweldaden van de NKVD die na het vertrek van de Sovjets werden ontdekt. Het kostte de nazi's en hun handlangers weinig moeite om groepen woedende inwoners ervan te overtuigen dat het de schuld van de Joden was. Zelfs nadat de *Aktion* zogenaamd op 3 juli was geëindigd, bleven de willekeurige moorden, kloppartijen en arrestaties doorgaan, met als hoogtepunt eind juli de 'Petljoera Dagen' toen nog eens 2000 Joden stierven, veelal door toedoen van Oekraïners. In dit stadium moesten Joden ook een davidster gaan dragen en een *Judenrat* vormen. Op een iets lager niveau bleef het geweld de hele zomer doorgaan, waarbij in augustus en september de meeste synagogen van de stad werden verwoest. Eind 1941 werd de strop verder aangetrokken met twee nieuwe ontwikkelingen: de vorming van het werkkamp Janovska ten noordwesten van de stad (zie hierna) en het instellen van een 'Joodse wijk'. De laatste was formeel nog geen getto, maar de vorming ging vergezeld van meer massamoorden en in de daaropvolgende maanden werd het gebied steeds kleiner. In maart 1942 kreeg het te maken met de grootste *Aktion* tot dan toe die tegelijk het begin markeerde van deportaties naar Bełżec. Ongeveer 15.000 mensen werden naar het dodenkamp gestuurd, terwijl anderen werden geïnterneerd in

Janovska dat zelf ook steeds meer een vernietigingslocatie werd. Bij de 'Große Aktion' in augustus werden nog eens tienduizenden naar de twee kampen overgebracht en werd de wijk officieel een getto dat met een hek werd afgescheiden van de rest van de stad. Om de paar weken waren er *Aktionen* die gewoonlijk vergezeld gingen van een verdere verkleining van het getto tot het kleine restant in januari 1943 werd veranderd in de *Julag*, een werkkamp onder SS-bestuur. Het getto werd uiteindelijk in juni 1943 geliquideerd, waarbij de laatste paar duizend Joden die nog over waren in de stad zelf werden doodgeschoten, of in de bossen buiten de stad. Na de moord op de laatste gevangenen van Janovska in november waren er waarschijnlijk minder dan 300 Joden over in en rond L'viv toen het Rode Leger daar in juli 1944 aankwam.

Het moderne L'viv is een mooie stad, maar wel een plaats die aan enig geheugenverlies lijdt met betrekking tot de geschiedenis. In het begin van de jaren 1990 verschenen een paar monumenten voor de verdwenen Joodse gemeenschap, maar die zijn nu slecht onderhouden en vormen een schril contrast met de overdaad aan nieuwe monumenten die zijn gewijd aan Oekraïense slachtoffers van het communisme. Voor een deel is dit het gevolg van de dramatische veranderingen waarvoor de twintigste eeuw had gezorgd. De Joden waren dood en de Polen werden na de oorlog verdreven, waardoor de USSR ironisch genoeg de nationalistische droom van een Oekraïens L'viv vervulde. De eigentijdse bevolking heeft dus weinig voeling met het verleden van de stad. Het regelmatige vandalisme waarmee Joodse monumenten te maken krijgen, geeft echter aan dat voor sommigen de oude vooroordelen nog niet helemaal zijn verdwenen.

Het getto en de Joodse wijk

De Joodse wijk die in november 1941 werd ingesteld, besloeg aanvankelijk een groot deel van noordelijk L'viv, maar werd in snel opeenvolgende *Aktionen* steeds kleiner. Het hart ervan lag ten noorden van de spoordijk, die een natuurlijke afscherming vormde met de rest van de stad. Het was dit gebied dat na de Grote *Aktion* van augustus 1942 het getto werd. Daarna verkleinden verdere reducties het getto tot het begin 1943 de *Julag* werd, een kleine driehoek van straten begrensd door de moderne Za-marstynivska, Khimichna en het spoor.

Het Holocaustmonument van L'viv staat op de kruising van de Via-cheslava Chornovola prospect (vroeger Peltewna) en de Luka Dolynsko-ho vulitsya, aan de noordzijde van de spoorweg. Dit was de plaats van de 'onder de brug *Aktion*' tijdens de vorming van de Joodse wijk in november en december 1941. Duitse en Oekraïense politiemensen voerden se-lecties uit op Joden die uit andere delen van de stad kwamen, waarbij ze de brug in hun woorden als 'sluis' gebruikten. Tussen de 5000 en 10.000 mensen – voornamelijk ouderen en vrouwen – werden naar andere plaat-sen in de stad gebracht en daar doodgeschoten. Het monument heeft de vorm van een parkje waarin een pad met een rand van plaquettes van een menora naar een groot beeld van een verwrongen figuur loopt. Er staat weliswaar een hek om het park, maar toch beschouwen sommige inwo-ners het helaas als een plaats om hun hond uit te laten.

De meeste gettogebouwen werden door de Duitsers verwoest, maar er zijn nog een paar sporen over die voornamelijk zijn te vinden aan de Sa-muila Kushevycha vulitsya en de Lemkivska vulitsya, ten oosten van de Viacheslava Chornovola prospect. Samuila Kushevycha vulitsya 9 was de plaats van het laatste ziekenhuis van de Joodse wijk dat werd gesloten bij de *Große Aktion*. De Duitsers waren bang de kamers binnen te gaan als gevolg van hun nogal obsessieve angst voor besmettelijke ziekten, dus werden de patiënten vanuit de deuropeningen doodgeschoten. Na deze *Aktion* verhuisden verscheidene kantoren van de *Judenrat* naar deze stra-ten. Iets meer dan een week later, in september 1942, vond er een razzia plaats in deze gebouwen. De voorzitter van de *Judenrat*, dr. Henryk Landsberg, en willekeurig uitgekozen politiemensen werden opgehangen aan balkons in de Łokietka, een niet meer bestaande straat die tegenover de Arkhypa Teslenka vulitsya naar het westen liep. De *Judenrat* kreeg een factuur voor het daarbij gebruikte touw.

De straten ten zuiden van de spoordijk lagen binnen de oorspronke-lijke Joodse wijk, maar werden geruimd voor en tijdens de *Große Aktion*. In tegenstelling tot het getto is het gebied nog grotendeels intact, hoewel weinig gebouwen zijn gemarkeerd. Het voornaamste monument in het

gebied is voor de Oekraïense slachtoffers van het communisme en dat
staat bij de voormalige gevangenis aan de Zamarstynivska vulitsya 9, op
de hoek met de Dmytra Detka vulitsya. Hoewel het lippendienst bewijst
aan Polen en Joden, is het monument duidelijk op nationalistische leest
geschoeid. Een nieuwe steen legt uit dat de plaats een museum moet worden dat is gewijd aan de 'Oekraïense cavalerie', de 'foltering' die Oekra-
ine blijkbaar is aangedaan door niet alleen de nazi's en de communisten,
maar ook door de Polen en Oostenrijkse Habsburgers. Er wordt geen
melding gemaakt van het feit dat Joden hier de hele oorlog werden gemarteld. Ook is er geen enkele verwijzing naar het Sviatoho Teodora
plosjtsja (Sint-Teodoraplein) verder naar het zuiden dat in de *Große Aktion* het voornaamste verzamelpunt was voor Joden die werden gedeporteerd. Tot die tijd was de *Judenrat* gevestigd aan de Muljarska vulitsya
2A, ten oosten van het plein. Vuhilna vulitsya 3 aan de zuidzijde is een
voormalig chassidisch gebedshuis waarin nu het Sjolem Alejchem Cultureel centrum onderdak vindt. Vlak ten zuiden hiervan markeert een plaquette op een zijmuur bij een parkje de plaats van de Grote Synagoge van
de Buitenwijken (verwoest in augustus 1941) op de hoek van Sianska
vulitsya en Vesela vulitsya. De massieve Reform Synagoge (verwoest in
juli 1941) wordt op dezelfde manier herdacht aan het Staryy Rynok
plosjtsja, verder naar het oosten.

Er zijn andere opmerkelijke plaatsen verder naar het westen, hoewel
de enige duidelijk zichtbare verwijzingen naar een Joods verleden bestaan
uit een plaquette voor Sjolem Alejchem op de hoek van Kotliarska vulitsya en Shpytalna vulitsya en de davidster die oprijst boven de Moorse
koepel van het imposante Joodse ziekenhuis aan de Yakova Rappoporta
vulitsya. Het laatste werd in november 1941 gevorderd door de Duitsers
en overgedragen aan het stadsbestuur ook al viel het aanvankelijk binnen
de Joodse wijk. Ten noorden van het ziekenhuis ligt tussen de Bazarna
vulitsya, Brovarna vulitsya en Kleparivska vulitsya de Krakiwski markt,
op de plaats van de oude Joodse begraafplaats die hier al vanaf de middeleeuwen lag en die werd verwoest door de nazi's. De restanten werden
daarna door de communisten met de grond gelijkgemaakt. Sholom Aleichema vulitsya 12, vlak ten zuiden ervan, vormde het vooroorlogse

hoofdkwartier van de Joodse gemeenschap waarin ook een Joods museum was ondergebracht. Er is nu een Joods cultureel centrum in gevestigd.

De Sholom Aleichema vulitsya loopt langs de Brygidki gevangenis, een van de centra van de Gevangenis *Aktion*. Net als elders in de stad had de terugtrekkende NKVD hun gevangenen vermoord en de gebouwen in brand gestoken in een poging het bewijsmateriaal te vernietigen, maar er werden grote aantallen lijken gevonden. Oekraïense nationalisten en de SS sleepten Joodse mannen naar de gevangenis en dwongen hen de verkoolde lijken te begraven, omdat beide partijen de dwaze redenering volgden dat Joden en communisten identiek waren. Honderden Joden werden vermoord. De Duitsers gooiden granaten en vuurden lukraak op de menigte. Als ze even stopten, mochten Oekraïners de mannen aftuigen. Vandaag wijst niets op de gruweldaden die tijdens de oorlog in Brygidki zijn begaan door communisten, nazi's of Oekraïners. Bizar is dat het enige gedenkteken aan de voorkant van het gebouw (nog steeds een gevangenis) aan de Horodotska vulitsya 20 een plaquette voor Oekraiense nationalisten is, die in juni 1939 door de Poolse autoriteiten werden geëxecuteerd. De poort naar de uiteraard ontoegankelijke binnenplaats waar de moorden plaatsvonden, ligt om de hoek aan de Dmytra Danylyshyna vulitsya.

Andere plaatsen

Op een korte wandeling van Brygidki heeft de Severyna Nalyvaika vulitsya 13 nog vooroorlogse Poolse en Jiddische winkelopschriften op de muur, hoewel het onzeker is hoe lang die nog te zien zullen zijn. Soortgelijke opschriften op nummer 11 werden een paar jaar geleden overgeschilderd. Een braakliggend terrein aan de Bankivska vulitsya, een korte straat tussen de Petra Doroshenka vulitsya en de Kopernyka vulitsya verder naar het zuiden, was de locatie van de Sikutski Synagoge die in augustus 1941 werd verwoest. Het nabijgelegen Petra Doroshenka vulitsya 31 was de locatie van een werkplaats waarvan de meesten van de 200 Joodse dwangarbeiders een jaar later werden vermoord.

De historische Joodse gemeenschap van L'viv had zich eerst in het centrum van de stad gevestigd, maar er is afgezien van de straatnaam

Staroievreiska vulitsya ten zuiden van het Rynok plosjtsja weinig dat hierop wijst. De vermaarde zestiende-eeuwse Gouden Roos Synagoge stond aan deze straat, achter nummer 37, tot hij in 1942 werd verwoest. Men neemt aan dat de boosdoeners eerder Oekraïners dan Duitsers waren. Er zijn nog een paar fragmenten over met een herdenkingsplaat erop, maar die gaan tegenwoordig schuil achter een hek van golfplaat. De ruimte ertegenover, waar plaatselijke dronkaards en tieners bij elkaar komen, was de plaats van de Grote Stadssynagoge die in augustus 1941 werd platgebrand.

Het militiegebouw op de hoek van de Kopernyka vulitsya en de Stepana Bandery vulitsya (genoemd naar de nationalistische leider) was de Lackiego gevangenis, ook een plek van gruweldaden in de Gevangenis *Aktion*. Daarna werd deze locatie vaak gebruikt als detentiecentrum voor gearresteerde Joden die daarna naar Janovska werden gebracht of die in de bossen werden doodgeschoten. Er zijn plaquettes en ertegenover staat een groot monument gewijd aan slachtoffers van de NKVD, maar geen voor de slachtoffers van de nazi's. De heuvel in het oosten was de Cytadel, een voormalig Habsburgs fort dat werd veranderd in een krijgsgevangenenkamp. Naar schatting hebben hier meer dan 100.000 soldaten van het Rode Leger het leven verloren. In de buurt van het westelijk einde van de Stepana Bandery vulitsya ligt de enige nog bestaande en in gebruik zijnde synagoge, aan de Brativ Mikhnovskykh vulitsya 4.

De nieuwe Joodse begraafplaats van L'viv (geopend in de jaren 1850) werd zwaar beschadigd door de nazi's die de grafstenen gebruikten voor het bestraten van het kamp Janovska. De begraafplaats bestaat nog steeds en bij de poort staat een Holocaustmonument in de vorm van een obelisk, maar het Joodse karakter is verder vrijwel geheel verdwenen, zoals blijkt uit het grote aantal communistische en het steeds grotere aantal christelijke graven. De begraafplaats ligt aan de Vasylia Yeroshenka vulitsya, een zijstraat van de Tarasa Shevchenka vulitsya, de hoofdstraat die in noordwestelijke richting uit de stad voert. De laatste zou de laatste straat zijn die de meeste Joden van L'viv zagen. Slechts 2 kilometer verder, na de kruising van de Tarasa Shevchenka vulitsya met de Vynnytsia vulitsya en de spoorwegovergang, ligt het station Klepariv. Dit was het vertrekpunt voor transporten naar Bełżec met mensen vanuit heel Oost-Galicië, zoals blijkt uit een gedenkplaat aan de oostmuur. Niet alle Joden kwamen echter zo ver. Degenen die niet naar Bełżec werden gestuurd, kregen te maken met een ander, maar uiteindelijk even dodelijk lot in Janovska, nog tussen de begraafplaats en het station.

JANOVSKA

Er waren geen gaskamers in Janovska, maar verder was het in elk opzicht een dodenkamp. In de herfst van 1941 nam de DAW (Deutsche Ausrüstungswerke, het wapenbedrijf dat eigendom was van de SS) aan de noordwestelijke rand van L'viv een voormalig Joodse fabriek over die aan de Janovska vulitsya (nu Tarasa Shevchenka vulitsya) lag. De SS maakte hier ten westen van het industriegebied een kamp voor dwangarbeiders van. Een toenemend aantal Joodse mannen (in begin 1943 werden ook vrouwenbarakken gebouwd) werd in de stad op straat opgepakt en naar Janovska gebracht, alleen niet noodzakelijk om er te werken, want al de eerste maanden van het kamp was er sprake van selectie onder de nieuw gearriveerden. Degenen die niet geschikt werden geacht om te werken werden naar het Piaski (Zand-) ravijn ten noorden van het kamp gebracht en daar doodgeschoten. Hetzelfde lot ondergingen de gevangenen die ziek werden of uitgeput raakten. Dit was slechts één uiting van de barbaarsheid die kenmerkend was voor Janovska en die veel erger was dan de wreedheid in andere concentratiekampen. Er werden bijvoorbeeld 'dodenrennen' georganiseerd, waarbij de gevangenen bevel kregen om door het kamp te rennen: de langzaamsten werden naar het Zandravijn gestuurd. Daarbij lieten SS'ers de renners soms struikelen. Commandant Gustav Wilhaus en zijn vrouw schoten op gevangenen vanaf het balkon van het kampkantoor om hun negenjarige dochter te amuseren. De hele tijd werden de martelingen uitgevoerd onder begeleiding van het kamporkest. Dit was naar verluidt opgezet nadat ondercommandant Wilhelm Rokita, die in het vooroorlogse Polen in jazzbandjes had gespeeld, een vroeger bandlid had ontmoet (een Jood uit Tarnów die Kampf heette en die meteen tot hoofd-*kapo* werd benoemd). Daarop besloot hij dat het kamp muziek nodig had. Rokita vermoordde Kampf later. Vanaf maart

1942 deed Janovska ook dienst als doorgangskamp voor deportaties naar Belżec, maar zelfs in deze periode bleven de executies in het Zandravijn doorgaan. Na de sluiting van Belżec in begin 1943 nam Janovska zelf steeds meer de rol van vernietigingskamp over. In juni werd een ploeg van meer dan 100 gevangenen aangewezen om eerst bij het Zandravijn en daarna op andere moordlocaties rond L'viv de lijken van vermoorde Joden op te graven en te cremeren. Omdat ze begrepen dat hun dagen geteld waren, ontsnapten de mannen op 20 november 1943. Bijna allemaal werden ze weer gevangengenomen en geëxecuteerd, maar degenen die wegkwamen, behoorden tot de zeer weinige overlevenden van Janovska dat de dag ervoor was geliquideerd. Naar schatting verloren in het kamp mogelijk meer dan 70.000 mensen het leven in de twee jaar dat het bestond en bijna allemaal waren het Joden (de paar duizend Poolse gevangenen zaten in een apart gedeelte en kregen niet te maken met dezelfde mate van sadisme).

Na de oorlog werd het gevangenenkamp overgenomen door de NKVD. Het is tegenwoordig nog steeds een gevangenis, die schuilgaat achter hoge muren en prikkeldraad op de hoek van de Tarasa Shevchenka vulitsya en de Vynnytsia vulitsya, hoewel er nog maar weinig oorspronkelijke gebouwen zijn. Wel zijn bepaalde delen van het oorspronkelijke kampterrein toegankelijk. Het niet meer gebruikte eindpunt van de tram vlak voor de gevangenis was de plaats van de ingang, en de onverharde weg die daar begint (Tatarbunarska vulitsya) volgt vrijwel de weg die de scheiding aangaf tussen het gevangenenkamp en het SS-kamp. Tarasa Shevchenka vulitsya 152 was het onderkomen van de Duitse bewakers. De nog bestaande DAW-werkplaatsen maken deel uit van het vervallen industriegebied ten oosten van de gevangenis en delen ervan zijn zichtbaar vanaf de Tatarbunarska vulitsya en de Yavorivska vulitsya, een zandpad dat een zijstraat van de eerste is en dat evenwijdig aan de Tarasa Shevchenka vulitsya loopt. Er is ook een particulier gefinancierd monument bij het Piaski-ravijn, hoewel de plaats zodanig is gekozen dat het vrijwel niet opvalt. Volg de Vynnytsia vulitsya tot waar die rond de zijkant van de gevangenis buigt, vlak na het eind van de met graffiti bedekte betonnen muur (de bakstenen gedeelten van de muur werden door

de Duitsers gebouwd). Daar ligt rechts een inrit waar men een herdenkingssteen vindt die vergezeld gaat van een groot bord. Het gebied door
de poort erachter was een deel van de moordlocatie. Er waren zo weinig
overlevenden van Janovska dat de exacte ligging niet duidelijk is, terwijl
de Duitse opruimoperatie in 1943 het karakter van de plaats ingrijpend
veranderde. Niettemin liggen er ongetwijfeld nog altijd menselijke resten
begraven in het grote veld – de Sovjet-Russische onderzoekscommissie
vond in 1944 as en beenderen verspreid over een oppervlak van 2 vierkante kilometer. De kapotte barakken op het terrein maakten geen deel
uit van het kamp, maar werden er geplaatst door de Sovjets toen deze
plaats werd gebruikt voor de training van politiehonden en het fokken
van varkens.

Om zowel Janovska als het station Klepariv te bereiken, kan men het
gemakkelijkst een taxi nemen, hoewel de chauffeur misschien niet van de
eerste naam gehoord heeft. Gebruik daarom straatnamen. Veel marshrut-
ki (minibusjes) rijden de Tarasa Shevchenka vulitsya af, langs zowel de
gevangenis als het station, maar bij geen van beide ligt een officiële halte,
dus zal men wat Oekraïens moeten kennen om de chauffeur te laten stoppen.

ODESSA

Odessa was de plaats met de grootste Joodse bevolking van de Sovjet-
Unie. De plaats werd gesticht aan het eind van de achttiende eeuw en
stond bekend om een tolerantie die uniek was in het tsaristische tijdperk.
Dit was een gevolg van de noodzaak om mensen aan te trekken die zich
in de nieuwe havenplaats wilden vestigen. Dat werkte als een magneet op
vervolgde groepen, en vooral op Joden, die ongeveer een derde van de
bevolking uitmaakten en die veel deden om ondanks incidentele pogroms
(waarvan die van 1905 het beruchtst was) de stad haar heel eigen karakter te geven. Hoewel er tientallen synagogen en gebedshuizen waren, viel
Odessa vooral op door de seculiere Joodse cultuur. Voor zowel bewonde-
raars als critici was het de mondainste stad van het Russische Rijk en
vormde het de thuishaven van kunstenaars, bankiers, komieken en revolutionairen. Het was een belangrijk centrum van liberale en socialistische

tegenstanders van de tsaar en van het zionisme (de haven had de bijnaam de 'Poort naar Zion'). De communisten deden hun best om de dynamiek van de stad te ontkrachten, maar in 1941 woonden er nog steeds 180.000 Joden.

Odessa werd begin augustus belegerd door Duitse en Roemeense strijdkrachten en viel op 16 oktober. Het uitstel zorgde ervoor dat tienduizenden Joden konden vluchten, maar ongeveer de helft was er nog toen de troepen van de asmogendheden de stad binnentrokken. Enkele duizenden Joden en communisten werden meteen door *Einsatzgruppe D* met assistentie van Roemenen vermoord. Wat de Holocaust in het zuidelijk deel van Oekraïne echter ongebruikelijk maakt, is dat de laatsten de voornaamste daders waren toen Odessa de hoofdstad van de regio Transnistrië werd. Op 22 oktober 1941 doodde een bom, die bij het Roemeense militaire hoofdkwartier was gelegd, meer dan 60 personen. Net als in Kiev bij Babi Jar werd de Joodse bevolking gedurende de volgende paar dagen op bevel van de Roemeense dictator getroffen door afschuwelijke bloedbaden. Meer dan 40.000 mensen werden vermoord en sommige schattingen komen zelfs boven de 50.000 uit. Er is vaak geschreven dat de moorden in de haven plaatsvonden. Maar feitelijk waren er meer locaties in en rond de stad waar de slachtoffers werden doodgeschoten of levend verbrand. De overgebleven Joden – volgens schattingen tussen de 35.000 en 40.000 – werden een haastig opgezet getto in de wijk Slobodka in gedreven waar duizenden het zonder onderdak moesten stellen en doodvroren. In januari en februari 1942 werden de 19.000 overlevenden gedeporteerd naar de kampen van Transnistrië, waar ze werden vermoord (voornamelijk in Domanevka). De Joden die in Odessa achterbleven, werden grotendeels in 1942-1943 gedood. Hoewel vluchtelingen na de oorlog terugkeerden, zorgde latere emigratie ervoor dat er nu nog maar ongeveer 30.000 Joden in Odessa wonen.

Het Joods Museum van Odessa (zo-do 13.00-17.00; toegang gratis; english.migdal.ru/museum) ligt verscholen aan de achterkant van de binnenplaats van Nizhynska vulitsya 66, vlak bij de centraal gelegen Preobrazhenska vulitsya. Het museum is klein, maar het lukt heel goed om het hele vooroorlogse Joodse leven op te roepen. De ruimte die is gewijd aan

Odessa: Holocaustmonument (foto van Elizabeth Burns)

de Holocaust geeft de harde cijfers en maakt gebruik van het verhaal over overlever Leonid Dusman en zijn familie om het woord te voeren voor duizenden anderen. Zichtbaardere sporen van het verleden zijn te vinden in het centrum. De op een fort lijkende vroegere Brodsky Synagoge staat dreigend aan de Zhukovskoho vulitsya 18 (op de hoek met de Pushkinska vulitsya). Nummer 15 aan de overkant van de straat was een Tarbutschool. Iets verder naar het westen herdenkt een plaquette aan de Rishelievska vulitsya 17 Isaac Babel, de grootste literaire kroniekschrijver van het Joodse Odessa. Hij werd in 1940 door de NKVD in Moskou vermoord. Aan de Yevreiska vulitsya (Joodse straat) die evenwijdig aan de Zhukovskoho vulitsya loopt, ligt op nummer 25 de grote Koren Synagoge. Deze werd in 1927 door de communisten gesloten en is een paar jaar geleden gerestaureerd. Verder naar het oosten de straat af was nummer 12 een tehuis voor Joodse kinderen die in de Russische burgeroorlog wees waren geworden en nummer 1 was het huis van Vladimir Jabotinsky, de leider van de rechtse revisionistisch zionistische partij. Twee straten naar het westen ligt aan de Osypova vulitsya 21 de tweede actieve synagoge van de stad. Dit is het mooie vroegere gebedshuis van de kleermakers dat na de sluiting in de jaren 1920 een paar jaar geleden weer in gebruik is genomen. Een plaquette aan de Osypova vulitsya 30 markeert het vroegere huis van Meir Dizengoff, de eerste burgemeester van Tel Aviv. Het voormalige gebedshuis van de koosjere slagers, dat iets achteraf ligt aan de Mala Arnautska 46A verder naar het zuiden, biedt nu onderdak aan verschillende organisaties van de Joodse gemeenschap.

Het belangrijkste Holocaustmonument staat voorbij het westelijk eind van de Velyka Arnautska vulitsya op het Prokhorovsky plosjtsja, een verzamelpunt tijdens de deportaties. In tegenstelling tot de ingetogen monumenten die vaak in Oekraïne worden aangetroffen, bestaat het hoofdelement uit naakte figuren die op een groot betonnen blok staan en die worden omgeven door prikkeldraad. Rijen berkenbomen aan weerszijden eren de burgers van Odessa die Joodse levens hebben gered. Aan de zuidpunt van het parkje bevat een gedenksteen de namen van de plaatsen in Transnistrië waar Joden naartoe werden gestuurd. Eén zijde van de steen eert ook Roma-slachtoffers. Het monument staat op de rand van de wijk Moldavanka, de historische Joodse buurt die een grote rol speelt in de verhalen van Babel. Er zijn nog een paar resten te vinden om de hoek, aan de Miasoiedovska vulitsya. Op nummer 13 staat een voormalig gebedshuis en op de hoek met de Bohdana Khmelnytskoho vulitsya was nummer 32 een Joods ziekenhuis (het is nog steeds een ziekenhuis).

De andere belangrijke locatie die herdacht moet worden is een vroeger artilleriedepot, ongeveer drieënhalve kilometer ten zuiden van het spoorwegstation waar tijdens de massamoorden van 1941 zo'n 25.000 Joden naartoe werden gebracht. De Roemenen dreven hen de gebouwen in en staken die in brand. Het duurde dagen voordat de branden waren uitgewoed. Een eenvoudige steen staat in het sjofele perkje tussen Liustdorfska Doroga 46 en 47. De Liustdorfska Doroga is de zeer lange en verwarrend genummerde hoofdweg die in zuidelijke richting de stad uit voert; het bedoelde gedeelte ligt na de rotonde op het Tolbukhina Ploshchad, waar de weg naar rechts buigt. Het is het gemakkelijkst om een tram te nemen (13, 26 of 31) naar de halte Tolbukhina. De locatie ligt dan ongeveer 100 meter verder aan de linkerkant van de Liustdorfska Doroga. Deze route voert langs de locatie van de eerste twee Joodse begraafplaatsen van Odessa die beide door de communisten werden vernietigd. Alles wat over is van de oorspronkelijk achttiende-eeuwse begraafplaats is een vervallen ceremonieel gebouw aan de Vodoprovidna vulitsya 11. Het terrein werd samen met de aangrenzende christelijke en islamitische begraafplaatsen in 1936 veranderd in een park. De tweede begraafplaats (geruimd in 1978) lag boven aan de Liustdorfska Doroga, tegenover het christelijke kerkhof. Hier ligt nu ook een park, hoewel de oude poort aan de weg is herbouwd.

Ten westen van het centrum is het terrein van het kort bestaande Slobodkagetto volgebouwd met naoorlogse woningen, maar er is een herdenkingsplaquette (die gemakkelijk over het hoofd wordt gezien) aangebracht tegen de muur van de marineacademie aan de Malovskoho vulitsya 10 (tram 22 of 30 naar de halte Hradonachalnytska, wandel dan naar het noorden over de Balkivska vulitsya en sla links de Malovskoho vulitsya in – het gedenkteken ligt de heuvel op, achter de spoorbrug). Een heel stuk verder naar het westen ligt de derde Joodse begraafplaats van Odessa (geopend in 1916) aan de Khimicheskaya 1 (trolleybus 8 of *marshrut-ka* 208). Deze werd zwaar beschadigd door de Roemenen, dus de meeste graven zijn van na de oorlog (achterin liggen ook veel Tartaarse graven). In de zuidwestelijke hoek staat een groot monument voor de slachtoffers van de pogrom van 1905 dat is verhuisd van de tweede begraafplaats.

ANDERE LOCATIES

Er zijn natuurlijk veel plaatsen die in verband zijn te brengen met de Joodse geschiedenis en de Holocaust in Oekraïne. De over het algemeen beperkte aard van herdenken maakte het voor de bezoeker echter moeilijk om die plaatsen te ontdekken, een fenomeen dat nog wordt verergerd door de grote omvang van het land en het trage transportsysteem. Het is dus aan te raden om contact op te nemen met de plaatselijke Joodse gemeenschap (waar die bestaat) om informatie te krijgen over bepaalde plaatsen. Een lijst daarvan is te vinden op fjc.ru/centers.

Algemeen gesproken wordt de eerlijkste en openlijkste benadering van de Holocaust gevonden in het oostelijk deel van Oekraïne. Een zeer bewonderenswaardig instituut is het Tkuma Ukrainian Centre for Holocaust Studies in Dnjepropetrovsk (tkuma.dp.ua) dat een actieve rol heeft gespeeld in het onderricht over de Holocaust. Er wordt gewerkt aan het opzetten van een nationaal Holocaust Museum dat zal komen te staan naast de gerestaureerde Gouden Roos Synagoge aan de Sholom-Aleikhema vulitsya 4, de trots van een van de levendigste Joodse gemeenschappen van Oekraïne (djc.com.ua).

Een klein holocaustmuseum bestaat in Charkov aan de Petrovskoho vulitsya 28 (holocaustmuseum.kharkov.ua – alleen Russisch), terwijl een gedenkmuur op de hoek van de Moskovsky Prospekt en de 12-go Aprelya vulitsya het getto herdenkt dat maar kort heeft bestaan. Ten oosten van de stad is de Drobitsky Jar massamoordlocatie de plaats waar naar schatting 30.000 Joden werden vermoord. Het grootste bloedbad vond plaats op 15 december 1941, toen meer dan 15.000 mensen werden doodgeschoten. Een groot nieuw herdenkingscomplex is op de locatie gebouwd die ten noorden van de E40 (de voortzetting van de Moskovsky Prospekt) ligt, op een paar honderd meter buiten de ring.

Zoals in L'viv duidelijk is te merken, is herdenken in West-Oekraïne problematischer. Gedenktekens, als die al bestaan, bevinden zich meestal op moeilijk begaanbare plaatsen en worden vaak slecht onderhouden, terwijl resten van de Joodse cultuur aan verval zijn overgegeven. Een positievere ontwikkeling kan ontstaan in Zjovkva, ten noorden van L'viv. De vervallen Grote Synagoge aan de Zaporizka vulitsya is aangemerkt voor restauratie waarna het een museum van Galicisch Joodse geschiedenis moet worden, al zal dat waarschijnlijk nog vele jaren duren. De problemen waarmee de herdenking in het voormalige Oost-Galicië is omgeven, worden diepgaander behandeld in het boek *Erased* van Omer Bartov uit 2007.

16

Kroatië en Bosnië en Herzegovina

Het Kroatië uit de Tweede Wereldoorlog – dat het grootste deel van het huidige Kroatië en Bosnië en Herzegovina omvatte – was een uniek geval in de Holocaust. Het was een staat waarin de genocide op de Joden (en anderen) voornamelijk werd gepleegd door de regering, en niet door de nazi's. Er wordt zelfs aangenomen dat geen enkel ander regime een groter percentage van de eigen burgers aanmerkte voor vernietiging.

Joden hadden al sinds de Romeinse tijd langs de Dalmatische kust gewoond, terwijl de Turkse overheersing in de vroegmoderne periode een belangrijke immigratie uit Spanje en Portugal naar Bosnië aanwakkerde. Het grootste deel van Kroatië stond echter onder Oostenrijks bestuur wat tot de jaren 1780 een uitgebreide vestiging van Joden verhinderde. Daarna kwam een migratie vanuit andere delen van het Oostenrijkse Rijk op gang, waardoor een heterogene gemeenschap ontstond. De gecombineerde vooroorlogse Joodse bevolking van Kroatië en Bosnië – allebei onderdeel van Joegoslavië – telde bijna 40.000 zielen.

Duitsland en de bondgenoten (Italië, Hongarije en Bulgarije) vielen Joegoslavië in april 1941 binnen. Het land werd grotendeels verdeeld onder de zegevierende mogendheden, maar Hitler schiep de Onafhankelijke Staat Kroatië (NDH) uit de gebiedsdelen van Kroatië en Bosnië en Herzegovina (hoewel Italië de kustlijn inlijfde) en gaf de macht in handen van de *Ustaše* beweging van Ante Pavelić. Pavelić en zijn volgelingen haatten de Joden en Roma op dezelfde obsessieve manier als de nazi's. Beide groepen raakten tussen april en juni 1941 door een reeks decreten

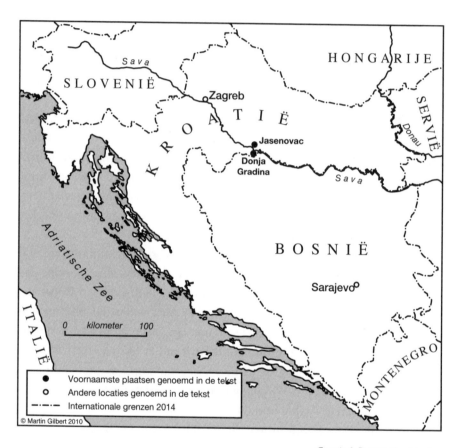

Croatia & Bosnia-Herzegovina

hun burgerrechten kwijt. Pavelić ging zelfs zover dat hij de duidelijk Slavische Kroaten opnieuw definieerde als 'Ariërs', wat afweek van de raciale theorieën van de nazi's die Hitler in praktijk wilde brengen. De *Ustaše* strekte hun eliminerend racisme uit tot een derde groepering, de Serven, van wie er ongeveer twee miljoen in de NDH woonde. De eerste grote golf van *Ustaše*-terreur in de zomer van 1941 was zelfs grotendeels tegen de Serven gericht, in de vorm van gerechtelijke moord op de intelligentsia en chaotische bloedbaden op het platteland. Die zomer werd er ook een netwerk van concentratiekampen opgezet waarvan het Jasenovac-complex het grootste en beruchtste was. Hier werden in de maanden erna tienduizenden Joden, Roma en Serven naartoe gestuurd. In naam waren het werkkampen, maar deze instituten deden ook dienst als plaatsen van massavernietiging en ze werden gekenmerkt door een vreselijke wreedheid. Zelfs het Duitse militaire apparaat dat op dat moment bezig was met het vermoorden van de Joden van Servië, werd erdoor geschokt. De SS had geen last van dergelijke bedenkingen. De angst dat het bloedvergieten zou kunnen stoppen, was voor de Duitsers zelfs aanleiding om in het voorjaar van 1942 tussenbeide te komen en ervoor te zorgen dat de overblijvende Joden naar Auschwitz werden gestuurd. Vijf transporten werden in augustus 1942 naar Polen gestuurd, gevolgd door nog eens twee in mei 1943, die meer dan 6500 Joden omvatten. Men neemt aan dat door de *Ustaše* en de nazi's ongeveer 33.000 Kroatische en Bosnische Joden werden vermoord, samen met het merendeel van de pakweg 30.000 Roma en minstens 300.000 Serven. De ongeveer 5000 Joden die de oorlog overleefden, hadden dat te danken aan de bescherming van de Italianen, terwijl de partizanen die rol overnamen na de capitulatie van Italië. De terreur stopte pas helemaal na de definitieve nederlaag van de *Ustaše* in april 1945, toen Pavelić en veel andere leiders langs dezelfde kanalen als de nazi's naar Argentinië ontsnapten, waar de voormalige dictator adviseur van Juan Péron werd. Pavelić liep in 1957 in Buenos Aires schotwonden op van een onbekende aanvaller en nadat Argentinië erg laat had ingestemd met uitwijzing naar Joegoslavië, vluchtte hij naar Spanje waar hij ten slotte in 1959 aan zijn verwondingen overleed.

De genocide in de NDH en met name in Jasenovac was bepalend voor het gevoel van legitimiteit dat het regime van Tito koesterde. Herdenkingen volgden dus de regels van de partijdoctrine – die het dodencijfer overdreven – terwijl Tito verder onderzoek tegenhield. Dit veroorzaakte een gevoel van wrok bij veel Kroatische nationalisten die geloofden dat de daden van de *Ustaše* werden gebruikt om hun aspiraties in diskrediet te brengen. Verbitterde discussies over wat er in de oorlog was gebeurd speelden voorafgaand aan het uiteenvallen van Joegoslavië een belangrijke rol. De Holocaust bleef in Kroatië een bron van schaamte; openlijke herdenkingen zijn beperkt en vaak controversieel. Dit bleek het duidelijkst uit de discussie over wat er moest gebeuren met het Jasenovac-monument dat bij de oorlog van 1991-1995 werd beschadigd. President Franjo Tudjman opperde om er een gedenkteken van te maken voor alle slachtoffers van de Tweede Wereldoorlog en latere conflicten, een voorstel dat hij snel liet vallen na algemene internationale kritiek.

JASENOVAC

Nergens is de nalatenschap van de Holocaust controversiëler geweest dan in Jasenovac, het 'Auschwitz van de Balkan'. Net als Auschwitz bestond Jasenovac feitelijk uit een groep kampen verspreid over een groot gebied rond de rivier de Sava, op de huidige grens van Kroatië en Bosnië. Twee kampen werden in de zomer van 1941 in naburige dorpen opgezet, maar algauw werden die later dat jaar overtroffen door het hoofdkamp (officieel Jasenovac III). Hier werd een aantal andere instituten aan toegevoegd, in het bijzonder executieterreinen in Donja Gradina aan de overkant van de rivier en een kamp voor vrouwen en kinderen in Stara Gradiška, ruim 30 kilometer naar het zuidoosten (tot juni 1943 zaten er in Jasenovac uitsluitend mannen). Wat deze geschiedenis zo omstreden maakt, is het feit dat het kamp niet door de nazi's werd opgezet en bestuurd, maar door de *Ustaše*. Het wordt dus nauw in verband gebracht met de geschiedenis van de enige onafhankelijke Kroatische staat die er bestond voor de jaren 1990, en het neemt daarmee een centrale plaats in bij de wedijverende nationalistische mythologieën van de regio. Over bepaalde feiten bestaat geen twijfel. Tienduizenden gevangenen, voornamelijk Serven,

Joden en Roma werden in het kader van de krankzinnige racistische filosofieën van de *Ustaše* verslonden door het systeem van Jasenovac. Omvangrijke aantallen van deze gevangenen werden voornamelijk in Donja Gradina op een vreselijke manier vermoord, terwijl duizenden anderen het leven lieten door ziekte (vooral tyfus), uithongering en pure uitputting.

De niet te beantwoorden vraag en tot de dag van vandaag de bron van veel verhitte debatten gaat over hoeveel slachtoffers er waren. Het communistische standpunt dat in Servië nog steeds brede aanhang heeft, was dat er minstens 700.000 mensen werden vermoord. Als dit waar is, zou het van Jasenovac, na Birkenau en Treblinka, het dodelijkste kamp van Europa maken. Algemeen wordt echter aangenomen dat dit cijfer, misschien wel opzettelijk, overdreven was. Net als bij de vier miljoen doden van Auschwitz, waaraan lang werd vastgehouden, telde dat hoe groter het aantal slachtoffers, des te groter ook de morele legitimiteit van het communisme om een dergelijk kwaad te verslaan. Er zijn bewijzen dat een verlangen naar het maximaliseren van de Joegoslavische herstelbetalingen ook een belangrijke rol speelde. In latere jaren konden Servische nationalisten het getal van 700.000 ook gebruiken om het afwijzen van Kroatische aanspraken op zelfstandigheid te rechtvaardigen. Het opgeblazen cijfer riep onvermijdelijk een reactie op van Kroatische historici, onder wie de toekomstige president Franjo Tudjman, die het tegenovergestelde uiterste propageerden. In hun revisionistische versie was Jasenovac louter een werkkamp waarin misschien slechts 20.000 mensen het leven lieten. De exacte waarheid zal nooit bekend worden doordat de *Ustaše* geen goede boekhouding bijhield en doordat wat er aan bewijsmateriaal op schrift stond, later werd vernietigd. Historici zijn echter in staat geweest minimale aantallen vast te stellen: het Jasenovac-museum heeft 83.145 slachtoffers geïdentificeerd onder wie 20.101 kinderen. Van dit aantal waren bijna 50.000 mensen Servisch, ruim 16.000 Roma en ruim 13.000 Joods. Het is redelijk om aan te nemen dat de echte aantallen hoger liggen. Uiteindelijk kan niet worden ontkend dat Jasenovac een plaats van onuitspreekbare verschrikkingen betekende en dat het het dodelijkste niet-nazikamp van de asmogendheden was.

Jasenovac (Foto van de auteur)

Het kamp werd door de *Ustaše* vernietigd toen de partizanen in april 1945 naderbij kwamen. Het grote terrein werd in 1968 veranderd in een herdenkingspark, gedomineerd door een enorm betonnen herdenkingsbeeld dat door de schepper Bogdan Bogdanović werd omschreven als een 'melancholieke lotus'. Rond het beeld liggen heuveltjes die de verschillende gebouwen in het kamp voorstellen. Spoorrails lopen langs het zuidelijke pad van het park en daarop staat een trein van het type dat werd gebruikt om gevangenen aan te voeren. Aan de westelijke rand van het park staat een onopvallend communistisch gebouw waarin het museum is gevestigd. Dit werd bij de oorlog van de jaren negentig zwaar beschadigd – ook het dorp Jasenovac heeft erg zichtbare littekens aan het conflict overgehouden – en bracht weer het vermogen van Jasenovac aan het licht om mensen te scheiden. De Kroaten beschuldigden de Serven van het plunderen van het museum, terwijl de Serven aanvoerden dat voorwerpen werden verwijderd na schennis door Kroatische troepen. De Bosnische Serviërs droegen de collectie uiteindelijk over aan het United States Holocaust Memorial Museum, dat een voorname rol speelde bij het opstellen van een nieuwe expositie die in 2006 openging (mrt-nov: di-vr 9.00-17.00 en za-zo 10.00-16.00, dec-feb: ma-vr 9.00-16.00; toegang gratis; www.jusp-jasenovac.hr). Dit blijkt uit de evenwichtige aanpak van onder andere de netelige kwestie van de aantallen en het uitgebreide gebruik van multimedia (waaronder video-interviews met overlevenden), hoewel het donkere interieur en de lage plaatsing van informatiepanelen nogal aan communistische musea doen denken. De misschien wel aan-

Donja Gradina (foto van de auteur)

doenlijkste voorwerpen zijn de notitieboekjes en het tekenboek van de zesjarige Tedi Drausnik die met zijn moeder en broer in het complex van Jasenovac werd vastgehouden. Allemaal konden ze uiteindelijk vertrekken, alleen Tedi's onderwijzeres, de zeventienjarige Vidoka Vuković, werd in 1944 vermoord. Bij de ingang ligt een boek met namenlijsten van bekende slachtoffers van Jasenovac. Het telt 1888 bladzijden.

Jasenovac ligt aan de A47 ten zuiden van Novska. De weg komt langs de plaats van het kamp waarbij de lotus duidelijk zichtbaar is. Ongeveer een kilometer ten westen van het museum buigt de weg terug naar het complex. In het centrum van Bročice tussen Novska en Jasenovac en opzij van de A47 staat een klein monument dat gemakkelijk over het hoofd wordt gezien. Dit was in 1941 de plaats van het kort bestaande kamp Jasenovac II. Er rijdt dagelijks een klein aantal treinen naar Jasenovac vanuit Novska, dat zelf aan de hoofdlijn tussen Zagreb en Belgrado ligt.

DONJA GRADINA

Donja Gradina was het voornaamste executieterrein voor Jasenovac en lag vanuit het hoofdkamp pal aan de overkant van de rivier de Sava. Gevangenen werden aangevoerd met een schuit en onderworpen aan het hele scala van *Ustaše* wreedheden: ophangen, keel doorsnijden, verbranden, slaan met hamers. Toen dit nog Joegoslavië was, maakte het deel uit van het herdenkingscomplex van Jasenovac, maar het is nu afgescheiden van het hoofdterrein door een internationale grens, omdat het deel uitmaakt van de Republika Srpska, de Servische entiteit van de staat Bosnië en Herzegovina. Als gevolg daarvan zijn de meeste bezoekers van de locatie Serviërs, terwijl tegelijkertijd veel bezoekers van Jasenovac niet op de hoogte zijn van het bestaan van Donja Gradina. De locatie is wel gemakkelijk te bereiken en helpt de realiteit van het kamp beseffen, terwijl het ook de heel verschillende historische benaderingen van Serviërs en Kroaten benadrukt.

Het begin van het herdenkingsgebied wordt aangegeven door de 'Populier van Verschrikking', de boom waaraan duizenden gevangenen van Jasenovac werden opgehangen en die nu naast de weg op staken rust. De weg maakt een bocht langs de noordzijde van de locatie en volgt de loop van de Sava. Het grote veld en het bos naar het zuiden bevatten het grootste deel van de massagraven van Donja Gradina, die worden aangegeven door verhoogde aarden wallen. Er zijn 125 massagraven geïdentificeerd, maar waarschijnlijk zijn het er meer. Waar de weg het beboste gebied in het oosten binnengaat, staan een orthodox kruis, een davidster en een chakrawiel (voor de Roma), die de belangrijkste groepen slachtoffers vertegenwoordigen. Grote borden in het bos verkondigen de algemene Servische visie over Jasenovac die nu door weinig historici wordt gedeeld: 700.000 slachtoffers van wie 500.000 Serven. In de buurt staan grote vaten en tonnen die volgens de officiële versie werden gebruikt om zeep te fabriceren uit de lichamen van gevangenen. Het verhaal dat de nazi's zeep maakten uit het vet van Joodse slachtoffers is een van de grote mythes van de Holocaust waaraan zelfs nu nog algemeen geloof wordt gehecht. Het kan zijn dat hier een soortgelijk proces speelde, maar tijdens de rechtszaak tegen de voormalige commandant Dinko Šakić in 1999 getuigden oud-gevangenen dat er in Donja Gradina wel degelijk tevergeefs werd geprobeerd om zeep te maken.

De plaats is vanuit Jasenovac te bereiken door de Gradina-grens aan de andere kant van de rivier te passeren over een moderne brug die ongeveer anderhalve kilometer ten westen van het museum ligt. In theorie is toestemming van de grenswachten vereist om het monument te bezoeken, maar dit moet een formaliteit zijn. Hoewel de meeste mensen de grens met de auto oversteken, is het ook heel goed lopend te doen.

ANDERE LOCATIES

Zagreb was de woonplaats van de grootste Joodse bevolking in Kroatië die in 1941 bijna 12.000 zielen telde. De meesten werden in Jasenovac of Auschwitz vermoord. Er is een monument voor de slachtoffers waarop een standbeeld van Mozes staat. Het staat aan de zuidkant van de schitterende Mirogoj begraafplaats aan de Aleja Hermanna Bollea, ten noorden van het centrum (www.gradskagroblja.hr). Een parkeerplaats aan de Praška 7, dicht bij het centrale Ban Josip Jelačić plein, staat op de plaats van de synagoge van Zagreb die in 1941 door de *Ustaše* werd opgeblazen. Dit is aangegeven door een gedenkplaat, maar de Joodse gemeenschap die nu een paar straten naar het oosten aan de Palmotićeva 16 is gevestigd, hoopt op die plaats een nieuw gemeenschapscentrum met een synagoge te bouwen.

Voor de oorlog woonden ongeveer 12.000 van de totale Bosnische gemeenschap van 14.000 Joden in Sarajevo. De voormalige Sefardische synagoge aan de Mula Mustafe Bašeskije herbergt het Joods Museum van de stad, dat in 2004 werd heropend na gesloten te zijn geweest tijdens het beleg van de jaren negentig. In de heuvels boven de stad eert het Vraca herdenkingscomplex de ruim 7000 Joden die samen met andere burgers en partizanen in de oorlog werden gedood. De plaats werd tijdens het beleg zwaar beschadigd.

17

Servië

Over de geschiedenis van de Holocaust in Servië is betrekkelijk weinig bekend en toch is die van grote betekenis, omdat die samenviel en gelijkliep met de Holocaust in Polen en de Sovjet-Unie. Tegen de tijd dat in 1942 in een groot deel van de rest van Europa de massadeportaties begonnen, waren de Joden van Servië, met uitzondering van een klein aantal dat verborgen zat of meevocht met de partizanen, al vermoord.

Er had al een kleine Joodse gemeenschap bestaan sinds de Romeinse tijd, maar die ging pas een belangrijk element vormen toen het grootste deel van Servië werd ingelijfd bij het Ottomaanse Rijk (een proces dat in de jaren twintig van de zestiende eeuw werd voltooid). Dit vergemakkelijkte de vestiging van Sefardische immigranten uit Spanje en Portugal. Asjkenazische gemeenschappen ontwikkelden zich ook in de noordelijke provincies die in de achttiende eeuw werden overgenomen door Oostenrijk en die nu aan Hongarije grenzen. Gezien de nauwe band tussen Joodse voorspoed en de Ottomaanse heerschappij is het nauwelijks verrassend dat de Servische onafhankelijkheid in de negentiende eeuw een gevoel van onbehagen veroorzaakte. Hoewel veel Joden de onafhankelijkheidsbeweging steunden, leek de vrees van de pessimisten gerechtvaardigd toen vanaf 1830 beperkende wetten werden ingevoerd. Pas in 1889 kregen de Joden hier volledig gelijke burgerrechten. De situatie verbeterde in het Joegoslavië van het interbellum, toen prominente Joden een leidende rol speelden in de economie van het land en antisemitisme vrijwel niet voorkwam op de politieke agenda.

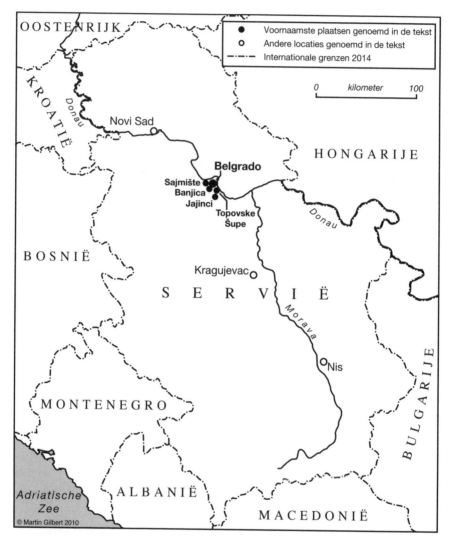

Servië

Dat zou natuurlijk allemaal veranderen met de Duitse inval van april 1941. Hoewel een deel van de noordelijke regio Vojvodina aan Hongarije werd gegeven, viel het grootste deel van Servië, waar de quislingregering van Milan Nedić zetelde, onder directe Duitse militaire bezetting. De politiek was vanaf het begin dezelfde als in andere bezette naties, met de bekende reeks van wettelijke afzondering, uitsluiting van beroepen, economische onteigening en dwangarbeid. Vanaf de zomer van 1941 escaleerde dit echter in een politiek van genocide en dat ging met een snelheid die slechts vergelijkbaar was met het gelijktijdige moorden in de USSR. Het markeerde daarmee een belangrijke fase in de ontwikkeling van de Holocaust. De officiële rechtvaardiging voor de massamoorden was de snelle opkomst van het verzet door partizanen, waarbij de Duitsers kozen voor een vergeldingsstrategie die inhield dat 100 Serviërs werden gedood voor elke gedode soldaat en 50 voor elke gewonde soldaat. Dit liep uit op een meedogenloze terreurcampagne tegen de burgerbevolking, en dan vooral op het platteland, die vergelijkbaar was met de wreedheden van de *Ustaše* in Kroatië. Duizenden Serven werden vermoord, maar steeds meer waren de Joden het doelwit van het Duitse geweld. Vanaf augustus 1941 werden Joodse mannen gevangengezet in een handvol kampen waarin het grootschalige moorden de maand daarop begon. Tegen december waren ze bijna allemaal dood. Sommige geschiedkundigen hebben geopperd dat de moorden in Servië een lokale aangelegenheid waren, een manier om de steeds moeilijker te bereiken vergeldingsaantallen te halen die de Duitsers zichzelf hadden gesteld. Harold Turner, hoofd van de SS in Servië, vertelde misschien wel de waarheid toen hij opmerkte dat 'ze toch opgeruimd moesten worden'. De campagne tegen de partizanen was ook in een ander opzicht een prettige dekmantel, omdat het moorden aan de Wehrmacht overgelaten kon worden. Het hele proces was immers een militaire noodzakelijkheid. Het eergevoel van het leger dat weinig moeite had met het doodschieten van ongewapende Joodse mannen of Servische boeren, schrok wel terug voor het doden van vrouwen en kinderen. Dus werd besloten alle overgebleven Servische Joden te concentreren in een enkel kamp: Sajmište. Toen de voorgenomen deportatie werd vertraagd (de pas opgezette Poolse kampen hadden veel andere slachtoffers in de wacht staan), werd besloten de vrouwen en kinderen ter plaatse te ver-moorden. Vrijwel de gehele Joodse bevolking werd rond half mei 1942 vermoord, wat voor Turner aanleiding was om trots te verkondigen dat Servië het enige land was waar het Joodse probleem was opgelost. De cijfers die het meest worden aangehaald, zijn dat 14.500 van de 16.000 Servische Joden in de Holocaust het leven hebben gelaten. Hierbij wordt echter het door Hongarije bestuurde Vojvodina buiten beschouwing gela-ten waar nog eens enkele duizenden Joden woonden. Maar ook daar stierven de meesten bij massamoorden in begin 1942, of door dwangar-beid en in 1944 als gevolg van deportatie naar Birkenau, samen met de Hongaarse Joden.

De naoorlogse Joegoslavische herdenkingen waren in Servië natuurlijk hetzelfde als in Kroatië. De nadruk lag vooral op het Servische leed, zodat locaties die grotendeels in verband gebracht moesten worden met de moord op Joden over het hoofd werden gezien. Dit begon te veranderen na het uiteenvallen van Joegoslavië, hoewel de oorlogen en economische problemen van de jaren 1990 wel voor vertraging zorgden. Gezien de nadruk op het moderne gevoel van identiteit van de natie, is het nogal verrassend dat zelfs plaatsen als Banjica en Jajinc, waar Serviërs de meer-derheid van de slachtoffers vormden, nog steeds behoorlijk vervallen zijn.

BELGRADO

Belgrado was de woonplaats van meer dan twee derde van de Joden in door Duitsland bezet Servië. De gemeenschap telde in 1941 11.870 zie-len. Het staat vast dat er in de Romeinse tijd al Joden in de stad woonden en in de middeleeuwen was het een Asjkenazisch centrum van enige bete-kenis. Het was echter de Ottomaanse verovering in de zestiende eeuw en de daaropvolgende instroom van Iberische vluchtelingen die Joods Bel-grado zijn identiteit verleende, omdat de laatste groep meer dan 80% van de gemeenschap uitmaakte. De snelle groei van de stad na de Servische onafhankelijkheid ging gepaard met de komst van meer Joden.

Belgrado viel binnen een week na de inval in Joegoslavië en werd op 13 april 1941 door de Duitsers bezet. Verlies van rechten in de eerste maanden diende als inleiding op de escalatie van het beleid aan het eind van de zomer toen alle Joodse mannen werden opgepakt om tussen oktober en december te worden vermoord. De vrouwen en kinderen werden in december naar Sajmište gestuurd. Van de Joden van Belgrado werden er ongeveer 10.500 vermoord – de enige overlevenden waren degenen die erin waren geslaagd in de stad een onderduikadres te vinden of die naar de partizanen waren gevlucht.

Het traditionele vestigingsgebied van de Joden was de wijk Dorćol tussen de Oude Stad en de Donau in het noorden. De gemeenschap wordt herdacht door een Holocaustmonument naast de rivier, van de hand van Nandor Glid, een Servische Jood die de Holocaust had overleefd en die voor heel Europa, waaronder Dachau, monumenten had ontworpen. Zijn kenmerkende stijl van gebeeldhouwde, verstrengelde figuren wordt in dit geval gebruikt om de vorm van niet alleen een menora maar ook van vlammen te suggereren. Het gedenkteken staat naast een kinderspeelplaats aan de oever van de Donau, vlak ten oosten van de Tadeuša Košćuška en het sportcentrum 25 mei.

Een paar straten naar het zuiden kruist de Tadeuša Košćuška de Visokog Stevana. Het grijze gebouw op de hoek (Visokog Stevana 2) was het voormalige hoofdkwartier van de Joodse vrouwenvereniging dat werd omgebouwd tot een Joodse ziekenhuis nadat de Joden in 1941 waren uitgesloten van de 'Arische' gezondheidszorg. Op 19 maart 1942 werden de patiënten naar Sajmište gebracht, waar ze als eerste slachtoffers werden vergast. De artsen volgden een week later. De Jevrejska loopt evenwijdig aan de Tadeuša Košćuška en vormde zoals de naam al aangeeft het hart van het Joodse leven. Dat gold met name voor de kruising met de Solunska. Een handvol gebouwen draagt nog een paar sporen van dit verleden, maar vooral het schitterende gebouw in Moorse stijl aan de Jevrejska 16 waarin de liefdadigheidsinstellingen *Oneg Shabat* en *Gemilut Hasadim* waren ondergebracht. Tegenwoordig doet het pand dienst als cultureel centrum.

De groeiende Joodse welvaart en integratie aan het eind van de negentiende eeuw moedigden de rijken aan om zich dichter bij het centrum te vestigen. Hiervan getuigen de voormalige herenhuizen van kooplieden die een aangename onderbreking vormen op de communistische architec-

tuur aan de Cara Dušana. De kantoren van de gemeenschap zijn gevestigd in een groot negentiende-eeuws gebouw aan de Kralja Petra 71a,
waarin ook het Joods Historisch Museum van Belgrado is ondergebracht
(ma-vr 10.00-14.00; toegang gratis; www.jimbeograd.org). De tentoonstelling is iets gedateerd, wat het duidelijkst blijkt uit het laatste gedeelte
over 'vrij socialistisch Joegoslavië'. Niettemin is de collectie oude foto's
en aandenkens van een nu vrijwel verdwenen leven aangrijpend. Een belangrijk gedeelte is gewijd aan de Holocaust met tentoongestelde voorwerpen uit Sajmište, Banjica en Jasenovac. De Moorse Beth Israel Sefardische tempel – de Grote Synagoge van Belgrado – stond om de hoek tot
die werd platgebrand door de nazi's. Die plaats wordt nu ingenomen
door de Frescogalerij van het Nationaal Museum aan de Casa Uroša 20.
Er hangt een herinneringsplaquette bij de ingang. De enige nog bestaande
synagoge (een groot Asjkenazisch bouwwerk dat beschermd achter hoge
muren ligt) staat verder naar het zuiden aan de Maršala Birjuzova 19. De
synagoge was blijkbaar gevorderd om te worden gebruikt als een bordeel
voor de Duitse militairen, vandaar dat hij is blijven staan.

Ten oosten van het centrum ligt de Sefardisch Joodse begraafplaats
aan de Mije Kovačevića 1 (zo-vr 8.00-19.00 (okt-mrt: tot 17.00)) tegenover het kleine en vaak gesloten Asjkenazische equivalent dat naast het
voornaamste stedelijke kerkhof van Belgrado ligt. Het necropoliscom-
plex wordt aangevuld door een herdenkingslocatie met de graven van
2000 partizanen en Sovjetsoldaten die in 1944 sneuvelden bij de bevrijding van Belgrado. Ze kunnen allemaal worden bereikt door tram 12 of
bus 23, 27, 27L of 32 naar de halte Novo Groblje te nemen. Aan de
achterkant van de Sefardische begraafplaats staat een groot Holocaustmonument met een graf voor de stoffelijke resten van 197 Joden uit Belgrado en plaquettes voor individuele slachtoffers en families. Rechts van
het middenpad bevat een massagraf de stoffelijke resten van 800 Joden
die deel uitmaakten van het Kladovo-transport. Er staat hier een monument dat is opgericht door de Joodse gemeenschap van Wenen. Eind
1939 verliet een groep van ruim 1000 voornamelijk Oostenrijkse Joden
per boot Bratislava, met de bedoeling naar Palestina te gaan. Na enkele
valse starts waren ze in staat Joegoslavië te bereiken voordat ze werden

tegengehouden door een combinatie van slecht weer waardoor de Donau bevroor en een weigering van de Roemeense autoriteiten – onder Britse druk – om hen door te laten. Ze werden gedwongen de winter door te brengen in de kleine plaats Kladovo, aan de Donau. Aanvankelijk verbleven ze in de overvolle boten en later in een tentenkamp. Toen ze eindelijk in september 1940 weer vertrokken, gingen ze niet naar de Zwarte Zee, maar terug naar het noorden, naar de stad Šabac waar ze een volgende winter doorbrachten en waar ongeveer 1100 van hen in april 1941 in handen van de Duitsers vielen (rond 200 voornamelijk jongere vluchtelingen waren erin geslaagd papieren voor Palestina te krijgen en enkele dagen voor de inval vertrokken zij). De mannen werden samen met de Roma, die ook in Šabac vastzaten, vermoord. De vrouwen van het Kladovo-transport werden in januari 1942 naar Sajmište gestuurd, waar ze het lot deelden van alle Joodse bewoners.

TUPOVSKE ŠUPE

Tupovske Šupe was een kort bestaand, maar dodelijk kamp, waarvan de geschiedenis het begin markeerde van de Duitse campagne van systematische genocide in Servië. Het werd officieel als doorgangskamp voor Joden opgezet in augustus 1941, op de plaats van een vooroorlogse artilleriekazerne (wat de naam in het Servisch ook betekent) die aan de toenmalige zuidelijke rand van Belgrado lag. De eerste gevangenen kwamen uit de noordoostelijke regio Banaat en tegen half oktober was duidelijk geworden wat 'doorgang' in deze context betekende: alle mannen werden in groepen meegenomen – soms met honderden tegelijk – om te worden vermoord, wat voornamelijk gebeurde op de executieterreinen van Jajinci ten zuiden van de stad. Hun plaats werd ingenomen door de Joodse mannen van Belgrado die op hun beurt hetzelfde lot ondergingen als de Roma-mannen die ook in het kamp geïnterneerd zaten. In totaal vielen er ongeveer 5000 slachtoffers. In december 1941 werden de rond 300 overgebleven Joodse mannen overgeplaatst naar de overkant van de Sava, om het nieuwe kamp Sajmište aan te leggen. Toen dat werk voltooid was, werden ook zij doodgeschoten.

Het terrein van het kamp ligt op de kruising van de Bulevar oslobođenja en de Tabanovačka, vlak ten zuiden van het drukke Autokomanda kruispunt van autowegen. Een aantal gebouwen dat na de oorlog is gebruikt als werkplaats, staat in een nogal vervallen toestand achter hekken. In 2006 werd echter een herdenkingsparkje aangelegd, aan de rand van het complex opzij van de Tabanovačka. Een pad loopt over het gras naar de nog overeind staande muur van een verder verwoeste barak waarop een gedenkplaat is aangebracht in de vorm van een thorarol met een korte tekst. In 2013 werd een plan aangekondigd om de resterende gebouwen te slopen om plaats te maken voor een winkelcentrum. Het is nog niet duidelijk of de begrijpelijke protesten het effect zullen hebben dat deze beslissing wordt teruggedraaid.

Het herdenkingspark kan worden bereikt door in het centrum van Belgrado tram 9, 10 of 14 of bus 33 te nemen naar de halte Trg oslobođenja. De Tabanovačka is de oostelijke afslag van de rotonde, een paar meter terug. Het parkje ligt op ongeveer 200 meter aan deze straat.

BANJICA

Banjica is onder Serviërs het bekendste kamp, wat een gevolg is van het feit dat de meesten die hier terechtkwamen partizanen waren, en andere politieke gevangenen, maar geen Joden. Het werd in juli 1941 opgezet in een legerkazerne. Anders dan in Tupovske Šupe en Sajmište deelden de Duitsers het bestuur van het kamp met functionarissen van het regime Nedić. Volgens bewaard gebleven documenten zaten hier tot de sluiting in oktober 1944 23.697 mensen opgesloten van wie 3489 werden geëxecuteerd. Het blijkt echter dat een groot aantal van de executiebevelen werd vernietigd, terwijl gevangenen die bij aankomst werden doodgeschoten niet werden ingeschreven, wat inhoudt dat het totaal aantal doden mogelijk veel hoger ligt. Dit is misschien een van de redenen waarom slechts 300 Joden zijn opgenomen onder de slachtoffers van Banjica. Een triestere verklaring is waarschijnlijk dat de meesten al dood waren tegen de tijd dat de eerste Joden in 1942 naar het kamp werden gestuurd. Gevangenen werden vooral naar Jajinci gebracht om te worden vermoord, hoewel anderen in Banjica zelf werden gedood en tevens op de begraafplaatsen van Belgrado. Gevangenen werden ook naar kampen verder in het noorden gestuurd, waaronder Auschwitz en Mauthausen. Na de oorlog kwam het kamp weer in gebruik bij het leger, een rol die het nu nog steeds vervult. Het is niet verwonderlijk dat het grotendeels moderne complex om die reden niet toegankelijk is voor bezoekers. Een aanbouw van een van de weinige gebouwen die nog uit de oorlog stammen, biedt echter onderdak aan een museum dat is gewijd aan het kamp (do 10.00-18.00 of telefoon 011 825 2630; din 200; www.mgb.org.rs). De expositie zelf ontstond onder het communisme en doet misschien wat ouderwets aan, hoewel er enkele interessante voorbeelden zijn van kunstwerken van gevangenen. Een herdenkingskamer bevat lijsten met slachtoffers van Banjica.

Banjica was oorspronkelijk een dorp buiten Belgrado dat na de oorlog is opgeslokt door de buitenwijken van de stad. De legerbasis staat aan de Generala Pavla Jurišića Šturma, ongeveer anderhalve kilometer ten zuiden van het voetbalstadion van Rode Ster. De ingang van het museum ligt enkele meters ten noorden van de hoofdpoort. De plaats is te bereiken met bus 40, 41, 59, 78 of 94 naar de halte Banjica. De Pavla Jurišića Šturma is de weg aan de overkant.

SAJMIŠTE

Sajmište (letterlijk 'kermisterrein') is met recht het beruchtste concentratiekamp van Servië, hoewel het technisch gesproken tijdens de bezetting tot de gebiedsdelen van het onafhankelijke Kroatië behoorde. In oktober 1941 besloten de Duitsers om alle Servische Joden voorafgaand aan hun deportatie te interneren in een enkel kamp. De NDH verleende toestemming voor het gebruik van vooroorlogse beursterreinen op de westelijke oever van de Sava, tegenover Belgrado. Aangezien Joodse mannen al in heel Servië werden vermoord, was het kamp in wezen ontworpen voor vrouwen en kinderen. De overlevende Joden van Belgrado kregen in december 1941 bevel zich bij de politie te melden en werden meteen naar Sajmište (soms aangeduid als Semlin of Zemun) gestuurd waar ze algauw gezelschap kregen van Joden uit andere delen van het land en vrouwen en kinderen van Roma. De grote beurspaviljoens waren natuurlijk nooit bedoeld geweest om in te wonen en dus waren de leefomstandigheden schrikbarend. In de paviljoens werden 'vloeren' gemaakt door houten platforms te installeren waar de gevangenen tussendoor moesten kruipen, terwijl er geen verwarming, weinig toiletgelegenheid en slechts één doucheruimte voor het hele kamp was. Toen duidelijk werd dat deportaties naar Polen meer tijd zouden gaan kosten dan gedacht, stuurden Duitse functionarissen klachten naar Berlijn met als gevolg dat in maart een gasauto van het type dat in Chełmno werd gebruikt naar Sajmište werd gestuurd. In een tijdsbestek van net negen weken werden minstens 6000 vrouwen en kinderen plus het kleine aantal mannen dat tot dusver in leven was gebleven, vermoord, terwijl de auto door de straten van Belgrado reed. Elke groep kreeg te horen dat ze werden overgeplaatst naar een nieuw en gerieflijker kamp – voor de eerste tocht meldden zich 100 mensen – waarna ze over een pontonbrug naar de overkant werden gereden. Tegen de tijd dat de rit door de stad eindigde bij het executieterrein in Jajinci, waren ze allemaal dood. In totaal lieten bijna 8000 Joodse gevangenen van Sajmište het leven, waarvan 2000 door ziekte en voedselgebrek in het kamp. De enige overlevenden waren een paar vrouwen met een buitenlands paspoort die met Servische Joden waren getrouwd en de vrouwen en kinderen van de Roma die de winter overleefden (de laatsten werden vrijgelaten voordat de moord op de Joden begon). Sajmište werd daarna omgevormd tot een kamp voor politieke gevangenen en het bleef tot halverwege 1944 in gebruik. Ongeveer 10.000 van de bij benadering 30.000 Serven die hier werden vastgehouden, verloren het leven. Het kamp raakte steeds meer verlaten, ook nadat het in april 1944 was getroffen door een Amerikaans bombardement (het eigenlijke doel was het spoorwegstation aan de overkant van de rivier) en in mei werd teruggegeven aan de NDH, hoewel Joden die onderweg waren naar andere Duitse kampen er nog tot september 1944 werden vastgehouden. Joden waren dus de eerste en ook de laatste gevangenen.

Hoewel het kamp grotendeels werd verwoest bij het bombardement van 1944, staan er nog steeds een paar paviljoens overeind. Aan de rivier staat een groot monument, maar een herdenkingsplaquette bij de trap naar het toegangspad werd in 2006 gestolen, wat inhoudt dat er nu geen verklaring is van wat er wordt herdacht. De naoorlogse blokken tussen

Sajmište (foto van de auteur)

het monument en de art-decotoren (het midden van het kamp) staan op de plaats van twee van de grote paviljoens waarin Joden en Roma waren ondergebracht. Het grootste paviljoen van allemaal, waarin 5000 Joodse vrouwen en kinderen waren ondergebracht, stond ten zuiden van de toren. De nog bestaande gebouwen liggen aan een stuk van de Staro Sajmište (een straat die zich in een aantal richtingen vertakt) dat het dichtst bij de hoofdweg naar het noorden ligt. Het voormalige kampziekenhuis – nu de nachtclub *Poseydon* aan de Staro Sajmište 20 – kreeg in 2007 wereldwijd aandacht toen de Britse band Kosheen werd geboekt. De band wilde er niet optreden toen de leden achter de geschiedenis van de plaats kwamen. Het nogal vervallen art-decogebouw aan de overkant van de straat bevatte zowel de doucheruimte als het mortuarium. Het gebouw van twee verdiepingen ten oosten van de *Poseydon* (naast een kleine rotonde) was het 'paviljoen van de dood' waar vaak gevangenen werden doodgeslagen toen er Serven in het kamp zaten.

Sajmište ligt op de westelijke oever van de Sava en maakt nu deel uit van Nieuw-Belgrado. Het monument is moeilijk te missen en staat aan de oever, tussen de bruggen Brankov en Stari Savski (de twee noordelijkste over de Sava). De centrale toren is vanaf het monument duidelijk te zien. De andere nog bestaande gebouwen liggen aan een straat naar het noorden. Zie www.starosajmiste.info voor een voortreffelijke interactieve kaart van de plaats.

JAJINCI

Jajinci was het grootste moordcentrum van Servië en daarmee de laatste rustplaats van duizenden Joden, Roma, partizanen en politieke gevangenen. Voor de oorlog had het dienstgedaan als een schietbaan van het leger, dus was het niet verrassend dat de Duitsers er een executieplaats van maakten. Onder de eerste slachtoffers waren de mannelijke Joden en Roma van Tupovske Šupe die vanaf de zomer van 1941 samen met anderen werden vermoord als 'vergelding' voor wat de partizanen deden. Gevangenen van Banjica en Sajmište werden (na de verandering in een 'politiek' kamp in de zomer van 1942) daar ook doodgeschoten, net als partizanen die op het platteland gevangen waren genomen. De verschrikkelijkste periode was de lente van 1942, toen de massale schietpartijen werden aangevuld met de dagelijkse aankomst van de gasauto uit Sajmište met zijn gruwelijke lading. Een ploeg van zeven Servische gevangenen moest de auto uitladen. Zodra de leveringen stopten, werden ook zij vermoord. Er werden minstens tachtig geulen gegraven voor alleen al de lichamen van de vrouwen en kinderen van Sajmište. Net als in Polen en de USSR zorgde de kentering in de oorlog ervoor dat de Duitsers probeerden de bewijzen te vernietigen. Vanaf november 1943 moest een groep van 100 Joodse en Servische gevangenen onder toezicht van Duitse politiemensen de lijken opgraven en verbranden. Dit is een van de redenen waarom er enige zekerheid is te krijgen over het aantal mensen dat in Jajinci werd vermoord, ook al duidt het feit dat bijna tot aan de bevrijding in oktober 1944 nog steeds lichamen verbrand moesten worden, erop dat het om grote aantallen moet zijn gegaan. Het getal dat in Servië het meest wordt aangehaald is 80.000, hoewel de Servische orthodoxe kerk, die op dit gebied niet bekendstaat om terughoudendheid, een cijfer van 127.000 heeft geopperd. De aantallen liggen zeker in de tienduizenden, waarbij er bewijzen zijn dat er in 1943-1944 door de vernietigingsploeg een verbijsterend aantal van 68.000 lijken is opgegraven.

De plaats werd in 1964 veranderd in een herdenkingspark (de twintigste verjaardag van de bevrijding van Belgrado), maar is nu nogal verwaarloosd. Er is weinig dat verwijst naar de geschiedenis, afgezien van een kleine herdenkingsmuur bij de ingang tot het park die is voorzien van een typisch communistisch reliëf van slachtoffers en heldhaftige partizanen. Naast een citaat van de dichter Desanka Maksimović, in de buurt van het voornaamste herdenkingsgebied, is dit de enige tekst. Het aangelegde park zelf wordt beheerst door een grote abstracte metalen sculptuur die vaag doet denken aan een vredesduif en die bovenop een hoge sokkel staat. Daarachter zijn een paar palen van de schietbaan bewaard gebleven. Dit vormt het middelpunt voor de jaarlijkse herdenkingsdiensten, maar op andere momenten zou de betekenis ervan zonder enige voorkennis van de geschiedenis van Jajinci onduidelijk zijn.

Het dorp Jajinci ligt vlak ten zuiden van Belgrado, kort nadat de lange Bulevar oslobođenja overgaat in de Umetnička. Het is te bereiken door bus 401 tot 407 te nemen vanaf de overstaphalte Voždovac (die zelf wordt aangedaan door tram 9, 10 en 14 vanuit het centrum van Belgrado) naar de halte Maxima. De ingang van het herdenkingspark ligt verderop langs de weg, aan de linkerkant.

ANDERE LOCATIES

Het voornaamste interneringscentrum in zuidelijk Servië was het Crveni Krst (Rode Kruis) concentratiekamp in Niš. Het is nu een herdenkingsmuseum (ma-vr 9.00-16.00, za 10.00-15.00; din 150; www.visitnis.com/nis-concentration-camp.html) gelegen aan de Bulevar 12. februar ten noordwesten van het centrum. Ongeveer 30.000 mensen, voor het merendeel Servische politieke gevangenen, hebben in Crveni Krst opgesloten gezeten. Ruim een derde werd vermoord op de executieplaats op de Bubanjheuvel in het zuidwesten, die uitkijkt over Niš. Daarbij zaten meer dan 1000 plaatselijke Joodse mannen die eind 1941 werden doodgeschoten (de vrouwen werden naar Sajmište gestuurd). De plaats wordt nu aangegeven door een herdenkingscomplex rond drie grote gebeeldhouwde vuisten. In de stad zelf staat de voormalige synagoge, nu in gebruik als kunstgalerie aan de Ruđera Boškovića, dicht bij het plein Kralja Milana in het centrum. De Joodse begraafplaats werd decennialang verwaarloosd en de plek werd voor een deel in bezit genomen door Roma-families. Sinds 2004 is door een gezamenlijke inspanning van de plaatselijke Joodse gemeenschap en de Roma-gemeenschap samen met het stadsbestuur en het American Joint Distribution Committee veel ervan gerestaureerd. Voor meer informatie kan men terecht bij de Joodse gemeenschap van Niš aan de Čairska 28/2, ten zuiden van het centrum.

Een bijzonder verfoeilijke massamoord vond in oktober 1941 plaats in Kragujevac, tussen Belgrado en Niš, nadat Duitse troepen in een hinderlaag van de partizanen waren gelopen in het nabijgelegen Gornji Milanovac. Na alle mannelijke Joden en vermoedelijke communisten te hebben gedood, arresteerde het Duitse leger alle volwassen mannen uit de plaats en sleurden het zelfs hele klassen met tieners uit de plaatselijke school. In een tijdsbestek van zeven uur werden tallozen doodgeschoten. Volgens de cijfers van het leger werden in Kragujevac 2324 mannen gedood. Dit was de vergelding voor tien gedode en zesentwintig gewonde Duitse soldaten. De plaats van het bloedbad in Šumarice, vlak ten westen van de sta,d werd in 1976 een groot herdenkingspark, hoewel het in 1999 door bommen van de NATO werd beschadigd.

Novi Sad werd als hoofdstad van Vojvodina bezet door Hongarije. Gedurende drie dagen in januari 1942 slachtten Hongaarse troepen ongeveer 1300 mensen af, onder wie meer dan 800 Joden en de rest merendeels Serven. Hoewel de moorden in de hele stad plaatsvonden, werden de meesten doodgeschoten aan de oevers van de bevroren Donau waarna hun lichamen in wakken in het ijs werden gegooid. Er staat een monument op de oever bij de Kej Žrtava Racije, vlak ten zuiden van het Trg Neznanog Junaka. De synagoge van de stad werd later gebruikt als een detentiecentrum voor gedeporteerden. Dit gerestaureerde gebouw aan de Jevrejska 11, aan de westelijke rand van de Oude Stad, is nu een cultureel centrum. Er staat een Holocaustmonument op de Joodse begraafplaats aan het eind van de Doža Đerđa in het zuidwesten.

18

Griekenland

Griekenland was het thuis van de oudste Joodse gemeenschap van Europa, een gemeenschap die door de Holocaust grotendeels werd uitgeroeid. Hoewel de mate van vernietiging per regio verschilde, werd ongeveer 80% van de Griekse Joden vermoord.

Joden hadden al vanaf de klassieke tijd in Griekenland gewoond in gemeenschappen die verspreid lagen over het vasteland en over de eilanden, en die de opeenvolgende Griekse, Romeinse en Byzantijnse overheersing hadden overleefd. Het was de Turkse verovering in de vijftiende eeuw die verandering bracht in de Joodse aanwezigheid. De Ottomaanse politiek bood tolerantie en autonomie en de sultan kwam met een openlijke uitnodiging voor vestiging in Griekenland toen de Joden in 1492 uit Spanje werden verdreven. In de daaropvolgende decennia migreerden tienduizenden Joden uit Spanje, Portugal en Italië. Dit veranderde het karakter van het Griekse Jodendom in twee opzichten. Ten eerste bestond de meerderheid nu uit Sefardische (dat wil zeggen Iberische) Joden, die werden gekenmerkt door hun gebruik van het Judeo-Spaans of Ladino, als taal. De Romaniot (dat wil zeggen Byzantijnse) Joden die eerder de belangrijkste bevolkingsgroep waren geweest, volgden steeds meer de taal en de liturgie van de nieuwkomers, hoewel in sommige gemeenschappen, zoals in Volos, nog tot in de twintigste eeuw Romaniot-gemeenschappen aanwezig waren. Ten tweede werd het Joodse leven in toenemende mate gedomineerd door één stad, Thessaloniki (Salonica), waarin zich de meeste Sefardim hadden gevestigd. Toen Griekenland in de jaren 1820 onafhankelijkheid verwierf, bleef Salonica onder Turks bestuur. De

Griekenland

verovering van de stad en het achterland in 1912 zorgde ervoor dat het aantal Joden in Griekenland van 10.000 enorm toenam tot meer dan 80.000. Ondanks emigratie in de daaropvolgende decennia waren er aan het begin van de oorlog nog steeds 77.000 Joden.

Het waren Mussolini's militaire missers die de nazi's naar Griekenland brachten. Een mislukte Italiaanse aanval in 1940 was aanleiding voor de Duitse inval in april 1941. Het land werd verdeeld in drie bezettingszones (Duits, Italiaans en Bulgaars), een regeling die inhield dat de Griekse Joden niet meteen werden onderworpen aan de heftige vervolgingen waarmee de Duitse opmars elders gepaard was gegaan, al waren er in het begin wat pesterijen. Een belangrijke factor was de houding van de Italianen die een groot deel van het vasteland bestuurden en die weigerden anti-Joodse maatregelen in te voeren. Als gevolg daarvan begon een systematische vernietiging pas in 1943. Uiteraard waren de Joden in de Duitse zone de eerste slachtoffers. In 1942 hadden ze steeds meer te maken gekregen met dwangarbeid en onteigeningen. In februari 1943 werden de gele ster en een zekere mate van gettovorming ingevoerd als inleiding op deportatie. Tot deze zone behoorde Thessaloniki, wat inhield dat het merendeel van de Griekse Joden van maart tot juni snel naar Auschwitz werd overgebracht. Weinigen overleefden het. Zodra dit proces in gang was gezet, richtten de Duitsers hun aandacht op de Bulgaarse zone (Thracië en oostelijk Macedonië). Ondanks hun latere weigering om hun eigen Joodse burgers over te dragen, pakten de Bulgaarse autoriteiten bereidwillig de ongeveer 5000 Joden uit hun bezettingszone op die in maart 1943 naar Treblinka werden gedeporteerd. De Italianen bleven echter consequent weigeren om de Joden in hun gebiedsdelen te deporteren en ze verstrekten zelfs valse identiteitsbewijzen waarmee ze honderden hielpen ontsnappen. De toestand veranderde pas in september 1943, toen Italië capituleerde voor de geallieerden en Duitsland de hele Italiaanse zone bezette. Het bekende patroon van registratie, inbeslagneming en deportatie werd herhaald, maar met enkele belangrijke verschillen. Gewaarschuwd door wat er in Thessaloniki was gebeurd, doken grote aantallen Joden onder, terwijl de gegevens van de Atheense gemeenschap werden vernietigd om te voorkomen dat ze in Duitse handen vielen. Toen aldus in maart 1944 razzia's plaatsvonden, waren veel Joden in staat daaraan te ontkomen. Naar schatting werd ongeveer 50% van de Atheense Joden niet gedeporteerd, terwijl in bepaalde steden, zoals Volos, ruim 80% van de inwoners werd gered. De houding van veel Grieken was daarbij erg belangrijk, vooral van prominente figuren als de politiecommissaris van Athene Angelos Evert die christelijke identiteitspapieren uitgaf, en vooral aartsbisschop Damaskinos, het hoofd van de orthodoxe kerk. De laatste was de enige hoge geestelijke in bezet Europa die de Holocaust openlijk veroordeelde, terwijl hij privé kerken en kloosters opdracht gaf vluchtende Joden onderdak te geven. Desondanks waren er nog altijd veel slachtoffers en dat vooral op de eilanden. In totaal werden in 1943 en 1944 ongeveer 55.000 Griekse Joden naar Auschwitz gestuurd waarbij ze een vreselijke reis moesten doormaken die in sommige gevallen ruim een week duurde. De meesten werden bij aankomst vermoord. Gevoegd bij degenen die in Treblinka of door dwangarbeid stierven, hebben naar schatting tussen de 60.000 en 65.000 Griekse Joden het leven gelaten tijdens de Holocaust.

Griekenland was traag als het ging om het behoorlijk herdenken van de Holocaust. Tot de geopperde verklaringen behoorden een verlangen om de bijzonder traumatische geschiedenis van Griekenland in de jaren veertig niet weer op te rakelen, een gevoel dat er geen sprake was van antisemitisme en – cynischer – een schaamtebesef over de rol van de plaatselijke autoriteiten van Thessaloniki ten tijde van de oorlog. Sinds het eind van de jaren negentig zijn echter de meeste gemeenschappen wel herdacht.

THESSALONIKI

Als de grootste Sefardische metropool ter wereld was de tweede stad van Griekenland gedurende bijna vijf eeuwen de thuisstad van de overweldigende meerderheid van de Griekse Joden. Al uit de tweede eeuw voor Christus zijn gegevens bekend van een Joodse vestiging, maar pas vanaf de vijftiende eeuw werd Thessaloniki, of Salonica voor de toenmalige inwoners, eerder een Joodse stad dan een stad waarin Joden woonden. Na hun verdrijving uit Spanje werden de Joden door de Ottomaanse sultans uitgenodigd om zich daar te vestigen. Zij werden beschouwd als de oplossing om de bevolking en economie weer te laten groeien: beide waren die namelijk al lang voordat de Turken de stad in 1430 aan de Byzantijnse overheersing ontworstelden, aan een neergang begonnen. Onder deze betrekkelijk welwillende Ottomaanse soevereiniteit werd Salonica de voornaamste Joodse stad in het noordelijke Middellandse Zeegebied. Joden vormden de grootste etnische groep die geconcentreerd was in de benedenstad (het huidige centrum), terwijl de Turkse elite de heuvels bij de noordelijke ommuring bezette. Er waren echter drie ontwikkelingen in het begin van de twintigste eeuw die Salonica ingrijpend veranderden en daarmee ook de positie van de Joden. De Balkanoorlog van 1912 maakte een eind aan de Turkse heerschappij toen de Grieken de stad innamen, terwijl een rampzalige brand in 1917 die in het historische Joodse hart woedde de meeste van de 37 synagogen en ook ontelbare huizen en winkels verwoestte. De Eerste Wereldoorlog werd gevolgd door een bevolkingsuitwisseling in 1922, waarbij de meeste Turken werden gedwongen om te vertrekken en hun plaats werd ingenomen door tienduizenden Grieken die op dezelfde manier uit Klein-Azië waren verdreven. Voor het eerst sinds 1492 vormden de Joden dus een minderheid in een door Grieken gedomineerde stad. Gezien hun betrekkelijk vreedzame en welvarende bestaan onder de Ottomanen werden zij door rechtse nationalisten beschouwd als een Turkse vijfde colonne (en communistische sympathisanten). Deze spanningen kwamen tot een uitbarsting in antisemitische rellen in de zomer van 1931. Afgezien daarvan was antisemitisme een minder groot probleem dan anti-Turkse vooroordelen, en in de jaren dertig werd van Jom Kippoer een officiële feestdag gemaakt. De Joodse bevolking was weliswaar teruggelopen van een hoogtepunt van 62.000 aan het begin van de eeuw, maar haalde nog wel de ruim 50.000 toen de oorlog uitbrak.

De Duitsers bezetten Thessaloniki op 9 april 1941 en binnen een week hadden ze de leiders van de gemeenschap gearresteerd. Vertegenwoordigers van Alfred Rosenbergs *Institut zur Erforschung der Judenfrage* uit Frankfurt plunderden vervolgens systematisch de bibliotheken en synagogen van de stad. Hoewel in de strenge winter van 1941/1942 meer dan

Thessaloniki: Holocaustmonument (foto van de auteur)

600 Joden stierven aan ziekte en honger, werden er tot de zomer van 1942 geen verdere specifiek anti-Joodse maatregelen genomen, waardoor er een vals gevoel van veiligheid ontstond, wat nog werd versterkt toen hoofdrabbijn Zvi Koretz (die in 1941 naar de gevangenis in Wenen was gestuurd) in januari 1942 mocht terugkeren. De gemeenschap was in juli 1942 dus volledig onvoorbereid toen de volwassen mannen zich in het centrum moesten verzamelen. Ze werden vernederd en geregistreerd voor dwangarbeid. Maar zelfs toen leidden langdurige onderhandelingen met de Duitsers tot hun vrijlating, nadat een enorme som losgeld bijeen was gebracht. Dit diende er alleen maar toe om de optimisten ervan te overtuigen dat de gemeenschap kon worden gered ondanks de toenemende confiscatie van Joods eigendom, met als hoogtepunt de confiscatie van de Joodse begraafplaats door de gemeenteraad in december 1942. In feite veroorzaakte het oponthoud een toenemende ergernis in Berlijn, wat Eichmann ertoe bracht in februari 1943 zijn vertegenwoordigers Dieter Wisliceny en Aloïs Brunner af te vaardigen met het bevel de stad binnen twee maanden te ontdoen van Joden. Ze voerden meteen de gele ster in, gevolgd door een reeks decreten gebaseerd op de rassenwetten van Neurenberg als voorbode voor de vorming van een getto. Het bleek echter onmogelijk om een getto op de conventionele manier van een enkel afgesloten gebied op te zetten. In plaats daarvan bleven wijken met een voornamelijk Joodse bevolking zoals ze waren, terwijl alle andere Joden werden gedwongen rond 25 februari te verhuizen naar twee aangewezen zones. Aanvankelijk werden de Joodse huizen gemerkt (de christenen waren niet verdreven, waardoor de wijken erg overbevolkt raakten), maar de inwoners konden nog steeds komen en gaan. Op 6 maart werden al deze gebieden echter afgegrendeld en mochten Joden er niet meer uit. Intussen was een echt getto opgezet in de wijk Baron Hirsch, bij het station, dat dienst moest doen als een doorgangskamp voor de deportaties. Het eerste transport met een kwart van de inwoners werd op 15 maart naar Auschwitz gestuurd. In de daaropvolgende dagen werden de Joden uit alle wijken gehaald en naar het kamp Baron Hirsch gemarcheerd voordat ze naar Polen werden gestuurd. Tegen eind mei waren de meesten gedeporteerd en zij lieten bijna allemaal meteen in Birkenau het leven.

Gedurende dit hele proces gebruikten de Duitsers Rabbijn Koretz, die ze in december 1942 hadden benoemd tot voorzitter van de Joodse raad, als hun tussenpersoon. Koretz is een van de controversieelste Joodse leiders van de Holocaust. Door zijn tegenstanders wordt hij op zijn best beschouwd als verbijsterend naïef, omdat hij geloof bleef hechten aan wat de Duitsers beloofden en daarom meeging met hun bevelen. Hij werd echter steeds minder geloofd en enkele honderden Joden vluchtten naar andere delen van Griekenland, terwijl de Italianen erin slaagden om in juli een trein met 320 mensen om te leiden naar Athene. Niettemin werden 43.850 Joden uit Salonica samen met nog eens 2000 uit de omliggende regio in negentien transporten naar Polen vervoerd. De laatste trein met 1200 uitgemergelde overlevenden van dwangarbeid vertrok op 7 augustus 1943. Een extra transport bracht rabbijn Koretz en andere bevoorrechte Joden naar Bergen-Belsen. Men neemt aan dat 96% van de Joden van Salonica werd vermoord.

De hedendaagse gemeenschap telt rond de 1000 mensen en pas in 1997, toen Thessaloniki culturele hoofdstad van Europa was, werden een Joods Museum en een openbaar Holocaustmonument opgericht om de moderne inwoners te herinneren aan het verleden van hun stad als de roemrijkste buitenpost van het Spaanse Jodendom.

Thessaloniki-centrum

De oude stad vormde gedurende meer dan vier eeuwen het hart van het Joodse leven. Het is echter moeilijk om nu nog sporen van het Salonica met een Joods stempel te ontdekken door de brand van 1917. De Grieken zagen in de ramp een gelegenheid om de stad een nieuwe, gehelleniseerde structuur te geven. Hun voornaamste doel was misschien om de resten van het Turkse Salonica te verwijderen, maar er werd ook geen poging gedaan om het Joodse karakter te bewaren dat de oude stad had gedomineerd. Joden die hun huis hadden verloren, kwamen zelfs tot de ontdekking dat ze naar de buitenwijken werden verwezen.

In het centrum is wel het Joodse Museum van Thessaloniki te vinden (di, vr & zo 11.00-14.00, wo-do 11.00-14.00 & 17.00-20.00; € 3; www. jmth.gr) dat is ondergebracht in een van de weinige Joodse gebouwen dat na de brand nog overeind stond aan de Agiou Mina 13. Een paar kleine ruimtes in een goed opgezette tentoonstelling besteden aandacht aan de Holocaust. Een kast toont voorwerpen uit de kampen, waaronder persoonlijke zaken die in 1945 in de puinhopen van 'Canada' in Birkenau werden gevonden. Er wordt ook gekeken naar Joods verzet, waaronder de rol van de Griekse Joden bij de *Sonderkommando*-opstand in het kamp in 1944.

Plateia Eleftherias (Vrijheidsplein), twee straten naar het zuiden, was de locatie van 'Zwarte Sabat' op zaterdag 11 juli 1942, toen alle Joodse mannen in de leeftijd tussen 18 en 45 jaar zich om 8 uur in de ochtend op het plein moesten verzamelen en daar tot laat in de middag werden vastgehouden. Zonder verfrissingen werden de 9000 mannen gedwongen gymnastiekoefeningen te doen, werden ze overgoten met water en afgeranseld voor het oog van een grote menigte toeschouwers. Ze moesten ook minuten achter elkaar in de zon staren. De volgende dagen overleden verschillende mannen aan hersenvliesontsteking of een hersenbloeding. Twee dagen later kregen ze bevel zich weer te verzamelen om zich te laten inschrijven voor dwangarbeid. Ongeveer 2000 mannen werden naar projecten in heel noordelijk Griekenland gestuurd, vaak in gebieden waar malaria heerste.

De verplichting om te werken stopte pas toen de gemeenschap eind 1942 – intussen waren 250 mannen overleden – een losgeld van 2,5 miljard drachme betaalde. Het plein is nu een parkeerplaats, maar in de zuidelijke hoek naast de Nikis, de straat langs de zee, staat het Holocaustmonument van Thessaloniki dat in 2006 vanuit de buitenwijken naar hier werd verhuisd. Het beeld uit 1997 was het laatste werk van de productieve Servische architect en overlevende van de Holocaust Nandor Glid, wiens monumenten ook te zien zijn in Dachau en Belgrado. Net als het laatste heeft het monument van Thessaloniki de vorm van een menora in vlammen, waarvan de delen bestaan uit verwrongen lichamen.

Ten zuidoosten van het Joods Museum, tussen de Ermou en Vasileus Irakliou, vormt de Modianomarkt die in 1922 werd gebouwd door de Joodse koopman Eli Modiano, een van de weinige nog bestaande overblijfselen van het vooroorlogse Joodse leven. Irakliou 26 ertegenover biedt onderdak aan het hoofdkwartier van de moderne gemeenschap en aan de Yad Lazikaron Synagoge, het belangrijkste gebouw voor erediensten van de kleine moderne gemeente. Het enige nog bestaande vooroorlogse religieuze gebouw is de Monastirioton Synagoge uit 1927 aan de Syggrou 35. Die ligt in het hart van het gebied tussen de Egnatia en Agiou Dimitriou dat een van de twee buurten was waarin Joden zich in 1943 vrijwel uitsluitend mochten vestigen. Op 17 maart 1943 sprak rabbijn Koretz in de synagoge een boze menigte toe, waarbij hij vertelde dat er geen alternatief was dan deportatie naar Polen te accepteren. Loopt men van het Joods Museum of de markt naar de synagoge, dan komt men langs de voormalige Hamza Bey moskee aan de Egnatia, een van de zeldzame Turkse bouwwerken. Na de bevolkingsuitwisseling van 1922 werd het een telefooncentrale en daarna de bioscoop *Attikon* die Joods eigendom was. In september werd de eigenaar geïnterneerd in het kamp Pavlos Melas tot hij ermee instemde het beheer ervan over te dragen aan Grieken.

West en noord

Het oude spoorwegstation van Thessaloniki, het vertrekpunt van de transporten, heeft een gedenkplaat. Het crèmekleurige gebouwtje is nu een vrachtopslag. Het ligt aan de Stathmou (ten noordwesten van het centrum en ten zuidwesten van het moderne station) tegenover de Stravrou Voutira, die de toegang vormde tot het voormalige kamp Baron Hirsch. De huisjes in dit gebied werden oorspronkelijk in de jaren 1890 gebouwd door de Oostenrijks-Joodse filantroop en spoorwegondernemer Hirsch om vluchtelingen uit het Russische Rijk onderdak te bieden. De buurt werd in maart 1943 plotseling veranderd toen er houten hekken omheen werden gezet. De geïsoleerde bewoners bleven twee dagen verstoken van voedsel voordat de gemeenschap voor bevoorrading kon zorgen. Op 14 maart sprak rabbijn Koretz hen toe in de plaatselijke synagoge en hij kondigde aan dat ze gedeporteerd zouden worden naar Krakau. Daar zouden ze werk krijgen en hartelijk welkom worden geheten door Poolse Joden. Er werd zelfs vals Pools geld uitgedeeld. Het is niet duidelijk of Koretz deze leugens echt geloofde, maar zijn gehoor was minder lichtgelovig en zijn geruststellingen werden begroet met boege-roep. Zodra de 2800 bewoners van de Hirsch-buurt de volgende ochtend op hun vijfdaagse reis naar Auschwitz waren gestuurd, werd het gebied een doorgangskamp waarin vrijwel alle Joden van Salonica in de loop van de volgende vijf maanden terechtkwamen. Veel van de oorspronke-lijke gebouwen rond de Stravrou Voutira, Sapfous en Patriarchou Kiril-lou staan nog overeind, maar verkeren in erg slechte staat. Bus 12 naar Anagenniseos of Ktiniatreio stopt er in de buurt.

De naoorlogse Joodse begraafplaats van Thessaloniki (zo-vr 9.00-14.00; aanbellen) ligt op enige afstand ten noorden van het centrum aan de Dimitriou Karaoli (neem bus 32 of 34 naar AGNO en dan is het een korte wandeling naar het westen). Het Holocaustmonument uit 1962 was dertig jaar lang het enige in Thessaloniki. Het staat naast een monu-ment voor de voormalige Joodse begraafplaats. Achterin herdenkt een monument uit 2003 de 12.898 Griekse Joden die in 1940-1941 tegen Italië en Duitsland vochten. Van hen sneuvelden 513 en raakten 3743 gewond. Onder hen was kolonel Mordechai Frizis, de eerste hoge officier die in de campagne sneuvelde. Zijn lichaam werd hier in 2004 herbegra-ven na te zijn overgebracht uit Albanië. Aan de oostzijde komen de Dimi-triou Karaoli en Konstantinoupoleos bij elkaar. Aan het oostelijke einde van de laatste straat ligt de legerbasis Pavlos Melas, die door de Duitsers werd gebruikt als een kamp voor politieke vluchtelingen onder wie chris-tenen die joden hadden verborgen. Er staat ook een met graffiti bedekt monument voor het Griekse verzet op de hoek van de Dimitriou Karaoli en Konstantinoupoleos. Hier dichtbij rijden bussen 27, 38 en 56 terug naar het centrum.

Oost en zuid

De enorme campus van de Aristoteles Universiteit van Thessaloniki ligt ten zuidoosten van het centrum tussen de Egnatia en Agiou Dimitriou. Vanaf 1495 tot 1942 was dit de locatie van de Joodse begraafplaats van Salonica die meer dan 350.000 vierkante meter besloeg en die minstens 400.000 graven bevatte. De begraafplaats lag vlak ten oosten van de oude stadsmuren, een gebied waar de gemeenteraad zijn zinnen op had gezet bij de ambitieuze herbouwplannen na de brand van 1917. Een overeenkomst uit 1937 (waarbij de universiteit 10% van het land zou krijgen in ruil voor het verhuizen van de graven naar nieuwe begraafplaatsen buiten de stad) werd door geen van beide partijen ooit geëffectueerd. Het leed van de Joodse gemeenschap was voor het gemeentebestuur aanleiding om de Duitse gevolmachtigde Max Merten te verzoeken de overdracht van de begraafplaats onderdeel te maken van het losgeld voor de vrijlating van Joodse dwangarbeiders in 1942. De Joden weigerden, en de overeenkomst met de Duitsers leek het behoud van de begraafplaats te zijn. De Griekse autoriteiten legden er toch beslag op en begonnen in december 1942 aan de ruiming. Hoewel de Duitsers enkele stenen zelf gebruikten, kwam het initiatief van de gemeenteraad en nog decennialang bleven grafstenen gebruikt worden in plaatselijke bouwprojecten. Een restitutiewet uit 1946 bood overlevenden in theorie de mogelijkheid nog bestaande graven terug te eisen, maar het land was in beslag genomen en behoorde nu aan de staat toe, op basis van het feit dat het door de eigenaars was verlaten! Het gebied is nu grotendeels bebouwd met lelijke woonblokken uit de jaren zestig en niets verwijst nog naar het verleden, ook al zijn fragmenten van de begraafplaats duidelijk van pas gekomen bij de aanleg van het park rond het observatorium in het westen van de campus. Restanten werden in 2008 blootgelegd bij graafwerkzaamheden voor een nieuw metrosysteem en de bouwmaatschappij heeft beloofd enkele van de vondsten in de stations tentoon te stellen. Tegenwoordig zijn de enige fatsoenlijk bewaard gebleven elementen te vinden in het Joods Museum, maar zelfs daar krijgen de Duitsers de schuld van de vernietiging.

Vanaf de universiteit buigt de Egnatia naar rechts en verandert de kaarsrechte, naar het zuiden lopende Leoforos Konstantinou in de Karamanli, ook bekend als de Nea Egnatia. Bij de kruising met de Alexandrou Papanastasiou ligt het Ippokratio ziekenhuis (bus 2, 10, 11 en 58, halte Ippokratio) dat vroeger het Baron Hirsch ziekenhuis was en dat in 1942 door de Duitsers werd gevorderd. Het is nu een groot complex, maar het oorspronkelijke hoofdgebouw staat nog in het midden. De elegante voorgevel is toegankelijk vanaf de andere kant aan de Konstantinoupoleos.

Het parkje buiten het ziekenhuis tussen de Leoforos Konstantinou Karamanli en Alexandrou Papanastasiou was oorspronkelijk de plaats van het Holocaustmonument en bevat nu een buste van kolonel Frizis die in 2007 werd onthuld. Een paar straten verder langs de Alexandrou Papanastasiou is het Plateia Evreion Martiron (Plein van de Joodse marteleren) tussen de Priamou en Michel Mitsaki een parkje, waarvan alleen het eenvoudige straatnaambord aangeeft dat het is gewijd aan de slachtoffers van de Holocaust. Deze plaatsen lagen binnen het 151e district dat in 1943 het centrum was van de tweede aangewezen Joodse wijk.

Enkele straten naar het westen bezit de lange, grotendeels evenwijdig aan de Leoforos Konstantinou Karamanli lopende Leoforos Vasilissis Olgas nog enkele sporen van de Joodse industriële en zakelijke elite van het eind van de negentiende en het vroege begin van de twintigste eeuw. Het gaat vooral om de villa's op nummer 68, 162, 180 en 198, hoewel de laatste drie ver naar het zuiden liggen (neem bus 5, 6, 8, 33 of 78 naar halte 25 Martirou aan de Georgiou Papandreou en loop een paar straten naar het oosten). Terug richting centrum werd het mooie voormalige onderkomen van het Archeologisch Museum aan de Archeologiku Mousiou in 1902 gebouwd als een Dönme gebedshuis, een overblijfsel van een van de merkwaardige aspecten van het verhaal van Joods Salonica. De valse messias Sjabtai Tsvi kreeg in de stad een grote schare volgelingen voordat hij zich in 1666 tot de islam bekeerde. De Dönme waren degenen die hem bleven volgen en die ogenschijnlijk de islam beleden, terwijl in veel opzichten geloof en rituelen van het jodendom gehandhaafd bleven. Om de hoek, aan de Paraskevopoulou 13, ligt het voormalige Allatini Joods weeshuis dat nu in armzalige staat verkeert.

ANDERE LOCATIES

Vreemd genoeg was Athene het laatste grote voormalige Joodse centrum dat een openbaar Holocaustmonument kreeg, ook al stond er een monument op de Joodse begraafplaats aan de Agiou Georgiou in de buitenwijk Nikea. Daarnaast werd een plein tegenover het metrostation Thissio ten noordwesten van de Agora in 1999 hernoemd tot Plateia Ellinon Evreion Martiron. Een opvallender monument, een in blokken uit elkaar gehaalde davidster, werd uiteindelijk in 2010 onthuld in een park aan het zuidelijke uiteinde van de Melidoni, een straat waaraan ook twee synagogen liggen en waar het hoofdkwartier staat van wat nu de grootste Joodse gemeenschap van Griekenland is. In 2007 werd een plaquette toegevoegd aan het standbeeld van aartsbisschop Damaskinos buiten de Mitropoliskathedraal ten noorden van het Parthenon ter ere van zijn rol bij het redden van Joden, terwijl iets verder naar het oosten het Joodse Museum van Griekenland (ma-vr 9.00-14.30, zo 10.00-14.00; € 6; www.jewishmuseum.gr) aan de Nikis 39 ligt.

Het eerste opmerkelijke Holocaustmonument was een gebeeldhouwd ensemble met een wenende vrouw dat in 1987 in Larissa werd opgericht. Het herdenkt zowel de 235 Joden uit de stad die in maart 1944 in Birkenau werden vermoord als alle Joodse slachtoffers van de Holocaust. Het monument staat op het Plateia Evreion Martiron Katohis, op de kruising van de Kyprou en Kentavron, in de buurt van de synagoge van de stad. Naar het noordoosten ligt aan de Erythrou Stavrou een plein dat is vernoemd naar Anne Frank en dat wordt gemarkeerd door een gedenksteen. Volos, ten zuidoosten van Larissa, heeft een opvallend monument uit 1998 voor 155 slachtoffers (die deel uitmaakten van hetzelfde transport) op het Plateia Riga Fereou aan de haven. Het is een korte wandeling van de moderne synagoge op de kruising van de Xenophontos, Moisseos en Platonos. In beide steden werd het merendeel van de Joden (in beide gevallen meer dan 700) gered door de inspanningen van de plaatselijke bevolking, de kerk en het verzet.

Een van de best bewaard gebleven Joodse wijken in Griekenland is La Juderia in de oude stad Rhodos. Daaruit werden op 23 juli 1944 minstens 1700 Joden gedeporteerd met een van de laatste transporten naar Auschwitz. De huidige Joodse gemeenschap bestaat uit ongeveer 40 mensen. Er staat een monument op het Plateia Evreion Martiron in het noorden van de stad bij de haven. Om de hoek ligt aan de Dossiadou de Kahal Sjalom Synagoge (apr-okt: dag. 10.00-15.00; toegang gratis; www.rhodesjewishmuseum.org) waarin het Joods Museum van Rhodos is ondergebracht. Aron Hasson, de stichter daarvan en een onvermoeibare Californische afstammeling van Joden uit Rhodos, heeft ook een uitgebreide gids geschreven over de Joodse nalatenschap op het eiland. Zie voor meer gegevens en excursies naar de grote begraafplaats buiten de stad de website van het museum.

19

Andere landen

BULGARIJE

Hoewel het Bulgaarse dictatorschap de Joden uit het bezette Thracië en Macedonië (van Griekenland en Joegoslavië geannexeerde gebiedsdelen) in 1943 overdroeg aan de Duitsers voor deportatie naar Treblinka, werden de eigen Joden uiteindelijk gespaard. Dit was niet helemaal vrije keus, want het regime had een eigen programma opgezet van toenemend antisemitisme met invoering van de gele ster, dwangarbeid en verdrijving van de Joden uit Sofia naar de provincies. In het voorjaar van 1943 begon de regering inderdaad voorbereidingen te treffen voor hun deportatie, zoals werd geëist door de nazi's. Een breed protest van politieke, religieuze en intellectuele leiders gesteund door massale demonstraties overtuigden koning Boris III ervan dat hij tussenbeide moest komen om het proces te stoppen. Ongetwijfeld was het een beslissing die gemakkelijker werd gemaakt door de militaire tegenslagen die Duitsland te verwerken kreeg. Het gevolg was dat de Joodse bevolking van Bulgarije, ongeveer 50.000 mensen, de grootste was in het door de asmogendheden beheerste Europa die de Holocaust bespaard bleef. Dit verhaal wordt verteld in het museum dat deel uitmaakt van de Grote Synagoge van Sofia (www.sofiasynagogue.com) aan de Ekzarh Joseph 16 in het centrum. Het verzet werd in goede banen geleid door de vicevoorzitter van het parlement Dimitar Peshev. Zijn geboortehuis aan de Tsar Simeon I 11 in Kjoestendil bij de Macedonische grens is nu een herdenkingsmuseum (wo-zo 9.00-17.00; lv 3 (€ 1,50); www.kyustendilmuseum.primasoft.bg).

Andere landen

DENEMARKEN

De redding van de Deense Joden was een van de weinige troostrijke verhalen uit de Holocaust. Hoewel de operatie in Denemarken misschien gemakkelijker uitvoerbaar was dan in andere landen – verschillende Duitse bronnen brachten de Denen vooraf op de hoogte van de voorgenomen deportatie en de Joodse gemeenschap was betrekkelijk klein – was het overbrengen van 7200 Joden samen met 700 niet-Joodse familieleden naar Zweden in oktober 1943 nog altijd een enorme daad van medemenselijkheid en moed waarvoor het hele Deense verzet van Jad Wasjem de titel rechtvaardige kreeg. Niet iedereen ontsnapte, want 481 Joden werden gearresteerd en naar Theresienstadt gestuurd, maar – afgezien van 51 voornamelijk oudere mensen die in de tussentijd waren overleden – mochten ook zij vlak voor het einde van de oorlog naar Zweden vertrekken. Israels Plads, een populair plein in Kopenhagen bij metrostation Nørreport, heeft een zwerfkei uit Eilat die in dankbaarheid werd geschonken. Het verhaal van de redding wordt verteld in het Joodse Museum (net als dat van Berlijn ontworpen door Daniel Liebeskind) aan de Proviantpassagen 6, in het hart van de stad (jun-aug: di-zo 10.00-17.00, sep-mei: di-vr 13.00-16.00, za-zo 12.00-17.00; kr. 50; www.jewmus.dk). Het verzetsmuseum aan Churchillparken dat hier ook aandacht aan besteedde werd in 2013 door brand verwoest; het zal waarschijnlijk nog jaren duren voordat het weer opengaat.

LUXEMBURG

In 1940 woonden er ongeveer 3500 Joden in Luxemburg, van wie de meesten vluchteling waren. Naar schatting verloren bijna 2000 het leven: de meerderheid na een vlucht naar Vichy-Frankrijk en daarna deportatie naar Auschwitz. Uit het hertogdom zelf werden 674 mensen gedeporteerd naar Łódź, Auschwitz en Theresienstadt. Een eenvoudig maar statig monument bij het Hollerichstation (vanwaar de treinen vertrokken) aan de Rue de la Déportation herdenkt hen samen met de Luxemburgers die werden opgeroepen voor de Wehrmacht of die gedwongen moesten verhuizen naar Duitsland. Er staat op die plaats ook een museum.

MACEDONIË

Macedonië werd tijdens de verdeling van Joegoslavië in 1941 overgenomen door Bulgarije. Er woonden ongeveer 7800 Joden die met uitzondering van degenen die naar de partizanen vluchtten of onderdoken, allemaal in maart 1943 naar Treblinka werden gedeporteerd. Van slechts 200 Macedonische Joden is bekend dat ze de oorlog hebben overleefd. In een alom toegejuichte schadeloosstellingsovereenkomst heeft de regering de eigendommen van vermoorde Joden zonder erfgenamen overgedragen aan de gemeenschap om een nieuw Holocaust Herdenkingscentrum in Skopje op te zetten. Dit is gelegen op de plaats van de voormalige Joodse wijk (in 1963 tijdens een aardbeving verwoest; er ligt nu een bouwvallig busstation) vlak naast de Bulevar Goce Delčev, tegenover het Fort Kale aan de noordoostelijke oever van de Vardar. Er staat ook een gedenkteken binnen het complex van de Tutunski Kombinat tabaksfabriek aan de 11 Oktomvri 125, waar Joden voorafgaand aan deportatie werden vastgehouden.

MOLDAVIË

Het grootste deel van het moderne Moldavië viel binnen de vroegere tsaristische provincie Bessarabië, die van 1918 tot de bezetting door de USSR in 1940 deel uitmaakte van Roemenië. Na de Roemeense herovering tijdens Operatie Barbarossa werden tienduizenden Joden eind 1941 gedwongen naar Transnistrië te vertrekken. De meesten die de eerste dodenmarsen overleefden, stierven vervolgens in de getto's en kampen. Duizenden werden in de zomer van 1941 echter ook in Moldavië vermoord door zowel Roemenen als Duitsers. Er is een monument in Chişinău (Kisjinev) voor de meer dan 10.000 Joden die tussen de massamoorden en de deportaties naar Transnistrië in een getto werden vastgehouden. Dit staat in een parkje aan Str. Ierusalim (tussen Bulevardul Renaşterii en Str. Puşkin). Een monument in Parcul Alunelul, ten noordwesten van het centrum, eert de slachtoffers van de pogrom van 1903, de beruchtste uit het tsaristische tijdperk. De Joodse begraafplaats ligt vlakbij, aan de Str. Milano. De enige nog actieve synagoge staat aan de Habad-Liubavici 8 in het centrum. Zie voor andere locaties in de hoofdstad en elders in Moldavië: www.jewishmemory.md.

NOORWEGEN

In Noorwegen woonden ongeveer 1700 Joden. Ondanks openlijk protest van de protestantse kerk werden 763 van hen in 1942-1943 naar Auschwitz gedeporteerd (900 konden met hulp van het verzet naar Zweden ontsnappen). Van de gedeporteerden overleefden er 24 de oorlog. In 1948 werd een monument opgericht op het Joodse gedeelte van de oostelijke begraafplaats van Oslo, aan de Tvetenveien 7 in de buitenwijk Helsfyr. Er is een expositie over de Holocaust in de Villa Grande, de voormalige woning van de collaborerende eerste minister Quisling, aan de Huk Aveny 56 op het schiereiland Bygdøy (dag. 11.00-16.00; kr. 50; www.hlsenteret. no). Deze geschiedenis wordt ook verteld in het nieuwe Joods Museum in een voormalige synagoge aan de Calmeyers gate 15b, in de buurt van het centrum (di 10.00-16.00, do 14.00-19.00, zo 11.00-16.00; kr. 50; www. jodiskmuseumoslo.no).

ROEMENIË

Het laaghartige regime van Ion Antonescu deed buiten de grenzen volledig mee aan de Holocaust, maar de nalatenschap binnen het eigenlijke Roemenië vertoonde een grotere ambitie. In Bessarabië (het moderne Moldavië), Boekovina en Transnistrië (beide in modern Oekraïne) pleegden de Roemenen genocide op een schaal die alleen is te vergelijken met het optreden van de nazi's en de Kroatische *Ustaše*. Het dodencijfer bedroeg minstens 250.000 Joden en ook nog eens meer dan 10.000 Roma. In de *Regat*, oftewel het Oude Koninkrijk (de gebiedsdelen van Roemenië bij de onafhankelijkheid in 1859), was het resultaat echter totaal anders. De Joden van deze streken waren zeker onderworpen aan verlies van burgerrechten en onteigening van bezit, om nog te zwijgen over afschuwelijke pogroms. De groeiende twijfel over de kans op een Duitse overwinning bracht Antonescu er echter toe af te zien van plannen om de Joden uit de *Regat* in 1942 naar Bełżec te deporteren, hoewel hun positie hachelijk bleef tot hij in augustus 1944 werd afgezet.

Een Holocaustmonument werd in 2009 in Boekarest onthuld in een parkje bij de rivier de Dâmbovița dat wordt omgeven door de Strada Lipscani, de Strada Ion Brezoianu, de Strada Mihai Vodă en de Strada

Anghel Saligny. Er is ook een herdenkingszaal in het Joods Museum van de stad dat is gevestigd in een vroegere synagoge aan de Strada Mămulari 3.

De afschuwelijkste pogrom in de *Regat* vond in juni 1941 plaats, in Iaşi. Roemeense soldaten, politieagenten en inwoners van de stad vermoordden naar schatting 8000 Joden. Nog eens 5000 werden in veewagens gepropt die aan twee treinen werden gehangen en die een week lang heen en weer reden door het land. De meesten stierven door verstikking of dorst. Dit afschuwelijke gebeuren wordt herdacht met een monument buiten de Grote Synagoge, aan de Sinagogilor 7, tussen de Strada Sărărie en de Strada Cucu.

Het gebied binnen de moderne grenzen van Roemenië waar de Joden het meest te lijden hadden, was Transsylvanië, dat in 1920 van Hongarije was verkregen en in 1939 weer verloren was gegaan. De Joden daar werden in 1944 slachtoffer van de Hongaarse deportaties waardoor meer dan 200.000 werden vermoord. Er is een herdenkingsmuseum in Sighetu Marmaţiei aan de Strada Tudor Vladimirescu 1, in het huis van waaruit Elie Wiesel in 1944 naar Auschwitz werd gebracht. Het stadje Şimleu Silvaniei bezit het met particuliere middelen opgezette Holocaustherdenkingsmuseum van Noord-Transsylvanië in de voormalige synagoge aan de Piata 1 Mai 1 (ma-vr 10.00-17.00, za-zo 11.00-15.00; toegang gratis; mmhtn.org).

RUSLAND

In geen enkel land is de herdenking van de Tweede Wereldoorlog dieper verankerd in de nationale cultuur dan in Rusland. Herdenking van de Holocaust is echter een heel andere zaak. Deels is dit gewoon een gevolg van het feit dat de meeste Joden van de Sovjet-Unie in andere republieken woonden, terwijl de belangrijkste centra van Russisch-Joods leven, zoals die van Moskou en Leningrad, nooit door de Duitsers werden ingenomen. Niettemin heeft de afwezigheid van Holocaustmonumenten een verwerpelijker oorsprong, namelijk dezelfde ideologische voorschriften die een fatsoenlijke herdenking van locaties als Babi Jar en Ponar onmogelijk maakten.

Rusland heeft nu in Moskou een soort centraal Holocaustmonument in het uitgestrekte Overwinningspark op de Poklonnajaheuvel. Het park werd in de jaren 1990 aangelegd in het westen van de stad, aan de Kutuzovsky Prospekt (metrostation Park Pobedy). Het monument heeft de vorm van een herdenkingssynagoge in de noordwestelijke hoek van het park die een kleine tentoonstelling bevat over de Holocaust. Het Overwinningspark bevat ook een verbijsterend gedenkteken, *Menselijke Tragedie*, waarvan de omvallende rij van grote, uitgemergelde en naakte figuren duidelijk is beïnvloed door een aantal Holocaustmonumenten. De Joden worden expliciet meegenomen in deze herdenking van alle oorlogsslachtoffers van de Sovjet-Unie. Er wordt ook aandacht besteed aan de Holocaust in het Moskouse Joods Museum van Tolerantie, dat het grootste ter wereld zou zijn en dat in 2012 opening aan de ulitsa Obraztsova in het noorden van Moskou (zo-do 12.00-22.00. vr 10.00-15.00; R 400; www.jewish-museum.ru).

SLOVENIË

Vergeleken met de rest van voormalig Joegoslavië woonden er in Slovenië weinig Joden. De grootste gemeenschap (niet meer dan een paar honderd mensen) was gevestigd in de noordoostelijke stad Murska Sobota, in de buurt van de Oostenrijkse en Hongaarse grens. De meesten van hen werden bij de Hongaarse deportatie van 1944 in Birkenau vermoord. Op de plaats van de vroegere Joodse begraafplaats aan de Panonska ulica, staat nu een eenvoudig monument waarbij is gebruikgemaakt van oude grafstenen.

VERENIGD KONINKRIJK

Als enige Europese oorlogvoerende partij die nooit een verbond had met nazi-Duitsland of er een inval van te verduren kreeg, bleef de Holocaust Groot-Brittannië bespaard (hoewel drie Joodse vrouwen op het bezette Guernsey naar Auschwitz werden gedeporteerd en andere Joden van de Kanaaleilanden naar werkkampen in Frankrijk werden gestuurd). Het Imperial War Museum aan de Lambeth Road in Londen (Lambeth North tube) opende in 2000 wel een indrukwekkende permanente tentoonstelling over de Holocaust (dag. 10.00-18.00; toegang gratis; london.iwm. org.uk). Ook staan in Londen gedenktekens buiten het Liverpool Street Station voor de *Kindertransporte*, het programma waarbij Groot-Brittannië tussen de *Kristallnacht* en het uitbreken van de oorlog bijna 10.000 Joodse kinderen opnam. De meeste kinderen zagen hun ouders nooit terug.

Het Beth Shalom Holocaust centre (ma-vr 10.30-16.00; £ 7,50; www. holocaustcentre.net) is een particulier beheerd monument, museum en educatief centrum in Laxton, een dorp in Nottinghamshire. Het is verbonden met de Aegis Trust, een organisatie die zich inzet voor het voorkomen van genocide in de huidige wereld.

ZWEDEN

Het neutrale Zweden is geroemd voor het opnemen van Joodse vluchtelingen uit Noorwegen en Denemarken tijdens de oorlog en voor de rol van Raoul Wallenberg bij het redden van Joodse levens in Boedapest. In werkelijkheid was de Zweedse politiek iets complexer en dat gold vooral in de beginfase van de oorlog, toen het land tot de ontdekking kwam dat het was omsingeld door de asmogendheden en dus een zekere mate van collaboratie niet kon vermijden. Weinig mensen weten bijvoorbeeld dat Duitse soldaten met hun uitrusting door Zweden naar Finland werden getransporteerd tijdens de inval in de USSR. Niettemin bleek het land een veilig toevluchtsoord te zijn voor Joden en dat bleef het ook na de oorlog, toen het meer dan 10.000 overlevenden opnam. Een indringend Holocaustmonument werd in de jaren negentig van de vorige eeuw opgericht bij de Grote Synagoge aan de Wahrendorffsgatan 3 (Kungsträdgården T-bana) in Stockholm. Het bestaat uit grote granieten platen met de namen van 8500 vermoorde familieleden van deze overlevenden. Om de hoek, op een pleintje aan de haven, staat een controversieel monument voor Wallenberg dat bestaat uit verspreid liggende gebeeldhouwde elementen.